Robert Fabbri

Vespasianus

III

Afgod van Rome

Karakter Uitgevers B.V.

Oorspronkelijke titel: *Vespasian III – False God of Rome*
© 2013 Robert Fabbri
Vertaling: Henk Moerdijk
© 2013 Karakter Uitgevers B.V., Uithoorn
Opmaak binnenwerk: ZetSpiegel, Best
Omslagontwerp: Mark Hesseling, Wageningen
Omslagbeeld: Tim Byrne

ISBN 978 90 452 0230 3
NUR 332

Voor Anja Müller, zonder wie dit nooit werkelijkheid
was geworden.
Wil je met me trouwen, liefste?

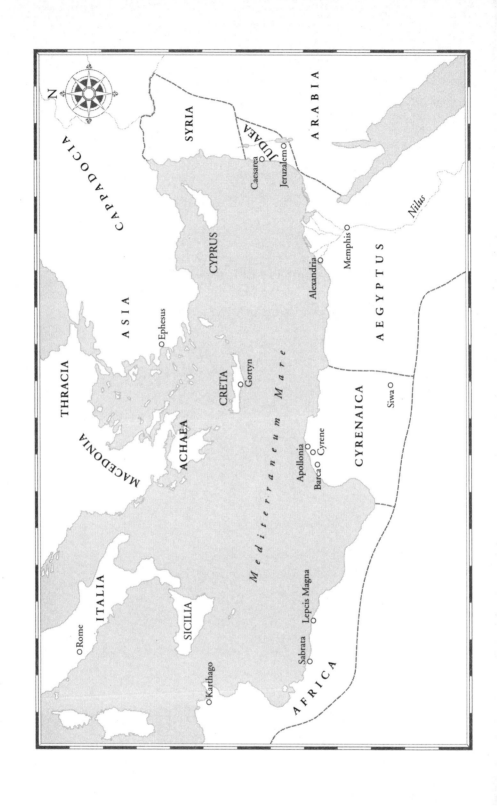

PROLOOG

JERUZALEM, APRIL, 33 N.C.

Een bruusk gebonk op de deur deed Titus Flavius Sabinus wakker schrikken. Zijn ogen schoten open. Met een ruk hief hij zijn hoofd van het bureau en keek om zich heen. Even wist hij niet waar hij was. Maar het gedempte licht van de ondergaande zon, dat door een kier in het raam naar binnen drong, was genoeg om de onbekende omgeving te kunnen opnemen: zijn werkkamer in de toren van de burcht Antonia. Door het raam zag hij de imposante tempel, die het uitzicht overheerste. In het avondlicht gloeiden de hoge marmeren muren rood op en blonk op het dak het bladgoud. Het heiligste gebouw van de Joden was zo kolossaal, dat de enorme zuilen van de indrukwekkende galerij die de tempel omringde, daarbij in het niet vielen. Maar de zuilen op hun beurt waren zo groot, dat de talloze mensen die ertussendoor en over de vierhoekige binnenhof snelden, zo klein als mieren leken.

De doordringende geur van het bloed van de duizenden lammeren die in het tempelcomplex werden geslacht voor het pesachmaal van die avond had bezit genomen van de kille kamer. Sabinus rilde. Hij had het koud gekregen van zijn dutje.

Er werd opnieuw geklopt, met nog meer drift dan eerst.

'Quaestor, bent u daar?' klonk het luid aan de andere kant van de deur.

'Ja, kom binnen,' riep Sabinus terug, en hij legde de rollen op het bureau in allerijl zo neer dat het leek of hij ijverig aan het werk was in plaats van een middagdutje te doen om bij te komen van zijn tweedaagse reis van Caesarea, de hoofdstad van de provincie Judaea, naar Jeruzalem.

De deur ging open. Een centurio van de hulptroepen kwam binnengestampt en ging voor het bureau in de houding staan, de helm met de dwarse kam onder zijn arm geklemd. 'Centurio Longinus van de cohort van de Eerste Augusta meldt zich,' bulderde hij. Hij had jaren in het Oosten gediend en zijn bruine gezicht was gerimpeld als oud leer.

'Wat is er, centurio?'

'Twee Joden wensen een audiëntie met de prefect, heer.'

'Dan breng je ze toch bij hem?'

'Hij is aan het eten met een Joodse prins uit Idumaea en enkele Parthen die net zijn aangekomen. Hij is zo dronken als een legionair op verlof. Hij zei dat u het maar moest afhandelen.'

Sabinus bromde wat. Hij was pas tien dagen geleden naar Judaea gestuurd om namens zijn meerdere, de gouverneur van Syria, die feitelijk het gezag voerde over Judaea, de belastingopbrengsten te controleren, maar intussen had hij genoeg van prefect Pontius Pilatus gezien om te weten dat dit niet gelogen was. 'Zeg maar dat ze morgenochtend terug moeten komen, dan zal de prefect wat beter aanspreekbaar zijn,' zei hij bars.

'Dat heb ik gedaan, maar een van hen is een *malchus* van de tempelwacht, oftewel de commandant, gezonden door hogepriester Kajafas. Hij houdt bij hoog en bij laag vol dat hij iets weet over wat er vanavond tijdens het pesachmaal gebeurd is.'

Sabinus zuchtte. Hij kende deze provincie niet, maar hij had genoeg informatie bijeengesprokkeld over de ingewikkelde politieke strijd tussen de oproerige onderdanen van Rome om te weten dat Kajafas zijn functie te danken had aan de gunst van Rome en daarom zo ongeveer de enige bondgenoot was die hij hier, tussen de voornamelijk vijandige Joodse bevolking van deze ontvlambare stad, zou hebben. Met een stad vol pelgrims was het geen goed idee om tijdens de Pesach de ergernis te wekken van een bondgenoot; sterker nog, de prefect en hij waren juist naar Jeruzalem gekomen om de orde te bewaren.

'Goed dan, centurio, laat ze maar naar boven komen.'

'Het lijkt me beter als u naar beneden komt, want daar kunnen we ze makkelijker bij u weghouden.' Longinus trok twee korte, kromme messen onder zijn riem vandaan. 'Deze zaten verstopt onder de kleren van de andere man.'

Sabinus nam de messen aan en bestudeerde de vlijmscherpe snijvlakken. 'Wat zijn het?'

'*Sicae*, heer. Hij is dus een Sicariër.'

Sabinus keek de centurio vragend aan.

'Een religieuze moordenaar,' lichtte Longinus toe. 'Sicariërs denken het werk van hun god te doen door de mensen die in hun ogen een oneerbaar en godslasterlijk leven leiden een kopje kleiner te maken, en dat is zo'n beetje iedereen die niet in hun sekte zit. Deze man draait er zijn hand niet voor om u te vermoorden, ook al zou hem dat zelf het leven kosten. Ze geloven namelijk dat als ze sterven tijdens hun heilige werk, ze dan samen met al die andere gestorven rechtschapenen opstaan uit de dood wanneer het einde der tijden aanbreekt, zoals zij het noemen, wanneer die messias waarop ze al tijden wachten eindelijk terugkomt en ze eeuwig zullen leven in het aardse paradijs van hun god.'

'Vergeleken met hen zijn de zeloten nog schappelijk,' merkte Sabinus op, doelend op de Joodse sekte die gevormd werd door het onredelijkste stelletje religieuze extremisten waarvan hij tot dusver had gehoord.

'In deze uithoek van het rijk is redelijkheid ver te zoeken.'

Sabinus liet deze rake opmerking even bezinken. 'Goed, centurio, ik kom naar beneden. Kondig mij maar vast aan.'

'Jawel!' Longinus salueerde en beende weg.

Hoofdschuddend rolde Sabinus het overzicht van de belastinginkomsten van Jeruzalem van het afgelopen jaar op – zojuist waren zijn ogen er nog van dichtgevallen –, trok zijn toga recht en ging achter Longinus aan. Hoewel het afbreuk deed aan zijn *dignitas* om zelf naar de Joden te gaan in plaats van hen naar hem toe te laten komen, wist hij genoeg van hen om het advies van zijn ervaren centurio niet in de wind te slaan. Hij wilde niet ten prooi vallen aan een of andere religieuze fanatiekeling met zelfmoordneigingen.

'Ik ben Gaius Julius Paulus,' verkondigde de kleinste van de twee Joden op ongeduldige toon toen Sabinus de grote hal van de burcht betrad. 'Ik ben een Romeins burger en de commandant van de tempel-wacht en ik had graag de prefect willen spreken en niet zijn onder-geschikte.'

'De prefect voelt zich niet lekker, dus u moet het met mij doen,' beet Sabinus hem toe, hij had nu al een hekel aan dit opgeblazen, krompotige Joodse mannetje, 'en u zou mij als quaestor van de gouverneur van Syria, die de directe meerdere is van de prefect van Judaea, met iets meer respect mogen bejegenen, want u mag dan een Romeins burger zijn, ik laat u er gewoon uit trappen.'

Paulus slikte en streek met zijn hand door zijn dunne haar. 'Ver-geef me, quaestor, ik wilde u niet beledigen,' zei hij op een toon waar de onderdanigheid opeens vanaf droop. 'Ik heb een verzoek van de hogepriester aangaande de opruier en godslasteraar Joshua bar Josef.'

'Nooit van gehoord,' zei Sabinus onbewogen. 'Wat heeft hij ge-daan?'

'Hij is de zoveelste die beweert de messias te zijn, heer,' legde Longinus uit. 'We hebben geprobeerd hem op te pakken wegens ordeverstoring; hij veroorzaakte een rel toen hij vier dagen geleden aankwam in de stad. Hij ondermijnde het gezag van de koning door te verkondigen zelf een koning te zijn. Er kwamen een paar mensen om het leven, onder wie drie man van mijn hulptroepen. Vervolgens haalde hij zich de woede van de hogepriester op de hals door zo on-geveer iedereen in de tempel te beledigen, waarna hij ook nog eens alle tafels van de geldwisselaars omgooide.'

'Wat doen die geldwisselaars in de tempel?' vroeg Sabinus, op-recht nieuwsgierig.

'De Joden denken dat ons geld afgoderij is omdat het hoofd van Caesar erop staat en daarom mogen ze hun eigen tempelgeld ge-bruiken om offerschapen en dergelijke te kopen. Zoals u zult be-grijpen maken de wisselaars een beetje winst op de koers.'

Sabinus trok zijn wenkbrauwen op. Niets verbaasde hem nog, wat deze mensen aanging. Hij richtte zich weer op de twee Joden. De tweede man, lang, met een volle baard en zwart, geolied haar dat van onder een soort tulband vandaan golfde, staarde roerloos en met van haat vervulde ogen naar Sabinus. Zijn handen waren op zijn buik vastgebonden. Een boerenpummel was hij duidelijk niet. Zijn licht-blauwe gewaad met lange mouwen reikte tot aan zijn enkels. Het was schoon en naadloos, kostbaar want uit één stuk geweven, het bezit van een rijk man. De mooie zwart-witte mantel die hij over zijn schouders had gedrapeerd, versterkte die indruk.

'Wat heeft deze man met Joshua te maken?' vroeg Sabinus aan Paulus.

'Hij is een van zijn volgelingen,' antwoordde Paulus met nauwe-lijks verholen afkeer. 'Hij was twee jaar lang bij hem terwijl Joshua herrie schopte in Galilea. Hij beweert dat Joshua na het pesachmaal zal verkondigen dat het einde der tijden nabij is. Hij zal zichzelf uit-roepen tot de langverwachte messias en een opstand tegen Rome en de tempelpriesters leiden. Kajafas wil toestemming van de prefect om hem te arresteren wegens godslastering en voor het sanhedrin te brengen, het Joodse gerechtshof. Deze man heeft gezegd dat hij ons vanavond naar hem toe zal brengen.'

Sabinus keerde zich weer tot de andere man. 'Jood, hoe heet u?'

De man staarde hem een ogenblik aan alvorens zich te verwaardigen tot een antwoord. 'Jehuda,' zei hij, en hij richtte zich op.

'U schijnt een Sicariër te zijn.'

'Het is een eer om God te dienen,' antwoordde Jehuda kalm in bijna feilloos Grieks.

'Welnu, Jehuda de Sicariër, wat wilt u hebben in ruil voor het ver-raad van de man van wie u twee jaar een volgeling bent geweest?'

'Ik heb zo mijn eigen redenen om dit te doen, ik doe dit niet voor een beloning.'

'Een man van principes zeker?' schamperde Sabinus. 'Kunt u mij nu vertellen waarom u het doet zónder dat ik denk dat het een val is?'

Jehuda staarde Sabinus onbewogen aan en keek toen langzaam weg.

'Ik kan u ook laten martelen, Jood,' dreigde Sabinus. Hij had wei-nig geduld meer met deze man, die geen eerbied leek te hebben voor het Romeinse gezag.

'Dat kunt u niet, quaestor,' zei Paulus meteen, 'want dat zal tegen het zere been van Kajafas en de priesters zijn, die u om hulp hebben gevraagd bij het oppakken van een afvallige. Nu zich hier meer dan honderdduizend pelgrims hebben verzameld voor Pesach, heeft Rome de priesters nodig voor de ordehandhaving. Er is de afgelopen dagen al een relletje geweest.'

Sabinus keek de kleine, lompe tempelwachter woedend aan. 'U durft mij, een Romeinse quaestor, te zeggen wat ik wel en wat ik niet kan doen?'

'Hij heeft wel gelijk, heer,' zei Longinus op geruststellende toon, 'en een verzoek om hulp van de priesters kan niet afgewezen worden. Zo gaan de dingen hier niet, zeker niet als we bij hen in het krijt staan.'

'Hoezo?'

'Meteen na het oproer dat Joshua veroorzaakte, brachten zij de moordenaars van de drie hulpsoldaten bij ons. Een van hen, hij heet ook Joshua, Joshua bar Abbas, is bijna net zo populair bij het volk als zijn naamgenoot. Gisteren na zijn aankomst veroordeelde de prefect ze alle drie. Ze worden morgen terechtgesteld.'

Sabinus besefte dat Longinus waarschijnlijk gelijk had. Hij moest het verzoek van Kajafas wel inwilligen. Hij vervloekte Pilatus, die de drank boven zijn plicht had gesteld en hem op die manier in dit lastige parket had gebracht. Maar hij realiseerde zich ook dat de ondraaglijke situatie in de provincie hem daar waarschijnlijk toe had aangezet.

'Goed dan,' bromde hij, 'zeg maar tegen Kajafas dat hij de arrestatie in gang kan zetten.'

'Hij vroeg of er een Romeinse officier met ons mee kan gaan,' antwoordde Paulus. 'Anders missen we gezag.'

Sabinus wierp een blik op Longinus, die instemmende knikte. 'Goed. Dan ik ga mee. Waar treffen we elkaar?'

Paulus keek naar Jehuda. 'Zeg het maar.'

De Sicariër hief zijn hoofd en keek minachtend naar Sabinus. 'Wij nuttigen het pesachmaal in de bovenstad en er is maar één trap naar de kamer, die dus eenvoudig te verdedigen is en juist daarom werd gekozen. Maar later ontmoeten we nieuwe ingewijden buiten de stadsmuren. Als jullie bij het begin van de tweede wacht bij de Schapenpoort zijn, zal ik jullie naar hem toe brengen.'

'Waarom grijpen we hem niet op straat, als hij weggaat?'
'In Getsemane is het rustiger.'

'U liet de tempelwachters deze oproerkraaier meenemen,' brieste prefect Pilatus tegen Sabinus, en hij struikelde over zijn woorden, 'zodat hij door zijn eigen volk kan worden berecht. Toen liet u zijn gewapende volgelingen gaan zodat ze herrie konden schoppen waar en wanneer ze maar wilden, juist nu deze gore stad zo ongeveer overloopt van de strijdlustige religieuze fanatici die wij zo nodig moesten onderwerpen.'

'De tempelwachters lieten ze gaan toen ze Joshua achter slot en grendel hadden gezet. De commandant verloor de helft van zijn oor en ze hadden geen zin in een gevecht. Ik had geen andere manschappen bij me.'

'Waarom niet?' Pilatus' bloeddoorlopen ogen puilden uit van woede, zijn dikke drinkersneus gloeide op als een heet brandijzer, zweetdruppels rolden over zijn hangwangen. Het verslag van Sabinus over de arrestatie van Joshua had hem op zijn zachtst gezegd teleurgesteld. Zijn drie gasten nipten zwijgend van hun wijn terwijl hij zich terug liet vallen op zijn eetbank en over zijn slapen wreef. Hij pakte zijn beker, dronk hem in één keer leeg, zette hem met een harde klap op tafel, wierp Sabinus een boze blik toe en draaide zich naar de elegante, middelbare man die op de bank links van hem lag.

'Herodes Agrippa, ik moet u om raad vragen. De quaestor heeft zich door die onruststoker in de luren laten leggen.'

Hoofdschuddend liet Herodes Agrippa zijn haar zwaaien, dat in geoliede krullen tot vlak onder zijn kortgeknipte baard hing en een smal gezicht met hoekige kaken omlijstte, een aantrekkelijk gezicht dat ontsierd werd door een grote haakneus, die als een havikssnavel tussen zijn donkere ogen naar voren stak. 'U hebt gelijk, prefect,' zei hij, en met onvaste hand stak hij zijn beker uit naar de slaaf die hem bediende, 'de priesters liepen in de val van Joshua zonder...' Hij stopte omdat de slaaf wijn op zijn bevende hand morste. 'Eutyches! Je bent al net zo'n hopeloos geval als deze quaestor. Scheer je weg!'

Sabinus stond nors voor zich uit te kijken en deed geen enkele moeite zijn afkeer van Herodes te verhullen.

15

'Bij ons raakt iemand zijn ogen kwijt als hij zulke fouten maakt als de quaestor,' zei de oudste van de twee mannen die rechts van Pilatus lagen terwijl hij over zijn lange krulbaard streek.

Herodes gooide zijn beker naar de weglopende slaaf. 'Helaas, Sinnaces, hebben ze hier niet de vrijheid om iemand zijn verdiende loon te geven zoals bij jullie in Parthië.'

Sabinus keek Herodes een ogenblik giftig aan. 'Mag ik u eraan herinneren, Jood, dat ik een senator ben. Let op uw woorden.' Hij keerde zich weer tot Pilatus. 'De priesters boden ons de kans deze man te arresteren, ik was zo vrij die kans te grijpen, u wenste zich er niet mee bezig te houden omdat u... iets anders aan uw hoofd had.'

'Ik had helemaal niks aan mijn hoofd, ik was dronken, en nu ben ik dat zelfs nog erger. Maar ook in deze toestand had ik geweten dat ik die idioot in Romeinse handen had moeten houden en niet aan de Joden had moeten uitleveren, hoeveel van die klotepriesters er dan ook kwaad waren geworden. Wat mij betreft worden ze aan de honden gevoerd, quaestor. Hoort u het goed? Aan de honden.'

'Maar hij zal terechtstaan en de priesters zullen hem schuldig bevinden, dat is ook in hun belang,' zei Sabinus.

'Ze berechten hem nu al en willen hem graag de doodstraf geven. Sterker nog, ze willen hem zó graag veroordelen dat ze zelfs hun pesachsabbat hebben geschonden om hem 's avonds te berechten. Kajafas stuurde mij een bericht met de vraag of ik morgenochtend meteen naar het paleis wil komen, ze willen dat ik het vonnis bevestig voordat ze hem stenigen.'

Sabinus keek zijn meerdere niet-begrijpend aan. 'Dus wat is eigenlijk het probleem?'

Pilatus zuchtte geërgerd. Hij sloot zijn ogen, liet zijn hoofd achterovervallen en streek met beide handen door zijn haar. 'U bent nieuw in deze ellendige stad, dus ik zal proberen het in simpele taal uit te leggen,' zei hij op een meer dan neerbuigende toon. 'Zoals u zelf aangeeft in uw verslag regelde Joshua zijn eigen arrestatie. Hij stuurde Jehuda om hem over te leveren aan de priesters, omdat hij wilde dat niet wíj maar zíj hem schuldig zouden bevinden. Hij gokt erop dat het volk, bij wie hij zo geliefd is, in opstand komt tegen de priesters en de tempelleiders, en ook tegen Rome, omdat wij het vonnis hebben bevestigd. Door één ongelooflijk naïeve blunder te begaan hebt u Joshua een wig laten drijven tussen het volk en het enige gezag dat het respecteert: de priesters, die hun positie aan Rome te danken hebben en daarom geen enkel belang hebben bij een opstand.'

Opeens drong het Sabinus door hoe ernstig zijn inschattingsfout was. 'Dus als wíj hem hadden veroordeeld, zouden de priesters het volk tot kalmte hebben kunnen manen en zou er naar hen geluisterd zijn, wat met enig machtsvertoon van onze kant genoeg zou zijn geweest om een opstand tegen te houden.'

'Hè hè,' zei Pilatus spottend, 'het muntje is gevallen. Dus, Herodes, ik moet dit onheil snel zien te voorkomen, voordat de volgelingen van Joshua onrust stoken onder het volk. Hoe moet ik dat aanpakken?'

'U moet morgenochtend meteen naar het paleis gaan.'

'Om het vonnis teniet te doen?'

'Nee, u kunt deze man niet laten leven nu ze hem eindelijk hebben. U moet de priesters en het volk herenigen, zodat ze de mensen in toom kunnen houden.'

'Ja. Maar hoe?'

'Door van een Joodse steniging een Romeinse kruisiging te maken.'

'Deze man moet sterven,' siste hogepriester Kajafas door zijn lange, volle grijze baard naar Pilatus. In zijn weelderige gewaad en met dat eigenaardige, met edelstenen belegde hoofddeksel van zijde vond Sabinus hem eerder lijken op een oosterse vazalkoning dan op een hogepriester. Maar goed, te oordelen naar de omvang en pracht van de tempel was het jodendom een steenrijke godsdienst, en de priesters konden zich deze weelde veroorloven dankzij al het geld dat ze kregen van de armen, die dan hoopten dat hun god hen als rechtschapen mensen zou zien.

'Dat zal ook gebeuren, priester,' antwoordde Pilatus. In de vroege ochtend was hij nooit op zijn best en hij moest alle zeilen bijzetten om niet zijn kwetsbare humeur te verliezen. 'Maar op de Romeinse manier, niet op de Joodse.'

Sabinus stond naast Herodes Agrippa en keek vol belangstelling naar het gekrakeel van de twee machtigste mannen van de provincie. Zij discussieerden op het scherp van de snede, helemaal nadat Pilatus

Kajafas met zichtbaar genoegen had gewezen op het feit dat hij argeloos in de val van Joshua was gelopen.

'Om een opstand te voorkomen,' vervolgde Pilatus, 'die, als de berichten die mij hebben bereikt kloppen, de volgelingen van Joshua nu al in gang zetten, moet u onmiddellijk doen wat ik gezegd heb.'

'En hoe weet ik dat u uw belofte nakomt?'

'Bent u nou echt zo dom, of doet u maar alsof?' beet Pilatus hem toe. De spanning die het gesprek met deze zelfzuchtige priester opriep dreigde toch zijn humeur te verpesten. 'We zitten nu namelijk in hetzelfde schuitje. De voorbereidingen zijn getroffen en de bevelen gegeven. Spoed u weg!'

Kajafas draaide zich om en liep, met alle waardigheid die hij kon verzamelen na zo bruusk weggestuurd te zijn, de hoge audiëntiezaal uit, het luisterrijke middelpunt van het paleis van wijlen Herodes de Grote aan de westkant van de bovenstad.

'Wat denkt u, Herodes?' vroeg Pilatus.

'Ik denk dat hij eieren voor zijn geld kiest. Staan de troepen klaar?'

'Ja.' Pilatus richtte zijn bloeddoorlopen ogen op Sabinus. 'U krijgt de kans om uw fout goed te maken, quaestor. Gewoon doen wat Herodes u heeft opgedragen.'

Het rumoer van de luidruchtige menigte zwol aan toen Sabinus en Herodes bij de hoofdingang van het paleis kwamen. Ze liepen door de hoge, glanzende deuren van cederhout en zagen dat het plein voor het paleis helemaal werd gevuld door de enorme meute, waarvan een deel zelfs was uitgeweken naar de brede straat die naar de tempel en de burcht Antonia liep.

De schaduwen waren lang en de lucht fris, want het was het eerste uur van de dag. Links van hem, op de heuvel van Golgotha, achter de Oude Poort in de stadsmuur, zag Sabinus het kruis dat tussen de terechtstellingen door bleef staan opdat de mensen niet zouden vergeten welk lot hun wachtte wanneer zij in verzet zouden komen tegen het Romeinse gezag.

Kajafas stond boven aan de paleistrap en probeerde met geheven armen de menigte tot bedaren te brengen. Hij werd omringd door een stuk of tien priesters. Achter hem, bewaakt door Paulus en een stel tempelwachters, stond Joshua, met gebonden handen en een bebloede doek om zijn hoofd.

Langzaam stierf het rumoer weg en Kajafas kon aan zijn toespraak beginnen.

'Wat zegt hij?' vroeg Sabinus aan Herodes.

'Hij heeft opgeroepen tot kalmte en nu zegt hij dat Joshua gratie krijgt en zal worden vrijgelaten uit Joodse gevangenschap omdat hij zo geliefd is bij de gewone mensen, een barmhartig gebaar in het teken van Pesach.'

Uit de menigte steeg een luid gejuich op toen Kajafas zijn toespraak onderbrak. Enkele ogenblikken later hief de hogepriester opnieuw zijn armen, hij verlangde dat het stil was, anders zou hij niet doorgaan.

'Nu verzoekt hij hun terug naar huis te gaan,' vertaalde Herodes, 'en hij zegt dat Joshua meteen vrijgelaten zal worden.'

Sabinus keek toe, realiseerde zich dat het bijna zijn beurt was. Kajafas draaide zich om en knikte naar Paulus, die met tegenzin de handen van de gevangen begon los te maken.

'Nu!' siste Herodes. 'En probeer geen stomme dingen te zeggen.'

'Deze man is nu een gevangene van de Senaat van Rome,' bulderde Sabinus terwijl hij naar voren liep. Achter hem kwam Longinus het paleis uit met een halve centurie hulptroepen, die snel de tempelwachters en hun vroegere gevangene omsingelden. Vanuit de richting van de burcht Antonia kwam een cohort hulptroepen aangemarcheerd, die achter de menigte de weg versperde en ontsnappen onmogelijk maakte.

'Wat heeft dit te betekenen?' schreeuwde Kajafas iets te theatraal naar Sabinus.

'De Senaat eist dat deze man, Joshua, voor de vertegenwoordiger van Caesar, prefect Pilatus, verschijnt om berecht te worden,' antwoordde Sabinus met een hoge, luide stem die het hele plein bestreek. Woedende kreten klonken vanuit de menigte toen degenen die Grieks verstonden de woorden van Sabinus vertaalden voor hun kameraden. Toen het rumoer aanzwol trokken de troepen achter de menigte hun zwaarden en begonnen er ritmisch mee op hun schilden te slaan.

Pilatus kwam het paleis uit met een bont en blauw geslagen Jood. Hij liep langs Sabinus, ging naast Kajafas staan en vroeg de menigte met een gebaar om stilte. Het geschreeuw en wapengekletter stierven weg.

'Mijn handen zijn gebonden,' verklaarde hij, en hij kruiste zijn polsen boven zijn hoofd. 'Quaestor Titus Flavius Sabinus heeft namens de Senaat geëist dat ik Joshua berecht, omdat hij beweert een koning te zijn en de mensen opstookt tegen Caesar. Als dienaar van Rome kan ik die eis niet naast mij neerleggen. Als hij schuldig wordt bevonden zal hij gestraft worden door Rome en niet door mij, uw prefect. Ik was zijn bloed van mijn handen, want ik heb hier geen schuld aan, het is de wil van de Senaat.' Hij zweeg en leidde de Jood naar voren. 'Maar om u ter wille te zijn en blijk te geven van de goedertierenheid van Rome, zal ik ter ere van uw pesachfeest een andere Joshua vrijlaten die u ook lief is, namelijk deze: Joshua bar Abbas.'

Onder begeleiding van instemmende kreten leidde Pilatus de bevrijde man de paleistrap af, waarna hij in de vreugdevolle menigte verdween.

'Ze hebben hun zoenoffer gekregen, priester, dus nu kunt u uw gezag aanwenden om ze heen te laten gaan, voordat ik ze allemaal een kopje kleiner laat maken,' siste Pilatus naar Kajafas toen hij zich omdraaide. 'Herodes, kom mee.'

'Ik denk dat ik wegga, prefect, als u mij toestaat. Voor een Joodse prins is het niet goed om in verband te worden gebracht met de dood van deze man, en bovendien moet ik mijn Parthische gasten vermaken.'

'Zoals u wilt. Longinus, breng de gevangene bij mij zodra je hem een beetje murw hebt gemaakt.'

'Dus u bent de man die zich de koning van Joden noemt?' Pilatus keek vanuit zijn curulische zetel naar de gebroken man die op zijn knieën op de vloer van de audiëntiezaal zat.

'Dat zijn uw woorden, niet de mijne,' antwoordde Joshua, en hoewel het pijn deed hief hij zijn hoofd om zijn aanklager in de ogen te kijken. Het bloed uit de wonden van de doornenkroon, die hardhandig op zijn hoofd was gezet om hem belachelijk te maken, maakte zijn haar plakkerig en druppelde over zijn gezicht. Sabinus zag op zijn rug de striemen van een zware geseling.

'Maar u ontkent het niet.'

'Mijn koninkrijk bevindt zich niet in de stoffelijke wereld.' Joshua bracht beide handen naar zijn hoofd. 'Het zit hier, zoals bij eenieder van ons.'

'Is dat wat u predikt, Jood?' vroeg Sabinus, die van Pilatus een boze blik kreeg toegeworpen omdat hij zijn ondervraging onderbrak.

Joshua vestigde zijn aandacht op Sabinus, die het gevoel had dat de man dwars door hem heen keek. Sabinus' hart ging sneller slaan.

'Ieder mens draagt het koninkrijk Gods in zich, Romein, zelfs een ongelovige als u. Ik predik dat wij onszelf moeten zuiveren door de doop, om onze zonden van ons af te spoelen, en door de Thora te eerbiedigen en mededogen te tonen voor geloofsgenoten, die wij bejegenen zoals wij willen dat zij ons bejegenen, zullen wij bij het einde der tijden, dat snel naderbij komt, rechtschapen en waardig genoeg worden bevonden om ons bij onze Vader te voegen.'

'Hou maar op met die onzin,' beet Pilatus hem toe. 'Ontkent u dat u en uw volgelingen het volk hebben aangemoedigd om in verzet te komen tegen hun Romeinse meesters?'

'Niemand mag zich meester over een ander noemen,' antwoordde Joshua eenvoudigweg.

'Dat ziet u verkeerd, Jood. Ik ben uw meester, uw lot ligt in mijn handen.'

'Het lot van mijn lichaam misschien, Romein, maar niet dat van míj.'

Pilatus stond op en sloeg Joshua hard in zijn gezicht. Met een giftige blik bood Joshua hem demonstratief de andere wang aan. Het bloed uit zijn gescheurde lip druppelde door zijn baard. Pilatus gaf gehoor aan het verzoek en haalde nog een keer uit.

Joshua spuugde een mondvol bloed op de vloer. 'U kunt mijn lichaam pijnigen, Romein, maar wat ik in mij draag kunt u geen kwaad doen.'

De wilskracht van deze man biologeerde Sabinus, hij voelde dat die wilskracht door niemand kon worden gebroken.

'Ik ben het zat,' brieste Pilatus. 'Quaestor, laat hem meteen kruisigen met die twee andere gevangenen.'

'Waaraan is hij schuldig bevonden, heer?'

'Weet ik niet. Aan van alles. Opruiing, opstandigheid, of misschien
gewoon het feit dat ik hem niet mag. Wat u wilt. Neem hem mee
en zorg ervoor dat hij dood in een graf ligt voordat bij zonsondergang de sabbat begint, zodat we de Joodse wet niet schenden. Hij
heeft levend al voor genoeg ellende gezorgd en ik wil niet dat hij als
dode ook nog problemen geeft.'

De lucht was grijs geworden, de eerste regendruppels waren gevallen en verdunden het bloed dat uit de wonden van de drie gekruisigde mannen liep. Het was het negende uur van de dag en Sabinus
en Longinus liepen de heuvel van Golgotha af. In de verte donderde
het.

Sabinus keek achterom naar Joshua aan zijn kruis. Zijn hoofd hing
voorover en bloed sijpelde uit de speerwond in zijn zij, die Longinus
had toegebracht om zijn lijdensweg nog voor het begin van de sabbat te doen eindigen. Zes uur geleden was hij met een zweep de heuvel op gedreven, een man uit de menigte had hem geholpen met het
dragen van zijn kruis. Hij had geen kik gegeven toen de spijkers
door zijn polsen waren geslagen en leek nauwelijks te merken dat
zijn voeten met een paar stevige klappen op het hout werden gespijkerd. Toen het kruis met ruwe schokken werd opgericht hadden
de twee andere veroordeelden gebruld als beesten, terwijl er bij hem
slechts een licht gekerm over zijn lippen was gekomen. Het leek
erop dat hij inmiddels was overleden.

Sabinus baande zich een weg door het kordon van hulptroepen dat
de kleine, bedroefde menigte van toeschouwers weg moest houden
van de terechtgestelde mannen en zag Paulus staan, die met een twee-
tal tempelwachters omhoogkeek naar Joshua. Op de doek om zijn
hoofd zat een bloedvlek van de wond aan zijn oor. 'Wat doet u hier?'
vroeg Sabinus.

Paulus hoorde hem eerst niet, leek verzonken in gedachten, maar
knipperde een paar keer met zijn ogen toen de vraag tot hem doordrong. 'Ik kwam kijken of hij al dood was en ik zijn lichaam kan mee-

nemen naar een anoniem graf, zodat het geen bedevaartsoord kan worden voor zijn zondige volgelingen. Zo wil Kajafas het.'

'Waarom zijn jullie allemaal zo bang voor hem?' vroeg Sabinus.

Paulus keek hem aan alsof hij gek geworden was. 'Omdat hij verandering zou brengen.'

Sabinus schudde minachtend het hoofd en drong zich langs het zwaard van de tempelwachter. Op datzelfde moment kwam er een groep van twee mannen en twee vrouwen op hem af, van wie de jongste vrouw hoogzwanger was en een kind op de arm had.

De oudste man, een op het oog rijke Jood van begin dertig met een dikke zwarte baard, maakte een buiging. 'Quaestor, wij eisen het lichaam van Joshua op zodat wij het kunnen begraven.'

'De tempelwachters nemen het al mee. Welke recht denkt u op het lichaam te hebben?'

'Ik ben Josef, familie van Joshua,' antwoordde de man, en hij legde een arm op de schouder van de oudste van de twee vrouwen, 'en dit is Mirjam, zijn moeder.'

Mirjam keek Sabinus smekend aan, tranen rolden over haar wangen. 'Sta alstublieft niet toe dat zij hem meenemen, quaestor, gun mij mijn zoon, dan kan ik hem naar Galilea brengen om hem daar te begraven.'

'Ik heb opdracht gekregen hem nog voor zonsondergang te begraven.'

'Ik heb een familiegraf hier niet ver vandaan,' zei Jozef, 'daar leggen we zijn lichaam voorlopig in en dan brengen we het na de sabbat weg.'

Sabinus blikte met een vals lachje achterom naar Paulus. 'Paulus, deze mensen hebben als familie recht op het lichaam.'

Paulus reageerde verontwaardigd. 'Dat kunt u niet maken. Kajafas eist zijn lichaam op.'

'Kajafas is een onderdaan van Rome! Longinus, laat dit akelige mannetje afvoeren.'

Terwijl Paulus tierend werd meegenomen keerde Sabinus zich weer tot Josef. 'U mag het lichaam hebben. Rome is er klaar mee.' Hij draaide zich om en wilde weglopen.

Josef boog zijn hoofd. 'Wij zullen uw goedheid nimmer vergeten, quaestor.'

'Quaestor,' riep de jongste man naar Sabinus, die zich omdraaide. 'Rome mag dan nu onze meester zijn, maar hij heeft ons gewaarschuwd, de eindtijd komt naderbij en de leer van Joshua speelt daar een rol in. Er zal een nieuw koninkrijk komen, nieuwe mannen met nieuwe ideeën zullen heersen en de oude heerschappij zal langzaam verdwijnen.'

Sabinus dacht aan Thrasyllus, de astroloog van keizer Tiberius, die twee jaar terug de komst van een nieuwe tijd had voorspeld, en hij staarde de jonge man aan. Hij herkende hem, het was de man die Joshua vanochtend geholpen had met het kruis. 'Waarom ben je daar zo zeker van, Jood?'

'Ik kom uit Cyrenaica, Romein, ooit een provincie van het Egyptische rijk. Daar wachten ze op de wedergeboorte van de vuurvogel. Zijn vijfhonderdjarige cyclus loopt ten einde, volgend jaar zal de feniks in Egypte voor de laatste keer herrijzen en dan zal alles gaan veranderen, ter voorbereiding op het einde der tijden.'

DEEL I

✤ ✤

CYRENAICA, NOVEMBER, 34 N.C.

HOOFDSTUK I

'Heb je het?' vroeg Vespasianus. Magnus liep de loopplank af van het grote handelsschip dat net was aangekomen in de haven van Apollonia.

'Nee, heer, ik ben bang van niet,' antwoordde Magnus, en hij gooide zijn tas over zijn schouder. 'De keizer ontzegt momenteel iedereen de toegang tot Egypte.'

'Waarom?'

Magnus pakte de uitgestoken onderarm van zijn vriend. 'Volgens Caligula is het op advies van Thrasyllus, de astroloog van Tiberius. Zelfs Antonia schijnt hem niet op andere gedachten te kunnen brengen.'

'Waarom ben je dan toch gekomen?'

'Goh, aardig hoor, om zo een vriend te begroeten die de goden weten hoeveel mijl in die verrotte schuit heeft gezeten terwijl de meeste zeelui in deze tijd van het jaar lekker warm bij elkaar in een bed kruipen.'

'Het spijt me, Magnus. Ik rekende erop dat Antonia mij een machtiging zou bezorgen. Ataphanes is alweer vier jaar dood en we hebben beloofd zijn goud terug te brengen naar zijn familie in Parthië.'

'Dan maken die paar jaar extra ook niet uit, toch?'

'Daar gaat het niet om. Egypte is de naburige provincie, ik had in maart onderweg naar huis een korte omweg naar Alexandrië kunnen maken, dan had ik de *alabarch* opgezocht, hem de kist van Ataphanes gegeven en kunnen regelen dat het geld bij zijn familie in Ctesiphon terechtkomt, en dan was ik nog vóór mei volgend jaar terug in Rome geweest.'

'Dat moet u dan maar een andere keer doen.'

'Ja, maar vanuit Rome gaat het veel langer duren, en misschien heb ik daar de tijd niet voor. Ik moet ook nog een landgoed beheren en wil over twee jaar gekozen worden tot *aedilis*.'

'Dan had u geen dingen moeten beloven die u niet kunt waarmaken.'

'Hij was jarenlang een trouw dienaar van mijn familie, ik ben het hem schuldig.'

'Dan mag u er ook wel wat tijd in steken.'

Vespasianus bromde iets en draaide zich om, hij wilde teruglopen over de kade, waar het wemelde van de havenarbeiders, die de pas aangemeerde handelsvloot aan het lossen waren. Zijn senatorentoga fungeerde als intimiderend statussymbool en deed de meute wijken, waardoor de wandeling van honderd passen naar de eenmansdraagstoel een peulenschilletje was.

Magnus volgde hem op de voet en genoot van de eerbied die de plaatselijke bevolking voor zijn jonge vriend toonde. 'Ik wist niet dat quaestoren in de provincie met zoveel respect worden behandeld,' merkte hij op terwijl een van de dragers Vespasianus onnodig op zijn stoel hielp.

'Dat komt doordat gouverneurs het hier altijd vreselijk vinden, en terecht, het is een bakkersoven maar dan zonder die heerlijke geur. Zij zitten vrijwel de hele tijd in de hoofdstad van de provincie, Gortyn, helemaal op Kreta, en sturen hun quaestoren naar Cyrenaica om in hun naam het bestuur te leiden.'

Magnus grinnikte. 'Ja, dan hebben de mensen wel respect voor je, als je beslist over leven en dood.'

'Dat valt wel mee. Als quaestor heb ik geen *imperium*, geen werkelijke macht. Al mijn beslissingen moeten worden goedgekeurd door de gouverneur, wat een eeuwigheid duurt,' zei Vespasianus somber, 'maar ik mag wel zelf paarden kopen,' voegde hij er grijnzend aan toe toen een donkere slavenjongen een gezadeld paard naar Magnus leidde.

Magnus nam het dier dankbaar over en gooide voordat hij opsteeg eerst zijn tas over de rug van het paard. 'Hoe wist u dat ik vandaag zou aankomen?'

'Dat wist ik niet, maar ik hoopte er wel op,' antwoordde Vespasianus terwijl zijn draagstoel in beweging kwam en ze langs een theater kwamen dat uitzicht bood over zee. 'Toen de vloot vanochtend in zicht kwam besloot ik op goed geluk naar de haven te gaan, aangezien het waarschijnlijk de laatste van het seizoen uit Rome is. En ik had toch niet echt iets belangrijks te doen.'

'Dat klinkt inderdaad heel beroerd, vindt u ook niet?' Magnus trok zijn wenkbrauw licht spottend op. De slavenjongen waaierde Vespasianus frisse lucht toe met een breed stoffen varenblad op een lange stok.

'Het is verschrikkelijk: de inheemse Libu doen niets anders dan de rijke Griekse boeren beroven, de Grieken vermaken zich door de Joodse koopmannen vals te beschuldigen van diefstal of bedrog, de Joden protesteren aan één stuk door tegen schandelijke beelden of een of andere godsdienstige wandaad met een varken, en de Romeinse kooplieden op doorreis klagen alleen maar over het feit dat ze opgelicht worden door Joden, Grieken en Libu, in die volgorde. Daar komt nog bij dat iedereen constant bang is voor slavenrovers, de Garamanten uit het zuiden of de nomadische Marmariden uit het oosten, die actief zijn tussen dit gebied en Egypte. Het is een broeinest van etnische haat en de enigen die ze erger haten dan elkaar zijn wij, maar dat weerhoudt mensen er niet van om mij geld toe te stoppen in ruil voor een gunstige uitspraak in rechtszaken.'

'En dat neemt u dan aan, mag ik hopen?'

'Eerst niet, maar nu wel. Ik weet nog goed hoe verbijsterd ik was toen mijn oom vertelde dat hij smeergeld aannam in de tijd dat hij gouverneur van Aquitania was, maar nu begrijp ik hoe het werkt, dat mensen het gewoon van mij verwachten. En hier zijn de meeste rijken trouwens zo onaangenaam dat ik hun geld maar al te graag aanneem.'

'Lijkt erg op Judaea, als ik Sabinus moet geloven,' mijmerde Magnus toen ze op een druk plein kwamen dat werd omringd door vervallen tempels voor Griekse goden, waar je op neerkeek vanaf de heuvelhelling, waar de bestuursgebouwen als het ware tegenaan geplakt waren.

'Geloof me, het is erger,' antwoordde Vespasianus, en hij moest denken aan de gesprekken met zijn broer die hij na zijn terugkeer uit het Oosten had gevoerd over de volstrekt onbestuurbare Joden. Ze hadden twee dagen samen in Rome doorgebracht voordat hij eind maart was vertrokken naar Kreta. 'Daar had je alleen te maken met de Joden, die door hun priesters in toom konden worden gehouden als je kleine concessies deed. Maar als je hier een concessie doet aan één bepaalde groep, willen al die andere smeerlappen dat meteen ook, zodat je voor je het in de gaten hebt de hele provincie weg hebt gegeven en je bij terugkomst in Rome voor de Senaat wordt gesleept, of erger. Daarom geef ik hier alleen iets weg als ik er goed voor beloond word, dan kunnen de andere groepen niet zeggen dat ik mensen voortrek, want ze weten dat ik ben omgekocht. En tot mijn verbazing nemen ze daar genoegen mee.'

'Ik durf te wedden dat u terugverlangt naar Thracië,' zei Magnus, die vol bewondering naar de handelingen van de slavenjongen keek, die de luchtstroom rond zijn meester gaande hield en ondertussen geen moment uit balans raakte, ondanks het feit dat het plaveisel hoognodig hersteld moest worden. De stad had betere tijden gekend.

'We hadden in ieder geval een fatsoenlijk leger waarmee we de bevolking onder druk konden zetten. Hier hebben we alleen maar een cohort infanterie, lokale hulptroepen, mannen die te dom zijn om met diefstal de kost te verdienen. En een burgerwacht, mannen die te dom zijn voor de hulptroepen. En ten slotte nog een *ala*, de cavalerie van hulptroepen, die ons moet beschermen tegen de nomaden, maar dat is een lachertje, want de meest cavaleristen rijden op een kameel.'

'Wat is dat?'

'Een soort grote bruine geit met een lange nek en een bult op zijn rug. Paarden hebben een hekel aan hun geur.'

'Ah, die heb ik een keer in het circus gezien. Ze waren komisch om te zien, maar het gevecht stelde weinig voor.'

'Dat is ook niet nodig, volgens de prefect van de cavalerie, Corvinus, kunnen ze de hele dag door de woestijn rennen. Onze cavalerie komt nauwelijks bij ze in de buurt.'

Ze gingen de stadspoort door, die aan weerszijden bewaakt werd door marmeren leeuwen, en begonnen aan de lichte klim van acht mijl naar de stad Cyrene, op het hoger gelegen kalkplateau. Vespasianus verzonk in een sentimentele stilte, overpeinsde de nietigheid van zijn positie in dit deel van de provincie die uit Kreta en Cyrenaica bestond. In de zeven maanden dat hij hier nu was had hij niets voor elkaar gekregen, voornamelijk omdat er nauwelijks geld was om iets voor elkaar te krijgen. Cyrenaica was eeuwenlang rijk geweest dankzij de silphium, een plant met een lange stengel en een bolvormige knop, waarvan de hars geliefd was als welriekend kruid en als geneesmiddel voor keelkwalen en koorts. Het vlees van dieren die deze plant aten werd ook tegen een meerprijs verkocht. De plant groeide op de droge kustvlakte. Het Cyreense plateau was meer geschikt voor het kweken van fruitbomen en groenten. De afgelopen jaren echter was de oogst zonder aantoonbare reden slechter geworden en kon de plant niet meer als veevoer worden gebruikt, waardoor de vleeshandel was ingestort. De laatste twee jaar was de oogst verder verslechterd, hoe intensief de boeren hun land ook bebouwden.

Vespasianus had geprobeerd de plaatselijke boeren over te halen om andere gewassen te verbouwen, maar de schrale grond en de schaarse regen op de vlakte hadden hem dwarsgezeten, samen met de vaste overtuiging van de boeren dat de silphium zijn kracht zou terugkrijgen als de goden genoeg offers kregen. Het gevolg was dat de belastingopbrengsten terugliepen, omdat de mensen die nog geld hadden dat achter de hand hielden en heel weinig kochten van degenen met nog minder geld. Met zo weinig geld in omloop schoot de prijs van het uit de vruchtbaardere buurprovincies Egypte en Afrika ingevoerde graan omhoog als gevolg van de hebzuchtige speculatie van de handelaren die de markt beheersten. Ze hadden het allen ontkend toen hij hen had ontboden om uitleg te geven, ze hadden de schuld onomwonden neergelegd bij de geringere hoeveelheid graan die het afgelopen jaar uit Egypte was gekomen. Maar van een mislukte Egyptische oogst had hij niemand horen reppen. Het resultaat was dat de armen, of het nu Grieken, Joden of Libu waren, constant de hongerdood in de ogen keken en er voortdurend een oproer dreigde.

Zonder voldoende troepen om een opstand onder de bijna half miljoen inwoners van de zeven grootste steden in Cyrenaica neer te slaan, en zonder volmacht om op te treden, had Vespasianus zich tijdens zijn ambtstermijn machteloos en gefrustreerd gevoeld. Dat gevoel werd nu versterkt door de weigering van keizer Tiberius om hem toe te laten tot de rijksprovincie Egypte, een provincie die zo rijk was dat senatoren haar alleen mochten bezoeken met uitdrukkelijke toestemming van de keizer zelf. Ging je toch, zonder toestemming, dan kon je de doodstraf krijgen.

Maar hij gaf zichzelf een standje, hij moest zich niet zo laten meeslepen door zelfmedelijden. Hij keerde zich weer naar zijn metgezel, die naast hem voorthobbelde. 'Is het Sabinus eindelijk gelukt zich tot aedilis te laten kiezen?'

'Ja, maar net,' antwoordde Magnus. 'Maar zoals uw broer altijd zegt: net is goed genoeg. Al was hij opgelucht dat hij tot volgend jaar niet mee hoeft te doen aan de *praetor*-verkiezingen, op die zetels zitten de zonen van de maatjes van Macro.'

'Dus we hebben weer een praetoriaanse prefect die zich bemoeit met de politiek? Je zou denken dat Macro beter zou weten na het vroegtijdige overlijden van zijn voorganger. Ik kan me niet voorstellen dat het hem geliefd heeft gemaakt bij Antonia, zij denkt dat alleen de keizerlijke familie, en zij in het bijzonder, zich in politieke zaken mag mengen.'

Magnus wees naar de dragers.

'Maak je over hen niet druk, ze spreken geen Latijn,' zei Vespasianus, 'en die jongen is doofstom.'

'Dat is mooi. Nou, sinds uw vertrek in maart zijn er vreemde dingen gebeurd. Antonia begint zich zorgen te maken.'

'Ik dacht dat zij jou niets vertelde, alleen maar opdrachten gaf.'

'Nee, de meeste roddels komen van uw oom, senator Pollo, al laat ze soms het een en ander los, naderhand, als u begrijpt wat ik bedoel.'

'Ouwe snoeperd!' Vespasianus glimlachte, naar zijn gevoel voor het eerst sinds zijn aankomst in Cyrenaica, zo vermakelijk vond hij de onwaarschijnlijke en ongelijke seksuele verhouding tussen zijn oude vriend en de machtigste vrouw van Rome, zijn beschermvrouw, de schoonzus van keizer Tiberius.

'Ja, nou, dat stelt tegenwoordig ook niet zoveel meer voor, en gelukkig maar. Alles gaat een beetje, u weet wel, hangen. Hoe dan ook, ze maakt zich druk over de relatie tussen Caligula en Macro, of liever gezegd over de nieuwe relatie tussen Caligula en Macro's vrouw, Ennia, die Macro alleen maar lijkt te stimuleren.'

Vespasianus glimlachte en wuifde het smalend weg. 'Caligula heeft al een poos een oogje op haar, maar hij zal ongetwijfeld verveeld raken, zijn onverzadigbaarheid is berucht. Macro's reactie is begrijpelijk, als hij nu moeilijk gaat doen komt hij in een heel lastig parket mocht Caligula het tot keizer schoppen.'

'Misschien, maar uw oom denkt dat het van Macro's kant niet alleen maar beleefdheid is, hij vermoedt dat hij in een goed blaadje probeert te komen bij Caligula omdat hij iets van hem wil als hij keizer wordt.'

'Als praetoriaans prefect is hij buiten de keizerlijke familie de machtigste man in Rome, dus wat wil hij nog meer, afgezien van zijn erfgenaam worden? Je kunt heel veel over Caligula zeggen, maar niet dat hij dom is.'

'Dat is ook wat Antonia zorgen baart, ze begrijpt niet wat hij wil bereiken, en wat ze niet begrijpt kan ze niet controleren, en daar wordt ze flink nijdig van.'

'Dat kan ik me voorstellen, maar heel erg vreemd vind ik het niet.'

'Nee, wat echt vreemd is, is dat Macro nog iemand anders aan het bewerken is,' zei Magnus met een samenzweerderige blik. 'Herodes Agrippa. Was een vriend van Antonia, leende geld van haar dat hij nooit teruggaf, dacht dat hij recht had op een toelage omdat hij een gunsteling van Tiberius was en een goede vriend van diens zoon Drusus, met wie hij onderwijs kreeg. Maar toen Drusus overleed ontvluchtte hij Rome en zijn schulden en ging terug naar zijn vaderland, Idumaea.'

'Waar is dat?'

'Geen idee, het zal wel in de buurt van Judaea zijn, want hij is Joods. Hoe dan ook, omdat hij weer schulden maakte moest hij daar ook weer weg, en vervolgens wist hij iedere onbeduidende koning en tetrarch in het Oosten tegen zich in het harnas te jagen door macht of een lening te eisen omdat hij de kleinzoon van Herodes de Grote is. Twee maanden geleden keerde hij terug naar Rome en werkte hij zich met allerlei gevlei weer in de gunst van Tiberius. Volgens uw oom heeft hij een groep opstandige Parthische edelmannen verzameld, die volgend jaar naar Rome komt. Ze willen dat Tiberius helpt bij het afzetten van hun koning. Als beloning heeft hij Herodes Agrippa benoemd tot leraar van zijn kleinzoon Tiberius Gemellus.'

'Maar waarom is het vreemd dat Macro en hij bevriend zijn?'

'Omdat Macro in een goed blaadje probeert te komen bij Caligula en tegelijkertijd de hielen likt van Herodes, degene met de meeste invloed op een andere mogelijke erfgenaam, Gemellus.'

'Dus hij wedt op twee paarden?'

Magnus grijnsde en schudde zijn hoofd. 'Nee, eerder op alle drie. Herodes Agrippa heeft nog een connectie, een heel goede jeugdvriend met wie Drusus en hij onderwijs kregen, namelijk de derde mogelijke erfgenaam van de keizerlijke familie en de zoon van Antonia: Claudius.'

In het westen zakte de zon naar de horizon en de bronzen zee glinsterde toen Vespasianus en Magnus door de hoofdpoort van Cyrene de benedenstad in liepen. De dragers moesten zich een weg banen door drommen bedelaars, berooide silphiumkwekers die hoopten op een aalmoes van de pas aangekomen kooplieden, nu die het nog niet beu waren steeds te worden lastiggevallen door de talloze behoeftigen die moesten teren op de liefdadigheid van anderen.

'Ik begin echt een hekel aan deze stad te krijgen,' merkte Vespasianus op terwijl hij de smekende handen wegduwde. 'Ik krijg het constant ingewreven dat mijn familie een lage status in de Senaat heeft, hier komen alleen de onbeduidende quaestoren terecht.'

'Jullie loten er toch om?'

'Ja, maar alleen de onbeduidende quaestoren gaan naar de loterij. De quaestoren uit vooraanstaande families krijgen een droombaan in Rome. Sabinus had geluk dit jaar, hij trok Syria.'

Magnus schopte een al te opdringerig oud vrouwtje weg. 'Ik heb een brief van Caenis in mijn tas, misschien dat die u wat kan opmonteren. Dat kunt u geloof ik wel gebruiken.'

'Het zal heus helpen.' Hij moest bijna schreeuwen om alle beledigingen die het oude vrouwtje over Magnus uitstortte te overstemmen. 'Maar ik denk dat ik pas echt blij ben als de schepen in maart weer gaan varen en mijn vervanger komt. Ik wil terug naar Rome, ik wil het gevoel hebben dat er beweging in mijn leven zit in plaats van dat ik zit weg te kwijnen in deze godvergeten uithoek van het rijk.'

'Nou, dat gaat nog vier maanden duren, maar ik ga u gezelschap houden. In alle eerlijkheid: toen het Antonia niet lukte om u een machtiging te bezorgen voor de reis naar Egypte, heb ik tegen haar gezegd dat ik toch naar u toe wilde gaan om u het slechte nieuws te vertellen. Het werd mij in Rome een beetje te heet onder de voeten, maar nu ik weg ben gaat uw oom alles gladstrijken.'

'Wat heb je gedaan?'

'Niets, alleen wat dingen om de belangen te behartigen van mijn kruispuntbroederschap. Mijn plaatsvervanger Servius neemt de zaken nu waar.'

Vespasianus wist dat hij zich niet moest bemoeien met Magnus' onderwereldleven als leider van de Zuid-Quirinale Kruispuntbroederschap. De broederschappen hielden zich hoofdzakelijk bezig met bescherming en afpersing. 'Je bent van harte welkom, maar er is niet veel te doen.'

'Kun je hier een beetje jagen?'

'In de buurt van de stad stelt het weinig voor, maar als je twee dagen naar het zuiden rijdt, schijnen er in de heuvels aan de voet van het plateau wat leeuwen te zitten.'

'Over een paar dagen bent u jarig, dan doden we een leeuw om het te vieren,' opperde Magnus.

Vespasianus keek zijn vriend verontschuldigend aan. 'Dat moet je dan maar in je eentje vieren, want ik ben bang dat ik niet mee kan. Ik mag alleen voor een officiële gelegenheid de stad uit.'

Magnus schudde zijn hoofd. 'Ik voorzie een paar heel saaie maanden.'

'Welkom in mijn wereld.'

'Hoe zijn de hoeren?'

'Ik heb gehoord dat ze vriendelijk en oud zijn, zoals jij ze graag ziet, maar nogal zweterig.'

'Ja, maak het maar weer belachelijk. Alsof ik een keus heb. Ik doe gewoon wat de beste dame me opdraagt. En zoals ik zei, het gebeurt niet zo vaak meer tegenwoordig.'

Vespasianus glimlachte weer. 'Ik weet zeker dat mijn klerk Quintillius iets kan regelen, ter compensatie.'

De straat mondde uit op het drukke hoofdplein van de benedenstad.

'Wat is daar aan de hand?' Magnus wees naar een grote menigte van voornamelijk Joodse mannen, ze jouwden de lange, brede jongeman uit die hen vanaf een zuilvoet probeerde toe te spreken. Naast hem stond een jonge vrouw met een meisje van een jaar op haar arm, een driejarig jongetje zat op zijn hurken aan haar voeten en keek angstig naar de menigte.

'Zal wel weer zo'n Joodse bekeerder zijn,' antwoordde Vespasianus met een zucht. 'Die duiken opeens weer overal op, prediken een of andere nieuwe Joodse godsdienst. Ik heb gehoord dat de ouderen er weinig van moeten hebben, maar zolang ze niet voor problemen zorgen laat ik ze met rust. Als ik hier íéts geleerd heb, dan is het wel om me niet in Joodse zaken te mengen, daar valt toch geen touw aan vast te knopen.'

In de brede hoofdstraat van de benedenstad, met de oude en bouwvallige maar desondanks nog statige huizen van de kooplieden, werden de stoeldragers niet meer voor de voeten gelopen door de bedelaars en schoot het eindelijk een beetje op, en al gauw konden ze beginnen aan de korte klim naar de bovenstad.

Enigszins gesterkt door het feit dat hij nu snel de brief van Caenis te lezen zou krijgen, liet Vespasianus zijn gedachten naar zijn geliefde gaan, die hij al meer dan zeven maanden niet gezien had. De slavin in het huishouden van vrouwe Antonia werd over drie jaar dertig, hij hoopte dat ze dan haar vrijheid zou krijgen, eerder stond de wet niet toe. Hoewel het tegen de wet was om als senator met een vrijgelaten slavin te trouwen, hoopte hij dat zij zijn minnares zou worden zodra ze over haar eigen leven kon beslissen. Met het smeergeld en de schenkingen die hem tegenwoordig geregeld werden toegestopt door mensen die de gunst wilden afkopen van de hoogste Romeinse ambtenaar in hun provincie, wilde hij een huis voor haar kopen in Rome. Nu hij zijn gewetensbezwaren opzij had gezet en het smeergeld aannam, hoopte hij dat hij tegen de tijd dat hij zou teruggaan naar Rome niet alleen een huis voor Caenis kon kopen, maar ook voor hemzelf en de vrouw die hij weldra zou moeten huwen omdat hij dat verplicht was tegenover zijn familie. In enkele brieven hadden zijn ouders, die tegenwoordig in Aventicum woonden, in Germania Superior, waar zijn vader tegenwoordig in bankzaken zat, hem op het hart gedrukt dat het tijd was om de toekomst van de familie veilig te stellen met een erfgenaam.

Niet veel later kwamen ze bij de straat van koning Battus in de bovenstad. In oostelijke richting liep deze naar het forum en, iets daar voorbij, de gouverneurswoning, een modern gebouw dat honderd jaar geleden was verrezen nadat Cyrenaica een Romeinse provincie was geworden.

De draagstoel werd voor de residentie op de grond gezet, Vespasianus wuifde de pogingen van zijn dragers om hem te helpen weg en stapte uit, trok zijn toga recht en liep de trap op.

Magnus liep achter hem aan en trok een scheef gezicht toen hij de vier wachters van de hulptroepen in de zuilengang zag, die halfslachtig in de houding sprongen. 'Ik begrijp wat u bedoelt,' merkte hij op toen ze via de deur in een groot atrium kwamen, waar aan één kant klerken aan tafels zaten te werken, 'wat een stelletje zielenpoten. Zelfs hun moeders kunnen niet trots op ze zijn.'

'En dat is dan de elite van de eerste centurie,' antwoordde Vespasianus. 'Er zijn een paar centuriën die niet eens keurig in het gelid kunnen staan. De centuriones moeten om de haverklap een nieuwe wijnstok hebben.'

Voordat Magnus zijn mening kon geven over het feit dat men de discipline er bij ondermaatse soldaten kennelijk letterlijk in wilde rammen, kwam er een goed verzorgde, in toga gehulde klerk op hen af.

'Wat is er, Quintillius?' vroeg Vespasianus.

'Er zit een vrouw al drie uur op u te wachten. Ik heb geprobeerd duidelijk te maken dat ze later, op een geschikter tijdstip, terug kan komen, maar dat wil ze niet. Ze zegt dat ze als Romeins burger het recht heeft u te spreken zodra u terugkomt. En ook dat het uw plicht is haar te ontvangen, aangezien haar vader als klerk voor uw oom werkte toen hij quaestor in Afrika was.'

37

Vespasianus zuchtte. 'Goed dan, breng haar maar naar mijn werk-kamer. Hoe heet ze?'

'Dat is het rare, quaestor. Ze zegt dat ze familie van u is. Haar naam is Flavia Domitilla.'

'En ondertussen is het anderhalve maand geleden dat hij in zuid-oostelijke richting vertrok en mij verzekerde dat hij niet langer dan veertig dagen weg zou blijven.' Flavia Domitilla snikte in een zijden zakdoekje en depte voorzichtig haar ogen, want ze wilde niet dat de dikke lijn koolzwart zou doorlopen.

Of ze echt van streek was of alleen maar haar vrouwelijke wapens in de strijd gooide kon Vespasianus niet zeggen, maar eigenlijk kon hem dat ook weinig schelen. De elegante, onberispelijke ver-schijning boeide hem mateloos. Ze was lang, had volle heupen en een dunne taille en stevige, ronde borsten: een weelderig lichaam. Haar intelligente, sprankelende, donkere ogen, smalle neus en volle mond werden omlijst door een berg hoog opgestoken zwart haar en vlechten die op haar schouders vielen. Afgezien van een paar slavenmeisjes had hij sinds de laatste keer met Caenis geen echte vrouw meer gehad, en Flavia Domitilla was zonder meer een echte vrouw. Aan haar kleren en sieraden kon je zien dat ze rijk was, en aan haar kapsel en opgemaakte gezicht dat ze genoeg tijd had om daarvan te genieten. Een schitterende vrouw. Vespasianus keek naar haar, ademde de vrouwelijke geuren in, versterkt door de warmte en verbeterd door een heerlijk parfum, en zag haar zacht jammeren in haar zakdoek. Hij voelde de aderen in zijn kruis klop-pen en was blij dat hij juist nu, voor het eerst sinds zijn komst naar de provincie, zijn toga had aangetrokken: om niet in verlegenheid te worden gebracht verschoof hij de plooien wat. Hij probeerde zichzelf af te leiden van het vleselijke genot en richtte zich op haar gelaatstrekken. Afgezien van haar vrij ronde gezicht zag hij weinig familietrekken, al was haar naam ontegenzeggelijk de vrouwelijke vorm van Flavius.

Opeens besefte hij zo door haar in beslag te zijn genomen dat hij niet had gehoord wat ze gezegd had. Hij schraapte zijn keel. 'Hoe heet hij?'

38

Flavia keek hem over haar zakdoek aan. 'Dat heb ik net gezegd. Statilius Capella.'

'Ach ja, natuurlijk. En is hij uw echtgenoot?'

'Nee, ik ben zijn minnares. Hebt u eigenlijk wel naar me geluisterd?' vroeg Flavia fronsend. 'Zijn vrouw is in Sabratha, in de provincie Afrika. Hij neemt haar nooit mee op zakenreis, hij vindt mijn charmes beter werken bij zijn klanten.'

Dat geloofde Vespasianus graag. Ze hadden bij hem in ieder geval goed gewerkt, haar sensuele geur en rijpe lichaam deden hem duizelen van verlangen, het enige wat hij kon doen was zijn handen stevig op zijn armleuningen gedrukt houden en zich concentreren op het gesprek. 'In welke handel zit hij ook alweer?'

Flavia keek hem geërgerd aan. 'U hebt alleen maar naar mijn borsten zitten staren, is het niet? Alles is langs u heen gegaan.'

Vespasianus opende zijn mond om de aantijging te ontkennen – hij had heus niet alleen naar haar borsten zitten kijken – maar slikte zijn woorden in. 'Het spijt me als u denkt dat ik geen aandacht voor u heb, ik ben een druk man,' bralde hij, en zijn blik bleef onbewust weer even hangen bij de schitterende rondingen van het betreffende lichaamsdeel.

'Niet te druk om naar het lichaam van een vrouw te staren in plaats van te luisteren naar wat ze te zeggen heeft. Hij heeft wilde dieren, hij levert dieren voor de circussen in Sabratha en Lepcis Magna. Hij ging de woestijn in om wat kamelen te halen. Als ze vechten stelt het weinig voor, maar ze zien er grappig uit en maken mensen aan het lachen. In de provincie Afrika hebben we ze niet, maar hier zit een stam die ze wel heeft.'

'De Marmariden.'

'Ja, dat kan kloppen, de Marmariden,' beaamde Flavia, blij dat ze eindelijk zijn volledige aandacht had.

'Dus uw... uh... man is kamelen gaan kopen van een stam die de Romeinse heerschappij niet erkent omdat zij als nomaden onmogelijk te vinden zijn en wij hen dus nog nooit op het slagveld hebben verslagen?'

'Inderdaad, en hij had vijf dagen geleden terug moeten zijn,' voegde Flavia er met trillende onderlip aan toe.

Vespasianus beet op zijn eigen lip, probeerde niet te denken aan wat hij daarmee zou kunnen aanraken. 'Het is te hopen dat hij ze niet is tegengekomen.'

Flavia keek hem angstig aan. 'Wat bedoelt u daarmee?'

'Het zijn beruchte slavenhandelaren. Ze pakken iedereen op die ze tegenkomen en verkopen de mensen honderden mijlen zuidelijker aan de Garamanten, die heel veel handen nodig schijnen te hebben voor de enorme irrigatiewerken voor hun landbouw.'

Flavia barstte opnieuw in tranen uit.

Vespasianus weerstond de drang om haar te troosten, hij wist dat hij haar niet moest aanraken, dan zou hij verloren zijn. 'Het spijt me, Flavia, maar zo is het. Het was een krankzinnig idee om daarheen te gaan. Hoeveel man heeft hij bij zich?'

'Ik weet het niet precies, minstens tien, dacht ik.'

'Tien? Dat is belachelijk. Er zijn duizenden Marmariden. Laten we hopen dat hij hen niet gevonden heeft en dat zijn water niet op is. Hoeveel water heeft hij meegenomen?'

'Dat weet ik niet.'

'Nou, als hij er over een dag of twee nog niet is moet u het ergste vrezen. Als hij naar het zuidoosten is gegaan en geen gids bij zich heeft die hem naar de verborgen waterbronnen kan brengen, kan hij pas bij de oase van Siwa, vlak voor de grens met Egypte, aan water komen. Dat is een afstand van driehonderd mijl, tussen de tien en twintig dagen reizen, afhankelijk van de omstandigheden.'

'Dan moet u hem gaan zoeken.'

'Hem gaan zoeken? Hebt u enig idee hoe groot het gebied is waarover we het hebben en hoeveel man ervoor nodig zijn om te zorgen dat we veilig terugkomen?'

'Kan me niet schelen,' snauwde Flavia. 'Hij is een vrijgeboren Romeinse burger en het is uw plicht te voorkomen dat hij tot slaaf wordt gemaakt.'

'Dan had hij mij om een gewapend geleide moeten vragen voordat hij aan die gestoorde reis begon,' wierp Vespasianus tegen. Haar drift maakte zijn opwinding alleen maar groter. 'Ik had hem tegen een redelijke prijs wat cavaleristen meegegeven.'

'Dan doet u dat nu alsnog maar,' drong Flavia aan, en ze kwam overeind. 'Ik weet zeker dat hij u rijkelijk zal belonen als u hem vindt.'

'En als ik weiger?'

'U mag dan familie zijn, Titus Flavius Vespasianus, maar dan ga ik naar Rome om daar rond te bazuinen dat u niets deed toen een *eques* ontvoerd en als slaaf verkocht werd. Een ridder! En ik zal ook zeggen dat u dat alleen maar deed omdat u zijn vrouw in bed wilde krijgen.' Na deze laatste woorden draaide ze zich verontwaardigd om en beende de kamer uit.

Vespasianus keek haar bewonderend na, zuchtte eens diep en schudde zijn hoofd. In één ding had ze gelijk: hij wilde haar in bed krijgen. Maar zij kon meer voor hem betekenen dan alleen maar genot, en terwijl het bloed door zijn aderen bleef jagen realiseerde hij zich dat hij er alles voor overhad om haar te veroveren.

Instinctief gooide Vespasianus zijn linkerarm omhoog om de bliksemsnelle neerwaartse haal van de *gladius* op te vangen met de pareerstang van zijn *pugio*. Met een linkse draai van zijn dolk duwde hij het zwaard naar onderen weg en tegelijkertijd stootte hij zijn gladius op buikhoogte naar voren, een aanval die werd afgeslagen door een stuk ijzer dat stevig werd vastgehouden.

'Kunnen we toch nog op leeuwenjacht,' zei Magnus, en hij maakte zich los uit de omhelzing waarin de aanval was gesmoord. Voor het eerst sinds zijn aankomst in Cyrenaica had hij een tevreden blik op zijn gezicht. Zweet glinsterde op zijn getekende borstkas.

'Ik weet nog niet eens of ik ga,' antwoordde Vespasianus, die de gevechtshouding aannam: hij zakte door zijn knieën, tot zijn billen er bijna mee op gelijke hoogte waren, hield zijn zwaard laag naar voren en zijn pugio iets teruggetrokken aan de andere kant.

Ze waren aan het oefenen naast de granaatappelboom in de binnentuin van de gouverneurswoning, de avondkoelte leende zich daar uitstekend voor. Een paar slaven staken de fakkels aan in de zuilengalerij; de rook die in dikke pluimen van de pas aangestoken, in pijnhars gedrenkte doeken kwam stond in schril contrast met de heldere, frisse geur van de pas bewaterde tuin.

Magnus maakte een schijnbeweging naar rechts gevolgd door een houw, binnendoor vanaf links, naar Vespasianus' nek. Die weerde de aanval met zijn pugio en maaide een paar keer naar Magnus, die daardoor naar achteren werd gedwongen. Vespasianus rook de overwinning en ging voor Magnus' keel. Maar Magnus dook onder de uithaal door en weerde de aanval af door zijn zwaard hard tegen Vespasianus' dolk te slaan, waarna hij zijn rechterschouder onder de uitgestoken zwaardarm van Vespasianus zette en zijn rechterbeen achter diens linkerbeen, zodat hij zijn evenwicht verloor en tegen de grond smakte.

'U wilde dit te graag winnen, heer,' zei Magnus, die de stompe punt van zijn oefenzwaard tegen Vespasianus' keel hield.

'Ik was er niet helemaal bij,' reageerde hij, en hij duwde het wapen weg.

Magnus boog zich voorover om hem overeind te helpen. 'Nou, ze verknalt in ieder geval je concentratie. Hoe dan ook, als u niet gaat kan ze u het leven in Rome zuur maken.'

Vespasianus lachte spottend en veegde wat zand van zijn arm. 'Nee, dat kan ze niet. Iedereen zal begrijpen waarom ik niets gedaan heb. Wie heeft er nou medelijden met een gek die zonder echt geleide de woestijn in trekt om inheemse slavenhandelaren te vinden?'

Magnus leek teleurgesteld. 'Dus u gaat niet?'

Vespasianus liep naar de granaatappelboom en ging op het bankje daaronder zitten. 'Dat zeg ik niet. Ik zeg alleen dat ik niet ga omdat Flavia ergens mee dreigt. Als ik ga doe ik dat om verschillende redenen.'

'Omdat het misschien leuk wordt?'

'Heb je haar gezien?' vroeg Vespasianus zonder op de vraag in te gaan. Hij pakte een kan van de tafel en schonk twee bekers wijn in.

Magnus ging naast hem op de bank zitten en pakte een beker aan. 'Ja, even maar. Ze zag er deftig uit.'

'Dat ook, maar vooral mooi: van top tot teen een vrouw. En ze was fanatiek en toegewijd. Je kunt je wel voorstellen wat voor zonen een bevlogen vrouw als zij op wereld zal zetten.'

Magnus keek zijn vriend verbijsterd aan. 'U maakt een grapje, toch? En Caenis dan?'

Vespasianus moest ineens denken aan de liefdestaal in de brief van

Caenis en schudde spijtig het hoofd. 'Hoe graag ik het ook wil, met Caenis kan ik net zomin kinderen krijgen als met jou. Met jou niet omdat je geen vrucht kunt dragen, hoe hard en hoe vaak ik het ook probeer, en met Caenis niet omdat onze kinderen, voortgekomen uit een onwettige vereniging van een senator en een vrijgekomen slavin, niet als burgers erkend zullen worden.'

'Ja, daar zult u wel gelijk in hebben. Zo heb ik het nooit bekeken.' Magnus knikte en nipte aan zijn beker. 'Dus u moet een andere fok-merrie zoeken?'

'En Flavia lijkt perfect, en ze behoort ook nog eens tot het Flavische Huis.'

'Wat maakt dat uit?'

'Dat betekent dat haar bruidsschat binnen de familie blijft en haar vader haar waarschijnlijk meer geld meegeeft.'

'Nou, dat zult u wel nodig hebben als u haar moet onderhouden. Ze zal niet goedkoop wezen. Het heeft dus weinig nut om haar min-naar te redden, sterker nog, het is beter als hij helemaal uit beeld verdwijnt.'

'Integendeel, ik ga met vier *turmae* cavalerie naar hem op zoek, want als ik dat niet doe zal Flavia als toegewijde vrouw een huwelijk met mij niet eens in overweging willen nemen.'

'Mooi gedacht, dat wil zeggen, als u hem niet vindt, want als u hem wél vindt zal ze bij hem blijven.'

'Niet per se.' Vespasianus glimlachte sluw naar zijn vriend. 'Als ik hem vind laat ik hem kiezen: of hij mag in de woestijn blijven en dan hoeft hij niet de rekening van zijn eigen redding te betalen, óf hij gaat met ons mee terug naar de bewoonde wereld en krijgt een vette rekening voorgeschoteld.'

'Hoezo? De kosten die de cavalerie maakt tijdens de zoektocht?'

'Inderdaad. Plus natuurlijk mijn persoonlijke kosten.'

'En die zijn?'

'O, niet meer dan Capella zich kan veroorloven. Wat dacht je van... een vrouw?'

HOOFDSTUK II

'Hoe ver nog, Aghilas?' snauwde Marcus Valerius Messala Corvinus, de jonge, edele prefect van de lichte cavalerie van de plaatselijke Libu-stam, en hij veegde het zweet weg dat onder zijn brede stro-hoed vandaan gutste.

De donkere Libu-verkenner wees naar een kleine, uitpuilende rots-partij die ongeveer twee mijl verderop glinsterde in de zinderende lucht. 'Niet ver, meester. Het is bij die rotsen daar.'

'Dat werd tijd,' mompelde Magnus, die zijn warme en pijnlijke achterwerk verschoof in het zadel. 'We zijn nog maar drie dagen van het plateau af en ik heb al schoon genoeg van die woestijn.'

'Jij wilde zelf mee,' bracht Vespasianus zijn vriend in herinnering. 'Je had ook in de heuvels kunnen blijven om te jagen. Corvinus had je vast wat gidsen mee willen geven.'

Corvinus wierp Vespasianus een blik toe waaruit alleszins bleek dat zijn inschatting volkomen onjuist was.

Magnus keek meewarig naar de stevige, schommelende jachtspeer in de lange, hardlederen foedraal aan zijn zadel en schudde zijn hoofd. 'Nee, dit had ik voor geen goud willen missen. Ik wist alleen niet dat er zoveel woestijn was.'

Het was inderdaad heel veel woestijn.

Sinds ze van het plateau van Cyrene waren afgedaald, twee dagen nadat ze uit de stad waren vertrokken, hadden ze in zuidoostelijke richting door een harde, grijsbruine, met stenen bezaaide woestenij gereden die zich uitstrekte voorbij de vage zuidgrens van de provincie en daarachter zo ver als je je kon voorstellen. Het was een natuurlijke

44

verdediging tegen wie of wat er aan de andere kant van deze wildernis leefde. Het was november, maar de zon brandde met een felheid die het jaargetijde verloochende. 's Nachts echter haalde de winter zijn gram, want dan zakte de temperatuur en stond het ijs in de halzen van hun waterzakken.

De honderdtwintig man van de vier turmae lichte cavalerie, Libu die waren gewapend met een lichte werpspeer, een *spatha* (een cavaleriezwaard dat iets langer was dan de gladius van de infanterie) en een krom mes, en die ter bescherming een klein, rond, met leer bekleed schild droegen, leken nergens last van te hebben. De brede strohoed hield hun gezicht uit de zon en de lange, dikke, ongeverfde lamswollen mantel die ze over hun wollen hemd droegen, beschermde hen overdag tegen de verzengende zonnestralen en hield hen 's nachts in de vrieskou warm; een vuur kon niet worden gemaakt omdat er niets brandbaars te vinden was. Hun Romeinse *decuriones* hadden voor deze expeditie het voorbeeld van hun mannen gevolgd, want in de blakende zon waren de metalen borstharnassen en helmen niet erg praktisch.

Iedere man had een waterzak waarmee hij en zijn paard zich precies twee dagen konden redden. Met het extra water, het graan voor de paarden en wat noodrantsoenen voor de manschappen, alles gedragen door de rij pakezels achter de colonne, konden ze het drie dagen zonder bevoorrading stellen. Het was daarom van wezenlijk belang dat ze in dit eentonige landschap de juiste route volgden, want die zou hen langs twee waterbronnen voeren, onderdeel van een netwerk van oude bronnen die de Marmariden jaren terug her en der in de woestijn hadden gegraven om vanaf hun graslanden in het noorden, bij de kust op meer dan honderd mijl van Cyrene, naar de oase van Siwa en daar voorbij te trekken.

'Hoe weet Aghilas hier in godsnaam de weg te vinden?' vroeg Magnus aan Corvinus toen ze bijna bij de rotspartij waren waar volgens hun gids de eerste bron was. 'Er zijn nergens oriëntatiepunten.'

Corvinus keek Magnus laatdunkend aan voordat hij zich verwaardigde tot een antwoord. 'Als jongen werd hij als slaaf meegevoerd door de Marmariden en hij leefde tien jaar bij hen, totdat hij wist te ontsnappen. Hij heeft talloze reizen door de woestijn gemaakt. Ik heb hem al eerder gebruikt en hij heeft me nog nooit in de steek gelaten.'

'Wanneer was u hier voor het laatst?' vroeg Vespasianus. Hij probeerde vriendelijk te zijn tegen deze hooghartige edelman, veel contact had hij niet met hem gehad; Corvinus zat meestal in Barca, ten zuidwesten van Cyrene, waar de cavaleriehulptroepen waren gelegerd.

'Vlak voor uw komst nog, quaestor.' Er leek spot door te klinken in de manier waarop hij Vespasianus met zijn officiële titel aansprak. 'We hebben twee dagen achter een stel rovers aan gezeten, maar kregen ze niet te pakken. Hun kamelen zijn in galop niet zo snel als onze paarden, maar ze kunnen tachtig of negentig mijl afleggen zonder te drinken. Paarden storten bij deze temperaturen en die snelheid gewoon in.'

'Hebt u er ooit eentje te pakken gekregen?'

'Niet één keer in de zeven onfortuinlijke maanden die ik hier nu gelegerd ben. En ik zou niet weten waarom u denkt dat het dit keer anders zal gaan, u moet ze verrassen en...'

De harde kreet waarmee Aghilas van zijn paard viel snoerde Corvinus de mond. Een ogenblik later steigerde zijn eigen paard en wierp hem op de grond. Vespasianus hoorde een pijl over zijn hoofd suizen, meteen gevolgd door de schreeuw van een soldaat achter hem.

'Vorm per turma een linie,' schreeuwde Corvinus, die overeind sprong terwijl zijn paard naast hem krijsend ter aarde stortte. Uit de borst van het beest stak een bloederige pijl.

De vier keer dertig man waaierden uit, gewonde paarden jammerden, de *lituus*, een cavaleriehoorn, galmde schril door de woestijn.

Honderd passen bij hen vandaan, tussen de rotsen, zag Vespasianus hun aanvallers achter hun dekking vandaan komen en naar een stuk of tien kleinere maar rondere rotsen met dezelfde kleur rennen. Een paar tellen later kwamen deze rotsen tot leven toen de vluchtende mannen erop sprongen en ze van de grond kwamen, alsof ze ineens poten hadden gekregen, eerst voor en toen achter. Ze draaiden om en galoppeerden in zuidelijke richting weg.

'Decurio, neem uw turma mee en pak die schofterige Marmaridische kamelenneukers. We zijn nu zo dichtbij dat het moet lukken. En ik wil er eentje levend hebben,' bulderde Corvinus tegen de dichtstbijzijnde man met Latijnse trekken.

De turma vertrok en Vespasianus wierp Magnus een vragende blik toe.

'Ik heb het niet zo op vechten op een paard, maar goed, het is in ieder geval iets nu we niet op leeuwen gaan jagen,' zei Magnus, en hij zette zijn paard met een schop in beweging.

Vespasianus volgde hem grijnzend en spoorde zijn ros aan tot galop. Zijn hoed werd vrijwel meteen door de wind van zijn hoofd gerukt en fladderde nu aan de lange leren veter om zijn nek.

Ze lieten de rotspartij snel achter zich en Vespasianus had het idee dat ze inliepen op de tragere maar in deze situatie sterkere kamelen tweehonderd passen voor hen. Hij telde er een stuk of twintig. De turma had zich verspreid en de ruiters stuurden hun paarden vakkundig langs de grote stenen die overal op de keiharde, gebarsten grond lagen. Zo nu en dan werd er lukraak een pijl afgeschoten die over hun hoofden of langs hen scheerde en niemand raakte. Het moest lastig zijn om vanaf een lopende kameel gericht te schieten op de vijand achter je, dacht Vespasianus, als je zag hoe onbeholpen die rare beesten zich voortbewogen.

Na een halve mijl waren de Marmariden nog geen honderd passen bij hen vandaan. De mannen voelden dat ze de aanvallers gingen pakken en probeerden alles uit hun paarden te halen. Zweet schuimde onder de zadels vandaan, speeksel spatte uit hun mond wanneer ze reageerden op de wensen van hun berijders.

Vespasianus reikte naar achteren en trok een van de tien lichte werpsperen die iedereen bij zich had uit het foedraal aan zijn zadel en stak zijn wijsvinger door het leren riempje dat halverwege de schacht zat. Het doelwit was inmiddels op minder dan zeventig passen gekomen en Vespasianus voelde de bekende opwinding en spanning van de ophanden zijnde strijd. Sinds de aanval op het landgoed van zijn ouders in Aquae Cutillae vier jaar geleden had hij niet meer gevochten en de verveling van de afgelopen paar maanden had het verlangen naar wat strijd alleen maar doen toenemen.

Nu slechts zestig passen de twee groepen van elkaar scheidden, beseften de Marmariden dat ze niet aan een gevecht konden ontkomen, ze draaiden hun kamelen opeens om en trakteerden de turma op een pijlensalvo. Rechts van Vespasianus werd een soldaat met een schreeuw uit zijn zadel gerukt. Zijn paard rende in alle opwinding van de strijd gewoon door.

'Werp!' riep de decurio toen de afstand vijftig passen was.

Meer dan dertig speren vlogen op de aanstormende kamelenrijders af, snel gevolgd door een tweede salvo, want de mannen wilden met hun belangrijkste wapen zo veel mogelijk schade aanrichten. Talloze ijzeren punten sloegen in, boorden zich met bloederig geweld in borsten en hoofden van de mannen of hun rijdieren, die ter aarde stortten in een kakofonie van gorgelgeluiden en beestachtig gebrul.

De zeven man die deze aanval overleefden trokken hun lange, rechte zwaard uit de schede, lieten van achter hun stoffen gezichtsmasker bloeddorstige strijdkreten klinken en stormden met wapperende zwarte mantels op de soldaten af, die hun spathae trokken.

De sterke, onbekende geur van de kamelen deed het ruiterloze paard naast Vespasianus ineens naar links wenden. Het knalde tegen de schoft van zijn eigen paard op het moment dat hij een flikkerend stuk ijzer op zich af zag komen. Zijn paard schrok van de pijnlijke klap en hief wild hinnikend het hoofd, waardoor hij met zijn hals de zwaardhouw opving die bedoeld was voor Vespasianus' nek. Het bloed spatte tegen zijn gezicht terwijl hij uithaalde met zijn spatha en de slagarm van zijn tegenstander afhakte, die gilde en met zijn kameel hard in de flank van het ruiterloze paard reed. Beide dieren en de eenarmige krijger, bij wie het bloed uit zijn kersverse armstomp spoot, werden tegen de grond gesmakt, botten kraakten en de dieren brulden angstig.

Terwijl de afgehakte hand nog steeds het zwaard vasthield dat zich in zijn hals had geboord, galoppeerde het paard van Vespasianus nog vijf passen door alvorens het tegen de woestijngrond stortte. Vespasianus gooide zich naar voren om niet verpletterd te worden onder het gewicht van zijn stervende paard en tuimelde over de harde grond. Hij kwam met een schok tot stilstand, keek achterom en sprong onmiddellijk naar links, ternauwernood ontsnappend aan de hoeven van een paard dat met grote, rollende ogen op hem af galoppeerde, met de onthoofde, bloed spuitende ruiter nog stevig in het zadel, de dijbenen strak om zijn stuurloze paard geklemd.

'Gaat het?' riep Magnus, die zijn paard tot bij Vespasianus manoeuvreerde.

'Ik geloof het wel,' antwoordde hij, en met morbide nieuwsgierigheid keek hij de ruiter zonder hoofd na. Na enkele tientallen passen verslapten de dijbeenspieren en gleed de ruiter uit het zadel, waarna het paard wegstormde in de richting van de donkerblauwe horizon.

Vespasianus keek om zich heen en telde nog twee andere ruiterloze paarden. De soldaten gingen voorwaarts en hergroepeerden zich. De grond was bezaaid met dode kamelen en hun berijders, maar vijftig passen verderop, richting de rotspartij, stond nog één kameel op zijn poten. De Marmaride die hem bereed draaide het beest zo dat hij met zijn kop naar hen toe stond, liet zijn zwaard flikkeren boven zijn hoofd en ging in de aanval.

'Hij heeft wel lef, dat moet ik hem nageven,' zei Magnus, die van zijn paard sprong en zijn jachtspeer pakte. 'Die neem ik voor m'n rekening, naar achteren,' riep hij naar de soldaten, die deden wat hun opgedragen werd en grijnzend het interessante duel afwachtten.

Magnus stond dwars op de aanstormende kameel en hield de acht voet lange speer met eikenhouten schacht voor zijn borst. De bladvormige ijzeren punt flikkerde in de zon. De mannen moedigden hem schreeuwend aan terwijl de ruiter dichterbij kwam en zich joelend, zoals zijn volk gewoon was, in de strijd wierp. Met de platte kant van zijn bebloede zwaard sloeg hij zijn kameel op de flank om hem tot meer snelheid aan te sporen.

Magnus bleef roerloos staan.

Een tel voordat de kameel hem raakte dook Magnus naar links, onder de wilde zwaai van het ontzagwekkende zwaard van de Marmaride door, en stak zijn speer met de punt naar voren van opzij tussen de voorpoten van het dier. Zijn rechterscheenbeen knapte doormidden toen hij tegen de robuuste schacht ramde en door zijn voorwaartse beweging draaide de speer om en boorde zich, nadat Magnus hem had losgelaten, in de buik van het dier. Met een afgrijselijke brul zakte de kameel op de speer in elkaar, zijn rechterpoot onnatuurlijk gebogen onder zijn lijf, en zijn berijder werd uit het zadel gegooid. Door de snelheid die het dier had gehad drong het wapen diep zijn schuddende lijf in, verscheurde zijn ingewanden, en kwam een ogenblik later met een golf bloed bij zijn achterlijf weer tevoorschijn, vlak boven het bekken.

Hard krijsend en snuivend sloeg de kameel zijn poten uit in een poging zichzelf van de oorzaak van zijn pijn te tillen. Magnus greep het zwaard van de bewusteloze Marmaride en hield het met twee handen omhoog. Hard grommend van inspanning doorkliefde hij de nek van het kronkelende dier, de kling sneed zo hard door de wervels dat hij bijna zijn hoofd eraf hakte.

Na nog een paar hevige sidderingen bewoog het lichaam niet meer.

De toekijkende soldaten barstten massaal uit in gejuich en gejoel.

Vespasianus liep naar zijn vriend en schudde in stille bewondering zijn hoofd.

'In het circus zag ik een keer een *bestiarius* zo een kameel afmaken,' gaf Magnus toe, 'dus wilde ik dat zelf ook wel eens proberen, echt gevaarlijk zijn ze toch niet.'

'Paetus zou het gewaardeerd hebben,' antwoordde Vespasianus, denkend aan zijn lang geleden overleden vriend, 'hij hield ervan om op wilde beesten te jagen.'

'Ik denk alleen wel dat ik mijn speer kwijt ben. Die krijg ik er nooit meer uit.'

Ze draaiden zich om omdat er achter hen iemand kermde, en zagen dat een van de Marmariden nog bewoog.

Vespasianus draaide de man op zijn rug. Hij was zijn hoofddoek kwijtgeraakt, hij was jong, hooguit een jaar of twintig, klein en pezig, met krulhaar, een smalle neus en mond en een paar eigenaardige tatoeages: op beide bruine wangen waren drie kromme lijnen getrokken. 'We moeten hem meenemen en ondervragen, misschien heeft hij Statilius Capella en zijn mannen gezien.'

'Als u van plan bent hem te martelen, vergeet het dan maar,' zei Magnus, die zich over de ter aarde geworpen man boog, 'kijk maar of er nog een andere overlevende is.'

'Wat bedoel je?'

'Ik bedoel dat u mijn bezit niet moet beschadigen. Hij is van mij, ik ga hem houden. Ik heb hem tenslotte eerlijk gewonnen.'

'Je hebt geluk,' zei Vespasianus. Het was de volgende ochtend en hij had Magnus met een schop wakker gemaakt zodra de zon roodgloeiend aan de oostelijke horizon was verschenen. 'Ik kom net bij Corvinus vandaan. Aghilas de gids gaat het redden, de pijl is zonder veel bloedverlies uit zijn schouder gehaald en nu lijkt hij zich goed te voelen.'

'En waarom heb ík dan geluk?' vroeg Magnus slaapdronken. Hij had nog geen zin om onder zijn deken vandaan te komen.

'Omdat we jouw kersverse kleine vriend nu niet hoeven te dwingen ons te vertellen waar de volgende bron is,' antwoordde Vespasianus, en hij keek naar de jonge Marmaride, die met zijn handen op zijn rug gebonden tegen een steen zat. 'Als je nog wilt ontbijten moet je opschieten, want de turmae zijn al aan het opzadelen. We moeten verder, het is nog vijf dagen rijden naar Siwa.'

Na de schermutseling waren ze de hele dag bezig geweest met het vullen van alle honderdtwintig waterzakken, en dus hadden ze de nacht moeten doorbrengen bij de rotspartij. Een van de Marmariden was goed genoeg uit de strijd gekomen om, nadat er handig gebruik was gemaakt van een van hun eigen kromme messen, via een tolk te kunnen bevestigen dat Capella en een paar van zijn mannen door de Marmariden gevangen waren genomen. Ze waren naar Siwa gebracht voor de eerstvolgende slavenkaravaan die naar Garama zou vertrekken, maar liefst zevenhonderd mijl naar het zuidwesten.

Magnus bromde. 'Hou uw zwaard dan maar bij de hand terwijl ik hem losmaak.' Hij liep naar de Marmaride en zette hem zo neer dat hij goed bij de knoop kon. 'Ik zou me maar rustig houden. Begrepen?' grauwde hij de man in zijn oor toen het touw los was. Magnus' toon was kennelijk duidelijk genoeg. De gevangene knikte.

Magnus sneed een stuk brood en een plak varkensvlees af en gaf die aan hem. Hij pakte het dankbaar met een hand aan en bracht zijn andere hand naar zijn voorhoofd terwijl hij iets zei in zijn eigen taal.

'Volgens mij bedankt hij jou,' merkte Vespasianus op.

'Dat is maar goed ook, ik heb zijn leven gered.'

Na een paar snelle happen keek de man op en wees naar zichzelf. 'Ziri,' zei hij knikkend. 'Ziri.'

Vespasianus lachte. 'Lieve hemel, nu weet je hoe hij heet, nu moet je hem meenemen naar huis.'

'Ziri,' zei hij nog een keer, en hij wees naar Magnus.

'Meester,' zei Magnus, en hij wees naar zichzelf. 'Meester.' Daarna wees hij naar Vespasianus. 'Heer. Heer.'

Ziri knikte heftig en leek blij te zijn. 'Meester. Heer,' herhaalde hij.

'Goed, dat is geregeld,' zei Magnus, en hij zette zijn tanden in een stuk brood.

Aghilas, door zijn wond erg verzwakt, leidde hen moeiteloos naar de tweede bron, die op twee dagen rijden van Siwa lag. Het landschap veranderde, de keiharde grond maakte plaats voor zand. Eerst alleen maar een dun laagje op de woestijngrond, maar naarmate ze de bron verder achter zich lieten werd het dikker, en tegen het einde van de middag reden ze over manshoge zandduinen. Hun paarden zwoegden, hun hoeven vonden weinig steun, en ten slotte moesten ze afstappen en lopen. Het gloeiend hete zand op hun in sandalen gestoken voeten was voor iedereen een kwelling.

'Ik vind zo langzamerhand dat we wel heel veel moeite moeten doen om u een fokteef te bezorgen,' bromde Magnus nadat ze met Corvinus en Aghilas de zoveelste berg los en verraderlijk zand hadden bedwongen. Achter hen vormden de vier turmae een lint tot in de zinderende verte.

'Vergeet niet dat we ook proberen een Romeins burger te redden van een ellendig leven als boerenslaaf in de wildernis,' zei Vespasianus tegen zijn vriend.

Magnus morde en worstelde met zijn onwillige paard, dat hij probeerde over te halen tot een afdaling aan de andere kant van het duin.

'Paard, lopen!' riep Ziri, en hij gaf het opstandige beest een klap op zijn achterste. Het schoot naar voren en gleed zittend op zijn achterbenen in een wolk van zand met Magnus het duin af, tot groot vermaak van Vespasianus en Ziri.

'Ik ga jou geen Latijn meer leren, kleine krullerige kamelenhoeder, als je het op die manier gaat gebruiken,' sputterde Magnus terwijl hij zich onder zijn worstelende paard vandaan probeerde te wurmen.

Lachend leidde Vespasianus zijn paard het duin af. 'Ik vond het perfect taalgebruik. Hij koos precies de twee goede woorden uit zijn woordenschat van minstens twintig woorden om het paard in beweging te krijgen.'

Ziri grijnsde breed, legde zijn ivoorkleurige tanden bloot en liep naar Magnus toe. 'Ziri meester helpen?'

'Ik heb jouw hulp verdomme helemaal niet nodig, woestijnrat,' antwoordde Magnus, die zichzelf wist te bevrijden. Hij klopte het zand van zijn tuniek en begon met zijn paard naar het volgende duin te lopen. Ziri grijnsde nogmaals en liep achter hem aan.

'Waarom is Ziri zo vrolijk?' vroeg Vespasianus aan Aghilas terwijl ze door het losse zand ploeterden. 'Ik zou toch aardig van streek zijn als ik net iemands slaaf was geworden.'

'Zo zijn de Marmariden. Omdat het slavenhandelaren zijn sterven ze nog liever dan dat ze slaaf worden, vandaar ook die zelfmoordactie bij de bron. Wij namen hun water en moesten dat met ons bloed bekopen, dat is hun ereplicht, maar toen duidelijk was dat wij ze zouden inhalen, kozen ze ervoor om zich dood te vechten. Wat Ziri aangaat, die sneuvelde als Marmaride in het gevecht. Magnus versloeg hem, doodde hem niet maar maakte hem tot slaaf, en nu kan hij nooit meer terug naar zijn volk. Hij heeft een nieuw leven en aanvaardt zijn lot.'

'Dus hij vindt het fijn een slaaf te zijn en zijn familie nooit meer te zien?'

'Hij heeft geen keus. Mocht hij een vrouw en kinderen hebben, dan bestaat hij voor hen niet meer. Als hij naar ze teruggaat, zou zijn familie hem een langzame en pijnlijke dood bezorgen. Een leven in dienst van Magnus is het enige wat hij heeft.'

'Dus Magnus kan hem vertrouwen?'

'Hij is in goede handen, ja.'

'Ook tegen de Marmariden?'

'Juist tegen de Marmariden.'

Vespasianus keek naar de jonge Marmaride, die als een trouwe hond achter Magnus aan het duin op liep, en vroeg zich af wat hij van Rome zou denken. Zijn gemijmer werd ruw onderbroken door een alarmerende kreet van Ziri, die opeens was gestopt en naar het zuiden wees. Vespasianus kneep zijn ogen dicht tegen het zonlicht en hield zijn hand boven zijn ogen. De horizon, normaal gesproken een rechte, scherpe scheiding tussen lichtbruin en blauw, was vlekkerig en vaag.

'Mogen de goden ons bijstaan,' mompelde Aghilas.

'Wat is er?' vroeg Corvinus.

'Een zandstorm, en hij lijkt deze kant op te komen. Als dat inderdaad zo is, zal hij voor zonsondergang hier zijn.'

'Wat kunnen we doen?' vroeg Vespasianus.

'Ik heb het nog nooit meegemaakt, dus ik weet het niet, maar ik denk niets. We zijn op open terrein, in de wijde omtrek is er geen steen te bekennen om achter te schuilen. We moeten gewoon zo snel mogelijk verdergaan en hopen dat hij ons net mist, want als we hem over ons heen krijgen en het is een grote, worden we levend begraven.'

Twee uur lang spoedden ze zich voort over het onherbergzame terrein. De zon stond vlak boven de westelijke horizon. Het nieuws over het ophanden zijnde natuurgeweld was uitgelekt naar de colonne en de mannen blikten zenuwachtig naar het zuiden, naar de steeds groter wordende dreiging, die in het halfduister op nog geen tien mijl te zien was. Wat eerst nog een vlek op de horizon was, was nu een kolossale, laaghangende, donkerbruine wolk die verontrustend snel groter werd.

'Verzoen u met de goden,' zei Aghilas, 'er is geen ontkomen meer aan. We zijn ten dode opgeschreven.'

Ziri rende naar Aghilas en zei iets in zijn eigen taal, waarna een korte woordenwisseling plaatshad.

'Hij zegt dat je een zandstorm alleen kunt overleven,' verkondigde Aghilas, 'als je je kameel boven op een duin laat liggen en zelf achter het dier gaat schuilen. Hij weet niet of paarden groot of zwaar genoeg zijn, maar misschien werkt het.'

'Geef het door aan de man achter je,' riep Corvinus, 'ga boven op een duin achter een paard of muilezel schuilen.'

Vespasianus trok zijn paard naar Magnus en Ziri toe. De dieren voelden dat het weer ging omslaan, ze waren schichtig en moesten stevig vastgehouden worden. Hij tuurde over de rug van het paard en voelde de wind al harder in zijn gezicht blazen.

'Gloeiende Vulcanus, dat is bepaald geen kleintje,' riep Magnus. 'Die moet wel drie- of vierhonderd voet hoog zijn.'

Vespasianus staarde verbijsterd naar de voortrollende bruine wolk. Hij was minstens zo groot als Magnus dacht, maar zijn omvang was minder indrukwekkend dan zijn snelheid. Een paar mijl van hen vandaan rolde hij door de woestijn met een snelheid die zelfs het snelste strijdwagenpaard in het circus niet kon halen. Met grote ogen keek hij hoe de wolk op hen af raasde, als een enorme bewegende berg die alle grond die op zijn weg kwam opslokte.

Opeens werd het donker.

Toen trof hij hen.

De wind was plotseling aangewakkerd, een gematigd briesje was een loeiende storm geworden die pijn deed aan je oren. De temperatuur steeg en het zicht nam ineens af, hij kon nog net zien dat Magnus op twee passen bij hem vandaan achter zijn paard beschutting had gezocht, terwijl overal om hen heen kleine zandkorreltjes met een immense snelheid door de lucht vlogen. Ze bekogelden de flanken van de paarden en prikten pijnlijk door hun jassen heen. Vespasianus gaf een ruk aan het hoofdstel van zijn paard toen het wilde opstaan om de nietsontziende, razende wind te ontvluchten. Het paard stribbelde tegen en hij moest het met al zijn kracht in bedwang houden, maar ten slotte gaf het dier zich gewonnen en bleef het liggen. Hij trok zijn tuniek over zijn neus, rolde zich in de foetushouding en kneep zijn ogen stijf dicht, en hij bad tot iedere god die hij kon bedenken terwijl de wind uithaalde, de hoed van zijn hoofd rukte en aanhoudend aan zijn mantel trok, die klapte als een zweep onder het niet-aflatende geweld.

De zon ging onder en de duisternis slokte alles op.

Vespasianus verloor alle besef van tijd.

'Trekken, kleine krullerige zakkenwasser!' schreeuwde Magnus, waarop Vespasianus met een schok bij zinnen kwam.

Hij voelde een stel sterke handen zijn enkels pakken en aan zijn benen trekken, en hij begon naar beneden te glijden. Ineens kon hij sterren zien, duizenden.

Magnus boog zich over hem heen. 'Gaat het?'

Vespasianus spuugde een hap zand uit en tilde zijn hoofd op. 'Ik geloof het wel,' antwoordde hij moeizaam, zijn mond was gortdroog.

Ziri hield een waterzak bij zijn mond. 'Heer, drink.'

Vespasianus dronk en voelde de lauwwarme vloeistof zijn lichaam in stromen.

Ziri trok de zak van zijn mond. 'Heer, stop.'

'Ik ben bang dat hij gelijk heeft,' zei Magnus, en hij reikte Vespasianus de hand om hem overeind te helpen. 'Meer water hebben we niet, tenzij we nog wat kunnen opgraven.'

Wankelend kwam Vespasianus overeind en hij keek om zich heen. Het was rustig, er stond geen wind. De driekwart maan bezaaide de rimpelige zandduinen met zilveren lichtdruppels, in het noorden ontwaarde hij nog de monsterlijke zandstorm, die een verwoestend pad naar de kust koos. Her en der zag Vespasianus wat mannen lopen, hooguit twintig, alleen of met zijn tweeën, gravend in het zand. 'Waar is Corvinus?' vroeg hij, en hij keek achter zich, waar hij de cavalerieprefect en zijn paard het laatst gezien had.

'Met hem is alles goed,' antwoordde Magnus. 'Hij organiseert de zoektocht naar overlevenden, al weet ik niet of dat nog nut heeft. De meeste paarden zijn op hol geslagen, alleen de jongens die hun paard bij zich wisten te houden hebben het gehaald. Ik vrees dat Aghilas niet de kracht had om zijn paard in bedwang te houden.'

'Verdorie, dan weten we de weg niet.'

'Dat valt mee,' zei Magnus grijnzend, en hij klopte op Ziri's krullenkop alsof het zijn lievelingsdier was, 'Ziri weet hoe we naar Siwa moeten rijden.'

De Marmaride knikte. 'Meester, heer, Ziri, Siwa, ja.'

'Hij begint babbels te krijgen,' merkte Vespasianus op.

'Inderdaad,' beaamde Magnus, 'en wij ook, terwijl we eigenlijk moeten kijken of er nog wat te redden valt.'

De eerste zonnestralen schenen op Vespasianus' gezicht, hij was blij dat hij nog leefde, dacht hij terwijl hij in het zand naar zijn kostbare waterzak graaide. In de eindeloze vergetelheid die hij opgerold in de luwte van zijn nu overleden paard had doorgebracht, was hij ten einde raad geweest.

Eerst had hij het zand dat zich bij zijn gezicht ophoopte nog kunnen wegduwen, maar toen de storm heviger werd kwamen er naast en op hem grote zandhopen te liggen. Als hij erbovenop bleef liggen, zou hij steeds hoger komen te liggen en ten slotte uitsteken boven zijn paard, zijn enige beschutting. Hij had de ongelijke strijd opgegeven, zijn mantel over zijn hoofd kunnen trekken en zich gericht zich op het kleine luchtzakje voor zijn gezicht, dat hij met behulp van zijn als tentstok fungerende lange cavaleriespatha in stand had weten te houden, totdat hij in die benauwde omstandigheid het bewustzijn had verloren.

Hij wist niet hoe hij het overleefd had. Hij vermoedde dat de godin Fortuna zich over hem had ontfermd, dat zij hem inderdaad behoedde voor hetgeen de goden hadden beschikt, zoals hij op zijn vijftiende zijn moeder bij toeval had horen verkondigen. Die dag had hij zijn ouders horen praten over de tekens rond zijn geboorte en wat die mogelijk betekenden. Niemand had hem ooit willen zeggen wat die tekens waren, want iedereen die bij zijn naamgevingsceremonie was, negen dagen na zijn geboorte, had zijn moeder moeten zweren daarover te zullen zwijgen.

Een tijdlang had hem dat geërgerd, maar geleidelijk aan was zijn nieuwsgierigheid weggeëbd en had hij het uit zijn gedachten verbannen. Vier jaar geleden was zijn nieuwsgierigheid even opgelaaid toen hij met zijn broer Sabinus bij het orakel van Amphiaraus in Griekenland was en ze een profetie te horen kregen die bewust vaag was. Er was gezinspeeld op een broer die in het oosten de waarheid vertelde aan de koning van het Oosten. Hij wist niet of dit Sabinus iets gezegd had, want die had geen commentaar gehad en alleen maar gezegd dat hij zich moest houden aan de belofte die hij hun moeder had gedaan.

In de twee jaar tussen zijn termijn als een van de *triumviri capitales* en zijn verkiezing tot quaestor, toen hij zich hoofdzakelijk had beziggehouden met het beheer van het landgoed in Cosa dat zijn grootmoeder hem had nagelaten, had hij er nauwelijks aan gedacht. Tot nu. Nu was hij ervan overtuigd dat een onzichtbare hand hem gered had. Hoe de anderen het overleefd hadden wist hij niet, maar hij wist wel dat hij gisteravond, toen hij op zijn vijfentwintigste verjaardag onder het zand bedolven raakte, eigenlijk had moeten stikken.

'Het ziet er niet zo best uit,' zei Corvinus met strakke mond toen hij met Magnus achter Vespasianus verscheen, die eindelijk zijn waterzak had gevonden. 'Er zijn zesentwintig overlevenden, zonder ons vieren, en maar acht waterzakken, allemaal voor de helft gevuld.'

'Negen, prefect,' zei Vespasianus, en hij trok de zak uit het diepe gat in het zand. 'We kunnen toch wel uitzoeken waar de paarden liggen en ze uitgraven?'

'Dat hebben we geprobeerd, maar de meeste paarden en alle muilezels op één na zijn op hol geslagen, met voorraden en al. Die dolen daar ergens rond,' snauwde Corvinus, en hij zwaaide zijn arm in het rond, 'die vinden we nooit meer terug. We hebben alleen maar dode hulpsoldaten opgegraven. Ik ben drie van mijn vier decuriones kwijt. Ze verdienden het niet om zo te sterven, het is verdomme een slachtpartij.'

'Als de kans nihil is dat iemand het heeft overleefd, moeten we snel verdergaan, voordat het te warm wordt.'

'Waarheen dan?' schreeuwde Corvinus.

'Naar Siwa, zoals we van plan waren, prefect. Dat zal niet langer dan een dag rijden zijn.'

'En als we eenmaal daar zijn, wat dan? We hebben nog maar een paar man over, die gestoorde plannen van u hebben hun bijna allemaal het leven gekost.'

'Weet wel tegen wie u het heeft, prefect,' kaatste Vespasianus met priemende wijsvinger terug.

'Ik weet heel goed tegen wie ik het heb: een omhooggevallen groentje van onbeduidende afkomst met een Sabijns accent.'

'U kunt denken wat u wilt, Corvinus, met die patricische vooroordelen van u, maar ik vertegenwoordig de gouverneur en daarmee de Senaat in Cyrenaica en dus zult u mijn bevelen moeten gehoorzamen. En als u denkt dat het gestoord is om een burger voor een slavenleven te behoeden, dan bid ik voor u dat er iemand is zoals ik die achter u aan gaat wanneer u door een dergelijk lot getroffen wordt. En nu zorgt u dat de mannen klaar zijn om...'

Hoog in de lucht klonk een klagelijk krijsen.

Vespasianus keek speurend naar het oosten. 'Wat was dat, verdomme?'

'Nog zo'n arme drommel die zo onfortuinlijk was u tot in de woestijn te volgen,' beet Corvinus hem toe. Hij draaide zich woedend om
en beende weg, ondertussen bevelen blaffend naar de overgebleven
hulptroepen, die zenuwachtig omhoogkeken.

'Ik vind wel dat u hem had moeten vertellen,' zei Magnus, die
Corvinus nakeek, 'dat u alleen achter hem aan zou gaan als hij een
aantrekkelijke vrouw bij zich heeft, als u begrijpt wat ik bedoel.'

Vespasianus wierp zijn vriend een giftige blik toe. 'Heel grappig!'

'Vind ik wel, ja. En niet ver bezijden de waarheid.'

Vespasianus bromde iets. Hij kon het niet ontkennen: als hij Flavia
niet begeerd had waren ze hier niet geweest en hadden die ongeveer
honderd mannen niet het leven gelaten. Anderzijds, als alles in het
leven was voorbestemd, dan hadden die mannen niet aan hun lot kunnen ontsnappen. Fortuna had slechts een paar man in bescherming
genomen, voor hen was blijkbaar een andere taak en dood weggelegd.
Wat hadden de goden voor hem in gedachten?

HOOFDSTUK III

'Siwa, Siwa!' riep Ziri. Hij gooide zijn armen en benen alle kanten op: een woest dansend silhouet op een zandduin.

Vespasianus keek vermoeid naar hem op, met ogen die hij moest toeknijpen tegen de felle middagzon. Zijn lippen waren gebarsten en zijn hoofd, dat niet langer door zijn hoed werd beschut tegen de zon, bonkte van de hitte.

Het was de tweede dag na de zandstorm en ze waren allen verzwakt, hadden gisteren ieder slechts drie bekers van hun kostbare water gehad en vandaag halverwege de ochtend nog een. Alleen Ziri leek nergens last van te hebben, hij bleef zijn capriolen uithalen terwijl zijn metgezellen het duin op ploeterden.

'Dat had niet veel langer moeten duren,' klonk het hees uit de mond van Magnus, die moeite had om in het zachte zand steun te vinden voor zijn voeten. 'Ik droom al de hele morgen over het drinken van mijn pis.'

'Dat is ook toevallig,' reageerde Vespasianus met een povere grijns, want meer stonden zijn gebarsten lippen niet toe, 'ik droom ook al de hele morgen over het drinken van jouw pis.'

'Dan zult u toch eerst met mij moeten afrekenen.'

Vespasianus was inmiddels boven op het duin aangekomen, hij wilde reageren, maar de woorden bleven steken in zijn droge keel. Twee mijl bij hem vandaan kleurde de woestijn tot aan de horizon groen, een oase van leven in een verder dor en onherbergzaam landschap. De woestijngrond werd bedekt door een welig, grasgroen tapijt van vijftig mijl lang en tien mijl breed.

Corvinus kwam naast Vespasianus staan. 'De goden zij dank, we hebben het gehaald.'

'Inderdaad. Maar hoe komen we terug?' mompelde Magnus.

Ze hadden dagenlang niets anders gezien dan een bruine woestenij en een diepblauwe lucht en verbaasden zich over deze overdaad aan vruchtbaarheid toen vanuit de verte het geroffel van trommels en de klanken van heldere hoorns en rinkelende cimbalen op hen af kwam gedreven.

'Wat is dat?' vroeg Vespasianus.

'Geen idee,' antwoordde Magnus, 'maar het klinkt alsof iemand een feestje geeft.'

Nadat ze hun laatste water hadden opgedronken gingen de twee slotmijlen hun makkelijker af, en nog geen uur later liepen ze onder de eerste dadelpalmen door. De muziek werd steeds luider, maar andere tekens van leven waren er niet. De temperatuur daalde aanzienlijk, en op zeker moment leek het gewoon een snikhete zomerdag in Rome.

Ze baanden zich nog een mijl door het geleidelijk dichter wordende palmenbos en genoten van de toenemende schaduw, totdat ze plotseling, en tot hun ongeloof, op een meer stuitten. Zonder aarzelen renden de mannen het koele, verkwikkende water in, ze dronken zich rond en dompelden hun oververhitte lijven in de frisse diepte, waar de meedogenloos brandende zon eindelijk gedempt werd.

Verfrist trokken ze dieper de oase in, in de richting van de muziek. Ze kwamen bij een platgetreden pad en volgden dat, gezang klonk door de trommels, hoorns en cimbalen heen. Na een paar honderd passen kwamen ze bij een stel lage lemen huizen met een plat dak. Vespasianus en Magnus keken door de open ramen. Geen ziel te bekennen.

'Ze zullen allemaal op het feest zijn,' merkte Vespasianus op terwijl ze doorliepen naar een groepje soortgelijke huizen.

De muziek was nu erg dichtbij. De weg maakte een scherpe bocht naar rechts, tussen twee huizen door, en mondde toen uit in een gigantisch, bomvol vierkant plein dat werd omgeven door ogenschijnlijk op elkaar gestapelde lemen huizen. De muziek en het zingen kwamen tot een spetterend hoogtepunt en iedereen op het plein sprong met geheven armen op en neer.

'*Amon! Amon! Amon!*' riepen ze op het ritme van rinkelende cimbalen en roffelende trommels.

Toen werd het stil.

Aan de andere kant van het plein, op de trap van een kleine tempel, stond een man die aan een priester deed denken. Hij droeg een leren rok met een brede gouden gordel en een grote zwarte leren hoed zonder rand en goudkleurige afbeeldingen van de zon. Hij stak een staf in de lucht, waarop zijn schare zich ter aarde wierp.

Hij begon een gebed, op bezwerende toon, maar hield daar opeens mee op toen hij zag dat Vespasianus en zijn kameraden gewoon waren blijven staan. Met een schreeuw richtte hij zijn staf op hen en gebaarde dat zij ook op hun buik moesten gaan liggen. Meer dan duizend hoofden draaiden in hun richting en staarden hen aan.

'Dit voelt misschien niet goed, maar we kunnen maar beter doen wat hij zegt,' zei Vespasianus, en hij ging door zijn knieën. Magnus, Corvinus en de manschappen volgden zijn voorbeeld.

Een Romein was niet gewend door het stof te kruipen, meestal was hij degene die de orders uitdeelde, op anderen neerkeek in plaats van naar iemand op te kijken, en Vespasianus, Magnus en Corvinus gingen dan ook met enige tegenzin naar de grond. Ziri en de Libumannen volgden zonder deemoed hun voorbeeld.

Toen hij tevreden constateerde dat de hele schare eerbied toonde, vervolgde de priester zijn gebed, dat eeuwen leek te duren.

'Amon!' riep hij ten slotte naar de hemel.

'Amon!' herhaalde de menigte.

Het gebed was nu blijkbaar afgelopen, want de mensen gingen weer staan.

Vespasianus kwam overeind en probeerde tevergeefs het vuil van zijn natte tuniek te vegen.

De priester liep door de menigte naar hen toe en bleef voor Vespasianus staan.

'Wat doet u hier, vreemdeling?' vroeg hij in het Grieks.

'Ik ben geen vreemdeling,' antwoordde Vespasianus zo waardig als in zijn besmeurde kleding mogelijk was. 'Ik ben Titus Flavius Vespasianus, quaestor van de provincie Kreta en Cyrenaica, waartoe dit gebied ook behoort.'

De priester boog. 'Quaestor, u en uw mannen zijn welkom.'

Vespasianus voelde de opluchting van de manschappen achter hem.

'Mijn naam is Ahmose,' vervolgde de priester, 'priester van Amon, Hij die verborgen is, Hij die als eerste bestond. U zult merken dat wij trouwe onderdanen van Rome zijn en ik zal u op alle mogelijke manieren bijstaan. U zult eerst wat moeten eten, daarna mag u mij vertellen hoe het u is gelukt te voet uit de westelijke woestijn te komen.'

Vespasianus, Magnus en Corvinus zaten nogal ongemakkelijk op de tapijtvloer in het verrassend weelderig ingerichte huis van Ahmose voor een maaltijd die bestond uit brood, olijven, dadels en een voor hen onbekend stuk geroosterd vlees dat tamelijk taai was, maar ze hadden zo'n honger dat niemand zich veel zorgen maakte over de herkomst ervan.

'Dus u bent op zoek naar de slavenkaravaan van de Marmariden,' zei Ahmose na het verhaal over hun reis te hebben aangehoord. 'Ze moeten er nog zijn, vier dagen geleden kwam er nog een groep aan, daarom is die kameel zo lekker vers.'

'Dit is kameel?' riep Magnus uit, en hij keek naar de plak vlees in zijn hand.

'Wis en zeker. De Marmariden mogen altijd water ruilen tegen kamelen. Daar krijgen ze dan ook brood, dadels en olijven bij.'

'Nou, ze smaken niet zo beroerd als ze ruiken,' merkte Magnus op, en hij nam nog een hap.

'De smaak is inderdaad goed, en hun melk is ook uitstekend te drinken.'

Magnus haalde zijn neus op. 'Daar moet ik niet aan denken.'

'Hebt u er geen moeite mee dat de Marmariden uw mensen tot slaaf maken?' vroeg Vespasianus, die het beeld van een beker kamelenmelk uit zijn hoofd probeerde te krijgen.

'Nee, ze hebben ons water en voedsel nodig voordat ze naar Garama vertrekken. Als we dat weigeren wordt de reis alleen maar nóg gevaarlijker.'

'Ze kunnen het ook gewoon nemen,' zei Corvinus, en hij nam een hap uit een grote groene olijf.

'Er wonen meer dan tienduizend mensen in de oase, wij kunnen ze verjagen, en als ons dat moeite kost kunnen we een beroep doen op Caesar, zoals we altijd een beroep deden op de farao's toen we bij het Egyptische rijk hoorden.'

Vespasianus betwijfelde of er een leger naar deze uithoek van het rijk zou worden gestuurd, maar hij hield zijn gedachten voor zich. 'Hoe vinden we de karavaan van de Marmariden?'

'Ze zullen bij het laatste meer zitten, helemaal in het zuidwesten van de oase, ongeveer zes mijl hiervandaan.'

'We hebben paarden nodig.'

'Die kunt u zeker vorderen, als wij ze niet vrijwillig afstaan?'

'Ik ben bang van wel, als quaestor kan ik dat doen.'

'Als quaestor hebt u ook de macht om die paarden deel uit te laten maken van de belasting die wij elk jaar betalen.'

Vespasianus glimlachte naar de oude priester. 'Als u er werpsperen bij doet en voldoende eten en drinken voor de reis naar Cyrene, kan dat zeker geregeld worden.'

'Afgesproken, quaestor.' Ahmose spuugde in zijn hand en stak hem uit. Vespasianus nam hem voorzichtig aan. 'Maar meer kan ik niet voor u doen. Als ik u mijn mannen meegeef kan dat het kwetsbare evenwicht tussen ons en de Marmariden verstoren.'

'Die zou ik ook kunnen vorderen.'

'Dat zou u inderdaad kunnen doen, maar dan hebt u denk ik wel een probleem: wij vieren vanaf vandaag het feest van Amon, dat drie dagen duurt, ter nagedachtenis aan Alexander, die hier driehonderd-zesenzeventig jaar geleden kwam om de wijsheid van Amon te ontvangen. Vanavond zal er een feest zijn ter ere van hem, u bent van harte welkom. Ik zal zorgen dat de paarden en wapens morgenochtend vroeg klaarstaan, dan kunt op tijd vertrekken.'

Vespasianus deed zijn ogen open. Het was nog pikkedonker. Zijn hoofd tolde nog een beetje, tijdens het feest was er meer dan genoeg dadelwijn aangedragen. Magnus had zonder veel nadelige gevolgen de ene beker na de andere achterovergeslagen, maar Corvinus en de manschappen hadden zich in mum van tijd buiten westen gedronken. Dat had Vespasianus niet verbaasd, het was zwaar spul en hij had zelf al vrij snel besloten slechts af en toe een beker te nemen. Desondanks kon hij zichzelf zeker niet nuchter noemen. Ziri had de hele avond geen druppel gedronken, hij moest klaarstaan voor Magnus. Nu lag hij opgerold te slapen aan de voeten van zijn meester.

Buiten hoorde Vespasianus iets rinkelen, hij wist zeker dat dit het geluid was waarvan hij wakker was geworden. Hij spitste zijn oren en probeerde het gesnurk van Corvinus en de zware ademhaling van Magnus te negeren. Daar hoorde hij het weer, buiten bij het raam stond iemand, hij wist het nu zeker.

Met zijn linkerhand reikte hij naar zijn spatha, die naast zijn matras op de grond lag, en legde hem op zijn borst. Met zijn rechterhand pakte hij het heft stevig vast en hij luisterde geconcentreerd.

Niets. Hij ontspande zich.

Plotseling kraakte er hout en klonk er geschreeuw, hij schoot rechtop en trok zijn spatha uit de schede.

'Magnus!' riep hij, maar verder kwam hij niet.

De deur knalde tegen de grond, maanlicht en donkere gestalten stroomden naar binnen.

Met een brul sprong hij overeind en hij stormde met geheven spatha op hen af. In zijn ooghoek zag hij Magnus zijn zwaard trekken en Ziri opveren, hij sloeg in het donker wild om zich heen, voelde dat hij iets raakte en werd beloond met een schrille kreet en een bloedstraal in zijn gezicht. Zonder de vaart uit zijn aanval te halen velde hij met een houw een tweede schimmige belager. Magnus stortte zich op de man naast hem en vloerde hem met zijn volle gewicht en een stoot in zijn maag. Ziri wierp zich op een andere tegenstander en schakelde die uit met een harde kopstoot tegen zijn neus. Vespasianus plantte zijn linkervoet voor zich op de vloer, bracht zijn rechterknie omhoog en zette die in het kruis van de volgende man, die als een dode in elkaar zakte, met een rauwe brul die werd gesmoord toen zijn adem stokte van de pijn. Van de grond kwam een benauwd rochelen, Ziri maakte met blote handen korte metten met zijn tegenstander. Magnus' directe stoot in het rechteroog van zijn volgende tegenstander was genoeg om hun belagers het hazenpad te doen kiezen.

'Wat was dat verdomme nou weer?' vroeg Magnus hijgend.

'Ik weet het niet, maar we moeten hier in ieder geval weg. Help me even met Corvinus,' antwoordde Vespasianus, en hij stootte de punt van zijn spatha in de keel van de man die naar zijn geplette ballen greep.

Corvinus was zo gevonden, ze hoefden alleen maar op het gesnurk af te gaan. Hem wakker krijgen bleek een stuk lastiger.

'We moeten die lul nog dragen ook. Ziri, kom hier,' zei Magnus nadat ook de derde klap in Corvinus' gezicht niets had uitgehaald.

Snel sloegen Magnus en Ziri ieder een arm om een schouder en sleepten Corvinus naar de openstaande deur.

Toen hij een blik op het maanverlichte plein wierp zag Vespasianus niets in de buurt van het huis, hun belagers renden al naar de overkant, waar een groep mannen de opslagruimte omsingelde waar de bewusteloze manschappen naartoe waren gesleept om hun roes uit te slapen.

'Die zijn niet meer te redden,' siste Vespasianus, en hij draaide zich om en greep Corvinus bij de enkels, 'die hebben ze nu al afge-slacht. We gaan, voordat die schoften versterking krijgen.'

Ze renden zo snel als met de dode last van Corvinus tussen hen in mogelijk was langs de rand van het plein tot ze bij een steeg kwamen, die ze juist in wilden lopen toen er vanaf de opslagruimte een oor-verdovende kreet klonk.

'Verdomme! Ze hebben ons gezien,' zei Magnus, en ze holden de donkere steeg in. Corvinus kreunde, zijn hoofd rolde heen en weer. 'Had onze vriend hier gisteravond maar een beetje zelfbeheersing gehad.'

De steeg eindigde plotseling en bleek uit te lopen op een grote straat. Ze wachtten even, keken naar links en naar rechts en zagen niemand. Ze renden naar de overkant, waar ze een andere steeg in holden. Het geschreeuw van hun achtervolgers kwam dichterbij.

Bijna honderd bonkende hartslagen later stonden er aan beide kanten van de steeg opeens geen huizen meer en kwamen ze in een dadelpalmenbos.

'Rechtdoor!' bracht Vespasianus uit. 'En kijk of je een goede schuil-plaats ziet. Met hem op sleeptouw kunnen we ze nooit afschudden.

Laten we hopen dat ze niet gezien hebben welke steeg we in zijn gegaan.'

'Waarom laten we hem niet gewoon achter?'

'Als het zover komt dat hij ons het leven kan gaan kosten, doen we dat ook.'

'Dat punt hebben we al bereikt, denk ik,' zei Magnus. Ruim honderd passen achter hen stroomde een horde donkere gestalten uit de steeg.

Met een korte blik over hun schouder lieten ze Corvinus op de grond zakken en renden weg.

Ze konden nu een stuk sneller lopen en zigzagden door de maanverlichte palmen, maar hun achtervolgers, die het terrein beter kenden, liepen toch op hen in.

'Opsplitsen,' riep Vespasianus, die meteen een wending naar links maakte, 'na zonsopgang zien we elkaar weer bij het meer.'

Magnus bromde instemmend en draaide naar rechts, op de voet gevolgd door Ziri, zodat Vespasianus in zijn eentje door de nacht snelde. Zijn benen begonnen pijn te doen van vermoeidheid, hij raakte in ademnood en zijn hart bonkte in zijn oren. Hij kon aan de kreten van zijn achtervolgers horen dat ze steeds dichterbij kwamen.

Hij vloog een open stuk op en verwenste zichzelf: nu had hij geen dekking meer. Hij rende zo snel als hij kon naar de andere kant.

Tien passen voordat hij de betrekkelijke veiligheid van de palmen bereikte, werd hij tegengehouden door een oorverdovende krijs. Hij liet zich vallen, deed zijn handen voor zijn oren. De krijs veranderde in een jammerklank, niet hoog en niet laag, aarzelend eerst nog, als een schitterend rouwlied voor de goden. Maar de stem klom de hoogte in en was bij vlagen zo helder en indringend dat alle zintuigen verdoofd leken te worden en Vespasianus alleen nog maar naar dat wonderschone geluid kon luisteren. Geleidelijk zakte de stem weer wat en vertraagde het ritme, alsof de zanger vermoeid was geraakt door alle emoties van het lied en het stuk nu wilde afsluiten met een reeks prachtige noten, alsmaar lager, alsmaar zachter, totdat er na een laatste fluwelen ademtocht slechts stilte restte.

Vespasianus zakte door zijn knieën, overweldigd als hij was door alle klanken waarmee hij was overspoeld. Hij keek achterom, aan de andere kant van het veld hadden zijn achtervolgers zich ter aarde geworpen.

Een goudgele flits deed hem zijn ogen dichtknijpen en zijn hoofd buigen. Op zijn huid voelde hij een warmte die geleidelijk toenam. Hij opende zijn ogen: het veld baadde in een licht dat steeds sterker werd, alsof het lied van zojuist in beeld werd nagebootst.

'Bennu! Bennu!' schreeuwden de kruipende mannen.

Vespasianus keek op, beschermde zijn ogen met zijn hand en zag dat de lichtbron wonderbaarlijk genoeg boven op een grote dadelpalm leek te rusten, vlak bij hem, aan de rand van het veld. Er vielen goudgele vonken af, die oranje en vervolgens rood werden terwijl ze naar beneden zweefden, naar de groter wordende hoop gloeiende sintels aan de voet van de boom.

De oplaaiende vlam werd aan de bovenkant helemaal wit, Vespasianus zat op zijn knieën in een zee van licht en schroeide zijn gezicht en handen aan de hitte.

'Bennu! Bennu!' galmde het om hem heen.

Het leek of een reus twee keien tegen elkaar sloeg, want met een harde klap doofde plots het licht, alsof opeens alle brandstof op was en er geen resten waren waarop het vuur nog even kon teren.

De laatste vonk viel naar de grond en het licht doofde.

De hoop sintels gloeide zacht in het donker, als een verlaten kampvuur in de koude uurtjes voor zonsopgang.

Vespasianus draaide zich om en zag dat zijn achtervolgers overeind waren gekomen, nog altijd 'Bennu' zongen en op hem afkwamen, ze waren al halverwege het veld.

Hij wilde verder rennen, maar vlak achter hem knalde een wolk van hete as uit elkaar en een schreeuw steeg op naar de hemel. Hij draaide zich snel om en zag op de plek waar eerst de hoop sintels had gelegen een mist van glinsterend rood stof.

De schreeuw stierf weg en de rode mist begon te wervelen, alsof hij van bovenaf werd aangedreven door een reusachtige waaier. Vespasianus voelde een wind tegen zijn gezicht slaan die bij elke vlaag sterker werd, het leek of een grote vogel vanuit het donker naar hem afdaalde. Hij dook weg voor het onzichtbare gevaar, maar een enorme windstoot bracht hem uit zijn evenwicht en gooide hem omver.

Toen ging de wind liggen.

Even later opende Vespasianus zijn ogen en keek hij recht tegen een paar voeten aan. Hij keek op.

'U zal niets overkomen,' zei Ahmose, en hij stak zijn hand uit om Vespasianus overeind te helpen. Zijn mannen dromden om hem samen, keken met een mengeling van angst en bewondering naar Vespasianus. De ogen van Ahmose, groot van religieuze hartstocht, keken in het maanlicht fonkelend op hem neer. 'Amon heeft u gezegend. U bent veilig.'

'En mijn kameraden?' vroeg Vespasianus terwijl hij ging staan.

'Die leven nog. Ze zullen als slaven verkocht worden aan de Marmariden.'

'Loop naar de verdommenis met je zegeningen,' beet Vespasianus hem toe, en met zijn rechtervuist gaf hij de priester een stoot in zijn maag. 'We hadden een afspraak, klootzak.'

Ahmose sloeg dubbel, Vespasianus werd in bedwang gehouden door een stuk of zes handen.

Ahmose moest even naar lucht happen, maar richtte zijn blik vervolgens op Vespasianus. 'Denkt u nu werkelijk dat wij de Marmariden ervan kunnen weerhouden onze mensen mee te nemen en als slaven naar Garama te sturen? Wij zijn geen krijgers zoals zij, wij zijn boeren, om hen tevreden te houden moeten wij ze elk jaar een paar slaven verkopen. Uw vrienden redden zich wel, u gaat zelf niet mee, als priester van Amon heb ik de plicht u naar Zijn orakel te brengen in het centrum van Siwa, waar u, als u echt door Hem gezegend bent, net als Alexander en, door de jaren heen, een paar andere uitverkorenen, Zijn wijsheid zult horen.'

Vespasianus keek vol afkeer naar de valse oude priester. 'Waarom is het uw plicht?'

'U bent beroerd door de Wind van de Bennu en heeft gebaad in het licht van zijn vuur. Amon weet dat ik het gezien heb.'

'Wat is de Bennu?'

'De heilige Egyptische vogel waarvan de dood en wedergeboorte het einde van het ene tijdperk en het begin van het andere aangeven. De man die heeft gebaad in zijn licht en die de wind van zijn vleugelslag heeft gevoeld wanneer de vogel naar de heilige stad Heliopolis vliegt om zijn nest te maken op het altaar van Ra, is voorbestemd een rol te spelen in het nieuwe tijdperk. In uw taal staat deze vogel bekend als de feniks.'

De rest van de nacht en de hele volgende ochtend werd Vespasianus naar het oosten gevoerd. Zijn zwaard was hem afgenomen, maar zijn handen waren niet gebonden. Toch deed hij geen enkele ontsnappingspoging, want hij werd steeds omringd door een stuk of tien gewapende mannen. Maar ook als hij alleen door die geniepige Ahmose zou zijn begeleid, was hij hem gewillig gevolgd, had hij zijn wraak bewaard voor een ander moment, nieuwsgierig als hij was naar wat het orakel van Amon hem te vertellen had, nieuwsgierig of het een verhelderend licht zou werpen op de profetie van het orakel van Amphiaraus.

Naarmate ze dieper in de oase doordrongen kwamen ze langs meer waterpartijen, veel groter nog dan het meer waar hij een dag eerder in gebaad had. Irrigatiekanalen moesten de kleine akkers met olijfboomgaarden bevloeien, en de kikkererwten en andere groenten die daar werden verbouwd. Langs de oevers graasden schapen en geiten in het ongemaaide gras. Er waren steeds meer mensen te zien. Mannen met hoofddoeken werkten op de akkers, ploegden hun grond, plukten hun fruit of laadden hun wagens. Vrouwen wasten kleren en kinderen in het meer, droegen waterkruiken op hun hoofd, of waren bij hun leemhut boven een vuurtje aan het koken. De mensen leken welvarender te zijn dan de belastingopbrengsten uit Siwa deden vermoeden, dacht Vespasianus. Blijkbaar was er nog nooit een quaestor naar deze streek afgereisd om een belastingtaxatie te doen. Hij zou onthouden dat hij hier bij zijn terugkeer in Cyrene naar zou kijken, als onderdeel van de wraak op dit volk, dat de wetten van de gastvrijheid zo onbeschaamd met voeten trad, en hij bedacht dat de welvaart van de oase de belabberde financiële situatie van de provincie aanzienlijk zou kunnen verbeteren.

Kort voor het middaguur kwamen ze bij een lemen muur en gingen door een brede poort een bruisende stad in. Zijn geleide moest zich een weg banen door de volle straten, waar boeren hun op dekens of palmbladeren uitgestalde goederen verkochten. De geur van exotische specerijen en mensenzweet vulde de lucht.

Op een heuvel in het midden van de stad stond een tempel, opgetrokken uit zandsteen, met aan de noordkant een spitse toren. Toen ze dichterbij kwamen zag Vespasianus de talloze tekens die in de stenen muren waren gekerfd.

'Wat zijn dat?' vroeg hij aan Ahmose. Zijn nieuwsgierigheid won het van zijn afkeer.

'Lofprijzingen voor Amon, opsommingen van priesters en van koningen die de tempel hebben bezocht sinds hij zevenhonderd jaar geleden gebouwd werd.'

'Dat is schrift?' Het verbaasde Vespasianus dat van deze vreemde afbeeldingen van dieren en eigenaardige tekens samenhangende zinnen konden worden gemaakt.

Ahmose knikte, ze liepen samen de trap op naar de tempeldeur, het gewapende geleide bleef onderaan staan.

In het gebouw bleek het een stuk kouder te zijn dan buiten. Op de symmetrische rijen pilaren, elk drie passen van elkaar, rustte het hoge dak. Je waande je in een ordelijk stenen bos. Door een paar ramen, uitgehakt in de zuidmuur, vielen in een scherpe hoek lichtbundels naar binnen, ze sneden als messen door het schemerduister van dit versteende woud en stofdeeltjes dwarrelden erin rond. De frisse geuren van bomen en planten maakten plaats voor de muskusachtige resten van wierook en de weeïge geur van oud, droog steen. De spijkers onder Vespasianus' sandalen tikten hard op de vloerstenen.

Bij de eerste rij pilaren stopten ze toen er vanuit het niets een harde stem klonk, in een taal die Vespasianus niet verstond.

'Ahmose, uw medepriester van Amon,' antwoordde Ahmose in het Grieks, zodat Vespasianus hem kon verstaan.

'En wie staat er naast u?' vervolgde de stem, ook in het Grieks nu.

'Gisteravond heeft de Bennu gevlogen.'

'We begrijpen niet wat hij hier doet. We hoorden hem over de tempel vliegen en hebben het meteen opgezocht, het is precies vijfhonderd jaar geleden dat hij voor het laatst gezien is in Egypte, maar voor de laatste keer dat hij zo ver naar het westen is gezien, helemaal hier in Siwa, moeten we vijf keer zo ver terug in de tijd gaan.'

'Deze man voelde de hitte van zijn vuur en de neerwaartse trekwind van zijn vleugels.'

71

Het bleef stil.

Vespasianus keek om zich heen, maar zag nergens de bron van de stem.

Een ogenblik later hoorde hij het zachte getrippel van blote voeten op gladde stenen, en van verschillende kanten verschenen twee priesters uit de diepte van het pilarenbos. Beide mannen hadden dezelfde kleren aan als Ahmose, alleen staken er bij hen twee lange veren uit hun hoge hoofddeksel.

Zij aan zij liepen ze door een rechte zuilengang naar Vespasianus, die ze met grote ogen opnamen. Hij voelde zich ongemakkelijk onder hun vorsende blikken. Een van de priesters, zag hij in het schemerduister nu de man vlak bij hem stond, was heel erg oud, al had hij de houding van een jonge en gezonde kerel. De tweede priester was in de twintig.

De oude priester, die gesproken had, stak zijn gespreide handen met de palmen naar boven in de lucht en riep uit: 'Gij zult degene vinden die tegen U zondigt. Wee hem die U aanvalt. De stad leeft voort, maar hij die U aanvalt gaat ten onder. Amon.'

'Amon,' zeiden de tweede priester en Ahmose hem na.

'De kamer van degene die U aanvalt is in duister gehuld, maar de wereld baadt in licht. Wie U in zijn hart draagt, zie, zijn zon daagt. Amon.'

'Amon.'

'Als deze man de Wind van de Bennu niet heeft gevoeld en niet in het licht van zijn vuur heeft gebaad, zal Amon, de onaanwijsbare en aanwijsbare, de alvormige, niet tot hem spreken en hij zal verbannen worden van Zijn zon en geen dageraad meer aanschouwen. En u, Ahmose, zult zijn lot delen.'

'Ik zag het met eigen ogen, mogen deze mij ontnomen worden als wat ik verkondig onwaar blijkt te zijn. Hij knielde neer in het licht van het vuur van de Bennu en de sterke wind die de overvliegende Bennu teweegbracht, was zo krachtig dat hij in het zand werd geworpen. Amon, wiens naam onbekend is, zal tot hem spreken.'

'Goed dan,' zei de priester, 'wij zullen ons voorbereiden op het orakel.'

HOOFDSTUK IV

'Wees gegroet, Gij die zichzelf voortbracht als een die miljoenen schiep in hun rijkelijkheid. Hij wiens lichaam miljoenen is. Amon.'

Vespasianus knielde neer voor het verrassend kleine beeld van de god, dat op een altaar in een kamer midden in de tempel stond en door twee brandende kaarsen in muurkandelaars werd verlicht. Het beeld stelde een zittende Amon voor, in zijn rechterhand hield hij een scepter, in zijn linkerhand een ankh. Zijn gezicht was dat van een man, de mond stond open en was hol. Op zijn benen lag een zwaard in een rijkversierde antieke schede. De rook van sterk geurende wierook walmde door de kamer en gaf Vespasianus een duizelig en euforisch gevoel.

'Geen god bestond eerder dan Hij. Geen god was met Hem en heeft Hem kunnen aanschouwen. Hij had geen moeder die Hem zijn naam gaf. Hij had geen vader die Hem verwekte, of die zei: "Dit behoort mij toe." Amon.'

Vespasianus voelde dat hij werd opgetild, de olie die op zijn voorhoofd gegoten werd druppelde over zijn gezicht. Hij voelde zich op zijn gemak en glimlachte.

'Gij die alle reizigers beschermt, wanneer ik U aanroep in mijn angst komt U mij tot mijn redding. Schenk kracht aan hem die ellendig is en behoed mij voor gevangenschap. Want U bent Hij die genadig is voor degenen die U aanroept, U bent Hij die van verre komt. Kom nu, want Uw kinderen roepen U, en spreek. Amon.'

'Amon,' herhaalde Vespasianus spontaan.

Het woord galmde door de kamer.

73

Stilte volgde.

Vespasianus staarde naar de god, de priesters verroerden zich niet.

Het werd koud in de kamer. De rook hing roerloos in de lucht. De vlammen op de kaarsen werden kleiner.

Vespasianus voelde zijn hartslag dalen.

Hij hoorde een zachte ademstoot uit de mond van het beeld komen, en in het schemerlicht zag hij rook om het gezicht van de god kringelen.

Nog een ademstoot, licht schrapend nu, bracht meer beweging in de rook. De kleine vlammen flikkerden.

'U komt te vroeg,' fluisterde een stem, de rook dreef weg van de mond.

De ogen van Vespasianus werden groot van verbazing, hij leunde iets naar voren om er zeker van te zijn dat de stem uit de mond kwam.

'Te vroeg voor wat?' vroeg hij, en het schoot door hem heen dat hij misschien voor de gek werd gehouden.

'Te vroeg voor de vraag.'

Het was dat de rook weer in beweging was gekomen, anders had Vespasianus gezworen dat de stem in zijn hoofd zat.

'Hoe weet ik wanneer het tijd is?'

'Wanneer u dit geschenk kunt evenaren.'

'Dit geschenk?' Hij keek naar het zwaard op de knieën van het beeld.

'Evenaar het.'

'Waarmee?'

'Een broeder zal het begrijpen.'

'Wanneer?'

'Wanneer het noodzaak voor u is.'

'Hoe kan ik...' begon hij.

Met een lange, fluitende inademing werd de rook de mond van het beeld in gezogen. De vlammen werden weer groter.

De betovering was verbroken.

Vespasianus keek om zich heen, de drie priesters schokten, alsof ze uit een trance kwamen. Meteen begonnen ze weer te spreken, in koor.

'De goden zijn gebonden aan al hetgeen er uit Zijn mond komt, aan al wat bevolen is. Wanneer een boodschap wordt verzonden, moet er leven gegeven of genomen worden, want voor eenieder worden leven en dood door Hem bepaald. Er is niets wat Hij niet is. Alles is Hij. Amon.'

'Amon,' herhaalde Vespasianus. De priesters draaiden zich om en liepen weg van het altaar, en na een korte, vragende blik op het beeld volgde hij hun voorbeeld.

'Wat had dat te betekenen?' vroeg Vespasianus toen ze terugliepen door het bos van pilaren.

'Dat weten wij niet,' antwoordde de eerste priester, 'wij hebben niets gehoord. Wat Hij zei was alleen voor u bestemd. Wij weten alleen dat de God het woord tot u heeft gericht en dat u door Hem gezegend bent. Niemand kan u nu nog kwaad doen in Zijn heilige land Siwa, u en uw metgezellen staan onder Zijn bescherming.'

'Dat is nu te laat, deze man heeft mijn metgezellen als slaven verkocht.'

'Dan zal hij hen als boetedoening moeten terugkopen,' stelde de jonge priester.

'Goed, en als u dan toch bezig bent, Ahmose, kunt u meteen de man terugkopen die wij kwamen redden, een Romein die luistert naar de naam Capella.'

'Dat zal ik doen,' zei Ahmose enigszins zenuwachtig. 'U mag me wel bedanken voor het feit dat ik u hier heb gebracht.'

'Dat zeker niet,' beet Vespasianus hem toe, hij haatte deze man bijna net zo erg als de Thracische hoofdpriester Rhoteces, zijn inmiddels overleden vijand, 'u zei dat het uw plicht was.'

'En dat was het ook,' bevestigde de oude priester, 'de God zou hem hebben vervloekt als hij Hem niet iemand zou tonen die was beroerd door de Bennu.'

'Hij zal u veilig terugbrengen, Romein, en u verenigen met uw vrienden. Hij zal u ook uw zwaard teruggeven.'

'Van wie heeft de god dat zwaard gekregen?'

'Dat was een geschenk van de grote Alexander, hij liet zijn zwaard achter in ruil voor de wijze raad die hij hier kreeg.'

Vespasianus liep de tempel uit met de vraag hoe hij zo'n geschenk ooit kon evenaren, en áls het hem lukte, welke vraag hem er dan toe zou bewegen nogmaals door het zand die gevaarlijke reis naar Siwa te maken om het af te leveren. Door het zand? De profetie van Amphiaraus schoot door zijn hoofd:

'Twee tirannen zullen vlak achter elkaar de macht verliezen,
In het oosten hoort de koning de waarheid van een broer,
Met een geschenk moet hij de voetsporen van de leeuw in het zand volgen,
Opdat hij weldra van de vierde het westen kan verkrijgen.'

Een geschenk dragen door het zand in de voetsporen van een leeuw, een broeder oppert een geschenk dat gelijkwaardig moet zijn aan dat van Alexander, Alexander, de leeuw van Macedonië. Maar als hij de drager van dat geschenk was, was hij ook de koning. Dat kon toch niet?

Vespasianus zei de hele terugreis naar de stad van Ahmose geen woord, eerst zat hij met zijn gedachten bij de profetie en bij hetgeen de god zojuist tegen hem gezegd had: tirannen, koningen, broeders, en geschenken om het Westen te winnen. Wat moest hij daar voor een rol in spelen, en waarom zou een vraag hem bewegen tot een terugkeer naar deze plek?

Na dit van alle kanten te hebben bekeken was hij nog geen stap verder gekomen en hij richtte zich weer op de redding van zijn kameraden en Capella, en op de vraag of de dubbelhartige priester die voor hem liep zich aan zijn woord zou houden. Ahmose had hem wel zijn zwaard teruggegeven, met kruiperige excuses aan de gunsteling van Amon, en had beloofd Capella vrij te kopen en zijn mannen terug te kopen voor hetzelfde bedrag als waarvoor hij ze verkocht had. Vespasianus betwijfelde of de Marmariden daarmee akkoord zouden gaan.

De middag daarop, ze naderden de stad van Ahmose, deed een bekende stem het hart van Vespasianus opspringen van blijdschap.

'Blijf staan, priester, bij het duistere rijk van Pluto, of ik prik u aan mijn speer en stuur u naar hem toe.' Magnus verscheen met Ziri tussen de palmbomen, beiden met geheven speer.

De mannen van Ahmose trokken hun zwaard en draaiden zich naar het gevaar.

'Het is goed, Magnus,' riep Vespasianus terug, 'de zaken liggen nu anders, ik schijn gezegend te zijn door Amon, wij lopen hier geen gevaar.'

'Gisteren zagen we nog hoe Corvinus en de jongens verkocht werden aan de Marmariden, dat noem ik verdomme toch echt gevaarlijk.'

'En deze klootzak hier gaat zorgen dat ze terugkomen, is het niet?' Vespasianus wierp Ahmose een boze blik toe, die hij beantwoordde met een ongelukkige knik. 'Goed, dan kunnen we maar beter voortmaken.'

'Maar eerst moet ik hebben wat nodig is om uw mannen terug te krijgen.'

'U hebt veel meer geld nodig dan waarvoor u ze verkocht heeft.'

'Ik ga ze niet kopen, ik ga ze ruilen.'

'Marmariden, heer, meester, daar,' zei Ziri, en hij wees door de palmen.

'Hoeveel zijn het er?' vroeg Vespasianus aan Magnus terwijl ze in de schemering naar het kamp van de Marmariden tuurden, dat was opgezet aan een grote vijver in de zuidwesthoek van de oase.

'Gisteren telde ik er minstens honderd, maar nu krijg ik de indruk dat het er meer zijn.'

Dertig tot veertig viermanstenten, in het midden ondersteund door één stok, stonden in twee concentrische cirkels om de vijver heen. Vuren werden ontstoken en kamelen naar de rand van de vijver gebracht om te drinken. Het bood een vredige aanblik, ware het niet dat aan de zuidelijke rand van het kamp een streng bewaakte kraal was waarin minstens tweehonderd mannen, vrouwen en kinderen zaten, op akelige wijze vastgebonden aan in de grond gehamerde palen.

Vespasianus keek over zijn schouder naar Ahmose en de ongeveer dertig man die hij uit zijn stad had meegenomen om de arme zielen te geleiden die hij als ruilmiddel wilde inzetten. 'Nou, priester, gaat u maar. Wij kijken vanaf hier toe.'

'Het zal niet lang duren, het zal geen problemen geven. Amon hoedt over mij als ik Zijn werk doe.'

'Ik haat mensen die zo fanatiek zijn in hun godsdienst,' merkte Magnus op toen de priester zijn mensen naar het Marmaridenkamp leidde.

Vespasianus knikte instemmend. 'Ik denk dat ik alle priesters ver-acht die een geloof verkopen aan bevreesde armen en vervolgens ge-nieten van het luxeleventje en de macht die hun dat oplevert. Bij ons is dat beter geregeld, daar is het priesterschap een beloning voor be-wezen diensten aan Rome en geen middel tot zelfverrijking.'

'Dat is waar, maar over het algemeen zijn degenen die met het priesterschap worden bedeeld al rijk, al is dat naar mijn weten geen reden om niet naar meer te verlangen.'

Vespasianus glimlachte. 'Integendeel zelfs, in de meeste gevallen.'

'Inderdaad,' zei Magnus, en ze zagen de Marmariden samendrom-men rond Ahmose en zijn mannen.

Na een kort gesprek werd Ahmose naar een tent gebracht die iets groter was dan alle andere.

Vespasianus, Magnus en Ziri wachtten in de schemering. De fakkels die rond het kamp werden aangestoken hulden het in een oranje gloed. Het werd frisser.

Na een poos kwam Ahmose de tent uit met een grijs bebaarde man en gaf zijn mannen een teken dat ze de handelswaar moesten komen brengen. Grijsbaard controleerde hen nauwgezet, bekeek het gebit, voelde aan spieren in armen en benen, alsof hij een stel ren-paarden keurde voor hij ze kocht. Nadat hij alle mannen had bekeken, keerde Grijsbaard zich tot Ahmose. Zijn lichaamstaal verraadde dat hij niet blij was.

'Het ziet ernaar uit dat we moeten vechten voor de jongens,' merkte Magnus op toen de handgebaren steeds feller werden.

De stemverheffingen van de oplaaiende discussie dreven over de vijver naar de plek waar zij zich hadden verborgen.

'Dat ziet er inderdaad niet goed uit,' zei Vespasianus.

Opeens trokken de Marmariden hun zwaarden en omsingelden en ontwapenden de mannen van Ahmose. Vijf mannen werden apart gezet van de anderen en, zichtbaar tegen hun zin, naar Grijsbaard gebracht voor een inspectie. Ze waren kennelijk naar zijn tevreden-heid, hij schreeuwde een bevel en een groep Marmariden liep weg naar de slavenkraal.

'Ik geloof dat de prijs zojuist omhoog is gegaan,' merkte Vespa-sianus op. 'Dat zal Ahmose niet populair maken bij zijn mannen.'

De duisternis was gevallen en overal in het kamp brandden fakkels. In het flikkerende licht zag Vespasianus een stel mannen weggeleid worden van de kraal. 'Dat zijn onze jongens, ik herken Corvinus.'

Magnus kneep zijn ogen tot spleetjes. 'Ik zie niemand die Capella zou kunnen zijn.'

'We moeten voor hem terugkomen, nu hebben we daar in ieder geval genoeg man voor.'

De hulpsoldaten werden bij Grijsbaard en Ahmose gebracht, die beiden de telling bijhielden. Eenmaal tevreden knikten ze elkaar toe, en Ahmose leidde zijn mannen en de hulpsoldaten naar buiten het kamp terwijl hun onfortuinlijke vervangers vertrokken naar de kraal.

'Waar is Capella?' vroeg Vespasianus aan de terugkerende Ahmose.

'Ze wilden hem niet ruilen.'

'Wilden ze het niet, of was de prijs te hoog?'

'Ik moest hem al vijf van mijn eigen mannen extra geven om degenen terug te krijgen die ik hem gisteren heb verkocht,' blafte de priester. 'Meer kan ik me niet veroorloven.'

'Meer van uw eigen mannen? Wilt u daarmee zeggen dat de geruilde mannen geen slaven waren?'

'Wij hebben geen slaven, dat heeft geen zin, de Marmariden stelen ze toch. Ik moest vrije mannen uit de stad geven. Ze trokken lootjes, de verliezers waren bereid hun vrijheid op te geven als ze de zegening van Amon kregen.'

Vespasianus staarde de priester ongelovig aan. 'U hebt uw eigen mensen als slaven verkocht?'

'Het was de wil van Amon, u hebt het de priester horen zeggen tegen het orakel.'

'Maar waarom hebt u niet geprobeerd mijn mannen terug te kopen met het zilver dat de Marmariden voor hen hebben betaald?'

Ahmose fronste, hij leek de vraag niet te begrijpen. 'Dat zilver is van Amon.'

'En Amon hecht daar meer waarde aan dan aan het leven van die mannen?'

De priester haalde zijn schouders op.

'Natuurlijk niet, maar ú wel, u neemt het ervan terwijl iedereen om u heen loopt te zwoegen in de hitte. Ik walg van u, priester. Wij gaan terug naar uw stad en daar leent u mij al uw krijgers, want ik ga niet weg voordat ik Capella heb en ik die arme zielen heb bevrijd die u hebt geofferd aan uw hebzucht.'

'Dat kunt u niet doen, we moeten gehoorzamen aan de wil van Amon.'

'Zijn wil, priester, of uw wil?'

'Vespasianus, Sabijnse boer, u hebt mij achtergelaten bij slavenhandelaren,' schreeuwde Corvinus terwijl hij op hem af kwam stormen, 'dat zal ik onthouden.'

'Ik had geen keus, u was stomdronken en hield ons op. En mag ik u eraan herinneren, prefect, dat ik wel naar u en uw mannen heb gezocht en dat u dankzij mij weer vrij bent, wat niet het geval zou zijn als wij met z'n allen in die kraal waren beland, vergeet dat ook niet.'

'En drink met mate,' adviseerde Magnus, 'dan wordt u misschien ook niet meer zo snel gevangengenomen.'

Corvinus haalde met zijn rechtervuist uit naar Magnus, die eronderdoor dook en hem een stevige stoot in zijn buik gaf.

'U hebt de verkeerde man gekozen om mee te boksen,' zei Magnus tegen Corvinus, die kronkelend op de grond lag. 'Ik verdiende er vroeger mijn geld mee.'

Vespasianus kwam tussenbeide. 'Zo is het genoeg! Opstaan, Corvinus, en de volgende keer dat we u redden is een bedankje misschien meer op zijn plaats, in plaats van te knokken en mij te beledigen.'

De prefect keek met ogen vol haat op naar Vespasianus. 'Ooit zult u hier spijt van hebben, quaestor, ik zweer het.'

'Dat zien we dan wel weer, ondertussen moeten we een burger redden die op het punt staat het lot te ondergaan waarvoor we u zojuist behoed hebben. Ga eerst maar eens kijken of een van uw jongens de plaatselijke taal spreekt.'

Twee uur later stonden ze op het plein. Er was geen mens te bekennen, achter sommige luiken brandde een olielamp.

'Roep uw mensen op, Ahmose,' beval Vespasianus, 'u en ik gaan ze toespreken.'

'Nu?'

'Ja, nu! En u doet dienst als mijn tolk. En laat iemand de zwaarden van mijn mannen ophalen van de plek waar u ze verstopt heeft.'

De priester gaf zijn mannen een bevel, waarna ze zich verspreiddden over de stad, op deuren bonkten en de mensen gelastten naar het plein te komen.

Niet veel later stond het plein, dat inmiddels door flikkerende fakkels werd verlicht, vol kletsende mensen die maar al te graag wilden weten waarom ze daar stonden. Met Magnus en Ziri in hun kielzog bestegen Vespasianus en Ahmose de tempeltrap, samen met de hulpsoldaat die door Corvinus was ontboden omdat hij het plaatselijke Siwi sprak.

'Jij controleert of hij alles goed vertaalt,' zei Vespasianus tegen de hulpsoldaat terwijl de mannen van Corvinus, die weer over hun spathae beschikten, zich onder aan de trap opstelden, 'en als hij weigert, en dat zal hij, vertaal jij het voor ons.'

'Jawel, quaestor.'

'Ahmose, zorg dat ze luisteren.'

Er klonk hoorngeschal en het rumoer op het plein stierf weg.

Vespasianus stapte naar voren om de menigte toe te spreken. 'Twee nachten terug werd de Bennu opnieuw geboren om aan zijn volgende vijfhonderdjarige cyclus te beginnen,' declameerde hij. Hij zweeg en Ahmose vertaalde wat hij had gezegd. Na een vluchtige blik op de hulpsoldaat om zich ervan te vergewissen dat de vertaling goed was, ging hij verder. 'Ik werd verhit door zijn vuur en voelde de wind van zijn vleugels, en jullie priester bracht mij naar de tempel van Amon, waar de god tot mij sprak.'

Vol ontzag luisterde de menigte naar Ahmose, die de woorden van Vespasianus herhaalde.

'Ik ben gezegend door Amon, en ik en allen die met mij gaan, worden door hem beschermd. Maar jullie priester heeft mijn metgezellen, Romeinse soldaten, verkocht aan de Marmariden.'

Ahmose wierp een zenuwachtige blik in de richting van Vespasianus.

'Vertaal het, priester,' beval hij.

Nadat de priester gesproken had keek Vespasianus naar de hulpsoldaat, die zijn hoofd schudde. 'Hij heeft de tweede zin niet vertaald, hij zoog iets uit zijn duim over de glorie van Amon.'

'Goh, wat een verrassing. Doe jij het maar voor hem.'

De hulpsoldaat vertaalde wat er echt gezegd was, en de verbazing op het gezicht van Ahmose maakte plaats voor paniek toen hij zich realiseerde dat hij de controle over de situatie helemaal dreigde kwijt te raken.

'Hij gebruikte tweeëndertig van jullie landgenoten om ze terug te kopen, vrije mannen die door jullie priester tot slavernij zijn gedwongen.'

'Ik deed het voor Amon,' schreeuwde Ahmose naar Vespasianus.

'U deed helemaal niets voor Amon, u doet alles voor uzelf, zoals zovelen van uw soort. En wordt er nou nog vertaald, of moet ik het aan hem vragen?'

Loeiend stortte Ahmose zich op Vespasianus, maar hij werd meteen gegrepen door Magnus en Ziri. Vespasianus knikte naar de hulpsoldaat, de priester deed hopeloze pogingen te ontsnappen aan de stevige greep van zijn overmeesteraars.

De hulpsoldaat vertaalde, en verontwaardigde kreten stegen op uit de menigte. Ze drongen naar voren, maar werden tegengehouden door de mannen van Corvinus.

Vespasianus deed zijn armen omhoog, riep op tot kalmte. 'Deze priester hier, die een rijkeluisleventje leidt met het geld dat jullie hem geven, geeft niets om jullie welzijn en denkt alleen aan zichzelf.'

Bij het horen van de vertaling schreeuwde de menigte instemmend.

'Hij leverde Romeinse soldaten en leden van uw eigen volk uit aan de slavenhandelaren en deed op die manier de toorn van Rome en Amon op u neerdalen. Om zijn daden goed te maken zal ik jullie vanavond naar het kamp van de Marmariden leiden, zodat wij dat samen kunnen vernietigen en jullie mensen kunnen bevrijden.'

Een enorm gejuich steeg op toen deze woorden werden vertaald.

'Maar eerst wil ik, als gunsteling van jullie god, wraak nemen op deze priester, die mijn mannen zo slecht behandelde. Hij zal het met zijn leven moeten bekopen.' Ahmose zakte door zijn benen, Magnus en Ziri moesten hem overeind houden. 'Ik kan hem nu meteen terechtstellen, of hem, als jullie dat willen, aan jullie geven, zodat jullie deze man, die er zijn hand niet voor omdraait om tweeëndertig van jullie mensen tot een slavenleven te dwingen, zijn verdiende loon kunnen geven. U bent van hem verlost.'

De hulpsoldaat was klaar met vertalen en de reactie van de meute was duidelijk. Vespasianus gaf Magnus en Ziri een teken. Ze sleepten de krijsende Ahmose de trap af, door het kordon van hulpsoldaten heen, en wierpen hem naar de mensen die hem zijn rijkdom bezorgden maar aan wie hij zo weinig waarde hechtte.

Als wilde dieren trokken ze hem naar zich toe, ze geselden hem met voeten en vuisten en nagels, hun van haat vervulde kreten overstemden zijn gegil, en ze beukten genadeloos op hem in. Vespasianus en zijn metgezellen keken met wreed genoegen naar de bebloede priester, die jammerend in de lucht werd gegooid en door vele handen weer werd opgevangen. Sterke mannen grepen zijn enkels en polsen en trokken Ahmose, wiens ogen uitpuilden van angst en pijn, uit elkaar terwijl anderen met messen op hem inhakten, waarbij ze zich vooral op zijn gewrichten richtten. Zijn schouders en heupen raakten volledig ontwricht, en met een woeste brul van de meute scheurde zijn linkerarm, waarvan de pezen al door talloze messteken waren vernield, van zijn schouder af, een ogenblik later gevolgd door zijn rechterarm. Het hoofd van Ahmose knalde op de grond toen met de lugubere trofeeën gezwaaid werd. De mannen die zijn enkels vasthielden probeerden vervolgens zijn benen van zijn lijf te rukken, ze trokken uit alle macht, scheurden de banden en spieren door, totdat ten slotte het rechterbeen in een bloedballet bij de knie loskwam. Meer kon de meute niet van hem af trekken, en beurtelings sloegen ze met zijn eigen ledematen het laatste restje leven uit Ahmose.

'Ze zijn razend, geloof ik,' zei Magnus, en hij reageerde met een goedkeurend knikje op de manier waarop de priester aan zijn einde kwam.

'Laten we het hopen,' antwoordde Vespasianus. 'We moeten meteen naar het Marmaridenkamp gaan, nu ze nog in de stemming zijn.'

Het was na middernacht en de maan ging onder. Vespasianus kroop door de duisternis van een palmbosje en had alleen wat licht van de paar fakkels en vuren die nog brandden in het Marmaridenkamp. In de donkerte achter hem wachtten Corvinus en zijn hulptroepen en meer dan tweehonderd man uit de stad.

Aangekomen bij de rand van het bosje knielde hij neer achter een palmboom en tuurde langs de stam naar het kamp van de slaven- handelaren. Er heerste volledige rust. Na zich ervan vergewist te hebben dat er niemand op de been was en dat er alleen een paar wachters lagen te doezelen bij het vuur, sloop hij door de duisternis terug naar zijn wachtende mannen.

'Ze verwachten niemand,' fluisterde hij, en hij hurkte neer naast Magnus en Corvinus. 'Ik zag een stuk of vijf wachters, maar die slie- pen bijna allemaal en liepen geen rondes. Verder is iedereen in zijn tent.'

'Hoe weet u dat zo zeker?' vroeg Corvinus, die zijn twijfels had over de aanval.

'Omdat ik niemand kon zien. Maar u hebt gelijk, het is een aan- name. Anderzijds zie ik geen enkele reden om het niet te doen. Wij hebben minstens vijftig man meer.'

'Maar die van ons zijn voor het merendeel gewone mensen met in- derhaast verzamelde wapens, ze komen wel tegenover geoefende sol- daten te staan.'

'En dus zijn snelheid en verrassing cruciaal, Corvinus, maar laten we erover ophouden en tot actie overgaan, of wilt u dat ik het afblaas en de gouverneur vertel dat ik moest toelaten dat een Romeins bur- ger als slaaf werd afgevoerd omdat mijn cavalerieprefect de strijd schuwde?'

'Schoft.'

'Dat is beter. Laat de tolk bij mij achter en neem uw mannen mee naar de zuidkant van het kamp, Magnus en ik nemen met de stads- lui deze kant en het oosten en westen voor onze rekening. Reken zo stil mogelijk af met de wachters bij de kraal; als ze dood zijn, geef mij dan een teken door met een van de fakkels te zwaaien. Wij val- len dan van alle kanten aan, steken de tenten in de hens en doden er zo veel mogelijk in hun slaap, als ze wakker worden zullen ze flink tegenstand bieden. Als we geschreeuw horen voordat u het teken heeft gegeven, vallen we meteen aan.'

Corvinus bromde instemmend.

'En probeer de kamelen niet te doden,' voegde Vespasianus er nog aan toe.

'Hoezo?'

'Omdat we die nodig hebben om thuis te komen.'

Corvinus ging staan, veegde het zand van zijn knieën en liep weg om zijn mannen te verzamelen.

'Wat denkt u?'

'Ik denk dat hij zal doen wat hem gezegd is, hij is een goede officier, hij mag mij alleen niet.'

'Laten we hopen dat het zijn beoordelingsvermogen niet aantast.'

'Kom, we gaan dat volk verzamelen.'

Nadat Vespasianus de stedelingen via de tolk had ingelicht en hun het bevel had gegeven pas in actie te komen als ze hem naar voren zagen gaan, waren ze geruisloos door het losse zand naar hun positie gelopen. Vespasianus en Magnus wachtten met getrokken zwaard in de duisternis en keken uit over het Marmaridenkamp, waaromheen nu om de vijf passen een man stond. Ziri lag naast Magnus, zijn hand stevig om een speer geklemd. Af en toe snoof een van de kamelen die tussen de tenten waren vastgebonden, maar verder was het stil. De wachters lagen vredig te doezelen bij hun dovende vuur.

Vespasianus voelde de spanning toenemen, bij de gedachte aan de ophanden zijnde strijd kwam er een knoop in zijn buik. In stilte bad hij tot Fortuna of ze hem wilde beschermen tegen de woestijn-krijgers zoals ze hem had beschermd tegen de woestijn zelf, en hij wist zeker dat ze dat zou doen. Maar anderen zouden minder geluk hebben, en in het donker, alleen met zijn gedachten, vergeleek hij zichzelf met Ahmose. Allebei hadden ze mannen opgeofferd voor hun verlangen, de priester voor welvaart en hij, Vespasianus, voor lust. Het had Ahmose zijn leven gekost en Vespasianus tot vijand gemaakt van Corvinus, wiens hoge komaf garandeerde dat hij op zekere dag zijn wraakbelofte zou waarmaken. Capella kon maar beter over de brug komen, en het was te hopen dat Flavia de moeite en het risico waard was.

Het duurde lang en de mannen werden onrustig. Zo nu en dan hoorde Vespasianus kleding ritselen of een dolk rammelen wanneer iemand een andere houding aannam of wat zat te rommelen.

'Kom op, Corvinus, waarom duurt het zo lang?' mompelde hij.

'Misschien is hij er gewoon vandoor met zijn mannen en laat hij ons stikken,' fluisterde Magnus terug.

Vespasianus begon juist het ergste te vrezen, toen een gesmoorde kreet vanaf de kraal naar hen toe dreef.

'Verdomme!' vloekte hij, en hij keek naar de wachters. Een paar bewogen en keken om zich heen, maar na wat gesnuif van de kamelen deden ze het af als dierengeluiden en dutten weer verder.

Vespasianus voelde zich iets minder gespannen nu hij wist dat Corvinus en zijn mannen hun opdracht uitvoerden.

Na enkele zenuwslopende ogenblikken werd bij de kraal een fakkel uit zijn houder gehaald en door de lucht gezwaaid.

'We gaan,' zei Vespasianus zacht, en hij kwam iets overeind.

Aan weerskanten volgden de stedelingen zijn voorbeeld, rond het kamp ontstond een rimpeleffect toen iedereen zijn buurman in de duisternis voelde opstaan. In een macabere stilte beslopen niet veel later meer dan tweehonderd ineengedoken mannen vanuit alle hoeken de nietsvermoedende Marmariden.

Vespasianus ging af op de buitenste ring van tenten aan de noordzijde van de vijver, daarachter was het eerste vuur van de wachters. Hij gebaarde naar Ziri dat hij de dichtstbijzijnde fakkel moest pakken en naar Magnus en de stedelingen dat ze de tentingangen in de gaten moesten houden, en zelf kroop hij naar voren. De wachter zat in kleermakerszit op de grond, zijn gezicht naar hem toe, hoofd op zijn borst en getrokken zwaard in zijn schoot. Vespasianus sloop naar de slapende man toe, hield zijn adem in, zijn spatha in de aanslag. De wachter voelde zijn nabijheid, en een fractie voordat Vespasianus wilde toeslaan gingen zijn ogen open en viel zijn blik in het schemerlicht van het vuur op Vespasianus' sandalen. Met een ruk ging hij rechtop zitten, zijn ogen groot van ontzetting, net op tijd om het zwaard van Vespasianus op hem af te zien komen. Het was het laatste wat hij zag. De punt van de spatha drong vlak onder zijn bebaarde kin zijn nek en de onderkant van zijn schedel in. Tot een schreeuw kwam hij niet, elke poging daartoe smoorde in de bloedgolf in zijn keel, die zijn stembanden omspoelde en zijn luchtpijp verstopte. Hij viel voorover, met zijn gezicht in het vuur, dood.

Vrijwel meteen vatten zijn vettige wollen kleed en mantel vuur, waarvan het licht op Vespasianus viel.

'Nu,' beval hij Magnus.

Magnus pakte de fakkel uit handen van Ziri en gooide hem tegen de tentflappen. Die vatten onmiddellijk vlam, de tongen kropen omhoog langs de droge, grove stof en in een ogenblik stond de opening in lichterlaaie. Ziri stond bij de ingang, speer in de aanslag. De eerste Marmaride, slechts gehuld in een lendendoek, wierp zichzelf door de vlammen, recht in de vlijmscherpe punt. Met een stoot en een draai reet Ziri zijn buik open, om hem vervolgens terug de vlammen in te schoppen, waar zijn uitstulpende, vochtige ingewanden begonnen te sissen en stomen.

Geschreeuw galmde door het kamp toen Magnus en de stedelingen die een fakkel hadden weten te bemachtigen de buitenste tenten een voor een in brand staken. De dapperste mannen, die elkaar strijdlustig toeriepen – de aanval was nu toch geen geheim meer – stormden naar voren om met de andere wachters af te rekenen en lieten een regen van slagen en stoten op hen neerdalen.

Overal in de buitenste ring stonden tenten in lichterlaaie, de stedelingen hadden de Marmariden bestookt met hun eigen fakkels. Vespasianus spoorde zijn mannen aan dieper het kamp in te gaan en ging zelf de binnenste ring in. Daar stonden minder tenten in brand en de stamleden waren zich inmiddels bewust van het gevaar, ze waren wakker geworden en stortten zich nu op de verdediging. Het doodsbange brullen van de vastgebonden kamelen, die niet konden wegvluchten van het vuur, en het gegil en gejammer van de gewonden en stervenden vermengden zich tot een rauwe wanklank.

Staand naast de ingang van een brandende tent zwaaide Vespasianus zijn spatha neer toen de flappen naar buiten zwiepten, maar hij was iets te vroeg en hakte de uitgestrekte handen van de vluchtende man af. Terwijl het bloed uit zijn armen spoot rolde de man kronkelend van de pijn weg, Vespasianus liet hem gaan en zwaaide zijn zwaard terug naar de tentingang, waar de volgende vluchter in zijn borst werd geraakt, en op datzelfde moment schoot er een andere Marmaride langs hem heen, die brandend als een baken met een schreeuw in de vijver midden in het kamp sprong, en sissend en stomend verdween.

Vespasianus doodde de laatste man die uit de tent kwam en wierp een snelle blik om zich heen. Magnus en Ziri gaven de mannen in een nabijgelegen tent dezelfde behandeling. Overal in het kamp speelde zich min of meer hetzelfde af, woedende stedelingen zwaaiden met knuppels, landbouwwerktuigen en dolken, stortten zich op de verraste slavenhandelaren die hun al heel lang angst inboezemden en een bedreiging vormden voor hun vredige bestaan. Nu ze tweeëndertig landgenoten moesten behoeden voor een levenloos leven, gingen ze meedogenloos te werk. Dikke rookwolken sloegen van de tenten af, het kamp veranderde in een hel, de brandende, wegstormende mannen werden op hooivorken gespietst of door zeisen neergemaaid. De indringende geur van hun geblakerde huid vermengde zich met de bijtende walmen van brandende natuurvezels.

Door de chaos van de uitdijende wolken en vlammen heen zag Vespasianus een paar kluitjes Marmariden die het was gelukt zich te groeperen en die nu flink van zich af sloegen. De slecht bewapende en onervaren stedelingen vielen ten prooi aan de krachtige houwen van de lange zwaarden, en nu de vijand zich had georganiseerd nam hun strijdlust zienderogen af.

'Magnus, meekomen,' bulderde hij, en hij sprong over de stapel lijken aan zijn voeten. Met zijn linkerhand trok hij zijn pugio uit de schede en hij holde naar een groep van drie Marmariden die gestaag oprukten, met flitsende zwaarden, naar een dunne, wankelende linie. Hij stormde door een gat in de kwetsbare linie, dook onder een wild zwaaiend zwaard door, gaf zijn belager een kopstoot in zijn buik en plantte zijn spatha diep in het kruis van de Marmaride naast hem. Met zijn drieën gingen ze in het opvliegende zand naar de grond, de derde slavenhandelaar was even uit het veld geslagen door de onverwachte komst van Vespasianus en de stedelingen zagen hun kans schoon en vielen hem met herwonnen zelfvertrouwen aan. Vespasianus rolde tijdens de val van zijn tegenstander af, stootte zijn dolk in diens ribbenkast en doorboorde een long.

'Ik dacht dat u om hulp riep,' zei Magnus, en hij trok Vespasianus met zijn zwaardarm omhoog terwijl Ziri zijn speer in de kelen van de twee neergehaalde mannen stootte.

'Dat klopt,' hijgde Vespasianus. Zijn hart ging tekeer. 'Sommigen van hen groeperen zich, laten we doorgaan tot we bij de jongens van Corvinus zijn.'

Ze liepen langs twee ingestorte tenten die in brand stonden, waarvan de ingesloten, schreeuwende bewoners genadeloos dood werden geknuppeld, maar moesten toen ineens wijken voor een meute vluchtende stedelingen, die hen bijna in een brandende tent deden tuimelen in hun drang te ontsnappen aan het monster achter hen: Grijsbaard.

'Verdomme!' vloekte Magnus toen ze alle drie ruw tot stilstand werden gebracht. De hitte van de brandende tent verschroeide de haren op hun armen en benen.

De aanvoerder van de Marmariden liep zwaaiend met een enorm tweehandig zwaard en geflankeerd door vier van zijn mannen op hen af, de wraakzucht stond in zijn ogen. Toen hij de Romeinen zag, stormde hij met zijn zwaard boven zijn hoofd recht op Vespasianus af. Zijn mannen volgden hem, de twee links van hem zagen Ziri en stortten zich gillend op hem.

De brandende tent, die Ziri behendig omhoog tikte met zijn speer, landde boven op de twee mannen, terwijl Vespasianus de verwoestende neerwaartse houw van Grijsbaard weerde, wiens zwaard in een vonkenregen langs dat van Vespasianus schuurde en met een schok tegen de schijfvormige pareerstang tot stilstand kwam. Vanuit zijn ooghoek zag hij naast zich dat Magnus de voeten van de mannen rechts van Grijsbaard greep en ze naar de grond werkte, maar ondertussen moest hij zelf zwichten voor de kracht die de aanvoerder uitoefende op zijn spatha en een knie op de grond zetten. Het gekrijs van de mannen die onder de brandende tent vandaan probeerden te komen galmde in zijn oren. Grijsbaard gaf een felle schop tegen zijn borst waardoor hij hard op zijn rug landde, en tegelijkertijd hief de aanvoerder zijn zwaard, grommend en met ontblote tanden van inspanning. Toen het zwaard zijn hoogste punt naderde, bleef het ineens in de lucht hangen en spoot er bloed uit zijn mond. Een paar tellen bleef Grijsbaard roerloos staan, alsof hij versteend was, en toen viel zijn zwaard achter hem neer en draaide hij zijn hoofd naar Ziri, wiens speer in de zijkant van zijn borst zat. Met een langzame knik naar de man die hem doodde, een blik die naar het idee van Vespasianus van begrip getuigde, stortte de Marmaride ter aarde.

Het strijdgewoel naast hem dwong Vespasianus om zijn ogen van de stervende Grijsbaard af te wenden en om zich heen te kijken. Magnus zat schrijlings op een Marmaride, ze hadden ieder hun handen om de keel van de ander. Vlak achter hen hief een andere Marmaride, bij wie het bloed uit een lege oogkas gutste, zijn mes met de bedoeling dat in Magnus' rug te steken. Vespasianus slingerde zijn zwaardarm door de lucht en liet het handvat van zijn spatha los, die tollend door de lucht vloog en de man van opzij in de maagstreek trof en hem dubbel deed slaan. Hij kwam overeind, sprong over Magnus heen, stortte zich op de eenogige Marmaride en bewerkte met zijn vuisten zijn gezicht terwijl ze beiden in het bloederige zand vielen. Hij ging tekeer als een bezetene, deelde klap na klap uit en ging door toen de neus van de man al geplet en zijn kaak verbrijzeld was, totdat een hand zijn haar greep en hij een kling op zijn keel voelde.

'Rustig, quaestor,' riep Corvinus in zijn oor. Vespasianus verstijfde. 'Iemand zou u moeten vertellen dat je in een gevecht nooit je zelfbeheersing mag verliezen.'

'Dat heb ik al gedaan,' zei Magnus, die zich losmaakte van zijn laatste slachtoffer, wiens ogen uitpuilden. 'Hij lijkt te zijn vergeten dat het je fataal kan worden.'

'Laat me los, prefect,' beval Vespasianus, die bij zinnen kwam en Corvinus van zich afschudde.

'Ik had uw keel kunnen doorsnijden, de verleiding was erg groot,' grauwde Corvinus, en hij liet zijn zwaard zakken, 'maar hij moest zich er zo nodig mee bemoeien.'

Vespasianus draaide zich om en zag Ziri, die zijn bebloede speer tegen Corvinus' nek hield. 'Het is goed zo, Ziri,' zei hij, en hij gebaarde dat Ziri het wapen kon laten zakken.

Ziri knikte en deed een paar stappen terug.

Vespasianus ging staan en keek om zich heen. De brandende tenten wierpen een zachte, oranje gloed op de palmen, roerloos in de windstille nacht, maar de vechtgeluiden waren weggestorven. De stedelingen en hulpsoldaten liepen in groepjes door het bloedbad, zo nu en dan werd een wapen geheven om met een houw een gewonde Marmaride te doden.

'Zijn er mensen ontsnapt?' vroeg hij aan niemand in het bijzonder terwijl hij zijn spatha opraapte.

'Dat weet ik niet, maar het lijkt me stug,' antwoordde Corvinus. 'Wij hebben de slavenkraal in handen, ik heb er een paar van mijn mannen op wacht gezet.'

'Goed, laten we dan maar eens naar ze gaan kijken.'

'Tijd om te kijken of Capella u zijn vrouw wil geven als dank voor uw inspanningen,' merkte Magnus op. De frons die op het voorhoofd van Corvinus verscheen, zag hij niet.

Toen Vespasianus en Magnus zich omdraaiden zagen ze Ziri naar de nog brandende lichamen kijken. Hij stak ze beiden met zijn speer in het hart.

'Kom, Ziri,' zei Magnus, en hij trok aan zijn mouw.

Ziri schudde zijn hoofd. 'Zij Ziri broers,' zei hij nuchter.

Vespasianus keek verbijsterd naar de jonge Marmariden en wees, met een naar voorgevoel, naar Grijsbaard. 'En hij, de man die jij doodde om mijn leven te redden?' vroeg hij, denkend aan de woorden van Aghilas: *Juist tegen de Marmariden.*

Ziri keek hem onbewogen aan. 'Hij Ziri vader.'

HOOFDSTUK V

'Statilius Capella! Statilius Capella!' riep Magnus boven het gejammer van de doodsbange vrouwelijke gevangenen en het gehuil van hun kinderen uit, terwijl hij, Vespasianus en Corvinus zich slingerend, met een fakkel in de hand, een weg baanden door de bomvolle slavenkraal.

'Hier,' werd er geroepen toen ze in de buurt van het midden waren.

'Corvinus, bevrijd de vrijgeborenen en de vrijgelatenen,' beval Vespasianus, 'maar degenen die al slaaf waren toen ze in handen vielen van de Marmariden blijven vastgebonden. En zorg dat iemand de kamelen verzamelt, dan ga ik ondertussen even babbelen met de idioot voor wie we helemaal hiernaartoe zijn gekomen.'

'Betekent dit dat u een tijdje met uzelf in gesprek gaat?' vroeg Magnus met een grijns toen Corvinus wegliep.

'Heel grappig. Als je je nuttig wilt maken, zorg er dan voor dat de stedelingen de doden begraven en de lijken uit het meer halen, er mag geen spoor achterblijven van dit kamp. En daarna moet je kijken of er nog iets over is van de tent van de aanvoerder, het zal me niet verbazen als daar aardig wat geld ligt, zoals de buidel van Capella, om maar iets te noemen.'

Magnus knikte naar zijn slaaf, die iets verderop in gedachten verzonken was. Van zijn gezicht viel niets af te lezen. 'Ik zal Ziri niet vragen mij te helpen, gezien de omstandigheden.'

'Hoe gaat het met hem?'

'Ogenschijnlijk goed, maar wie voelt zich nou niet slecht na het plegen van een dubbele broedermoord gevolgd door een vadermoord?'

'Dat hij trouw is aan jou en mij staat nu in ieder geval buiten kijf.'

'Dat is waar, maar je kunt je een leukere manier voorstellen om dat duidelijk te maken. Ik weet niet welke goden de Marmariden hebben, maar er zal heel wat voor nodig zijn om hen gunstig te stemmen als hij niet voor de rest van zijn leven vervloekt wil zijn.'

Vespasianus wierp een steelse blik op Ziri, begreep hoe jong hij nog was. 'Denk je dat hij weet hoe hij dat moet doen?'

'Geen idee, maar hij zal iets moeten bedenken. Wat hij heeft gedaan is niet natuurlijk, en er kan weinig goeds komen van iets wat niet natuurlijk is.'

'Afgezien van het feit dat hij ons leven gered heeft, bedoel je?'

Magnus bromde iets en beende weg.

Vespasianus liep naar Capella en vroeg zich af wat voor een dood Ziri zou hebben gewacht als zijn vader en broers hem gevangen hadden genomen, dat hij hen zo gemakkelijk en schijnbaar onverschillig had gedood.

'Ik ben Titus Flavius Vespasianus, quaestor van deze provincie, en u, Statilius Capella, bent volkomen gestoord,' waren de eerste woorden die Vespasianus sprak toen hij Capella gevonden had.

'Je hebt je oordeel snel klaar, jongeman, zeker gezien het feit dat je mij voor het eerst ziet,' antwoordde Capella, wiens nek en handen vastgebonden waren aan de paal waar hij tegenaan zat. Hij was veel ouder dan Vespasianus verwacht had, begin of midden veertig, maar had nog een flinke bos zwart krulhaar, een getekend maar aantrekkelijk gezicht en een atletisch lijf. Er hing een sterke poepgeur om hem heen, hij had zijn behoeften moeten doen op de plek waar hij zat.

'Je bent toch gestoord als je in de woestijn zonder een klein gewapend geleide op zoek gaat naar een stel slavenhandelaren omdat je kamelen van ze wilt kopen?'

Capella glimlachte. 'Ah, je hebt met Flavia gepraat. Nou, maak me dan maar los, want daarvoor heeft ze je hiernaartoe gestuurd, mag ik aannemen. Ze kan heel overtuigend zijn, ik weet het.'

'Alles op zijn tijd. Eerst moeten we het over de voorwaarden van uw vrijlating hebben.'

'En dat wil zeggen?'

'Dat wil zeggen dat meer dan honderd man, Romeinse hulptroepen van wie de opleiding een fortuin kostte, deze zoektocht met de dood hebben moeten bekopen, om maar te zwijgen van de meer dan honderdtwintig paarden die verloren gingen, samen met dertig muilezels en de uitrusting die ze meezeulden. Dat komt neer op een paar duizend denarii, en het lijkt me meer dan logisch dat u, als veroorzaker van dit financiële verlies, die op tafel legt.'

'En jij vindt ongetwijfeld dat ik ook bij jou persoonlijk in het krijt sta.'

'Uiteraard.'

'En als ik weiger?'

'Dan is deze hele onderneming een tragische en gigantische verspilling van tijd en geld geweest. Hebben we al die moeite gedaan en moeten we bij terugkeer zeggen dat we u niet konden vinden.'

Capella barstte in lachen uit, hoewel het touw toch vrij strak om zijn keel zat. 'Je zou mij hier achterlaten?'

'Niet aan die paal, dat niet. Maar inderdaad, ik zou u achterlaten in Siwa zodat u op eigen houtje terug kunt gaan, om hoogstwaarschijnlijk weer in handen te vallen van de Marmariden. Wilt u zeggen dat u mijn bescherming op de terugreis naar Cyrene verdient als u weigert Rome te betalen voor de schade die u met uw roekeloze optreden heeft veroorzaakt?'

'Ik begrijp wat je bedoelt, quaestor, als je het zo ziet en ervan uitgaat dat mijn optreden roekeloos was, wat inderdaad het geval zou zijn geweest als ik kamelen had willen kopen van slavenhandelaren.'

'Was dat niet zo dan?'

'Jongeman, als ik dat had willen doen, denk je dan echt dat ik helemaal hiernaartoe was gegaan als ik ook honderd mijl langs de kust van Apollonia naar de weidegronden van de Marmariden had kunnen varen om daar, na veilig vanaf een schip met hen te hebben onderhandeld, kamelen van ze te kopen, zoals ik al zo vaak heb gedaan? Natuurlijk niet, dat zou pas gestoord zijn.'

'Waarom hebt u dat dan aan Flavia verteld?'

'Als u mij lossnijdt geef ik daar misschien antwoord op.'

Vespasianus had weinig keus, en enigszins beschaamd zette hij zijn zwaard op de touwen. Om hen heen veranderde het gejammer van de gevangenen in vreugdekreten toen de hulpsoldaten van Corvinus door de kraal gingen om de vrijen en vrijgelatenen los te snijden. Alleen de slaven bleven mistroostig tegen de palen zitten, in afwachting van hun lot.

'Dat is beter,' zei Capella, en hij wreef over zijn pijnlijke polsen en liep terug naar de ingang van de kraal. 'Nu kan ik mijn kont wassen in het meer en daarna zou ik graag een schone tuniek en een lendendoek aantrekken en iets te eten krijgen.'

Vespasianus liep achter hem aan. 'U zei dat u antwoord zou geven op mijn vraag.'

'Ik zei misschien, maar goed, ik heb Flavia verteld dat ik kamelen ging kopen omdat ik haar niet kon vertellen wat ik van plan was. Ik vertelde haar dat ik binnen veertig dagen terug zou zijn, want ik wist dat ze iemand zoals jij zou overtuigen naar mij op zoek te gaan zodra die veertig dagen verstreken waren. En daar heb ik gelijk in gehad, je staat immers tegenover me. Het is lastig haar iets te weigeren, zoals u zelf maar al te goed weet.'

'Ik ben hier omdat ik te horen kreeg dat een Romeins burger waarschijnlijk tot slaaf was gemaakt,' antwoordde Vespasianus luchtig.

'Gelul. Je wilde gewoon indruk maken op Flavia.'

'Wat een onzin. Het was mijn plicht,' bulderde Vespasianus.

Capella glimlachte. 'Je hoeft je er niet voor te schamen, ik neem je heus niets kwalijk, en wie weet heb je zoveel indruk gemaakt dat ze mij verlaat voor jou, en dat zou ik haar ook niet kwalijk nemen.'

'Ze leek mij heel trouw aan u.'

'O, dat is ze ook, en dat zal ze blijven totdat iemand anders haar trouw kan afdwingen. Ze wil er graag zeker van zijn dat haar trouw goed beloond wordt, zullen we maar zeggen. Hoe dan ook, ze heeft gedaan wat ze moest doen en mij behoed voor een uiterst akelig einde van mijn leven.'

'Waar u wel voor moet betalen, en ik zou zelf ook graag beloond worden voor mijn inspanningen.'

'Quaestor, ik weet zeker dat mijn beschermheer voor deze reis maar al te graag een fooi van een paar duizend denarii betaalt als u mij en dat wat ik voor hem bij me heb naar Cyrene brengt. Wat uw persoonlijke beloning aangaat, dat moet u maar met haar regelen.'

95

Vespasianus fronste en keek naar Capella, hij vroeg zich af of zijn verlangen naar Flavia er zo dik bovenop lag. 'U zou mij Flavia gunnen. Waarom?'

'Omdat ik haar zat ben. Ze slurpt mijn geld op en is veeleisend, al maakt ze veel goed met haar charmes. Als je onbezonnen genoeg bent om dat voor lief te nemen mag je haar hebben, maar ik kan haar niet aan jou geven, het moet haar eigen beslissing zijn. Zo, dat is ook weer geregeld, dan kunnen we gaan wanneer jouw mannen mijn spullen hebben verzameld.' Capella bleef bij de ingang van de kraal staan en bood vriendelijk lachend zijn onderarm aan.

Vespasianus nam hem aan, verbijsterd dat Capella zo'n vrouw zo gemakkelijk opgaf. 'U bent een vrijgevig man, Capella.'

'Is dat zo?'

Corvinus onderbrak hen. 'Quaestor, dit moet u even zien,' riep hij van bij een tent.

Vespasianus draaide zich om en liep naar hem toe. 'Wat is er?'

'Magnus heeft een kist opgegraven die onder de tent van de aanvoerder lag.'

'Ah, mooi,' riep Capella uit, en toen: 'Die zal van mij zijn.'

Corvinus keek naar Magnus en Ziri, die een kleine houten kist uit een ondiep gat in het zand tilden.

Vespasianus wees naar Ziri. 'Waarom is hij erbij?'

'Hij wilde per se helpen. Hij liet me zelfs zien waar ik moest zoeken,' antwoordde Magnus terwijl ze de kist naast een stapel waardevolle spullen uit de tent zetten. Aan een handvat hingen twee sleutels.

'Ja, die is van mij,' bevestigde Capella.

'Kunt u dat bewijzen?' vroeg Corvinus hem. Vespasianus bukte zich en maakte de sleutels los.

'Dat is makkelijk. Ik kan zeggen wat erin zit en jullie vervolgens laten kijken of het klopt, maar ik denk niet dat ik jullie daar een plezier mee doe.'

Vespasianus duwde de sleutels in de sloten aan weerskanten van de kist. 'Hoezo?'

'De kist mag dan van mij zijn, de inhoud is van mijn beschermheer. Ik heb hier in Siwa zijn zaken afgehandeld en was op de terugweg naar Cyrene toen de Marmariden mij te pakken kregen. Als mijn beschermheer erachter komt dat jullie gezien hebben wat er in die kist zit, zal hij jullie moeten doden.'

Vespasianus keek naar Magnus. 'Wat vind jij?'

'Het hangt ervan af wie zijn beschermheer is.'

Capella knikte instemmend. 'Jouw vriend hier weet wat hij zegt, Vespasianus. Je kunt je maar beter niet met politieke zaken inlaten, als het niet nodig is. Mijn beschermheer is... hoe zal ik het zeggen... een van de machtigste mannen van het rijk.'

Vespasianus haalde de sleutels uit de sloten.

Bij het krieken van de dag overzag Vespasianus het kamp. De stedelingen en bevrijde gevangen hadden 's nachts hard gewerkt. Alle resten van de verbrande tenten en de lijken waren begraven, de dichtgegooide kuilen waren te herkennen aan het wat vochtige zand, maar dat zou snel drogen.

Alles wat te redden was geweest hadden ze op de kamelen geladen, en de ongeveer honderd slaven waren met hun handen op de rug aan elkaar gebonden. De bevrijde gevangenen en de stedelingen stonden in een slordige colonne, klaar om terug naar de stad te gaan.

'Geef het sein tot vertrek, Corvinus,' beval Vespasianus.

Na een fel commando van hun prefect kwamen de hulpsoldaten aan de voorkant van de colonne in beweging.

'Laten we hopen dat de Marmariden tot de conclusie komen dat hun karavaan begraven is door de storm en niet door die stedelingen,' zei Vespasianus tegen Magnus toen de colonne schuifelend op gang kwam, 'anders is voor hen de ellende niet te overzien.'

Magnus haalde zijn schouders op. 'Misschien zal dat ze leren zich in de toekomst wat gastvrijer op te stellen, in plaats van hun gasten dronken te voeren en vervolgens te verkopen.'

'Nou, als de Marmariden weer mochten langskomen, hebben ze al die slaven om te verkopen. Het lijkt me billijk als ze herenigd worden met hun eigenaren, maar dat zal waarschijnlijk niet kunnen, dus ik geef ze aan de stedelingen, in ruil voor alles wat wij nodig hebben om weer door de woestijn te komen.'

'Ik zie dat Capella met ons meegaat, dus jullie hebben even goed gepraat?'

'Ja, heel goed. Dank je.'

'En?'

'Hij zei dat zijn beschermheer de verliezen van de provincie zou vergoeden.'

'En?'

'En dat ik Flavia mag hebben, als ik het haar maar zelf vraag, en zij er ook mee instemt.'

'Ging het zo makkelijk?'

'Ja.'

Magnus begon te lachen.

'Wat is er zo grappig?' vroeg Vespasianus geërgerd.

'Hij is gewiekst, die vent.'

'Waarom zeg je dat?'

'Ik durf te wedden dat hij zei: je mag haar hebben als zij dat wil, ze kost mij een vermogen en ik heb genoeg van haar.'

'Woorden van gelijke strekking, ja,' gaf Vespasianus toe, verrast dat Magnus zo dicht bij de waarheid zat.

'U bent beetgenomen.'

'Wat bedoel je?'

'U had hem moeten laten zweren dat hij haar zou wegsturen, dan moet zij namelijk wel met u meegaan, want anders zit ze in haar eentje in een vreemde provincie, zonder iemand die haar kan beschermen. Nu heeft hij alleen maar gezegd: ga het maar aan haar vragen, het maakt mij niets uit.'

'Dat zal ik ook doen,' verklaarde Vespasianus met verbeten blik.

'Kom op zeg, begrijpt u het dan echt niet? Ze zal u grondig bekijken, ze zal een quaestor zien in een van de minst aanzienlijke provincies van het hele rijk, iemand die aan het einde van zijn ambtstermijn genoeg geld heeft om een vrouw als haar een paar jaar van juwelen en parfum te voorzien, en vervolgens zal ze naar haar rijke echtgenoot kijken, de vaste leverancier van wilde dieren aan alle circussen in Afrika, een man die vast een eigen schip heeft en goede contacten met machtige mensen. Wat denkt u dat ze zal doen?'

'Ik ben rijk, ik heb landgoederen.'

'Dat klopt, maar dat geld zit in grond, muilezels en slaven. Denkt u soms dat ze de juwelier gaat betalen met de balkende ezel die ze mee naar zijn winkel heeft genomen? En ze zal ook niet willen wonen op een landgoed met allemaal boerenkinkels om zich heen. Ze wil een mooi huis op de Esquilijn.'

'Ik heb heus wel geld!' Vespasianus schreeuwde bijna. Zijn stem klonk ineens een stuk hoger.

'Niet zoveel als Capella.'

Vespasianus' mond ging open, maar hij realiseerde zich dat het zinloos was om hiertegenin te gaan. Magnus had gelijk. Hij legde zijn hand op zijn voorhoofd, masseerde dat een tijdje. 'Hij heeft mij de kans geboden haar te krijgen, maar hij weet dat ze nee zal zeggen, en dan is hij zijn belofte nagekomen zonder dat het hem één koperen munt heeft gekost. Geniaal!'

'Dat kun je wel zeggen, ja.'

'Die smiecht, en ik kan nu natuurlijk niet meer terugkomen op de afspraak die we hebben gemaakt.' Hij liep weg, tevergeefs proberend de schaamte voor zijn onnozelheid te verhullen, en Magnus keek hem geamuseerd na.

Met stevige pas liep hij naar de voorkant van de colonne, die inmiddels het palmenbos had bereikt, ondertussen zijn naïviteit overpeinzend. Sinds zijn ontmoeting met Flavia had hij zich in alles laten meeslepen door zijn eigendunk, hij had gedacht in zijn eigen belang te handelen, maar nu was het hem duidelijk geworden dat hij steeds was gemanipuleerd door Capella, een man die ouder en sluwer was dan hij. En nu zou Capella hem de trofee weigeren waarmee hij hem had verleid: Flavia.

Capella had gelijk, hij was hier alleen maar naartoe gegaan om indruk op haar te maken.

Zijn gedachten gingen naar de laatste gesprekken met zijn grootmoeder, Tertulla, en hij wist dat zij geschokt zou zijn als ze zou horen van zijn gedrag. Het was niet zo dat hij zijn hart had gevolgd omdat hij dacht dat zijn gevoel hem de goede weg wees, hij had het pad gevolgd van een primitieve begeerte, zijn macht op een onvolwassen en onbezonnen manier gebruikt, enkel en alleen voor zijn eigen doeleinden, en al die mannen hadden door zijn hoogmoed het leven verloren. Hij was vergeten welke idealen hij in zijn hart had gesloten toen hij Rome voor het eerst aanschouwde, in de tijd dat hij zelfs van smeergeld niets moest hebben, en hij schaamde zich diep.

'Quaestor!' klonk het uit het midden van de colonne, en Vespasianus werd uit zijn kritische zelfbespiegeling gehaald.

Hij draaide zich om en zag dat een man van begin dertig zich door de ex-gevangenen een weg naar hem toe baande. 'Wat is er?' vroeg hij, blij dat hij even aan iets anders kon denken.

'In de eerste plaats wil ik u bedanken dat u ons gered heeft van een levende dood in de woestijn,' zei de man, die naast hem ging lopen.

'U moet de mannen bedanken die daarbij gesneuveld zijn en niet mij,' reageerde Vespasianus, en hij keek opzij naar de man. Aan zijn gelaatstrekken en hoofddeksel te zien een Jood, dacht hij.

'Dit antwoord kenmerkt een barmhartig man,' antwoordde de Jood. 'Maar u hebt deze reddingsactie geleid, terwijl u ook in Cyrene had kunnen blijven en ons aan ons lot had kunnen overlaten.'

'U moest eens weten hoe het werkelijk zit,' zei Vespasianus bijna tegen zichzelf.

'Wat de waarheid ook zijn mag, dat verandert niets aan het feit dat u verantwoordelijk bent voor onze vrijheid, dus alle mensen hier zijn u iets schuldig, dat zal ik in elk geval niet vergeten.'

Vespasianus bromde een woord van dank. 'En in de tweede plaats?'

De Jood keek hem vragend aan. 'Wat?'

'U zei "in de eerste plaats", dus ik neem aan dat er ook nog iets "in de tweede plaats" komt.'

De Jood bleef hem een paar stappen aanstaren. 'Vergeef mij de vraag, quaestor, maar u lijkt erg op een man die ik in Judaea heb ontmoet, een goed mens: Titus Flavius Sabinus.

'Dat is mijn oudere broer,' bevestigde Vespasianus, en hij veegde het zweet van zijn voorhoofd, de zon en de temperatuur stegen.

'Dan sta ik dubbel bij u in het krijt, want hij bespoedigde de dood van een familielid van mij aan het kruis. Hij liet zijn centurio er met een speer een einde aan maken, in plaats van hem een pijnlijke dood te bezorgen door zijn benen te breken. En daarna gaf hij ons het lichaam terug.'

'Waarom werd dit familielid gekruisigd?'

'Dat weet eigenlijk niemand.'

'Hij zal vast iets hebben gedaan wat niet door de beugel kan.'

'De priesters wilden hem laten stenigen wegens godslastering omdat hij verkondigde dat wij als Joden onze tien geboden terzijde moesten schuiven en één nieuw gebod moesten gehoorzamen: hebt uw naaste lief als uzelf.'

'Maar als hij gekruisigd is, moet hij volgens de Romeinse wet zijn veroordeeld.'

'Dat klopt, en toch is er nooit een reden voor het vonnis gegeven. Maar gedane zaken nemen geen keer. Zijn leer leeft voort onder mijn volk, ook na zijn dood, in degenen die hem na stonden en zijn barmhartigheid bewonderden, ook al worden wij daar nu om vervolgd.'

'Wij?'

'Ja, ik ben een van de mensen die zijn woorden prediken.'

'Waarom doet u dat niet in Judaea?'

'Omdat de priesters zich niet kunnen vinden in zijn visie op het jodendom en hun macht niet willen kwijtraken, ze jagen onophoudelijk op ons.'

'Dus u bent gevlucht.'

'Nee, quaestor, ik ben een koopman, ik handel in tin, ik moet ook nog in mijn onderhoud voorzien en dus predik ik voor Joodse gemeenschappen in de havens die ik aandoe. Ik was onderweg naar de tinmijnen in het zuiden van Brittannia, buiten het rijk, toen de Marmariden mij en mijn twee metgezellen gevangennamen, tussen Alexandrië en Apollonia, toen wij onze waterzakken aan het vullen waren. En dat brengt me op het "tweede".'

'En dat is?'

'Na mijn gevangenneming moet mijn schip zijn doorgevaren naar Apollonia voor nieuwe voorraden en om een vriend van mij af te zetten die op de terugweg naar Cyrene was. Maar vanaf daar weet ik het niet. Zijn ze verder gevaren naar het westen, of zijn ze teruggegaan naar Judaea omdat de bemanning niet zonder mij verder wilde gaan? Ik was namelijk de enige op het schip die al eens naar Brittannia was gevaren.'

'En wat heeft dat met mij te maken?'

'Ik moet u om een kleine gunst vragen, quaestor, hoewel ik besef dat ik u al heel veel verschuldigd ben.'

Vespasianus keek de man aan. Hij maakte een betrouwbare indruk. 'Zeg het maar.'

'Als ik het schip achterna wil gaan moet ik weten waar het naartoe is gegaan, en daar kunt u via de havenmeester achter komen. Ik neem tenminste aan dat hij u iedere dag een kopie van zijn administratie stuurt.'

'Inderdaad. Kom in Cyrene maar bij mij langs.'

'Dank u, quaestor,' zei de man, zichtbaar tevreden met het antwoord. 'Ik heet Josef. Ik zal naar u vragen bij de gouverneurswoning.'

'Ik zal ervoor zorgen dat men op de hoogte is van uw komst, Josef.'

Kort na het middaguur kwam de colonne in de stad aan, en de rest van de middag en de hele nacht bracht Vespasianus slapend door. Het was de eerste keer sinds zijn aankomst in Siwa dat hij een goede ruk kon maken, zelfs het hameren en zagen van de timmerlieden die aan de door hem bestelde zestig sleden werkten verstoorden zijn slaap niet.

'Wakker worden,' zei Magnus, en hij schudde aan Vespasianus' schouder. 'Het is bijna ochtend, de colonne stelt zich al op.'

Vespasianus veerde op, hij voelde zich als herboren en was helemaal klaar voor de zware terugreis van driehonderd mijl naar Cyrene.

Hij bond zijn legersandalen onder, deed de riem om zijn tuniek en volgde Magnus naar buiten, het door fakkels verlichte plein op. De kamelen stonden in drie rijen van twintig klaar, aan elk dier zat een slede vast, en op elke slede lagen de waterzakken hoog opgestapeld. Vespasianus hoopte dat deze zakken en die op de rug van de kamelen genoeg zouden zijn om de woestijn over te steken zonder te hoeven putten uit de bronnen van de Marmariden. Daar wilde hij met een wijde boog omheen gaan, bang als hij was dat de kwetsbare colonne ten prooi zou vallen aan de slavenhandelaren. De sleden waren ook voor de zwakken, die zouden immers in aantal groeien naarmate de reis vorderde en de lege waterzakken zouden toch worden weggegooid. Zo'n veertig bevrijde gevangenen van Egyptische afkomst wilden liever in Siwa blijven en op de volgende karavaan naar Alexandrië wachten. De anderen, iets meer dan tachtig man, vertrokken naar Cyrene, al wisten ze heel goed hoe gevaarlijk de reis was.

Nadat hij het plaatselijke stamhoofd streng had toegesproken en hem duidelijk had gemaakt dat de achterblijvers zijn metgezellen waren en daarom onder bescherming van Amon stonden, besteeg Vespasianus een van de twaalf paarden die ze samen met de waterzakken, het eten en de sleden hadden kunnen ruilen voor alle slaven en een paar kamelen, en gaf hij het bevel om te vertrekken. De eerste zonnestralen vormden een krans boven de oostelijke horizon en wierpen lange schaduwen voor hen uit toen Vespasianus de voortkruipende colonne de stad uit leidde en, wederom, de reis door de meedogenloze woestijn aanvaardde.

HOOFDSTUK VI

Het Cyreense plateau was de afgelopen drie dagen langzaam groter geworden. Vespasianus vermoedde dat de uitlopers nog geen tien mijl ver waren en dat ze 's avonds hun kamp konden opslaan tussen de karige begroeiing die zich op de lagere stukken had verankerd.

Zestien dagen geleden waren ze uit Siwa vertrokken en hij wist nu dat ze het zouden halen. Tijdens de pijnlijk trage reis door de zinderende, kale wildernis had hij daar geregeld aan getwijfeld. De hulpsoldaten zonder paard en een paar sterke ex-gevangenen hadden op kamelen gereden, maar de rest had moeten lopen. Ze waren steeds voor zonsopkomst gaan lopen en pas lang na zonsondergang gestopt, met een paar uur rust om de verwoestende middaghitte te vermijden, en hadden op die manier ongeveer twintig mijl per dag kunnen afleggen. Het water werd natuurlijk gebruikt, en dus kwam er meer ruimte vrij op de sleden voor de vrouwen en kinderen en de zwakken onder de mannen. Ze werden voortgesleept over het ruige terrein, half delirisch in de brandende zon. De eerste dode als gevolg van een zonnesteek viel op de vierde dag en nadien was er geen dag voorbijgegaan zonder dat er minstens één lichaam moest worden achtergelaten in het woestijnzand, als stille getuige van de voorttrekkende colonne.

Het was Vespasianus opgevallen dat Josef voor de zieken op de sleden zorgde, hun hoofden probeerde af te dekken en water voor hen regelde tijdens die paar momenten op de dag dat hij, Vespasianus, toestemming gaf om de kostbare zakken te openen.

Ziri, die op zijn gemak op een kameel zat, had de weg gewezen.

104

Door ten zuiden van de bronnen te blijven en vervolgens terug te buigen naar het noordwesten had hij de routes omzeild die de slaven-handelaren vaak gebruikten, al duurde de reis daardoor twee dagen langer. Ogenschijnlijk ongevoelig voor de hitte, gehuld in zijn wollen gewaad en hoofddoek, had hij Vespasianus, Magnus en Capella keer op keer opgemonterd, niet alleen met zijn pogingen om Latijn te spreken – hij werd elke dag beter –, maar ook met zijn hese vertolking van volksliedjes. Een paar keer, steeds aan het slot van een ontroerende ballade, ving Vespasianus de verdrietige blik op waarmee hij naar de graslanden van zijn volk in het noorden keek, alsof hij vaarwel zei tegen het leven dat hij voorgoed achter zich moest laten.

Naarmate de dag vorderde en de heuvels dichterbij kwamen, leek de colonne steeds sneller te gaan, het verlangen naar het einde van de geleden kwelling bracht de kracht terug in de benen van iedereen die nog moest lopen. Niet veel later bestegen ze het plateau, slingerend langs enorme keien en het talrijke, taaie struikgewas. Twee jakhalzen, het eerste teken van leven sinds hun vertrek uit Siwa, schoten vlak voor hen weg en deden het paard van Vespasianus schrikken.

'Hoe krijgen jullie de slaven naar Garama, Ziri?' vroeg Vespasianus zich hardop af nadat hij zijn paard gekalmeerd had. Hij keek achterom en wees naar de gehavende colonne, die de lichte helling op kroop. 'Na driehonderd mijl zit er weinig leven meer in ze, en naar Garama is het nog zevenhonderd.'

'Garama, heel langzaam, twee volle manen,' antwoordde Ziri, en hij legde zijn witte tanden bloot. 'Een bron drie dagen, slaven leven. Een bron vier dagen, slaven dood.'

'Maar het loont,' zei Capella, 'de Garamanten betalen goed voor slaven en kunnen het zich ook veroorloven, het is een verrassend rijk koninkrijk.'

'Bent u er wel eens geweest?' vroeg Vespasianus, die zijn paard aanspoorde weer verder te gaan.

'Eén keer, om slaven te ruilen tegen wilde dieren. Ik kan daar een leeuw krijgen voor twee slaven. Je kijkt je ogen uit, ze hebben zes of zeven steden gebouwd op een paar bergen die uit de woestijn verrijzen. De Garamanten hebben putten gegraven en zijn op een schijnbaar onuitputtelijke waterbron gestuit, ze hebben een stelsel van irrigatiekanalen aangelegd om het water te verspreiden.'

'Heel veel water,' bevestigde Ziri, en hij knikte.

'Ze hebben fonteinen en stromend water op straat, midden in de woestijn, het is ongelooflijk. Ze verbouwen tarwe, gerst en vijgen, en ook groenten, en hun vee graast op gras dat ze zelf gezaaid hebben. Ze kunnen zichzelf volledig bedruipen, hoeven alleen maar wijn en olijfolie in te kopen, en natuurlijk dat wat ze nodig hebben om op hun land te werken: slaven. Ze hebben er duizenden, sterker nog, er zijn meer slaven dan Garamanten.'

'Als de slaven dat doorkrijgen, komen de Garamanten nog voor nare verrassingen te staan,' zei Magnus.

'O, maar ze beschermen zichzelf goed, ze hebben zelfs...' Capella werd onderbroken door zijn paard, dat schichtig reageerde op een paar jakhalzen die het pad overstaken. Toen hij het dier weer onder controle had, rende er een gazelle voorbij die de jakhalzen op de hielen zat. 'Krijg nou wat, dat heb ik nog nooit gezien: jakhalzen die worden achtervolgd door een gazelle.'

Vespasianus lachte en keerde zich naar Capella, maar de lach bevroor op zijn gezicht toen tot hem doordrong waar de dieren voor op de vlucht waren. Hij zag iets op een kei springen en, meteen daarna en met een donkere brul, op de handelaar in wilde dieren.

'Leeuw!' riep Vespasianus, en hij trok aan de teugels toen de leeuw zich op Capella wierp, zijn messcherpe klauwen in diens schouders zette en zijn schreeuwende slachtoffer naar de grond werkte.

Het gebrul van de leeuw die zijn prooi verscheurde, overstemde het gehinnik van de bokkende en steigerende paarden, die hun berijders afwierpen. Ziri's kameel sloeg op hol. Vespasianus landde met krakende botten naast Magnus, drie stappen van de inmiddels zeer verzwakte Capella. Verstijfd staarden ze naar de enorme mannetjesleeuw. Hij hief zijn kop en manenkrans en gromde naar hen, legde zijn bebloede tanden bloot terwijl hij klauwde naar de borst van Capella, wiens tuniek hij vernielde en huid hij verscheurde.

'Had ik mijn jachtspeer nog maar,' mompelde Magnus, en hij trok langzaam zijn spatha.

'Maar ja, die steekt nog uit een kameel,' zei Vespasianus, die behoedzaam naar zijn zwaard reikte.

'We moeten deze ploert doden. Als we wegrennen krijgt hij ons te pakken, dat is net zo zeker als dat een Vestaalse maagd met zichzelf speelt.'

De leeuw slaakte nog een ijzingwekkende brul toen Corvinus kwam aangerend met een stuk of tien hulpsoldaten.

'Blijf daar, Corvinus,' beval Vespasianus. Hij verloor de leeuw geen seconde uit het oog. 'Eén schielijke beweging en hij neemt een van ons te grazen.'

De staart van de leeuw zwaaide dreigend heen en weer.

'Een van ons moet zich laten aanvallen,' zei Magnus door zijn mondhoek, 'dan kan de ander hem van opzij pakken.'

'Ga je gang. Jij wilde toch zo graag op leeuwen jagen? Ik pak hem wel van opzij.'

'Ik hoopte eigenlijk dat u dat vergeten was.'

Vespasianus schoof iets naar links. De leeuw schudde zijn kop en slaakte weer zo'n machtige brul toen hij de beweging zag. Vespasianus bleef stokstijf staan.

'Kom maar, poesje. Kom maar,' riep Magnus.

Met een zware brul richtte de leeuw zich weer op Magnus, en Vespasianus zette nog een paar voorzichtige stappen naar links.

'Klaar?'

'Helemaal.'

Magnus zette zich schrap, de leeuw lag roerloos op de borst van Capella, voelde de dreiging. Met een kreet en uitgestoken zwaard stormde Magnus op hem af, de leeuw sprong meteen naar zijn hoofd. Vespasianus sprong overeind en rende naar de leeuw, de punt van zijn spatha op de gespierde nek gericht, terwijl Magnus onder de gestrekte poten door dook en zijn zwaard blindelings naar de harige massa boven hem stootte. De leeuw draaide en klauwde naar Magnus' rug, Vespasianus sprong op hem af en stootte zijn spatha in zijn manen. Brullend van pijn zwenkte de leeuw vliegensvlug naar zijn nieuwe tegenstander, hapte naar hem, kreeg de mouw van zijn tuniek te pakken en tilde zijn achterpoot op, om vervolgens een bloederig spoor achter te laten op Vespasianus' linkerdij. Magnus veerde op, plantte zijn schouder in de zachte onderbuik van het dier, zodat zijn achterlijf omhoogkwam en zijn kop neerwaarts naar voren schoot. Hij knalde tegen de grond en sleurde Vespasianus aan zijn mouw met zich mee, de spatha zat nog in zijn nek toen hij op zijn rechterschouderblad neerkwam. Hij draaide zich op zijn rug en wierp Vespasianus van zich af, terwijl Magnus tussen zijn in het luchtledige graaiende klauwen door sprong en zijn zwaard in het middenrif plantte en, terwijl het spieren en ingewanden doorkliefde, door de ribbenkast naar boven duwde. Met de bovennatuurlijke kracht van een radeloos dier zwiepte de leeuw een reusachtige klauw naar de borst van Magnus, die de nagels door zijn huid voelde snijden. Hij werd letterlijk weggeslagen, maar zijn zwaard stak nog uit het beest. Vespasianus pakte het vast en liet zich met zijn volle gewicht op het gevest vallen. Op datzelfde moment zette de leeuw een klauw in zijn schouder. Hij schreeuwde het uit van de pijn, duwde het zwaard uit alle macht naar beneden en dreef de punt het kloppende hart van het dier in. Hij voelde de klauw van de leeuw verkrampen toen zijn hart openbarstte, zijn zwiepende achterpoten verstijfden eerst en werden toen slap. Het beest viel om en trok Vespasianus, in wiens schouder zijn klauw nog vastzat, met zich mee.

Magnus ging kreunend staan en strompelde naar hem toe. 'Blijf liggen.' Hij pakte de poot, peuterde de nagels uit Vespasianus' schouder en trok de klauw van zijn schouder.

Het duizelde Vespasianus van de pijn. 'Allemachtig, dat was een woest beest zeg,' zei hij tandenknarsend.

'Maar wel een mooi gevecht, hè?' Magnus grijnsde, hij hijgde zwaar. Bloed sijpelde uit de vier diepe krassen die schuin over zijn borst liepen.

'Goed genoeg voor thuis in het circus,' beaamde Corvinus, die naar hen toe kwam gelopen. 'Jullie hebben wel kloten, dat moet ik toegeven, anders ga je zo'n beest niet te lijf.'

'We hadden weinig keus,' mompelde Magnus terwijl hij Vespasianus overeind hielp.

'Die arme Capella had helemaal geen keus,' zei Vespasianus, en hij hinkte naar het misvormde, bloederige lichaam van de handelaar in wilde dieren. 'Breng de colonne weer in het gareel, Corvinus.'

Hij knielde neer naast Capella en draaide voorzichtig diens hoofd naar hem toe. Zijn ogen gingen langzaam open en richtten zich op Vespasianus. Zijn ademhaling was oppervlakkig en onregelmatig en zijn borst was aan flarden gereten.

'Het toppunt van ironie, is het niet?' steunde Capella. Hij kon een mager lachje op zijn gezicht toveren, uit zijn mondhoeken sijpelde bloed. 'De beestenhandelaar gedood door het beest.'

'U bent nog niet dood,' antwoordde Vespasianus. Magnus kwam bij hen staan.

'Maar dat duurt niet lang meer, ik voel mijn lijf niet meer. Luister, Vespasianus, ik moet jou nu wel vertrouwen, je moet ervoor zorgen dat die kist bij mijn beschermheer komt. Hij is een vrijgelatene in het huishouden van Claudius, de zoon van Antonia. Hij heet Narcissus.'

Vespasianus liet niets merken. 'Ik heb wel van hem gehoord, ja,' zei hij, wat niet helemaal volledig was.

'Dan weet je ook dat hij een meedogenloos man is die je beter niet kunt tegenwerken.'

Vespasianus had die ervaring zelf niet, maar hij kon zich goed voorstellen dat Capella's beeld klopte. 'Dat geldt voor de meeste mensen in die kringen.'

'Het is van groot belang dat hij die kist krijgt zonder dat iemand van de keizerlijke familie het merkt. Daarom heb ik zijn mannetje in Siwa gesproken, om de kist uit Egypte te smokkelen. Als we hem in Alexandrië naar een schip zouden brengen, inspecteren de douanemensen hem en zouden ze hem ongetwijfeld in beslag nemen en overhandigen aan de prefect, Aulus Avilius Flaccus. Hij is volkomen trouw aan Tiberius en zou hem de kist sturen, wat mijn beschermheer koste wat het kost wil vermijden.'

'Dus wat u van mij vraagt is verraad te plegen, toch? Waarom zou ik?'

'Voor het geld. Neem de sleutels, ik had ze om mijn nek, dus ze moeten hier ergens liggen. In de kist zit wat goud, niet veel, vijftig aurei of zo, wat nog over is van mijn reisgeld.'

'Dat is niet genoeg.'

'Ik doe geen zaken met contanten. Er is ook nog een bankwissel, uit te betalen aan toonder, voor een kwart miljoen denarii, op naam van Thales van Alexandrië. Je kunt die bij hem inwisselen tegen een vergoeding van vijf procent of bij de gebroeders Cloelius in het Forum Romanum tegen twintig procent.'

Magnus zoog met tuitlippen lucht naar binnen. 'Dat is hoe dan ook een hoop geld, heer.'

'Narcissus zal het een prima besteding vinden, zolang die andere spullen maar bij hem terechtkomen.'

'En die spullen zijn…?' vroeg Vespasianus. Hij vroeg zich af wat er zo waardevol kon zijn.

'Landeigendomsakten. De afgelopen drie jaar heeft Narcissus in Egypte enorme stukken land gekocht namens Claudius.'

'Wat is daar verkeerd aan? Zijn moeder, Antonia, heeft ontzettend veel land in Egypte.'

'Dat is waar, maar zij is geen mogelijke opvolger van de keizer.' Capella's stem werd zwakker, hij zakte weg. 'In een jaar met een goede oogst brengt dat land kapitalen op, Narcissus heeft zijn meester grote rijkdom bezorgd.'

'En met die rijkdom hoopt hij keizer te worden?'

Capella knikte zwak, met zijn ogen dicht. 'Precies, door de loyaliteit van de praetoriaanse garde af te kopen. Claudius moet de volgende keizer zijn.'

'En Caligula dan?'

'Caligula zal Rome te gronde richten.'

'Caligula is mijn vriend.'

De ogen van de verzwakte Capella gingen van schrik half open. 'Goede goden, wat heb ik gedaan?' zei hij schor. Zijn ademhaling werd nog onregelmatiger. 'Narcissus zal mijn familie vermoorden.'

Capella ademde nog een keer in, hapte toen heel even naar lucht, en stierf.

'Wat gaat u nu doen?' vroeg Magnus terwijl Vespasianus de ogen van Capella toedeed.

'De sleutels van die kist zoeken.' Vespasianus stond moeizaam op en blikte om zich heen. Hij voelde een stekende pijn in zijn dijbeen en zijn schouder klopte.

Magnus maakte geen aanstalten hem te helpen. 'Ik bedoel met die kist.'

'Die breng ik naar Antonia natuurlijk, dan mag zij zeggen wat we ermee doen.'

'Ik heb een beter idee. We pakken het goud en de wissel en verbranden de rest. Op die manier mengen wij ons niet in politieke zaken. De laatste keer dat jij je inliet met de politiek werd je bijna van een klif gegooid, als ik het me goed herinner.'

'Gevonden,' zei Vespasianus, en hij boog zich voorover om de vermiste sleutels op te rapen. 'Ik vrees dat het daar al te laat voor is, ik zit er al middenin. Als Capella niet met de landeigendomsakten in Rome opdaagt wil Narcissus meer weten, en zijn mannen zullen er al snel achter komen dat ik hem heb gered uit handen van de Marmariden en dat hij op de terugreis overleden is. Hij zal terecht aannemen dat ik de akten heb en, hoewel hij bij mij in het krijt staat, me opsporen. Als ik ze verbrand heb zal hij me niet geloven en heb ik ook niets meer om tegen hem te gebruiken. Dus in feite heb ik maar twee opties: ze meteen aan hem geven en me de woede van Antonia op de hals halen, of ze aan Antonia geven en me de woede van Narcissus op de hals halen.'

'Antonia hoeft er niet achter te komen.'

Vespasianus keek zijn vriend verbaasd aan. 'Hoe zie je dat voor je?'

'Goed, het zal misschien lastig worden, ze heeft waarschijnlijk een spion in het huishouden van Claudius. In dat geval hebt u gelijk, dan kunt u beter op Antonia gokken.'

'Dat denk ik ook, ja. Zij kan mij veel beter beschermen tegen Narcissus dan hij me tegen haar zal kunnen beschermen, en bovendien, als ik tegenover haar kom te staan raak ik Caenis kwijt.'

'Vergeef me dat ik het zeg, maar dat is misschien niet eens zo slecht.'

'Hoezo?'

'Nou, wie gaat er voor Flavia zorgen nu Capella dood is? Ik had het idee dat u die openstaande betrekking maar wat graag wil invullen, als u begrijpt wat ik bedoel.'

Vespasianus glimlachte. 'O, jazeker, maar dit is een buitenkansje. Met het geld in die kist kan ik twee vliegen in één klap slaan.'

De ongerustheid van Vespasianus was ineens toegenomen toen ze twee dagen later in de avond de zuidpoort van Cyrene naderden. De rook die van ver gewoon van de bakkerijen, smederijen en kookvuren afkomstig had geleken, bleek in het noordoosten van de stad beduidend dikker dan normaal te zijn.

'Volgens mij is er brand in de Joodse wijk in de benedenstad,' zei hij tegen Magnus, die tussen hem en Ziri in reed.

'Zolang het zich niet uitbreidt naar het badhuis van de gouverneurswoning kan het mij geen moer schelen,' antwoordde Magnus, en hij krabde op zijn stevig verbonden borst, 'ik moet een hele woestijn van me af schrapen.'

Vespasianus voelde aan zijn gewonde schouder. Die klopte onophoudelijk en er sijpelde nu ook gele pus uit. 'Je hebt gelijk, ik ga ook niets doen totdat ik dit heb laten schoonmaken en dichtschroeien. Als ik terug ben laat ik Marcius Festus komen, de prefect van de cohort. Wat er ook in de fik staat, zijn mannen zullen er vast iets aan gedaan hebben.'

Klepperend reden ze door de poort, waar vreemd genoeg geen bedelaars waren, en sloegen de weg in naar de gouverneurswoning in het centrum van de stad. Achter hen viel de colonne uit elkaar, de uitgeputte mensen gingen nu hun eigen weg, ze wisten dat ze van Rome geen hulp meer konden verwachten. Een paar gelukkige zielen hadden een huis in de stad, maar de anderen waren aangewezen op de hulp van familie, vrienden of vreemdelingen om op hun eindbestemming te komen.

Terwijl de laatste ex-gevangenen in zijstraten verdwenen, drong het tot Vespasianus door dat er niemand op straat was. 'Corvinus,' riep hij over zijn schouder naar de prefect van de cavalerie, 'dit is toch niet normaal?'

'Nee, en kijk naar de ramen, bijna alle luiken zijn dicht.'

'Misschien zijn er spelen gaande of zo,' opperde Magnus. 'Ze hebben hier toch een amfitheater?'

'Ja, maar zelfs dan zouden er wel wat mensen rondlopen, mensen die niet naar binnen konden komen of een te zwakke maag hebben.'

'Mensen met een zwakke maag, die haat ik.'

Toen ze aankwamen bij het forum bleek ook dat verlaten te zijn. Vespasianus liet zich voor de gouverneurswoning van zijn paard glijden en keek naar Corvinus en het groepje overgebleven hulpsoldaten. 'Prefect, u en uw mannen kunnen gaan. Bedank hen namens mij.'

'Veel zijn het er niet meer,' antwoordde Corvinus wrang. 'En ik betwijfel of uw bedankje het verlies van hun kameraden zal goedmaken, of de ontberingen die ze moesten ondergaan op deze onbezonnen expeditie waarvoor u hen paaide.'

'Neem de kamelen mee, verkoop ze, en gebruik het geld om vervangers te rekruteren,' opperde Vespasianus. De schimpscheut negeerde hij.

'Dat is goed.'

'Voor uw vertrek naar Barca mag u hier gerust de nacht doorbrengen en plaatsnemen aan mijn tafel.'

'Dank u, quaestor, maar ik bepaal liever zelf met wie ik de maaltijd nuttig.' Corvinus draaide zijn paard. 'U hoort nog wel van mij, Vespasianus,' zei hij dreigend, waarna hij zijn paard een schop gaf en weggaloppeerde. Zijn mannen volgden hem met de kamelen.

'U had gelijk,' merkte Magnus op, 'hij mag u inderdaad niet.'

'Hij mag verrekken,' zei Vespasianus, en hij liep de trap op. 'Ik heb hem de olijftak aangeboden en hij heeft hem geweigerd. Als hij zo graag mijn vijand wil zijn, dan moet dat maar.'

'Laten we hopen dat u er geen spijt van krijgt.'

'De goden zij dank, quaestor, u bent terug,' zei Quintillius, de klerk van de quaestor, die op Vespasianus af rende toen deze het atrium betrad.

'Wat is er aan de hand, Quintillius?'

'De Joden vechten al drie dagen lang tegen elkaar, in de hele stad zijn al honderden doden gevallen.'

'Waar zijn Marcius Festus en zijn hulptroepen?'

'Het is hem gelukt de strijd in te dammen, ze zijn nu alleen nog in de Joodse wijk aan het vechten.'

'Laat hem hier komen om verslag uit te brengen en haal de geneesheer, dan kan die mijn wonden verzorgen.'

'De meeste branden hebben we nu onder controle, maar er staan nog gebouwen in de fik in het gebied waar de relschoppers heer en meester zijn,' deelde Festus mede. Hij hield een olielamp vast zodat de geneesheer in de schemering beter kon zien wat hij deed. 'Het zijn er een paar duizend, maar we hebben ze ingesloten in acht straten in de Joodse wijk. Ze hebben barricades opgeworpen, die wil ik morgenochtend vroeg bestormen.'

'Dus u hebt geen flauw benul hoe het begonnen is?' vroeg Vespasianus aan Festus. Hij beet op zijn kiezen, de geneesheer spoelde zijn schouderwond schoon met azijn.

Festus schudde zijn hoofd. Hij liep tegen de veertig, was als soldaat begonnen en had zich gaandeweg omhooggewerkt. 'Nee, quaestor, dat weten we niet, maar het schijnt te zijn begonnen op het plein in de benedenstad. Daar predikt met regelmaat een jongeman en er komen steeds meer mensen naar hem luisteren. Ik heb hem ook een paar keer gezien, maar hij zegt niets tegen Caesar of Rome en dus heb ik hem met rust gelaten, zoals u bevolen heeft.'

'Wat predikt hij?'

'Ik weet het niet, iets over hun Joodse god. Een paar keer hoorde ik hem spreken van "Verlossing aan het Einde der Tijden", maar ik luister niet echt naar hem. Hij heeft altijd een jonge vrouw met twee kinderen bij zich, maar zij zegt nooit iets.'

'O ja, ik heb hem gezien, een paar dagen voor mijn vertrek naar Siwa. Weet u hoe hij heet?' Vespasianus' gezicht vertrok, de geneesheer begon zijn schouder te hechten.

'Het enige wat ik weet is dat hij een maand geleden is aangekomen met een Judees handelsschip.'

'Wat voor handel?'

'Tin, als ik de havenmeester moet geloven.'

'Tin? Ligt het schip er nog?'

'Nee, uit de administratie blijkt dat het een dag na het begin van de gevechten is uitgevaren.'

'Goed, dan moeten we morgen een einde maken aan dat geweld en daarna die prediker zien te vinden. Als hij de oorzaak van deze ellende is, stuur ik hem naar de gouverneur zodat die hem aan een kruis kan nagelen. Quintillius!'

'Ja, quaestor?' De klerk vloog naar binnen.

'Er zal een Jood genaamd Josef komen die mij wil spreken. Stuur hem meteen door als hij er is.'

114

'Jawel, quaestor.'

'En zoek uit waar die vrouw verblijft die mij kwam opzoeken, Flavia Domitilla. Ik wil dat ze morgenavond hier komt eten, als die Joodse kwestie is opgelost.'

'Jawel, quaestor. Anders nog iets van uw dienst?'

Vespasianus kromp ineen toen de geneesheer de japen in zijn dijbeen begon schoon te maken. Hij wuifde de vraag weg, de klerk boog en vertrok.

'Dank u, Festus, u hebt goed werk verricht. Ga terug naar uw mannen. Zodra het licht wordt, nog voordat u de barricades bestormt, kom ik poolshoogte nemen. Laat de Joodse oudsten arresteren en hier komen om uit te leggen waarom hun mensen zich zo gedragen. Ik wil weten of ik reden heb om genade te hebben met die relschoppers.'

De volgende morgen beende Vespasianus in uniform door het atrium, hij popelde om het oproer de kop in te drukken. 's Avonds wilde hij daar niet meer aan hoeven denken, dan moest hij Flavia Domitilla verleiden.

Magnus zat op de rand van een van de lege schrijftafels op hem te wachten. 'Goedemorgen. En hoe voelt meneer zich vandaag?'

'Ongeveer zoals jij, vermoed ik: stijf,' antwoordde hij, en hij wreef over zijn stevig ingepakte dijbeen. 'Maar mijn schouder klopt tenminste niet meer. Waarom ben je al op? Je hoeft niet mee, hoor.'

'En een leuk robbertje straatvechten missen? Dacht het niet. Ik heb bij de stadscohort gezeten, weet u nog? Wij vonden het geweldig als de aanhangers elkaar na de paardenrennen in de haren vlogen. Andere gevechten waren er niet, en we hadden de grootste lol, tenzij we de Groenen te lijf moesten gaan, dan deed ik het altijd wat rustiger aan, als u begrijpt wat ik bedoel.'

'Nou, hier zitten geen Groenen bij.'

'Juist. Dan zullen het wel allemaal Roden zijn, die schoften.'

'Quaestor,' zei Quintillius, die door de hoofdingang kwam, 'die Josef staat buiten tussen de mensen met een verzoek.'

'Mooi. Heb je Flavia Domitilla al gevonden?'

'Nee, quaestor, daarvoor was gisteravond geen tijd meer, maar ik stuur wat mensen op pad zodra het licht is.'

'Uitstekend.' Vespasianus stapte de frisse ochtendduisternis in.

De meute voor het huis begon meteen met perkamentrollen te zwaaien en te vragen om antwoorden en gunsten.

'Wacht hier tot ik terugkom,' riep hij, en hij duwde de smekende handen weg. 'Dan handel ik jullie zaken af.' Achter in de meute zag hij Josef staan en hij wees naar hem. 'Josef, loop met mij mee.'

'Jawel, quaestor.' Josef maakte zich los van de meute en ging naast Vespasianus lopen toen deze de trappen naar het forum af liep. Magnus duwde de laatste hardnekkige smekelingen weg.

'Had de man die jij naar Apollonia bracht een jonge vrouw en twee kinderen bij zich?'

'Er was wel een vrouw met twee kinderen op het schip, maar ze was niet in het gezelschap van Simon, ze was onderweg naar Zuid-Gallië om uit handen te blijven van de priesters die haar in Judaea vervolgden.'

'Het schijnt dat ze nu bij die Simon is, men heeft haar gezien toen hij zijn opstand predikte.'

'Simon zou geen opstand prediken.'

'Nee? Vertel mij dan eens waarom er een oproer gaande is in de Joodse wijk.'

'Dat komt niet door Simon. Hij predikt vrede, net als ik. Wij volgen de ware leer van mijn familielid, Joshua.'

'Hij is de man die gekruisigd is, zoals jij vertelde?'

'Inderdaad, quaestor. Hij was een goed mens, hij geloofde dat wij Joden elkaar met liefde en mededogen moeten bejegenen, omdat het einde der tijden nabij is en alleen de rechtvaardigen gered zullen worden op de dag des oordeels.'

'Gered waarvan?' vroeg Vespasianus terwijl ze het forum verlieten. De grond was bezaaid met puin dat was achtergebleven na drie dagen vechten.

'De eeuwige dood. Zij zullen voor altijd leven, samen met de opgestane rechtvaardigen, in het aardse paradijs dat na het einde der tijden komt en waar Gods wetten regeren.'

'En dit geldt alleen voor de Joden?'

'Iedereen mag zich tot dit geloof bekeren, mits hij Gods wetten gehoorzaamt zoals die zijn opgeschreven in de vijf boeken van de Thora en hij zich laat besnijden.'

116

'Wat is dat?' vroeg Magnus. Hij stapte over een verwoeste markt-stal heen.

'De verwijdering van de voorhuid.'

Vespasianus keek Josef vol ongeloof aan. 'Ik zal jullie nooit be-grijpen. Denk je nou echt dat ik geloof dat je je voorhuid moet laten afsnijden om een rechtvaardig mens te worden?'

Josef haalde zijn schouders op. 'Zo wil God het.'

'Nou, jullie doen maar, als jullie daar gelukkig van worden, maar probeer het niet op te leggen aan anderen.'

'Dat doen we ook niet, we prediken alleen aan Joden die zijn af-gedwaald. Joshua liet daar geen onduidelijkheid over bestaan: we moeten het woord niet doorgeven aan niet-Joden, zelfs niet aan de Samaritanen, die een afwijkende Thora volgen.'

Vespasianus bromde iets en liep zwijgend verder in de richting van de benedenstad. Hij vroeg zich af of deze mensen meenden de enigen te zijn die God begrepen en daarom geen andere standpunten accepteerden.

Hij sloeg rechts af en liet de door de rellen gehavende hoofdstraat achter zich, de eerste zonnestralen brachten een oranje gloed op de hoge wolken, en Vespasianus zag de centuriën van hulptroepen aan-treden op de bulderende commando's van hun centuriones en optiones.

'Wat een klerezooi,' zei Magnus toen ze langs de in maliën gehulde soldaten liepen, die hun best deden om in het halfdonker een linie te vormen, elkaar uitscholden als hun werpspeer bleef haken achter het schild van hun buurman en de wilde slagen van de wijnstokken van de centuriones moesten verduren.

'Dit is voor de meesten hun eerste gevecht,' legde Vespasianus uit, en hij vroeg zich af of ze gedisciplineerd genoeg waren om stelsel-matig door de wijk te gaan en de relschoppers te verdelgen.

'En als ze op deze manier een linie denken te vormen, zal het ook hun laatste zijn.'

'Goedemorgen, quaestor,' zei Festus toen ze vooraan bij de eerste centurie arriveerden. 'De Joodse oudsten wachten op u.'

'Dank u, prefect. Laat ze maar hier komen.' Vespasianus tuurde de straat in, in het halfdonker doemde ongeveer honderd passen bij hem vandaan een vrij stevige barricade op.

117

Drie oude mannen met borstelige grijze baarden en lange witte gewaden en zwart-witte mantels kwamen op hem af geschuifeld. Vespasianus nam hen van top tot teen op, hoopte dat er één was uit wie hij iets zinnigs kon krijgen.

'Wie voert het woord?' vroeg hij.

'Ik, quaestor,' antwoordde de middelste van de drie. 'Ik heet Menachem.'

'Vertel mij eens, Menachem, hoe is dat allemaal zo gekomen?'

'Door een man die een vreemde leer verkondigt, quaestor.'

'Simon?'

'U kent hem?'

'Ik heb van hem gehoord. Maar waarom moet er zoveel dood en verderf worden gezaaid?'

'Hij heeft honderden mensen tot zijn geloof bekeerd, zij volgen niet langer onze leer.'

'Aha, dus dat is het probleem. Jullie zijn bang om de macht kwijt te raken.'

'Zijn predikingen zijn godslasterlijk.'

'Ik dacht dat Joshua naastenliefde en gehoorzaamheid aan de Thora verkondigde. Wat is daar nou godslasterlijk aan?'

De ogen van Menachem werden groot van verbazing. 'U bent goed op de hoogte voor een niet-Jood, quaestor. U hebt gelijk, dat is niet godslasterlijk, maar Simon beweert dat Joshua de messias en de zoon van God was. Dat kunnen wij niet accepteren.'

'Dus geeft u uw volk maar opdracht hem en zijn volgelingen te doden.'

'Wij hebben helemaal geen opdrachten gegeven. Er was een opruier in de menigte, iemand die wij helemaal niet kennen. Hij is begonnen toen Simon een bewering deed die nóg godslasterlijker was.'

'En die was?'

'Dat Joshua drie dagen na zijn terechtstelling herrezen is om te laten zien dat de rechtvaardigen zullen opstaan uit de dood.'

'Wat een onzin. En u hebt niets ondernomen om uw volk te beteugelen?'

'Na deze bewering richtte de opruier zich tot de menigte. Hij verhitte de gemoederen zodanig dat niemand meer naar ons wilde luisteren. Hij zei dat het graantekort en het mislukken van de silphium-oogst Gods straf was voor het feit dat wij naar de leugens van Joshua luisteren.'

'Maar die oogst mislukt al jaren.'

Menachem haalde zijn schouders op. 'Het zijn arme mensen die door de mislukte oogst nog armer worden en nu de hoge graanprijzen niet meer kunnen betalen, dus zijn ze blij met iedere zondebok die ze kunnen vinden. Ze stortten zich op de aanhangers van Simon, daartoe aangespoord door de opruier, die schreeuwde dat zij de vrouw en haar kinderen moesten grijpen die Simon altijd bij zich heeft. De vrouw kon met haar kinderen ontsnappen terwijl de aanhangers van Simon onze mensen tegenhielden, en sindsdien wordt er om de haverklap gevochten in de straat en is die opruier naar hen op zoek.'

'En nu hebben zij zich opgesloten in de Joodse wijk, waar ze willen blijven totdat ze hen hebben gevonden?'

'Ik vrees van wel,' bevestigde Menachem op trieste toon, en hij keek naar de centuriën, die inmiddels goed in het gelid stonden. 'Die man is verschrikkelijke fanatiek, hij heeft al heel veel doden op zijn geweten, en voor het einde van de dag zullen er nog flink wat bij komen.'

'Hoe ziet hij eruit?'

'Hij is tamelijk klein, heeft kromme benen en mist de helft van een oor.'

'Dat moet genoeg zijn om hem te herkennen. Maar vertel mij eens, Menachem, wat heeft deze man eigenlijk tegen die vrouw en haar kinderen?'

'Om het uitverkoren volk Gods in Cyrene van alle zonden te zuiveren, zodat Hij het silphium weer zal laten gedijen, moeten volgens hem alle afstammelingen van Joshua vernietigd worden, en hij beweert dat Joshua de vader van die kinderen is.'

HOOFDSTUK VII

De zon stond als een vuurbal boven de horizon en er was genoeg licht om de hinderlagen te zien die mogelijk waren opgezet in de steegjes aan weerskanten van de gebarricadeerde weg. Achter de barricade van gekantelde wagens, vaten en kapotte meubels zag Vespasianus een grote groep mannen staan, een paar hoofden staken boven de barricade uit, de blikken gericht op de Romeinen. De huizen daarachter waren bouwvalliger dan in de rest van de stad, stille getuigen van de armoede in de Joodse wijk.

'Geef bevel om op te rukken, Festus,' zei hij tegen de prefect van de hulptroepen die naast hem stond, vóór de eerste centurie, die zich acht man breed had opgesteld.

Magnus gaf hem een ovalen schild van de hulptroepen. 'Ik vind het onvoorstelbaar dat ze zo dom zijn om zich tegen ons te verzetten.'

'Ze zijn wanhopig, sinds de silphium niet meer wil groeien zijn ze alleen maar armer geworden. Nu hebben ze hun hoop gevestigd op deze leugenaar, die hun vertelt dat er een einde zal komen aan alle rampspoed als zij twee kinderen doden, want dan zal hun god voor een goede oogst zorgen.'

Een *cornu* schalde, vier lage, rommelende noten, en de *signiferi* van elke centurie brachten een groet met hun vaandel. De aanval begon.

'Schilden op!' riep Festus.

Op vijftig passen van de barricade hoorde Vespasianus het veelzeggende gesuis van een salvo pijlen.

Hij pakte zijn schild stevig vast en dook in elkaar, maar zo dat hij nog net over de gebogen rand kon kijken. Hij voelde dat de soldaat achter hem zijn schild boven zijn hoofd hield en hoopte dat de man genoeg ervaring had om te weten dat hij het stevig moest vasthouden. Een paar tellen later hoorde hij de ijzeren punten van de talloze pijlen met doffe klappen inslaan in het met leer bedekte houten dak boven de hoofden van de mannen. Een paar kreten uit de gelederen bevestigden dat de hulpsoldaten niet altijd ervaren genoeg waren om ze goed vast te houden en dat er gaten vielen tussen de ovalen schilden.

Het ritmische stampen van de spijkersandalen op het plaveisel weerkaatste tegen de stenen muren aan weerszijden van de houten doos die ze snel om zich heen hadden gebouwd en galmde door de straat.

'Die verdomde aanhangers schoten nooit met pijlen,' gromde Magnus hard naar opzij toen twee pijlen van een tweede salvo ineens hard, met een dubbele trilling, in zijn schild landden.

Vespasianus voelde een pijl tussen de gebogen randen van zijn schild en dat van Magnus door suizen, en met een gorgelende kreet stortte de soldaat achter hem ter aarde, zijn schild kwam tijdens zijn val kletterend in aanraking met Vespasianus' helm. Hij schudde zijn hoofd om het gerinkel uit zijn oor te krijgen. Een ogenblik later voelde hij dat er een ander schild boven hem werd gehouden, de mannen achter hem waren naar voren geschoven om het gat te dichten.

Toen ze nog twintig passen te gaan hadden sloeg een derde salvo in.

'Werpsperen gereed, richt over de barricade,' riep Festus terwijl de laatste pijlen doel troffen. 'Schilden neer!'

De hulpsoldaten brachten hun werpsperen omhoog, klaar om te gooien.

'Nu!'

Zo'n zeventig gestroomlijnde projectielen vlogen voor de oprukkende centurie uit, de meeste gingen over de barricade heen en regenden neer op de onbeschermde verdedigers, die juist aan het herladen waren. Hoewel de werpsperen van de hulptroepen niet zo zwaar waren als de *pila* van de legionairs, kraakten ze borstkassen en schedels, doorboorden ze armen en benen; tegenstanders werden hevig bloedend en loeiend van pijn naar de grond geslingerd.

Er volgde een slordig salvo, dat de oprukkende Romeinen nauwelijks deerde.

'Aanvallen!' brulde Festus boven het gekrijs van de gewonden uit. De soldaten trokken hun zwaarden en begonnen te draven, weggedoken achter hun schilden, die ze stevig vasthielden.

Vespasianus deed zijn ogen dicht toen zijn schild tegen de barricade knalde, het schild van de soldaat achter hem kwam hard tegen zijn rug en hij werd naar voren geduwd toen het gewicht van de mannen daarachter daar nog bij kwam. Hout schuurde ruw over steen, de barricade schoof een paar voet naar voren en splinterde opeens uiteen toen de centurie daarachter haar kracht aan de stuwende mensenkluwen toevoegde. Happend naar lucht werd Vespasianus tussen de rondvliegende brokken van het uit elkaar vallende obstakel naar voren geworpen, zijn voeten bleven haken achter een plank, waardoor hij languit ging. Hij kon nog net het zwaard van een brullende verdediger omzeilen dat wild op hem af kwam gezwaaid en de staande pluim op zijn helm in het kruis van de man rammen. Toen hij op de grond kletterde voelde Vespasianus dat de soldaat achter hem zijn zwaard in de onbeschermde borst van zijn gillende tegenstander stootte toen hij het gat in liep dat door zijn val ontstaan was.

Rondom hem drongen Romeinse benen voorwaarts terwijl hij in de wanorde van de geslagen bres probeerde op te krabbelen. De schreeuwende soldaten zagen hem niet, ze wilden zo snel mogelijk bij de slecht bewapende verdedigers komen, en toen hij er eindelijk in slaagde op te staan en weer kon meedoen aan de aanval, had hij flink wat trappen en schoppen tegen zijn armen en benen gekregen.

Hij liet de verpletterde barricade achter zich, maar kwam al snel tot het besef dat de vijand op de vlucht moest zijn geslagen. Een ogenblik later werd dit bevestigd door de lage toon die uit een cornu schalde: 'Halt'.

Hij baande zich een weg door de hijgende soldaten, naar de voorhoede van de eerste centurie, waar Festus naar de circa tien gevangenen keek die angstig op hun knieën zaten, tussen de bloedige resten van hun gesneuvelde strijdmakkers.

'Ah, quaestor, daar bent u,' zei de prefect, die blij leek hem te zien. 'Wat wilt u met deze doen? Ik wilde ze juist laten executeren.'

'Nee, laat ze leven, prefect. Als de Joden zien dat wij gevangenen nemen, vinden ze het misschien verstandiger om hun belachelijke verzet te staken. Laat een van de minder sterke centuriën ze bewaken en laat de andere zich over de wijk verspreiden en een einde aan deze toestand maken. Laat alle centuriones weten dat ik zo min mogelijk doden wil en dat vrouwen en kinderen hoe dan ook met rust moeten worden gelaten.'

Naarmate de eerste centurie dieper doordrong in de Joodse wijk werd steeds duidelijker hoeveel slachtoffers de strijd had geëist. Overal lagen lijken, op plekken waar kennelijk gevochten was meerdere bij elkaar, en her en der een enkeling, alsof geveld tijdens een ontsnappingspoging. Het waren meestal mannen van uiteenlopende leeftijd, maar Vespasianus zag ook een paar vrouwen en kinderen. Geen van hen leek echter op de vrouw en twee kinderen die hij in gezelschap van Simon had gezien.

Ze werkten stelselmatig de hoofdstraat af, de andere centuriën trokken ondertussen evenwijdig aan hen de wijk in, en konden een paar schermutselingen beëindigen, wat belegerde huizen bevrijden, de bewoners in veiligheid brengen, heel veel mensen gevangennemen en hardnekkige relschoppers uit beide kampen doden. Dankzij de gezamenlijke inspanning van de cohort beperkte het geweld zich tegen het einde van de ochtend tot een klein deel van de wijk.

'De Joden moeten een pesthekel hebben aan dat nieuwe geloof,' zei Magnus, en hij schopte een harige, afgehakte onderarm naar het lichaam waar het zo te zien bij hoorde. 'Ik begrijp er niets van. Stel u voor hoe groot de chaos bij ons zou zijn als we zouden gaan vechten om de vraag of we een zwarte stier moeten offeren voor Mars en een witte voor Jupiter, of andersom. We zouden tot niets meer komen.'

Vespasianus deed een stap naar links om niet in de uitstulpende darmen van een gesneuvelde jongen te trappen. 'En we zouden met veel minder zijn. Als we iedere god evenveel eer geven, kan niemand zich gekwetst voelen omdat ze het idee hebben dat hun favoriete god minder aandacht krijgt dan die van een ander. En de goden zij dank, in gelijke mate, uiteraard, dat we dat ook echt doen.'

Magnus grinnikte. 'Waardoor we alle tijd hebben om de wereld te veroveren.'

Op dat moment klonk er niet ver bij hen vandaan een rauw geschreeuw.

'Vergeet niet dat wij ook burgeroorlogen hebben gehad, maar dat waren tenminste politieke conflicten, en een politieke kloof is denk ik veel makkelijker te overbruggen dan een religieuze. Volgens Sabinus doen de Joden weinig anders dan kibbelen over hun godsdienstleer, wat waarschijnlijk een van de redenen is waarom zij nooit een rijk hebben gehad, de goden zij dank. Stel je voor dat je moet leven in een wereld waar men elkaars godsdienst niet verdraagt? Dat zou toch...'

'Onverdraaglijk zijn?'

'Precies,' zei Vespasianus grijnzend. De hoofdstraat maakte een scherpe bocht en mondde uit in het pleintje midden in de Joodse wijk.

'Verrek!' brieste Festus toen duidelijk werd waar het geschreeuw vandaan kwam. 'Centurio Regulus, laat de centurie hier een linie maken en stuur een stel koeriers maar de twee dichtstbijzijnde centuriën met de boodschap dat ze ons zo snel mogelijk moeten komen versterken.'

'Jawel, prefect!' bulderde de *primus pilus*, en hij salueerde fraai voordat hij zich omdraaide om gehoor te geven aan het bevel.

Voor hen, op ongeveer vijftig passen, richtte een meute van minstens honderd relschoppers zich op drie huizen aan de overkant van het plein, waarvan er een al in brand stond. Zwarte rook kringelde om de meute heen.

De eerste centurie stroomde vanuit de hoofdstraat het plein op, de spijkers van hun sandalen kletterden toen de mannen een linie vormden van twee rijen dik over de volle breedte van de toegang tot het plein. Ondertussen hadden enkele relschoppers de soldaten ontdekt. Schreeuwend en tierend maakten de achterste mensen zich los van de meute en kwamen op de dunne linie af, zwaaiend met zwaarden, knuppels en bogen.

Opeens hoorde Vespasianus links en rechts luide kreten. Uit beide straten die evenwijdig liepen aan de hoofdstad was een centurie gekomen, en beide eenheden stelden zich nu op aan weerskanten van de eerste centurie.

De voorste relschoppers bleven ineens staan, ze hadden geen zin om het op te nemen tegen meer dan tweehonderd gewapende soldaten met schilden, maar ondertussen liepen de mensen daarachter gewoon door, waardoor de meute in elkaar werd gedrukt.

Op bevel van Festus werd een signaal op de cornu geblazen. Het gekletter van zwaarden op schilden galmde over het plein, de soldaten van de drie centuriën deden met het linkerbeen stampend een pas vooruit, hielden hun schilden stevig voor zich en zetten hun zwaarden tegen hun rechterheup, met de kling schuin omhoog, klaar om hun dodelijke werk te doen.

'Ze beginnen het door te krijgen,' merkte Magnus op van achter zijn schild. Het verbaasde hem dat de mannen de manoeuvre vrijwel gelijktijdig hadden uitgevoerd.

'Hun bloed kookt,' zei Vespasianus, en hij zag een kleine man vanuit de meute naar voren komen. 'Die lijkt op de opruier die Menachem beschreef. Hij heeft wel lef.'

'Wie heeft het bevel?' riep de man naar de Romeinen.

'Ik,' riep Vespasianus terug, en behoedzaam deed hij een stap naar voren.

'Kom naar het midden,' gelastte de man, en hij liep met kromme benen naar voren.

'Waarom zou ik met u in discussie gaan, Jood?' vroeg Vespasianus. De arrogantie van de man schoot hem in het verkeerde keelgat. 'Zeg tegen uw mensen dat ze hun wapens moeten neerleggen, dan pas praat ik met u.'

'Bent u Titus Flavius Vespasianus, quaestor van deze provincie?'

'Dat ben ik,' antwoordde Vespasianus verbaasd.

'Goed, quaestor, het lijkt me beter als u even met me praat,' sprak de man monotoon, en hij bleef halverwege tussen beide partijen staan.

In de wetenschap dat hij de keus had tussen een gesprek met de Jood of een onmiddellijk gevecht liep Vespasianus naar voren, en hij vroeg zich af of dit mannetje met zijn aanmatigende houding hem iets te vertellen had wat zou helpen de rellen te beteugelen. 'Ik ben

Gaius Julius Paulus, een Romeins burger,' zei hij. Met een zelfbewuste grijns haalde hij een papyrusrol uit de tas die aan zijn riem hing. 'Ik heb een opdracht van de hogepriester in Jeruzalem, bekrachtigd in naam van de keizer door Pilatus, de prefect van Judaea, en Flaccus, de prefect van Egypte. Uw directe meerdere, Severus Severianus, de gouverneur van deze provincie, heeft hem ook ondertekend toen ik vorige maand bij hem was in Gortyn met de vraag of ik mijn werk mocht doen in deze provincie. Wilt u nu wel met me praten?'

Vespasianus nam de walgelijk zelfvoldane man op. De helft van zijn rechteroor ontbrak, hij was dus inderdaad de opruier die de rellen begonnen was. 'Het kan me geen moer schelen wie uw stukje papyrus ondertekend heeft, Jood,' snauwde hij, niet bij machte om zijn afkeer te verhullen, 'u bent begonnen met een oproer dat drie dagen heeft aangehouden en voor vele doden heeft gezorgd, ik kan me niet voorstellen dat iemand u daartoe gemachtigd heeft.'

'Ik heb opdracht om de valse leer van Joshua, door zijn volgelingen "De Weg" genoemd, koste wat het kost uit te roeien. Tevens heb ik opdracht alle grote Joodse gemeenschappen te verstaan te geven dat dit nieuwe geloof onaanvaardbaar is en het volk Gods enkel ellende zal brengen.'

'Zoals die onzin die u rondbazuint, dat het de oorzaak is van de mislukte silphiumoogst?'

Paulus wierp hem een sluwe blik toe. 'Een leugen wordt waarheid als hij resulteert in wat God wil.'

'Laat mij die machtiging eens zien.'

Paulus stak de rol naar hem uit, Vespasianus deed zijn zwaard terug in de schede en pakte hem aan.

'"Ik, Kajafas, hogepriester der Joden,"' las Vespasianus voor, '"trouw dienaar van keizer Tiberius, machtig Gaius Julius Paulus al het mogelijke te doen om de leer van Joshua bar Josef, die de vrede in het keizerrijk bedreigt, te verdelgen, zowel hier in Judaea als in de Joodse gemeenschappen langs de grenzen van het rijk."' Hij keek naar de zegels en handtekeningen: Kajafas, Pilatus, Flaccus en Severianus. Hij gaf de rol terug.

Paulus glimlachte zelfgenoegzaam. 'U ziet het, quaestor, ik ben een zeer belangrijk man met machtige beschermheren. Ik heb mijn werk met goed gevolg gedaan in Caesarea en Alexandrië, en hier in Cyrene is de klus bijna geklaard. Als mijn werk erop zit, ga ik weer naar het Oosten.'

'Dit geeft u niet het recht mensen te vermoorden.'

'Het is geen moord, het is een terechtstelling,' antwoordde Paulus, 'en het is een zuiver Joodse aangelegenheid. Ik heb de prediker, Simon van Cyrene, al ter dood gebracht, en in een van die huizen achter mij zitten de vrouw en kinderen van Joshua. Zolang zij nog leven zullen zijn leugens verspreid worden. Dus, quaestor, als u mij toestaat Gods werk te volbrengen zal ik u niet langer tot last zijn, want ik moet naar Damascus, waar deze afschuwelijke sekte ook wortel heeft geschoten.'

'Ik heb kinderen gedood zien worden omdat zij de naam van hun vader hadden, en als het aan mij ligt gebeurt dat niet nog een keer.'

'U hebt niet de macht om mij tegen te houden.'

Vespasianus greep Paulus bij zijn arm en draaide hem om, sloeg zijn schildarm om zijn nek, trok zijn pugio en hield de punt dreigend bij zijn nieren. 'De macht heb ik misschien niet, maar de kracht wel. Eén verkeerde beweging en het zal je laatste zijn, miezerig ventje. Festus! Acht man hierheen om deze opruier te arresteren.'

De meute protesteerde brullend, maar deed niets. Niemand wenste een confrontatie met de soldaten.

'Jullie kunnen mij niet arresteren,' krijste Paulus, 'ik heb een machtiging.'

Vespasianus prikte zijn pugio in Paulus' huid, waar nu bloed uit kwam. 'Dan kunt u die maar beter verscheuren, want als ik u niet kan arresteren maak ik misschien een verkeerde beweging met mijn dolk.' Hij liet het lemmet langs Paulus' huid glijden, maakte een snee.

Paulus schreeuwde het uit van de pijn en probeerde zich kronkelend te bevrijden, wat niet lukte. Hij pakte de rol en scheurde die langzaam doormidden, een keer in de lengte en een keer in de breedte, waarna hij de stukken op de grond liet vallen. 'U bent al even arrogant als uw broer, die ik tot mijn spijt in Judaea heb mogen ontmoeten,' zei hij vol minachting.

'Uw mening laat mij koud, u betekent helemaal niets meer.'

'Ik ben tot veel in staat, quaestor, maar word tegengehouden door de kleinzielige ambities van mensen zoals u. Ik verzeker u, op een dag zal ik heel veel voor u betekenen.'

Vespasianus duwde Paulus in de armen van de wachtende soldaten. 'Neem hem mee naar de haven en zet hem op het eerstvolgende schip naar Judaea.'

Paulus keek hem vol walging aan en spuugde naar zijn voeten.

Vespasianus keerde hem zijn rug toe en richtte zich tot de meute. 'Jullie leider heeft zijn machtiging verscheurd en gaat terug naar Judaea. Iedereen die nu zijn wapen neergooit, zal worden gespaard. Degene die dat niet doet, zal sterven. De mensen die al gevangengenomen zijn worden voor hun berechting naar de gouverneur gestuurd met het advies hun een doodvonnis op te leggen, en daar kan niet over worden onderhandeld. Mijn soldaten staan klaar. Dus wat gaat het worden?'

De relschoppers gooiden vrijwel meteen hun wapens neer.

'Prefect, verzamel deze mensen en zorg dat ze iets aan de branden doen en alle rotzooi opruimen. Weigeraars kunnen met de andere gevangen mee naar Kreta. En breng de vrouw en haar kinderen bij mij in de gouverneurswoning, en Josef ook.'

'Hoe kan ik u ooit bedanken, quaestor?' snikte de vrouw van Joshua opgelucht toen Quintillius haar en Josef naar Vespasianus' werkkamer had gebracht. Ze wierp zich op haar knieën en kuste zijn voeten, haar twee kinderen stonden verlegen achter haar, naast Josef.

'Hoe heet je?' vroeg hij, en hij boog zich voorover in zijn stoel en tilde haar kin op.

'Mariam, quaestor.'

'Goed, Mariam, wat wil je dat ik met jullie doe?'

'Ik zou graag mijn kinderen in veiligheid brengen.'

'Naar Gallië?'

'Eerst naar Carthago, en dan kan ik in het voorjaar de oversteek naar Gallië maken.'

'Waarom Gallië?'

'Daar zijn maar heel weinig Joden en word ik niet herkend.'

'Waarom willen de Joodse priesters jou van het leven beroven?'

'Dat kan ik u wel vertellen, quaestor,' opperde Josef. 'Op de derde dag na de dood van Joshua ging zij met enkele van zijn discipelen naar zijn graf om zijn lichaam terug naar Galilea te brengen. Maar het graf was leeg.'

'Iemand had het lichaam weggehaald?'

'Dat weten we niet. Hogepriester Kajafas wilde het laten begraven in een anoniem graf, dus misschien hebben de tempelwachters het stiekem weggehaald nadat wij het in het graf hadden gelegd. Zij loerden erop, maar uw broer heeft het aan mij toegezegd. Maar misschien leeft hij nog. Er zijn mensen die zeggen dat ze hem hebben gezien en gesproken, sommigen zeggen dat hij naar het Oosten is gegaan.'

'Dat is belachelijk, de man is gekruisigd. Zelfs als hij dat op wonderbaarlijke wijze zou hebben overleefd, zou hij geen stap kunnen verzetten.'

'Ik weet het.' Josef spreidde zijn handen, trok zijn schouders op. 'Maar zijn lichaam was niet in het graf en mensen hebben hem gezien. Misschien is hij niet gestorven, misschien is hij opgestaan uit de dood, zoals degenen die hem hebben gezien beweren, of misschien is het iemand die zich als hem voordoet. Hoe dan ook, de priesters jagen op iedereen die zegt het lege graf of een levende Joshua te hebben gezien.'

'U mag die onzin geloven, als u dat wilt.' Vespasianus' gedachten gingen naar Flavia. 'Jullie zijn beiden vrij om te gaan, maar moeten het vanaf hier verder zelf regelen. In het register van de havenmeester staat dat jullie schip twee dagen geleden is teruggegaan naar het Oosten.'

'God zal voorzien,' zei Mariam, en ze kwam overeind.

'Ik ben u wederom iets verschuldigd. God zij met u, quaestor,' zei Josef, en hij liep naar de deur.

'Ik heb liever dat er meer dan één god over mij waakt.'

Quintillius opende de deur en liet hen uit.

'Quaestor,' zei de klerk toen ze weer alleen waren. 'Wij hebben het huis gevonden waar Flavia Domitilla verbleef.'

'Heel goed. Heeft ze de uitnodiging om te komen eten aanvaard?'

'Ze was er niet.'

'Ga erheen en wacht tot ze terugkomt.'

'Dat heeft weinig nut, ben ik bang. De huisbaas vertelde dat Flavia Domitilla aan boord is gegaan van een Judees handelsschip dat een dag na het uitbreken van de gevechten in oostelijke richting is vertrokken.'

DEEL II

ROME, JULI, 35 N.C.

HOOFDSTUK VIII

'Waar zijn zíj in Mars' naam mee bezig?' vroeg Vespasianus ongerust aan Magnus toen een groep schijnbaar krankzinnige vrouwen – ze sloegen zichzelf met takken – over het Forum Boarium op hen af kwam gestormd.

'Niet in Mars' naam,' antwoordde Magnus, die Ziri tegenhield, want die had zijn handkar met hun spullen en Capella's kist losgelaten om hen te beschermen tegen de gillende vrouwen. 'Het zijn slaven, dus die doen dat in naam van Juno. Het is de Caprotinia, alle slavinnen in de stad zijn vandaag vrij, ze rennen rond en slaan zichzelf met vijgentakken.'

'Waar is dat goed voor?'

'Dat weet eigenlijk niemand.' Ziri was er zo van in de war dat Magnus hem moest helpen met de kar terwijl de vrouwen langsvlogen. 'Ik heb wel eens gehoord dat het iets te maken zou hebben met een vrouwelijke gevangene in het Gallische kamp tijdens hun inval in Italië. Vanuit een vijgenboom gaf zij onze jongens op een goed moment een teken om de stad uit te stormen en die nietsvermoedende, harige klootzakken te grijpen. En trouwens, wat maakt het allemaal uit, het gaat erom dat ze het doen en dat het 's avonds altijd fantastisch is. Tegen de tijd dat ze klaar zijn met rondrennen en zichzelf afranselen, zijn ze enorm opgefokt en erg inschikkelijk, als u begrijpt wat ik bedoel.'

'Dat zal best,' zei Vespasianus, en hij vroeg zich af of Caenis zichzelf er ook van langs gaf, een idee dat hem intrigeerde.

Een andere groep vrouwen, van wie sommigen hun borsten ontblootten, kwam jammerend het forum op en dreef de voorbijgangers uiteen, die vrolijk lachten om al die capriolen.

Magnus likte zijn lippen erbij af. 'We zijn precies op tijd teruggekomen. Niet alleen vanwege die wild enthousiaste, halfnaakte vrouwen, maar ook omdat we een paar leuke dagen in het circus krijgen om te herstellen van de uitspattingen waarop we onszelf hebben getrakteerd, want de Caprotinia valt in de achtdaagse Spelen van Apollo. Ik ben dol op juli.'

'Dat kan ik me voorstellen,' beaamde Vespasianus, die het niet fijn vond om eraan herinnerd te worden dat hij nu pas, halverwege het jaar, terug was in Rome.

Zijn teleurstelling over de verdwijning van Flavia Domitilla was versterkt door het feit dat hij langer in Cyrenaica had moeten blijven, en vervolgens had hij ook nog tot juni moeten wachten op zijn jonge vervanger, een zuurpruim die zich duidelijk veel te goed achtte voor zijn betrekking en geen enkele haast had gemaakt om op tijd in de provincie te zijn. En toen hij dan eindelijk werd afgelost, had hij door de harde wind – uitzonderlijk voor de tijd van het jaar – zijn terugkeer nog eens twee ellendige marktperiodes moeten uitstellen.

Afgezien van het verlangen naar Caenis, in wier armen hij Flavia zou kunnen vergeten, wilde hij vooral zo snel mogelijk terug naar Rome om de kist van Capella, minus het goud en de bankwissel, aan Antonia te geven. Narcissus zou zich al gauw dusdanig ongerust maken dat hij een onderzoek ging instellen, dat naar alle waarschijnlijk naar Vespasianus zou leiden, en de gedachte dat zijn pas verworven rijkdom hem meteen na aankomst zou worden afgenomen door een stelletje schurken dat was ingehuurd door Claudius' ambitieuze vrijgelatene, stond hem niet erg aan.

Ze verlieten het Forum Boarium, lieten de enorme façade van het Circus Maximus rechts liggen en sloegen links de Vicus Tuscus in, die naar het Forum Romanum voerde. Op het gezicht van Ziri, wiens mond vanaf zijn eerste schreden in Rome open had gestaan, tekende zich ongeloof af toen hij opkeek naar het monumentale huis van Augustus met zijn hoge marmeren muren, die de top van de Palatijn overheersten.

Magnus sloeg zijn slaaf op de schouder. 'Nog eens wat anders dan een kamelenkont, hè Ziri?'

'Verdomme, meester, inderdaad. Ik nog nooit deze verdomd mooie dingen gezien, verdomme. Echt waar, verdomme.'

Vespasianus fronste. 'Je moet hem laten ophouden met dat gevloek, Magnus. Dat gaat hem nog eens in de problemen brengen.'

'Dat komt wel goed, het is echt ongelooflijk hoe snel hij het Latijn oppikt.'

'Dat hoor ik, ja. Het probleem is alleen dat hij jouw Latijn oppikt.'

'Nee, dan dat Sabijnse boerengebrabbel van u. Vergeef me dat ik het zeg, maar hij klinkt tenminste nog als een Romein.'

'Ja, ik klink als Romein, heer,' zei Ziri trots, 'ik klink niet als een kuttenkop.'

'Ziri!' beet Magnus hem toe, en hij gaf hem een oorveeg.

'Vergeef me, meester.'

Na zich een weg te hebben gebaand door de feestende menigte op de Quirinaal stonden ze dan toch voor de bekende deur van senator Gaius Vespasius Pollo, de oom van Vespasianus. Magnus klopte aan, ze moesten even geduld hebben, maar toen werd er opengedaan door een jonge en zeer aantrekkelijke, donkere jongeman.

'Het smaakpalet van mijn oom breidt zich uit, zo te zien,' zei Vespasianus tegen Magnus nadat ze de knaap opdracht hadden gegeven om Ziri met hun spullen naar de slaveningang te brengen en Magnus hem verlost had van de kist van Capella.

'Verandering doet leven,' citeerde Magnus terwijl ze door de vestibule naar het atrium liepen.

'Lieve jongen,' bulderde Gaius, die uit zijn werkkamer kwam lopen, 'en Magnus, vriend!' Ik hoorde iets bij de deur en hoopte al dat jullie het waren. Ik was enorm ongerust de laatste paar dagen.' Hij kwam snel aangewaggeld over de mozaïekvloer, onder zijn tuniek kon je het overvloedige vlees op zijn gezette lijf hevig zien schudden. Hij drukte Vespasianus hard tegen zich aan en plantte een nogal plakkerige kus op zijn beide wangen. 'Toen ik hoorde dat het op zee zulk slecht weer was, was ik even bang dat jij hetzelfde

135

lot beschoren zou zijn als de eerste graanvloot van het seizoen naar Egypte.' Hij greep Magnus bij zijn onderarm en sloeg hem hartelijk op de schouder.

'Wat is daar dan mee gebeurd, oom?' vroeg Vespasianus, en hij bracht zijn hand naar zijn gezicht alsof hij bezorgd was, maar eigenlijk met de bedoeling om het overtollige speeksel van zijn wangen te vegen.

'Van de dertig schepen zijn er maar twee aangekomen, de andere zijn bij Kithria vergaan, daarom maakte ik me zoveel zorgen om jullie. Grappenmakers zeggen dat de storm alleen is opgehouden omdat Neptunus het nu te druk heeft met broodbakken. Sabinus heeft het zwaar te verduren, hij is de aedilis die verantwoordelijk is voor de graanvoorraden in de stad, en de graanschuren beginnen leeg te raken en de mensen worden zo langzamerhand kwaad. Voor Sabinus en de Senaat is het maar goed dat hun woede zich richt op Tiberius, die op Capreae zit en hen, naar hun idee althans, in de steek heeft gelaten. Maar kom, laten we gaan zitten.' Gaius leidde Vespasianus door het atrium naar het peristilium. 'Aenor, breng wat wijn, en neem Magnus mee naar de keuken voor iets te drinken,' riep hij naar de jonge Germaanse slavenjongen met het blonde haar en de blauwe ogen die op de achtergrond was gebleven toen zijn meester de gasten begroette, wachtend op een opdracht. 'En koekjes, we willen koekjes met honing.'

'Je zit zo te zien in een lastig parket, mijn beste jongen,' mijmerde Gaius terwijl hij de inhoud van Capella's kist bekeek. 'Het is een goed idee geweest om het naar Antonia te brengen en haar te laten bepalen wat ermee gebeuren moet, maar het kan ook als verraad worden beschouwd.'

'Hoe bedoelt u, oom? Ik help Narcissus toch niet. Hij is degene die verraad pleegt, hij koopt in Egypte land voor Claudius zonder toestemming van de keizer.'

'Je helpt hem inderdaad niet, dat moet ik je nageven, maar je ontmaskert hem ook niet als een verrader, en als je de bankwissel te gelde maakt, zou dat kunnen worden gezien als verraad. Misschien een beetje roekeloos, nu er weer mensen voor verraad worden veroordeeld.'

Vespasianus wilde zich verweren, maar Gaius stak zijn hand op.

136

'Laat me uitpraten, jongen. Vergeet niet dat je niet langer een leger-officier met een smalle band bent, of een onbeduidend lid van de *vigintiviri*, je bent nu een senator. Je bent verantwoording schuldig aan de Senaat en aan de keizer, niet aan Antonia, die louter een bur-ger is en een vrouw bovendien. Natuurlijk, ze is heel machtig, op haar manier, maar ze oefent geen invloed uit op het beleid en is zelfs officieel geen onderdeel van de Staat.' Gaius onderbrak zijn betoog om een slok van zijn wijn te nemen en reikte naar het laatste koekje.

Het was aangenaam koel in de binnentuin, en de wijn was lekker en verkwikkend. Als zijn oom hem geen reden tot ongerustheid had gegeven, was dit voor Vespasianus de eerste keer geweest sinds hij in het bezit was gekomen van Capella's kist dat hij zich had kunnen ontspannen.

'U vindt het beter als ik de kist naar de Senaat breng, of naar de keizer zelf?'

'Dat heb ik niet gezegd. Ik wijs je alleen op je verantwoordelijk-heid. Maar dat is heel wat anders dan jouw verplichtingen, en juist daarom zit je in zo'n lastig parket. Als je hiermee naar de Senaat gaat, zou Antonia het jou nooit vergeven dat je haar zoon in gevaar hebt ge-bracht, ook al mag ze hem totaal niet. Dat is haar voorrecht, vindt ze.'

'En dan zou zij mijn vijand zijn, en Narcissus ook,' gromde Vespa-sianus. Hij zette zijn beker neer en hield zijn hoofd in zijn handen, hij vervloekte de dag dat hij Flavia had ontmoet, en hij vervloekte zijn hoogmoed, die tot deze situatie had geleid. 'Ik kan het ook naar een van de consuls brengen, in het geheim,' opperde hij na een korte overpeinzing.

'Goed idee, maar dat werkt niet met de *consules suffecti* die we dit half-jaar hebben. Decimus Valerius Asiaticus is het mannetje van Antonia, hij behartigde altijd haar belangen in het Narbonese Gallië. Hij heeft alles aan haar te danken, niet het minst het feit dat hij de eerste con-sul van Gallische afkomst was. Antonia zou het binnen een uur weten. Zijn ondergeschikte, Aulus Gabinius Secundus, is een talentloze, ge-mene man die deze informatie zou gebruiken om alle betrokkenen zo veel mogelijk narigheid te bezorgen. Ik vrees dat ik maar één mo-gelijkheid zie en dat is de gulden middenweg bewandelen.'

'Hoe bedoelt u?'

137

'Verantwoordelijkheid afleggen tegenover de Senaat kan pas bij de volgende vergadering, over drie dagen, na afloop van het feest van Apollo, dus dan kun je ondertussen je plicht tegenover Antonia vervullen. Laat haar de landeigendomsakten zien en leg uit in wat voor lastig parket je zit, en dan benadruk je natuurlijk dat je eerst naar haar toe bent gekomen omdat je trouw aan haar wilt blijven, en dan vraag je haar of je ze naar de Senaat moet brengen. Wie weet verrast het antwoord je wel.'

'En als ze dat niet wil?'

'Dan, mijn beste jongen, kun jij je in het ergste geval in ieder geval verweren, dan kun je voor het gerecht in alle eerlijkheid zeggen dat Antonia het je heeft verboden ermee naar de Senaat te stappen.'

'En hoe bewijs ik dat?'

'Vraag Antonia om een officieel gesprek, dan krijg je een kopie van de notulen.'

'Maar dat kan ze weigeren.'

'Niet als je een getuige meeneemt. Ik kan het helaas niet doen, en Sabinus ook niet, want het gerechtshof zal niet geloven dat wij jou niet alleen maar steunen omdat je familie bent.'

'Wie dan?'

'Je zou denken dat het voor de hand ligt: je oude kameraad uit de Vierde Scythica, Corbulo. Ik weet dat hij momenteel in Rome is en volgend jaar praetor wil worden. Hij wil niets liever dan bij de verkiezingen boven Sabinus eindigen. Zijn vader heeft me lang geleden verteld dat zijn familie nog altijd het gevoel heeft ons iets schuldig te zijn vanwege het feit dat jij in Thracië het leven van zijn zoon hebt gered. Ik zal hem zeggen dat hij zijn schuld nu kan inlossen.'

'Echt blij ben ik hier niet mee, Vespasianus,' zei Gnaeus Domitius Corbulo tegen Vespasianus toen ze niet ver meer van Antonia's huis op de Palatijn waren. 'Vooral omdat je niet wil zeggen waar het om gaat.' Hij wees over zijn schouder naar Magnus, die werd geflankeerd door twee kruispuntbroeders, Marius en Sextus. Ziri liep achteraan. 'Ik vermoed dat het iets te maken heeft met die kist die jouw man draagt.'

'Die man heet Magnus, Corbulo,' zei Magnus opgewekt, 'weet u nog? U zat in mijn stront en ik in de uwe toen we in die wagen heel Thracië door moesten rijden, negen jaar geleden, nadat we waren gevangengenomen door een stelletje nare inboorlingen.'

Corbulo trok zijn neus op bij de gedachte aan die reis en hun ontsnapping, op het nippertje, aan de Thraciërs, maar weigerde toe te geven dat hij na al die jaren de naam nog wist van iemand die zo ver beneden zijn stand stond.

'Opgeblazen klootzak,' mompelde Magnus net hard genoeg.

Corbulo stak zijn neus in de wind, deed net alsof hij het niet hoorde. Vespasianus wierp een furieuze blik achterom naar Magnus, die zijn schouders ophaalde en glimlachte alsof hij zich van geen kwaad bewust was.

'Geloof me, Corbulo, het is beter als je het niet weet, tenzij het niet anders kan,' zei Vespasianus, die liever weer ter zake kwam. 'Het klopt dat het te maken heeft met wat er in die kist zit. Ik wil de inhoud aan vrouwe Antonia laten zien en dan bespreken we in jouw aanwezigheid wat we ermee moeten doen. Op die manier loop je geen risico, want je weet dan niet waar we het over hebben. Ik wil alleen dat jij hoort wat zij zegt dat ik moet doen, zodat je mij kunt steunen als het tot een rechtszaak komt.'

Corbulo keek hem vanuit de hoogte aan. 'Je speelt hoog spel, Vespasianus, te hoog misschien. Maar ik doe dit om de schuld in te lossen die ik volgens mijn vader bij jou heb, maar dan is het klaar, daarna staan we weer quitte.'

'Laten we hopen dat er een daarna is,' mompelde Vespasianus toen ze de grote villa naderden waar de machtigste vrouw van Rome woonde.

Vespasianus beklom de trap, de zon verdween achter de Aventijn, die zijn schaduw op Rome wierp. Hij klopte op de deur, het luikje ging open en er verschenen twee ogen. 'Titus Flavius Vespasianus en Gnaeus Domitius Corbulo zouden graag vrouwe Antonia spreken.'

Het luikje ging dicht en de deur ging meteen open. De portier liet Vespasianus en Corbulo de vestibule binnengaan, Magnus, Ziri en de broeders moesten buiten wachten met de kist. Toen ze door het indrukwekkende en schitterend ingerichte atrium liepen, klonk helemaal vanaf de andere kant een bekende stem.

'Meester Vespasianus en meester Corbulo, wat fijn om u weer te zien,' zei Pallas, de Griekse bediende van Antonia, in vloeiend Latijn. 'Ik hoop dat de inheemse bevolking van Kreta en Cyrenaica niet al te vermoeiend was.'

'Ze waren strijdlustig, zoals je kon verwachten, Pallas, en wij vinden het ook fijn om jou weer te zien,' antwoordde Vespasianus met een glimlach.

Corbulo bromde instemmend.

'Hoe vriendelijk, meesters. Ik ben vereerd dat het u goeddoet om mij, een eenvoudige vrijgelatene, te zien.'

'Er is niets eenvoudigs aan... vrijgelatene, zei je?'

Pallas haalde zijn rechterhand van achter zijn rug tevoorschijn en zette een *pileus*, het kegelvormige, vilten hoedje dat de vrijgelatene kenmerkte, op zijn hoofd. 'Inderdaad, heer. Mijn meesteres is zo goed geweest mij mijn vrijheid te geven, vrijwel meteen nadat u naar de provincie vertrok. Ik ben tegenwoordig Marcus Antonius Pallas, een vrijgelaten ingezetene van Rome.'

'Van harte gefeliciteerd, Pallas.' Voor het eerst sinds hun kennismaking bood Vespasianus de Griek zijn voorarm aan.

Pallas pakte hem stevig vast. 'Dank u, Vespasianus. Ik zal eeuwig dankbaar zijn voor het respect dat u, uw broer en uw oom mij altijd getoond hebben, meer dan jullie mij als slaaf verschuldigd waren.'

Corbulo mompelde plichtshalve een felicitatie, waarop Pallas met een lichte hoofdbuiging reageerde.

'Welnu, heren, ik zal kijken of vrouwe Antonia u al kan ontvangen.'

'Wij willen graag een officieel gesprek, Pallas, als dat tenminste mogelijk is?' vroeg Vespasianus ietwat zenuwachtig. 'Ik moet iets met haar bespreken wat voor alle betrokkenen nogal gevoelig ligt. Magnus staat met een paar broeders buiten met een voorwerp dat ik onder de aandacht van je meesteres wil brengen.'

Pallas' wenkbrauwen gingen iets omhoog, maar verder viel er van zijn gezicht niets af te lezen. 'Ik begrijp het.' Hij klapte twee keer in zijn handen. 'Felix!'

Vanaf de andere kant van de kamer kwam een Griek met zelfverzekerde tred aangelopen. Vespasianus nam hem nieuwsgierig op, hij was veel bruiner, maar voor het overige was hij het evenbeeld van Pallas toen hij hem negen jaar terug voor het eerst ontmoette.

'Felix, er staan een paar mannen buiten, breng hen naar de stallen en zorg dat ze iets te drinken krijgen. Ze moeten daar wachten tot ze geroepen worden.'

'Jawel, Pallas,' antwoordde Felix, en hij ging naar de voordeur.

'Volg mij, heren.' Pallas liep weg naar de officiële ontvangkamer van Antonia.

'Is dat jouw broer, Pallas?' vroeg Vespasianus.

'Dat kan ik niet ontkennen.'

'Hoe lang werkt hij al voor Antonia?'

'Nog maar kort, maar hij is al bijna zijn hele leven van vrouwe Antonia. Hij leidde haar huishouding in Egypte en zij heeft hem hier mee naartoe genomen om mij op te volgen zodra ik hem alle Romeinse manieren geleerd heb.'

'En wat ga jij dan doen?'

'Dat is helaas voor u iets tussen vrouwe Antonia en mij, Vespasianus,' zei Pallas toen ze de schitterende, hoge ontvangkamer binnengingen, die bezaaid was met kostbare maar smaakvolle meubels en beelden uit alle hoeken van het rijk. Hij gebaarde naar Vespasianus en Corbulo dat ze konden plaatsnemen. 'Wacht hier, heren, ik zal wat wijn laten komen en ondertussen stel ik vrouwe Antonia op de hoogte van uw verzoek.'

De avond was gevallen en de kamer baadde in het licht van talloze olielampen, hun walm hing als een sluier tegen het plafond, beroofde het van hun licht.

Vespasianus en Corbulo hadden meer dan een uur gewacht, de wijnkan en de twee bekers op de lage tafel tussen hen in waren leeg. De tijd was echter vrij snel gegaan, want Corbulo had hem bijgepraat over de politieke intriges in Rome, al werd zijn verhaal natuurlijk gekleurd door zijn eigen conservatieve, aristocratische standpunt.

'De terugkeer van dat gladde ventje, Poppaeus Sabinus, ervaar ik als een vernedering,' zei Corbulo. 'Het was al erg genoeg dat Antonia niet toestond dat ik hem betrok bij de samenzwering van Seianus, want op die manier had ik wraak kunnen nemen voor zijn poging mij in Thracië te doden...'

'En mij ook, Corbulo,' voegde Vespasianus toe.

'Jazeker, jou ook, maar de gedachte dat hij nu rondloopt in Rome, is ondraaglijk. Hij lijkt samen te werken met Macro, klaagt iedereen aan tegen wie hij wrok koestert, zelfs als ze tot een vooraanstaande familie behoren. Hij zit inmiddels al over de twintig. Pomponius Labeo werd kort na jouw vertrek beschuldigd van wanbestuur gedurende de drie jaar dat hij de provincie Moesia overnam van Poppaeus.'

'Wat een miezerige gluiperd.'

'Dat kun je wel zeggen, ja. Iedereen heeft natuurlijk zo zijn eigen ideeën over Pomponius' karakter, maar ik vond hem een goed mens en een uitstekende legaat van de Vierde Scythica.'

'En hoe is dat afgelopen?'

'Dat weet je niet?'

'Ik ben net vandaag teruggekomen in Rome, ik ben van niets op de hoogte, behalve dan van wat jij me nu verteld hebt.'

'Ah, natuurlijk.' Corbulo zweeg en haalde diep adem. 'Goed dan, het is vervelend om je dit te moeten vertellen,' vervolgde hij met de zorgelijkste uitdrukking die hij op zijn strakke gezicht kon brengen, 'maar Poppaeus heeft hem en zijn vrouw Paxaea vorig jaar tot zelfmoord gedreven.'

Vespasianus schrok zichtbaar. 'Wat een schoft. Hoe dan? En waarom? Hij werd beschuldigd van wanbestuur, daar kun je niet de doodstraf voor krijgen.'

'Eerst wel, ja, maar toen ontdekte Poppaeus dat Pomponius in graan speculeerde. Hij bracht Macro op de hoogte en die vertelde het aan de keizer, waarna Tiberius de aanklacht zelf oppakte. Hij is op z'n zachtst gezegd niet erg gesteld op graanspeculanten. Toen had Pomponius weinig keus meer: hij moest zich van het leven beroven om te voorkomen dat zijn bezittingen in beslag werden genomen. En waarom? Dat is vrij eenvoudig. Omdat Pomponius de Senaat had medegedeeld dat Poppaeus toestond dat zijn manschappen hem uitriepen tot imperator en daar niets aan deed. Sindsdien was Poppaeus bang dat Tiberius wraak op hem zou nemen, wat helaas nooit gebeurd is.'

'Integendeel zelfs, in mijn laatste jaar in Thracië werd hij opnieuw benoemd tot gouverneur van Moesia én Macedonia.'

'Inderdaad, dat klopt, maar dat was een voorstel van Seianus. Hij beschermde Poppaeus tegen Tiberius toen hij nog leefde, maar na zijn ondergang heeft niemand begrepen waarom Poppaeus al die tijd zo ongenaakbaar leek, totdat hij vorig jaar in de zomer terugkeerde naar Rome...'

'En hij bleek samen te werken met Macro.' Vespasianus maakte de zin van Corbulo af.

'O, dat heb je wel gehoord?'

'Je hebt het net zelf verteld.'

'Ja, dat klopt.'

'Heren, het spijt mij dat ik jullie zo lang heb laten wachten.' Antonia stond in de deuropening en beide mannen sprongen overeind.

'*Domina,*' zeiden ze in koor, en ze bogen hun hoofd.

'Ik hoop dat ik jullie niet te zeer heb ontriefd?'

'Geenszins, domina,' antwoordde Vespasianus terwijl zij naar hen toe liep, op de voet gevolgd door Pallas. 'Het is eerder zo dat ik ú ontrief.'

'Met een nogal vreemd verzoek voor iemand die ik als een vriend beschouw.'

'Vergeef mij, domina, maar ik hoop dat u het begrijpt nadat ik u de reden van mijn komst uit de doeken heb gedaan.'

Antonia stond inmiddels voor hem, haar priemende groene ogen keken hem strak aan, hij voelde de mogelijke dreiging die daarachter schuilging en, meteen daarna, de siddering die door zijn lijf ging. Zijn nerveuze blik was voor haar reden haar wenkbrauwen op te trekken en te glimlachen. 'De eigendomsakten van de grond die Narcissus namens mijn zoon Claudius in Egypte gekocht heeft?'

Vespasianus' mond viel open.

'En je bent bang dat je zelf wordt beticht van verraad als je de autoriteiten niet op de hoogte brengt van die verraderlijke daad?'

Vespasianus knikte.

'En dus heb je mijn goede vriend Corbulo meegenomen als getuige, een man met een smetteloos blazoen, en gevraagd om een officieel gesprek, zodat je een kopie van de notulen krijgt?'

'Jawel, domina,' mompelde Vespasianus met dichtgeknepen keel. 'Hoe weet u dat?'

'Dat is wat ik zou doen als ik in jouw situatie had gezeten.'

'Ik bedoel eigenlijk hoe u weet van die eigendomsakten.'

'Omdat ik alles wil weten wat er in deze huishouding speelt sinds ik erachter ben dat mijn zoon niet is wat hij lijkt te zijn. En hoe ik precies op de hoogte ben gekomen van die landakten, dat vertel ik je later nog wel eens.' Ze keerde zich tot Pallas. 'Is de consul er al, Pallas?'

'Jawel, domina, hij en het avondeten wachten op u in uw privé-vertrekken.

'Mooi. Laat Magnus de kist brengen. Heren, wij gaan eten.' Antonia draaide zich om en liep naar de deur.

Vespasianus keek even naar Corbulo, die zijn hoofd schudde en een afkeurend 'Tsss' liet horen, en liep achter haar aan. Hij had het gevoel de regie volledig te zijn kwijtgeraakt.

'Decimus Valerius Asiaticus, mag ik u voorstellen aan Titus Flavius Vespasianus. Gnaeus Domitius Corbulo kent u geloof ik al,' zei Antonia toen ze haar vertrekken betraden, waar de consul – hij bekleedde de functie voor de tweede helft van het jaar – bewonderend had staan kijken naar de ingewikkelde raampartij van de imposante erker.

Asiaticus draaide zich om, knikte bij wijze van groet naar Vespasianus en richtte zich toen tot Antonia. 'Vrouwe Antonia, mag ik u vragen wat er zo dringend is dat u mij tijdens het eten ontbiedt?'

'Consul, ik bied u mijn verontschuldigingen aan. Ik hoop dat mijn kok enkele gerechten heeft gemaakt die uw verpeste maaltijd goedmaken. Heren, zullen wij aanliggen? Consul, neemt u de bank rechts van mij, de twee jonge heren mogen links van mij plaatsnemen.' Zelf nam ze de middelste van de drie banken die rond de lage walnotenhouten tafel stonden; ze liet er geen twijfel over bestaan dat het geen uitnodiging was, maar een bevel.

Pallas klapte in zijn handen en drie slavenmeisjes kwamen met sloffen vanuit de belendende dienstkamer. Ze namen de toga's van de mannen aan en vervingen hun sandalen door de sloffen, waarna ze zich terugtrokken en twee andere meisjes de handen van de gasten kwamen wassen en servetten op de banken legden.

144

Vespasianus hoopte dat hij zijn teleurstelling om het feit dat Caenis er niet was om haar meesteres te bedienen, had kunnen verhullen.

Toen iedereen had plaatsgenomen, een volle wijnbeker had en de *gustationes* op tafel stonden, stuurde Antonia de slavinnen weg en ging Pallas zoals gebruikelijk bij de deur staan.

Antonia schepte een beetje ansjovis op. 'Heren, tast toe, er wordt niet bediend vandaag. Consul, ik ben u uitleg verschuldigd.' Ze zweeg even, wilde zeker weten dat de mannen haar voorbeeld volgden en zelf opschepten. 'Toen Vespasianus tegen het einde van de middag aanklopte en om een officieel gesprek vroeg en de gewaardeerde Corbulo als getuige bij zich had, maakte ik een gefundeerde inschatting van zijn bedoelingen. Pallas, vraag Magnus de kist te brengen.' De dienaar stak zijn hoofd om de deur en gaf de opdracht door aan een ondergeschikte in de andere ruimte terwijl Antonia verderging. 'Ik begreep meteen waar hij bang voor was en liet u halen.'

Nu begreep Vespasianus waarom ze zo lang hadden moeten wachten.

De deur ging open en Magnus kwam binnen met de kist van Capella.

'Zet hem maar op tafel, Magnus, en ga dan op zoek naar wat eten voor jezelf en je kameraden.'

Magnus murmelde iets en verliet de kamer, de vier tafelgenoten staarden allen naar de kist.

'Vespasianus, ik weet dat dit geen officieel gesprek is, dat verzoek was gezien de omstandigheden onmogelijk in te willigen, maar aangezien je zowel de consul als mij kunt vertellen over je ontdekking, denk ik dat je voldoende bent ingedekt mocht je van verraad worden beschuldigd.'

'Jawel, domina,' antwoordde Vespasianus. Ook nu weer was hij verbijsterd door hoe goed Antonia zijn gedachten kon lezen.

'Verraad?' vroeg Asiaticus ongerust.

'Inderdaad, consul. Verraad,' bevestigde Antonia, en ze nipte aan haar wijn. 'Verraad gepleegd door mijn nutteloze en gestoorde zoon, die u, om redenen die mijn verstand te boven gaan, als een vriend beschouwt. Maar dat doet er ook niet toe. Vespasianus, open die kist.'

Vespasianus stond op, deed de sleutelketting af, stopte de sleutels in de sloten en tilde het deksel op.

Asiaticus en Corbulo strekten beiden hun nek om te zien wat erin zat.

'Dat, consul,' zei Antonia zonder zelf de moeite te nemen in de kist te kijken, 'zijn de eigendomsakten van zeven grote landerijen in Egypte waar graan wordt verbouwd. Ze zijn de afgelopen drie jaar heimelijk aangekocht, namens Claudius, door iemand die werkte voor Narcissus, zijn vrijgelaten slaaf.'

'Maar dat is…'

'Verraad, consul. Ik weet het. Niemand, zelfs ik niet, mag op die schaal grond kopen in Egypte zonder daar toestemming voor te hebben van mijn zwager, de keizer.'

Asiaticus keek haar verbijsterd aan en dronk zijn beker leeg. Zijn eetlust was op slag verdwenen. 'Maar wat wilt u daaraan doen, vrouwe Antonia?'

'Dat, consul, is precies waarover ik het met u wil hebben. Pallas, wil je mijn gasten nog wat wijn inschenken? Ondertussen kan Vespasianus de consul vertellen hoe hij aan dit ding gekomen is.'

Nadat Vespasianus in het kort verteld had hoe het gegaan was, nam Antonia hem een ogenblik op, knikte en gaf opdracht de volgende gang op te dienen. Hij had alles verteld, ook over Capella en Flavia – zijn persoonlijke motieven daar gelaten –, want hij wist dat Antonia het verhaal ongetwijfeld al gehoord had, al had hij geen flauw benul van wie.

De slaven hadden twee geroosterde jonge geitjes in een honing-komijnsaus op tafel gezet. Antonia richtte zich weer tot Asiaticus. 'De vraag is dus: waarom heeft Narcissus al die moeite gedaan om de eigendomsakten naar Rome te brengen, terwijl hij ze ook veilig had kunnen opbergen in een ondergrondse kluis op een van de nieuwe Egyptische landgoederen van zijn baas?' De toon waarop ze deze vraag stelde deed Vespasianus vermoeden dat zij het antwoord al wist.

'Het lijkt een hoop gedoe, om nog maar te zwijgen van het risico dat ze ontdekt worden door mannen van Tiberius of dat ze zelfs verloren raken.'

'Wat ook gebeurd is.'

'Inderdaad, vrouwe Antonia, wat ook gebeurd is. Kennelijk had Claudius meer aan ze als ze hier waren dan in Egypte, ik zou alleen niet weten waarom.'

'Ik ook niet, tot voor kort.' Ze zweeg even om een paar malse plakjes af te snijden van een van de geitjes en wachtte tot haar gasten hetzelfde hadden gedaan. Toen ze tevreden constateerde dat iedereen genoeg had opgeschept en op zijn minst een paar hapjes van het sappige gerecht had genomen, ging ze verder. 'U weet wellicht niet, consul, dat mijn kleinzoon Gaius Caligula een verhouding heeft met Ennia, de vrouw van Macro?'

De blik op Asiaticus' gezicht maakte duidelijk dat hij dit inderdaad niet wist. 'Maar ik dacht dat hij in Antium zou trouwen, de keizer gaat daar tegen het einde van het feest van Apollo naartoe voor de plechtigheid.'

'Dat is waar, maar mijn Gaius heeft een druk leventje, en ofschoon hij binnenkort trouwt heeft hij de tijd gevonden om verliefd te worden op die snol. Het is begonnen toen Macro haar vorig jaar naar Capreae stuurde, wat op z'n minst vreemd te noemen is, tenzij het zijn bedoeling was om haar aan Gaius te koppelen. Ik begreep niet wat Macro daarmee wilde bereiken en dus wachtte ik af, en in mijn brieven aan Gaius zei ik er niets over, want hij trekt zich steeds minder aan van mijn raad en doet juist vaak het tegenovergestelde van wat ik hem adviseer. Twee maanden geleden werd mijn geduld beloond toen ik dit kreeg. Pallas, zou jij...?'

Pallas liep naar het bureau aan de andere kant van het vertrek en pakte een rol, die hij aan zijn meesteres overhandigde.

'Dit stuurde Clemens mij, de kapitein van Gaius' lijfwacht. Zijn trouw aan mijn kleinzoon is even groot als zijn wantrouwen jegens Macro. Het is een kopie van een door Gaius ondertekend document waarin hij zweert Ennia keizerin te maken wanneer hij zich zelf in het purper mag hullen. In ruil voor het verlies van Macro en tegelijk als beloning voor het feit dat hij hem helpt de macht te grijpen, belooft hij hem tot prefect van Egypte te benoemen.'

Corbulo kon zijn woede niet binnenhouden. 'Hij verkoopt zijn vrouw om macht te krijgen! Onvoorstelbaar.'

147

'Nee, Corbulo, dat is moderne politiek,' reageerde Antonia. 'Is het niet, consul?'

'Jazeker. Onze praetoriaanse prefect lijkt iets opgestoken te hebben van de fouten van zijn voorganger.'

Vespasianus glimlachte. Ineens had hij door hoe mooi de aanpak van Macro was. 'Hij weet dat hij nooit keizer kan worden, Seianus moest het met zijn leven bekopen toen hij het probeerde, en dus zet hij minder hoog in.'

'Minder hoog, ja,' beaamde Antonia, 'maar als je naar de macht en rijkdom kijkt nog altijd erg hoog, hoog genoeg om die positie te gebruiken als opstapje naar zijn ultieme doel: in de voetsporen treden van mijn vader, Marcus Antonius, en het rijk in tweeën delen door de oostelijke provincies te veroveren.'

De drie gasten van Antonia waren met stomheid geslagen, de eetlust was verdrongen door gedachten aan deze strategie en welke gevolgen die zou hebben voor de stabiliteit van hun wereld.

'Ik denk dat het tijd is voor nog wat wijn, Pallas,' zei Antonia tegen Pallas.

Toen hun bekers weer gevuld waren deed Antonia haar gefascineerde toehoorders de rest van haar analyse uit de doeken.

'Laten we er even van uitgaan dat Gaius Macro geeft wat hij wil hebben, en dat is een reële mogelijkheid, want mijn kereltje mag vele gebreken hebben, gul is hij wel, hij wil graag geliefd zijn en is naïef genoeg om te denken dat hij die liefde kan kopen. Macro zou dan de welvarendste provincie van het rijk in handen hebben, een provincie die wordt verdedigd door twee legioenen en in praktisch alle opzichten een schiereiland is. Een leger kan de westelijke woestijn niet oversteken, zoals jij zelf heel goed weet, Vespasianus. De zuidgrens ligt op de rand van het rijk en in het noorden en oosten is de zee. Dus afgezien van een uiterst risicovolle invasie vanaf zee kun je Egypte alleen vanuit het noordoosten aanvallen, via Judaea en de omliggende onbeduidende koninkrijken en tetrarchieën, met de enige vier andere legioenen in de regio, die gelegerd zijn in Syria. Dus om Egypte stevig in handen te houden, hoeft Macro er alleen maar voor te zorgen dat de Syrische legioenen elders bezig worden gehouden, en dat is precies wat hij de afgelopen maanden met ongelooflijk veel politiek vernuft heeft gedaan.'

148

De ogen van Asiaticus werden groot. 'De Parthische gezanten,' zei hij langzaam. 'Geniaal.'

'Bewonderenswaardig, ja,' beaamde Antonia, zichtbaar tevreden met het feit dat de consul voldoende politiek inzicht had om haar te volgen.

'Maar dat was een groep opstandige edelen die wilden dat koning Artabanus zijn Parthische troon afstond aan Phraätes, die hier in Rome in gijzeling werd gehouden,' zei Corbulo. 'Wat hebben zij met Egypte of Macro te maken?'

Vespasianus herinnerde zich vaag dat Magnus bij zijn aankomst in Cyrenaica iets had gezegd over opstandige Parthen.

'Alles,' antwoordde Antonia, 'als je kijkt naar het gekozen moment en degene die de groep bij elkaar bracht.'

'Herodes Agrippa,' concludeerde Vespasianus. Er ging weer wat dagen. Hij beloonde zichzelf met een teug wijn.

Antonia keek hem vorsend aan, ze vroeg zich af hoe hij dat wist. 'Inderdaad. Herodes probeerde Tiberius er keer op keer van te overtuigen om van Judaea weer een vazalkoninkrijk te maken, met hem als koning, maar Tiberius heeft dat nooit gewild. Macro zal Herodes een aantrekkelijk aanbod hebben gedaan, en Herodes moest dan zijn aanzienlijke invloed bij de misnoegde edelen in Parthië aanwenden om hen ervan te overtuigen dat de tijd rijp was voor een nieuwe koning. Herodes' vriend Phraätes is nog de enige telg van de dynastie der Arsaciden en dus de rechtmatige erfgenaam van de Parthische troon. Hij zou maar al te graag helpen.'

Asiaticus grinnikte. 'Heel slim. Tiberius ging mee in dit verhaal, want sinds Artabanus zijn zoon Arsaces op de Armeense troon heeft gezet, is het machtsevenwicht in het Oosten verschoven in het voordeel van de Parthen.'

'Precies, consul. Ik weet dat Tiberius Phraätes heeft laten beloven in ruil voor zijn koningschap te regelen dat de Armeense troon weer onder Romeinse controle komt. Tiberius denkt dat hij de Romeinse diplomatie een goede dienst heeft bewezen en stuurt Lucius Vitellius, de nieuwe gouverneur van Syria, met zijn legioenen naar Parthië voor een oorlog die minstens twee en misschien zelfs drie jaar zal duren, langer dan men verwacht dat Tiberius nog zal leven. Toen Macro en

Herodes de Parthische gezanten hadden ingezet, konden ze in alle rust afwachten tot Tiberius hapte.'

Opeens klaarde het gezicht van Corbulo op. 'Ah, nu begrijp ik het, Macro verwacht dat Tiberius sterft, spontaan of met een beetje hulp, voordat de oorlog afgelopen is. Dan kan hij ervoor zorgen dat Caligula keizer wordt en zal hij zelf als beloning Egypte krijgen. De Syrische legioenen hebben hun handen vol en hij kan een bufferstaat creëren door Judaea te verenigen met Galilea, Idumaea en alle andere kleine Joodse tetrarchieën, met Herodes als koning van dit Groot-Judaea.'

Antonia knikte. 'En Herodes is de weg al aan het bereiden. Toen hij vorig jaar terug naar Rome ging deed hij Alexandrië aan, waar zijn vrouw de alabarch overhaalde hun een berg geld te lenen, die Herodes niet gebruikt om zijn schulden aan mij af te lossen, maar om stiekem graan te kopen van Claudius en Narcissus.'

'Maar dat hadden de rijksambtenaren toch moeten merken, hoe geheim dat handeltje ook was, en dan was hij opgepakt,' merkte Asiaticus terecht op.

'Alleen als het graan bestemd was geweest voor Rome, maar dat was niet het geval. De landgoederen waarvan hij het kocht hadden hun deel al aan Rome gegeven, Herodes kocht graan dat was bestemd voor minder belangrijke provincies.'

'Nu begrijp ik waarom we in Cyrenaica een ernstig tekort hadden,' merkte Vespasianus op, 'dat was een van de oorzaken van de Joodse onlusten daar.'

'Ik betwijfel of Herodes veel geeft om de Joden in Cyrenaica, hij wilde dat graan opslaan en later meenemen naar zijn nieuwe koninkrijk. Een onafhankelijke, verenigde Joodse staat heeft een fors leger nodig en al die manschappen moeten gevoed worden. Herodes kan vreselijk machtig worden, misschien zelfs machtig genoeg om te verhinderen dat Gaius via Judaea Egypte aanvalt.'

'En Caligula moet machteloos toezien, want Macro heeft een flink deel van het Romeinse graan in handen en dreigt dat achter te houden.'

'Precies,' beaamde Antonia. 'Maar voordat hij Egypte veilig kan stellen heeft Macro geld nodig, en veel ook, om de loyaliteit van de daar gelegerde legioenen en hulptroepen af te kopen. Geld is het enige waar hij gebrek aan heeft.'

'Dus daarom heeft hij onlangs een verbond gesloten met Poppaeus,' zei Vespasianus, en hij schonk nog wat bij. 'De zilvermijnen van zijn familie in Hispania moeten aardig wat opleveren, als ze daarmee de Thracische opstand hebben kunnen financieren.'

'Meer dan genoeg,' zei Antonia, en ze gebaarde naar Pallas dat hij haar ook moest bijschenken. 'En als Macro hem vrij laat om in Rome de talrijke vijanden te vervolgen die hij gedurende zijn loopbaan gemaakt heeft, wil Poppaeus hem het geld lenen dat hij nodig heeft om een rijke landeigenaar in Egypte te worden door...?'

'Door het land van Claudius te kopen,' zeiden alle drie de mannen in koor.

'Waarvan de opbrengst net in waarde is gestegen omdat de laatste graanvloot is vergaan.'

'Maar de prijs van de landgoederen moet toch ook omhoog zijn gegaan?' zei Vespasianus, blij dat het eindelijk eens ging over iets waarvan hij tenminste echt verstand had: geld.

'Jazeker, maar dat is gunstig voor alle vier partijen. Poppaeus zal het geweldig vinden omdat Macro meer geld zal moeten lenen en hij een fortuin kan verdienen aan de extra rente. Macro zal meteen enorm veel verdienen aan zijn nieuwe aankopen en daarmee de nodige loyaliteit afkopen. Het maakt hem niet uit hoeveel dat kost, want het is niet zijn geld, en als hij in Egypte stevig in het zadel zit, zal hij de lening kunnen afbetalen met de miljoenen die hij aan belasting zal innen. Claudius zal een enorm rendement halen uit de investering die hij al gedaan heeft, en Herodes is een blij man omdat hij al een enorme hoeveelheid graan heeft gekocht van Claudius en bovendien nog meer heeft gekocht sinds hij in Rome is, met het geld dat hij geleend heeft van Poppaeus, dat hij nu ten dele kan verkopen tegen een abnormaal hoge prijs om zijn tekort aan kasgelden te verhelpen.'

'Wat zullen die het gezellig hebben met elkaar,' meesmuilde Asiaticus.

'Er zijn twee dingen die ik nog niet begrijp, domina,' zei Vespasianus.

'Ik hoop dat ik je kan helpen, hoewel ik alle stukjes pas aan het begin van dit jaar op hun plaats kon leggen, nadat ik erachter was gekomen dat Narcissus de eigendomsakten naar Rome probeerde te krijgen en Herodes graan aan het kopen was.'

Asiaticus viel haar in de rede. 'Ja, hoe bent u dat te weten gekomen, vrouwe Antonia?'

Antonia glimlachte minzaam. 'Ik neem aan dat het geen kwaad kan als ik u dat nu vertel. Toen ik op de hoogte was van Claudius' belangstelling voor Egypte, gaf ik mijn ondergeschikte in Alexandrië, Felix, opdracht daar onderzoek naar te doen. Hij ontdekt al vrij snel wat ze aan het doen waren. Sindsdien volgt hij hun landaankopen. Toen Felix ontdekte dat Claudius een deel van zijn oogst aan Herodes had verkocht en dat een mannetje van Narcissus de eigendomsakten van zeven landgoederen naar Siwa had meegenomen, besefte hij dat er iets vreemds aan de hand was, en dus ging hij aan boord van het eerste het beste schip om mij daar persoonlijk van op de hoogte te brengen, in plaats van een brief te schrijven die in de verkeerde handen terecht kon komen.'

'Maar hoe wist u dat ik ze had, domina?'

'Dat wist ik pas vandaag echt zeker. Ik wist alleen dat je in Siwa een man had ontmoet die Capella heette en dat deze man kwam te overlijden en jou een kist naliet. Ik kwam niet te weten wat erin zat, want mijn mannetje hoorde jouw laatste gesprek met Capella niet, je beval hem een colonne te vormen.'

'Corvinus!' riep Vespasianus verrast uit. 'Bespioneerde hij mij?'

'Niet jou in het bijzonder, Vespasianus, hij werkt gewoon voor mij. Dat is hij mij verplicht, zoals jij mij ook iets verplicht bent. Toen hij in Siwa hoorde dat Capella jou vertelde dat de inhoud van de kist aan iemand toebehoorde die een zeer prominente rol in het rijksbestuur speelt, dacht hij dat ik dat wel interessant zou vinden, en dus meldde hij mij dat na zijn terugkeer in Barca. Hij komt uit een eerzuchtige familie en wil Rome graag een goede dienst bewijzen. Zijn brief maakte mij veel duidelijk omtrent de reden dat je in allerijl de woestijn in trok.

Vespasianus bloosde en vroeg zich af of er dingen waren die Antonia níét wist.

'Maar wees gerust,' zei Antonia met een glimlach, 'het was een geluk dat je dat deed, wat je feitelijke beweegredenen ook waren. Welnu, wat wilde je mij vragen?'

'Ah, ja,' zei hij, en hij schudde het hoofd in een poging zijn gedachten op een rijtje te krijgen. 'Ik begrijp niet waarom Claudius al zijn land aan Macro verkoopt terwijl dat Macro juist helpt om Egypte los te weken van het rijk waarover Claudius misschien ooit zal heersen.'

'Dat was mij ook een raadsel, totdat ik besefte hoe eenvoudig de waarheid is: hij weet niet van Macro's plannen, en Narcissus ook niet, misschien weten ze zelfs niet eens dat Macro de koper is. De aankoop is geregeld door Poppaeus, die zoals wij weten een goed contact heeft met Claudius. Het enige wat Claudius en Narcissus willen, is de torenhoge lening afbetalen die ze hebben afgesloten om het land te kunnen aanschaffen. Maar ze verkopen niet alle landgoederen, ze hebben er twee keer zoveel gekocht. Met de winst uit de verkoop van deze zeven kunnen ze de aankoop van de andere veiligstellen.'

'Ik vermoed dat er geen prijs is voor degene die raadt wie hun dat geld leende,' zei Vespasianus met een zuur glimlachje.

'Dat is het mooie eraan. Claudius geeft de eigendomsakten aan Poppaeus, die streept de schuld van Claudius weg en zet deze, samen met de eigendomsakten, eenvoudigweg op naam van Macro. Er komt geen geld bij kijken, niet één papyrusrol, en de drie partijen hoeven elkaar niet te spreken.'

'En wat heeft Poppaeus er eigenlijk aan, afgezien van het feit dat hij aan iedereen geld verdient? Geld heeft hij al genoeg, lijkt me.'

'Dit was het lastigst om te achterhalen,' gaf Antonia toe, 'maar het schoot me ineens te binnen. Waarom zou Poppaeus er baat bij hebben als Macro Egypte in handen heeft en iets kan afdwingen bij Rome? Dat heeft hij niet, tenzij hij eraan meedoet. Ga maar na: Macro weet zich door de woestijn beschermd tegen een aanval uit het westen, de Syrische legioenen zitten vast in Parthië en Armenia, en een aanval over zee is een hachelijke onderneming. Hoe zou jij Egypte aanvallen, onder deze omstandigheden?'

'Dat is makkelijk,' zei Corbulo. 'Ik zou met zes legioenen over de

Via Egnatia door Macedonia en Thracië trekken, oversteken naar Azië en dan helemaal langs de kust naar Herodes, wiens troepen ik dan verpletter.'

'Precies. Maar wie is de gouverneur van Moesia, Macedonia en Achaea? Poppaeus. Hij hoeft alleen maar zijn twee legioenen en zijn tien cohorten hulptroepen uit het Donaugebied te halen en de Hellespont over te sturen om eventuele indringers tegen te houden. De benedenloop van de Donau zou dan niet verdedigd worden en de stammen uit het noorden zouden hun kans grijpen en Moesia binnenvallen, wat de Thraciërs er waarschijnlijk toe zal bewegen om weer in opstand te komen. Wie een leger naar het oosten stuurt, zal dat dus moeten verhinderen om Azië binnen te kunnen trekken, en dat kan zomaar een paar jaar duren. Hoe dan ook, waar moeten die legioenen vandaan komen? Uit het Rijngebied, zodat de Germanen zo Gallië kunnen pakken? Uit het gebied rond de bovenloop van de Donau, zodat we misschien Pannonia kwijtraken? Of misschien uit Hispania of Illyria, waar ze hard nodig zijn om de plaatselijke stammen onder de duim te houden? Sinds Varus drie legioenen heeft weten te verspelen in het Teutoburgerwoud zijn er in het hele rijk nog maar vijfentwintig legioenen over.'

'En Lucius Vitellius?' vroeg Asiaticus.

'Die zou na afloop van de Parthische oorlog een heel vervelende beslissing moeten nemen, en dan kan hij onder meer kiezen voor een burgeroorlog aan twee fronten, met Poppaeus in het noorden en Herodes en Macro in het zuiden en de nieuwe koning van Parthië, die gebaat is bij een verdeeld en verzwakt Romeins Rijk, in zijn rug. Geen prettig vooruitzicht, dat zult u met me eens zijn. Dus hij zal zich waarschijnlijk trouw verklaren aan het nieuwe regime en de oostgrens blijven bewaken.'

'Of zelfmoord plegen,' opperde Corbulo.

'Dat komt op hetzelfde neer: de legioenen willen niet vechten. Ze zijn daar al zo lang gelegerd, het is hun thuis geworden, het maakt hun echt niet uit wie het bevel heeft.'

'Dat moeten we koste wat het kost voorkomen, vrouwe Antonia,' zei Asiaticus. Langzaamaan drong het tot iedereen door wat dit allemaal betekende.

'Dat moeten we inderdaad,' beaamde Antonia. 'Maar ik denk dat het in ons aller belang is als we pas bespreken hoe we dat gaan doen nadat we even de tijd hebben genomen om onze gedachten op een rijtje te zetten. Ik moet mij toch even terugtrekken.'

HOOFDSTUK IX

Magnus staarde recht vooruit, zijn gezicht strak van opperste concentratie. 'Dus omdat u zo nodig uw pik achterna de woestijn in moest lopen,' zei hij met zijn kiezen op elkaar, 'heeft Antonia u weer voor haar wagentje kunnen spannen en moeten we nu het vuile werk voor haar opknappen.' Hij zuchtte opgelucht, en zijn gezicht ontspande.

Vespasianus draaide zich naar zijn vriend toe, die naast hem zat. 'Voel je je nu beter?'

'Veel beter.'

'We weten helemaal nog niet of ik iets voor haar moet doen, ze weet zelf nog niet eens hoe ze Macro gaat aanpakken.'

'Gelul, natuurlijk weet ze dat,' zei Magnus, bij wie de spanning weer terugkeerde. 'Denkt u nu echt dat u en Corbulo hier met Antonia en de consul aan tafel zouden zitten en deelgenoot zouden mogen zijn van haar visie op een politieke kwestie als jullie in haar ogen niet een deel van de oplossing vormden?' Hij bromde tevreden. 'Natuurlijk niet. Dit belooft weinig goeds, geloof mij maar, anders zou ze u niet gevraagd hebben de kist van Capella op tafel te laten staan, u vriendelijk hebben bedankt en u naar huis hebben gestuurd om wat te eten.'

Corbulo kwam binnen en deed na een korte blik op Magnus zijn lendendoek af, hing die aan een haak en ging op het gat aan de andere kant van Vespasianus zitten. Hij deed luidruchtig en vrijwel onmiddellijk zijn behoefte.

'Dit is niet bepaald waarvoor ik heb getekend, Vespasianus,' verklaarde Corbulo toen hij zich weer kon ontspannen. 'Ik moest getuige zijn van een gesprek, niet een rol spelen in machtsspelletjes.'

'Nee, Corbulo, je moest een schuld inlossen. Je zou me juist moeten bedanken, want over een paar dagen zijn de praetor-verkiezingen en je hebt nu kennis mogen maken met de consul, wiens mening in de Senaat zeker meetelt. Misschien gaat het je nog lukken ook, misschien lukt het je zelfs om mijn broer te verslaan.'

'Dat had ik zelf ook al bedacht, en trouwens, iemand uit mijn familie zou geen moeite moeten hebben met een nieuwkomer als Sabinus,' antwoordde Corbulo kortaf. 'Wat me pas echt zorgen baart, is dat als Antonia hier een eind aan weet te maken, er vijf belangrijke mensen danig van streek zullen zijn.'

'Hoezo?'

'Nou, Macro en Herodes zien hun kans op werkelijke macht als sneeuw voor de zon verdwijnen, Claudius raakt een hoop geld kwijt, Poppaeus raakt een hoop geld kwijt én ziet zijn kans op werkelijke macht als sneeuw voor de zon verdwijnen, en Caligula lijdt gezichtsverlies omdat hij zo dom is geweest het zo ver te laten komen.'

Vespasianus dacht even na en realiseerde zich toen dat hij gelijk had.

'En als ze erachter komen dat jij het onder de aandacht van Antonia hebt gebracht,' vervolgde Corbulo, 'en dat ik jou daarbij heb geholpen, dan heb ik er hoe dan ook een paar vijanden bij.'

'Wat heb ik u gezegd?' zei Magnus zelfgenoegzaam. 'Laat je niet in met de politiek.'

'Hou toch 's je mond, man, en geef me die emmer.'

Vespasianus haalde een stok met daaraan een spons uit de met helder water gevulde emmer, sloeg het overtollige water eraf, kwam iets omhoog en begon zich af te sponzen. 'Caligula zal het ons toch niet kwalijk nemen? Wij behoeden hem voor een vreselijke fout.'

'Ja, dat weet ik,' beaamde Corbulo terwijl Vespasianus de spons terug in de emmer deed en draaiend schoonmaakte. 'En het is noodzakelijk, in het belang van Rome, dat begrijpen wij allemaal. De vraag is of Caligula het begrijpt.'

'Natuurlijk.' Vespasianus deed zijn lendendoek om terwijl Magnus met de spons aan de gang ging.

'Of zal hij denken dat het zijn toekomstplannen doorkruist? Men vindt niet dat keizers fouten mogen maken, dus als hij keizer wordt, denk je dan dat wij kans hebben op een voorkeursbehandeling als hij weet dat wij een van de grootste fouten die hij waarschijnlijk kan maken aan het licht hebben helpen brengen?'

'Daar heeft hij wel gelijk in,' zei Magnus, en hij haalde de spons nog een laatste keer langs zijn achterste. 'Nu mag u zich misschien nog tot de vrienden van Caligula rekenen, maar als hij keizer is herinnert u hem wellicht te veel aan de inschattingsfouten die hij heeft gemaakt.'

'Kijk, Vespasianus, zelfs jouw knecht is slim genoeg om dat te vatten.'

Magnus pakte de emmer en kwakte die voor Corbulo neer, het inmiddels vieze water gutste over de rand en op zijn slippers. 'Spons, Corbulo?' vroeg hij beleefd, en hij reikte hem het niet afgespoelde gerei aan.

'Wij vinden allemaal dat Macro tegengehouden moet worden,' verkondigde Antonia toen ze terug waren in haar vertrekken. 'De vraag is nu hoe we dat bewerkstelligen zonder dat mijn belangen al te zeer geschaad worden.'

De drie mannen keken haar strak aan. Alleen Asiaticus had de moed om te vragen wat ze allen dachten. 'U bedoelt toch zeker de belangen van Rome?'

'Dat is hetzelfde, consul. Ik zal er geen doekjes om winden. De afgelopen jaren stond ik als enige tussen een redelijk stabiel bestuur en een nieuwe burgeroorlog. Nu Tiberius weg is en buiten bereik in zijn eigen wereld op Capreae zit, is het aan mij om de verschillende facties in de Senaat tegen elkaar uit te spelen, zodanig dat er niet een gaat overheersen. Het was aan mij om iets aan Seianus te doen, omdat Tiberius geen benul had van zijn intriges en de Senaat te schijterig was om hem aan te pakken.'

Asiaticus wilde protesteren.

'Bespaar me uw verweer, consul. U was in de tempel van Apollo toen de Senaat bijeenkwam in de overtuiging dat het verzoek zou komen om Seianus te bedelen met tribunale macht. En wat zou het resultaat van de stemming zou zijn geweest als Tiberius daar in zijn brief om gevraagd had?'

Asiaticus beet op zijn lippen. 'Er zou unaniem vóór zijn gestemd,' gaf hij toe.

'Inderdaad, omdat iedere senator te bang was om te laten zien dat hij tegen was. Alleen degenen die de stemming "toevallig" vergeten waren en naar hun buitenverblijven waren vertrokken of zo onfortuinlijk waren de avond tevoren een slechte garnaal te hebben gegeten, bleef die lastige beslissing bespaard.'

Corbulo steigerde bij deze opmerking, tot vermaak van Vespasianus. Het was precies de smoes die hij had gebruikt om niet naar de bijeenkomst te hoeven.

'Ik begrijp wat u bedoelt,' gaf Asiaticus toe.

'Ik wil u niet voor het hoofd stoten, consul, ik wijs u alleen op de feiten, en gezien die feiten is het cruciaal dat ik in Rome nog een hoofdrol kan spelen in de politiek als mijn zwager dood is, ofwel via een van mijn kleinzoons, Gaius of Gemellus, of via mijn zoon Claudius, wat ik nu een reële mogelijkheid acht.' Ze zweeg, genoot van de verbijsterde blik op de gezichten van haar gasten. 'Maar dat komt straks. Laten we eerst nadenken over hoe we Macro een halt kunnen toeroepen zonder dat hij doorheeft dat ik erachter zit, want als hij dat te weten komt zal hij reageren als een in het nauw gedreven dier en zullen Tiberius en ik het einde van de maand niet halen. Als ik er een stokje voor steek dat Claudius en Narcissus de eigendomsakten verkopen, zal hij mij verdenken, en ook als ik Gaius overhaal zijn belofte in te trekken, zal Macro weten dat ik erachter zit. Dus wat moeten we doen?'

'Schakel hem uit, zoals u hebt gedaan met Seianus,' opperde Asiaticus.

'Daar ben ik al mee bezig. Maar dat gaat even duren, tenzij ik hem laat vermoorden, wat ik niet aandurf omdat ik vrees dat de praetoriaanse garde dan in opstand zal komen, want zoals u weet is die hem erg trouw, de gardisten zouden het zien als een aanval op de status die zij in Rome hebben verworven.'

'Schakel dan Poppaeus uit, domina,' zei Corbulo met een wraakzuchtige glinstering in zijn ogen, 'zonder hem is er geen geld.'

'Dat is waar. Maar hoe? Als ik hem laat aanklagen wegens verraad zal Macro meteen weten dat ik doorheb wat hij van plan is.'

'Laat hem dan vermoorden,' zei Vespasianus. Hij kon nauwelijks geloven dat hij zoiets voorstelde, het pad van smeergeld naar moord was in zijn geval wel erg kort.

'Dat zou dezelfde gevolgen hebben als wat eerder werd voorgesteld,' zei Antonia afwijzend.

'Niet als de indruk zou worden gewekt dat hij een natuurlijke dood is gestorven, domina.'

Antonia keek hem aan, langzaam verwijdden haar lippen zich tot een glimlach. 'Heel goed, Vespasianus. Dat zou inderdaad werken. Als hij gewoon het loodje legt is dat pure pech voor Macro, die zal dan naar een andere rijke en trouweloze geldschieter op zoek moeten, wat maanden of zelfs jaren kan duren. Slim bedacht.'

'Maar hoe krijgen we dat voor elkaar, en wie gaat het doen?' vroeg Asiaticus, die blijkbaar twijfels had. 'Het lijkt me vrij lastig om hem in zijn bed te laten stikken, er zijn te veel mensen in zijn huis om dat ongemerkt te doen.'

'Ik wil het wel doen,' bood Corbulo met zachte stem aan. 'Ik weet dat het geen eerzame manier is om een collega-senator te doden, maar de manier waarop hij mij probeerde te doden was nog veel minder eerzaam, dus als dit mijn enige kans op wraak is, grijp ik die.'

Vespasianus wist dat hij Corbulo nooit meer recht in de ogen zou kunnen kijken als hij nu, na zelf te hebben voorgesteld hun gemeenschappelijke vijand op zo'n onwaardige manier te doden, niet zou meedoen. 'Ik zal je helpen, Corbulo,' zei hij met bloedend hart. Het deed hem pijn dat er kennelijk weinig over was van alle idealen die hij tien jaar geleden, toen hij naar Rome kwam, had gekoesterd. Toen had hij er alles voor overgehad om zijn Rome levend te houden, een Rome dat integer bestuurd werd, niet geplaagd door de burgeroorlogen die de republiek te gronde hadden gericht. En nu bood hij aan om zijn Rome met een moord te beschermen. Wat zou zijn grootmoeder Tertulla moeten lachen als ze hem nu kon zien, mijmerde hij.

'Dank jullie, heren,' zei Antonia ernstig. 'Ik weet hoezeer dit indruist tegen de geest waarin jullie zijn opgegroeid, maar ik zou dit niet aan jullie vragen als ik een andere oplossing zou weten.'

Vespasianus en Corbulo keken elkaar aan en glimlachten vreugdeloos, beiden wisten dat ze hadden aangeboden iets te doen wat ze zichzelf nooit zouden kunnen vergeven.

Asiaticus schraapte zijn keel, hij voelde zich ongemakkelijk bij wat er net besloten was, maar omdat hij wist dat ze geen keus hadden bracht hij de uitvoering ter sprake. 'De vraag is hoe we het gaan aanpakken, als we ervan uitgaan dat het schier onmogelijk is om het in zijn eigen huis te doen.'

'Gif gaat niet werken,' verklaarde Antonia. 'Dan moet je steeds kleine beetjes toedienen om het te doen lijken op een dodelijke ziekte en dat duurt te lang, en hoe kom je telkens opnieuw bij zijn eten?'

Het bleef stil, iedereen aan tafel dacht erover na hoe je iemand zo moest vermoorden dat het er natuurlijk uitzag, en op een moment dat hij niet in bed lag of bijvoorbeeld aan zijn werktafel zat.

De stilte werd ten slotte doorbroken door Pallas, die nog altijd bij de deur stond. 'Kan ik u hierbij misschien van dienst zijn, domina?'

Antonia keek op. 'Je hebt ongetwijfeld weer een van je waardevolle opmerkingen voor ons in petto, Pallas. Ik luister altijd graag naar ze, dus ook nu zou ik het fijn vinden als je ons helpt.'

De dienaar trad naar voren, het licht in. 'Dank u vriendelijk, domina. Ik heb slechts één opmerking en dat is deze: om alle schijn van moord te vermijden zal het achter gesloten deuren moeten gebeuren maar moet het lichaam in het openbaar worden gevonden. Als we Poppaeus niet in zijn eigen huis kunnen doden, moeten we een andere besloten ruimte vinden. Waar gaat Poppaeus zoal naartoe? De Senaat, de badhuizen, de rechtbanken, het huis van een vriend om te eten? Stuk voor stuk geen besloten ruimten. Op een uitnodiging van u zou hij nooit ingaan, domina, en het lijkt me niet gepast om het plan ten uitvoer te brengen in het huis van de consul, dat zou te schandelijk zijn.'

Asiaticus knikte instemmend. 'We zouden het geduld van de goden op de proef stellen als we het ambt van de hoogste magistraat in Rome bezoedelen met een ordinaire moord.'

'Zeker,' beaamde Pallas. 'Dus het enige moment in de nabije toekomst waarop Poppaeus volgens mij achter gesloten deuren komt, is wanneer hij een geheime overeenkomst sluit.'

'Als hij bij Claudius thuis de eigendomsakten ruilt voor de kwijt-scheldng,' riep Vespasianus uit. 'Natuurlijk! Maar dan moeten Clau-dius en Narcissus allebei op de hoogte zijn van het plan.'

'Dat zal geen probleem zijn,' zei Antonia. 'Een kwestie van geld. Als we wachten tot na de uitwisseling weet ik zeker dat zowel mijn zoon als zijn glibberige vrijgelatene maar al te graag helpt of op z'n minst even zijn ogen sluit, aangezien ze dan niet alleen een gete-kende kwijtschelding hebben, maar ook de eigendomsakten van die zeven landgoederen. Dat moet genoeg zijn om hen over de streep te trekken en heeft bovendien een nuttig neveneffect: Claudius beschikt dan over het extra geld dat hij nodig zal hebben mocht ik besluiten dat het beter voor Rome is als hij de volgende keizer wordt.'

'En dat is aan u, vrouwe Antonia?' vroeg Asiaticus met opgetrokken wenkbrauwen.

'Dat hangt ervan af hoe mijn kleine Gaius zich de komende paar maanden gedraagt. Maar als ik u was, Asiaticus, zou ik maar bevriend blijven met die gestoorde zoon van mij.'

'O, dat was ik wel van plan,' antwoordde de consul met een samen-zweerderig lachje.

Antonia keerde zich weer naar haar dienaar. 'Jouw opmerking komt zeer goed van pas, Pallas. Dank je wel. Nu je licht hebt geworpen op de vraag waar we het moeten doen, kun je misschien ook iets zeggen over hoe we het moeten doen?'

'Ik vrees van niet, domina,' antwoordde Pallas verontschuldigend. 'Maar ik weet misschien wel iemand die u met deze netelige kwestie kan helpen, indachtig de geheimzinnige dood, vorig jaar, van een van de aediles. Zal ik Magnus erbij halen?'

Antonia keek hem verbaasd aan. 'Dat lijkt me een uitstekend idee.'

Magnus' ogen schoten zenuwachtig langs alle aanwezigen. 'Ik geloof dat ik u niet helemaal begrijp, domina.' Hij zocht naar een prettige houding op de harde, houten kruk die aan de nog onbezette kant van de eettafel was gezet.

'Hou je niet van de domme, Magnus,' sprak Antonia streng. 'Het is een eenvoudige vraag, en ik weet zeker dat jij het antwoord weet.'

'Nou, er is wel een manier. Niet dat ik het ooit geprobeerd heb, maar ik hoorde ervan via een kennis,' bekende hij. 'Van wie weet ik niet meer, heb ik eigenlijk nooit echt geweten, als u begrijpt wat ik bedoel,' voegde hij er snel aan toe, met een ongemakkelijke blik naar de consul.

'Het is goed, Magnus,' stelde Antonia hem gerust, 'de consul is hier om van jouw wijsheid te profiteren, niet om je te berechten.'

'Als jij dezelfde Magnus bent die leiding geeft aan de Zuid-Quirinale Broederschap,' voegde Asiaticus toe, 'en je maakt je zorgen over de "natuurlijke" dood, om het zo maar even te noemen, van de aedilis voor dat district vorig jaar, kan ik je geruststellen. Senator Pollo heeft de stadsprefect er volledig van weten te overtuigen dat jij er niets mee te maken had en het is niets bijzonders dat een gezonde jongeman zonder wonden of blauwe plekken dood op straat wordt aangetroffen. Maar hoe zoiets precies kan gebeuren, dat vinden wij wel interessant. Dus het zou fijn zijn als jij daar enig licht op kan werpen.'

Dat leek Magnus op te luchten. 'Nou, het is eigenlijk heel eenvoudig: je verdrinkt iemand door zijn hoofd onder water te houden in een vat, waarbij je ervoor zorgt geen blauwe plekken of striemen te maken op zijn keel of borst terwijl je hem onder houdt. Je kunt hem beter eerst uitkleden, zodat zijn kleren niet scheuren of nat worden. Dan hang je hem op z'n kop – doe wel een deken om zijn enkels, zodat het touw geen striemen achterlaat –, maar wacht daar wel een poosje mee, want soms komen ze weer bij. Vervolgens haal je hem weer naar beneden, wrijft zijn haar droog en kleedt hem aan. Het karwei is geklaard: een dode zonder wonden of kneuzingen. O ja, als je hem ophangt kun je dat het best bij een groot vuur doen, zodat hij warm blijft, als je tenminste wilt dat hij snel gevonden wordt.'

'Dank je, Magnus,' zei Antonia, en aan de schittering in haar ogen zag Vespasianus dat ze hem niet alleen maar waardeerde om zijn kennis.

'Er is nog een andere manier,' opperde Magnus, die op dreef begon te komen, 'maar daarvoor moet je een trechter in zijn...'

'Dit is genoeg, Magnus. Hier kunnen we wel iets mee, denk ik. We hebben je niet meer nodig, voorlopig althans.'

'Goed, domina,' mompelde Magnus, en hij verliet de kamer. Vespasianus had het vermoeden dat er weinig terecht zou komen van zijn plan om die avond te profiteren van de opgewonden toestand van de slavinnen die Caprotinia vierden.

'Welnu, heren,' zei Antonia terwijl de deur achter Magnus dichtviel, 'Poppaeus is dood, rest de vraag hoe en waar men zijn onfortuinlijke lot gaat ontdekken.'

'Als u mij toestaat, domina?' vroeg Pallas.

'Ik rekende al op je, Pallas,' zei Antonia met een glimlach.

'Poppaeus loopt meestal met een stok en vindt het beneden zijn waardigheid om zich niet in een draagkoets door Rome te verplaatsen, en zo zal hij ongetwijfeld ook naar Claudius gaan. We moeten het lichaam in de koets zien te krijgen en de dragers naar het forum laten lopen, waar de consul hen misschien kan opwachten, zodat hij de gordijnen opzij kan schuiven en tot zijn grote schrik tot de ontdekking kan komen dat de goede man ons helaas is ontvallen.'

Asiaticus lachte. 'Meer in het openbaar kan haast niet. Dat is een goed plan, daar werk ik graag aan mee.'

'Maar hoe krijgen we het lichaam zo in de draagkoets dat de dragers denken dat hun meester nog leeft en dat hij hun zelf opdracht geeft naar het forum te lopen?' vroeg Vespasianus.

'Door de illusie te wekken dat hij nog leeft.'

'Maar hoe?'

'Laat dat maar aan mij over, Vespasianus. Het is niet zo moeilijk als u denkt,' verzekerde Pallas hem. 'Maar dan moet u de kist wel hier laten.'

'Goed, heren, ik denk dat de zaak rond is,' zei Antonia, die het kennelijk genoeg vond. 'Ik dank u voor uw tijd. Consul, kan ik u nog even onder vier ogen spreken?'

'Natuurlijk, domina.'

'Dank u. Vespasianus en Corbulo, morgenochtend gaan Pallas en ik naar de sul die zich mijn zoon noemt en zijn weerzinwekkende vrijgelatene om de zaak te regelen en hem te vertellen wat de gevolgen zijn als hij geen gehoor geeft aan mijn wensen. Jullie kunnen daar het tweede uur naartoe komen.'

'Met genoegen, domina,' antwoordde Vespasianus, niet geheel naar waarheid.

Teleurgesteld omdat hij Caenis niet had gezien, die toch vrijwel altijd aan de zijde van haar meesteres was, verliet Vespasianus de kamer, gevolgd door Corbulo, en liep de met fakkels verlichte zuilengang in. Mijmerend liep hij door de gang, en de onprettige gedachte schoot door hem heen dat Caenis, als secretaresse van Antonia, een kopie van Corvinus' brief moest hebben gemaakt. Ze wist al van Flavia voordat hij iets aan haar had kunnen uitleggen.

'Nou, wat heb ik u gezegd?' zei Magnus, en hij stapte uit de schaduw. 'Ze had iets verdomd akeligs voor ons in petto: een koelbloedige moord, zo te horen. En op wie? Poppaeus?'

'Ja,' antwoordde Vespasianus. Het klonk bitser dan hij gewild had.

'Gelukkig maar, dat maakt het wat draaglijker, als het om die opstandige rotzak gaat.'

'Maar je had het bij het verkeerde eind. Ze had niet alles al uitgedacht. Sterker nog, ze zat met de handen in het haar. Het was mijn idee om hem te vermoorden.'

Magnus lachte. 'Natuurlijk, maar pas nadat ze alle andere mogelijkheden van tafel had geveegd omdat ze onuitvoerbaar waren of te veel tijd kostten, vermoed ik zo.'

'We konden gewoon niet anders, man,' snauwde Corbulo. 'Ik bood het zelf aan en Vespasianus zei dat hij me wilde helpen. Ze heeft het ons niet gevraagd.'

'Natuurlijk niet, omdat het de enige mogelijkheid was die ze niet kon opperen.'

'Waarom denk je dat?' vroeg Vespasianus.

'Dat spreekt toch vanzelf?' zei Magnus geërgerd. 'Het gebeurt nooit dat Antonia zich geen raad weet met een situatie, het probleem was dat ze in het bijzijn van de consul niet kon zeggen: "Ik wil Poppaeus vermoorden, en wel op zo'n manier dat het een natuurlijke dood lijkt, en trouwens, Vespasianus en Corbulo, ik zou het fijn vinden als jullie je eergevoel aan de kant zetten en je gedragen als de gecastreerde kamerheer van een oosterse koning of een wraakzuchtige vrouw?" Dat zouden jullie geweigerd hebben, terecht, en dat had ze jullie niet kwalijk kunnen nemen.'

Vespasianus en Corbulo keken elkaar aan en wisten dat hij er niet ver naast zat.

Vespasianus gromde. 'Maar dankzij het feit dat wij met het idee kwamen konden wij aanbieden om het te doen, en Antonia kreeg wat ze wilde zonder dat ze twee senatoren expliciet hoefde te vragen hun collega te vermoorden.'

'Ze speelt het spelletje goed,' merkte Magnus opgetogen op.

'Jij kunt het weten. Ga maar lekker met haar spelen en bezorg haar namens mij wat blauwe plekken.'

'Dat vindt ze lekker, dat is precies wat ze wil: hoe ruiger, hoe beter.'

'Nou, er zijn maar weinig mannen zo ruig als jij. Ik zie je morgen, dan gaan we even bij iemand langs. Kom bij zonsopkomst naar het huis van Gaius.'

'Goed, dan ben ik hier wel klaar. Mis ik verdomme wel de Caprotinia. Dan wens ik u nu goedenacht. Ziri blijft bij mij, de jongens brengen u wel terug.'

'Hoe houd je het toch met hem uit, Vespasianus?' vroeg Corbulo terwijl Magnus terugging om Antonia enig genot te schenken.

'Om dezelfde reden waarom ik het met jou uithoud, Corbulo: ik mag hem.'

De nacht was fris, helder en kalm. De driekwart maan stond laag boven de stad, zijn waterige licht weerkaatste van de marmeren muren en pilaren van de grote tempels en openbare gebouwen, die zich tussen de donkere stenen en terracotta daken van de oudere of kleinere bouwwerken duidelijk aftekenden. Her en der stegen rookzuilen loodrecht op uit bakkerijen of smederijen. Naarmate ze hoger kwamen werden ze vager en dunner, om ten slotte op te lossen in de atmosfeer. Het vredige tafereel stond in schril contrast met het dronkenmanskabaal dat opsteeg uit de Subura, waar de armelui genoten van de laatste uurtjes van het slavinnenfeest. Het schrapende geluid van met ijzer beslagen wielen en het klepperen van de paardenhoeven van de wagens van de kooplui die hun nachtelijke ronde langs de fabrieken en werkplaatsen maakten, maakten het er niet bepaald rustiger op.

Voorafgegaan door Marius en Sextus liepen Vespasianus en Corbulo snel de Palatijn af, ze zeiden weinig en keken elkaar niet één keer aan. 'Het doel heiligt de middelen' geldt nu meer dan ooit, mijmerde Vespasianus, en aan de voet van de Caelius wenste Corbulo hem somber goedenacht, zei nee toen hem werd gevraagd of er iemand met hem mee moest en beende de heuvel op.

Toen ze langs de westrand van de Subura liepen drong de feestelijke chaos zich meer aan hen op. Door de straten zwierven groepjes mannen die luidkeels schunnige liederen zongen, vochten en naar de hoeren gingen. Degenen die buitensporig hadden gedronken lagen buiten westen in hun eigen braaksel en urine, en in elke portiek en steeg werd in het openbaar gecopuleerd of andere seksuele handelingen verricht.

'De mensen nemen het ervan,' merkte Marius meewarig op toen ze langs een slavenmeisje kwamen dat van twee kanten werd bediend door twee rauw ogende vrijgelatenen die ondertussen teugen uit hun wijnzakken namen.

'Dat kun je wel zeggen, ja. Maar ze verdienen het,' antwoordde Sextus, 'want het is een zware tijd.'

'Hoezo?' vroeg Vespasianus.

'Nou, door de graantekorten natuurlijk. Weet u dat dan niet?'

'Dat is waar,' beaamde Marius. 'Het graanrantsoen is een maand geleden gehalveerd en veel mensen vinden het moeilijk om daarvan te leven.'

'Maar dat komt doordat de eerste graanvloot ten onder is gegaan. Het wachten is op de volgende, dan wordt alles weer normaal,' verzekerde Vespasianus hun.

'Dat weet ik zo net nog niet,' antwoordde Marius. Ze begonnen de Quirinaal op te lopen. 'De tekorten waren er ook al toen het nieuws over de graanvloot nog heel ver weg was. Mijn neef werkt bij de graanhuizen en volgens hem is er nog nooit zo weinig graan geweest. Aan het eind van de vorige zomer werd het al minder, zei hij, elke vloot leek steeds iets minder graan af te leveren. Ze hebben het geheimgehouden, maar er gaan geruchten over speculanten.'

Sextus spuugde op de grond. 'Het is verdomme ook altijd hetzelfde, toch? De armen lijden terwijl een paar rijke stinkerds geld verdienen aan hun ellende. Die verdomde senatoren ook, neemt u me niet kwalijk, heer.'

'Senatoren zullen het niet zijn,' zei Vespasianus, en hij voelde zich onbehaaglijk bij de gedachte aan wat Corbulo hem had verteld over Pomponius. 'Zij mogen zich volgens de wet niet inlaten met handel.'

'Alsof dat ze tegenhoudt,' beweerde Marius.

'In enkele gevallen waarschijnlijk niet, Marius.'

'Ik weet het wel zeker. Mijn neef vertelde me dat de lading van een van de twee schepen die niet zijn vergaan in een particuliere opslag is verdwenen en dat de graanopzichter het niet in beslag kan nemen omdat hij geen idee heeft waar het gebleven is of wie de eigenaar is.'

'De graanopzichter is mijn broer, ik zal hem vragen waarom hij het niet kan vinden.'

'Omdat het goed verstopt is, daarom. En het is typisch iets voor een senator om het geheim te houden.'

'Maar het is wel heel erg dom als een senator zich inlaat met graanspeculatie. Als de keizer daar lucht van krijgt, zal hij het leven en alle bezittingen van de man eisen.'

'De keizer? Wat doet die nou voor ons? Hij is al bijna tien jaar niet in Rome geweest. Zit daar maar op zijn eiland, ze hadden hem net zo goed in de Tiber kunnen smijten, en ik ben niet de enige die dat zegt.'

'Ik zou dat maar niet rondbazuinen. Het is verraad.'

'Nou, dat valt nog te bezien, maar de stad heeft nog hooguit voor een maand graan en niemand mag het weten, en terwijl de keizer er geen ene moer aan doet probeert iemand anders zijn geldkist te vullen.'

Ze waren aangekomen bij het huis van Gaius en Vespasianus stuurde de twee kruispuntbroeders naar huis en gaf hun ieder een denarius voor de moeite. De nieuwe portier – knap, donker – liet hem met slaapogen binnen en nestelde zich toen weer in zijn bed in de hal.

Vespasianus liep door het stille huis en overpeinsde zijn eerste dag in Rome, die niet was verlopen zoals hij zich gewenst had. Hij had Caenis niet gezien en hij dacht ook te weten waarom niet. Minstens zo zorgwekkend was het feit dat hij verwikkeld was geraakt in de intriges van Antonia en opnieuw een wereld in werd getrokken waar politieke noodzaak de enige morele graadmeter was. Maar wat hem echt verontrustte, bedacht hij terwijl hij zijn kamer binnenging en zijn toga en tuniek uittrok, was de kwestie van het graantekort. Hij had het al eens meegemaakt in Cyrenaica, daar had Herodes Agrippa graan gekocht dat eigenlijk bedoeld was voor de provincie. En nu leek in Rome hetzelfde te gebeuren.

Hij ging op bed liggen en staarde naar het witgekalkte plafond van zijn kleine kamer. Misschien kwam het gewoon door het vergaan van de graanvloot of de hebzucht van een paar mannen, maar één ding wist hij zeker: als je het regime in Rome bewust aan het wankelen wilde brengen, kon je dat het best doen via de magen van de armen.

HOOFDSTUK X

De volgende ochtend stond Vespasianus vlak voor zonsopkomst op. Hij liep naar het atrium, waar hij tot zijn verbazing zijn broer Sabinus met Gaius bij het haardvuurtje een ontbijt van brood, olijven, knoflook en flink met water aangelengde wijn zag nuttigen, alles geserveerd door Aenor.

'De jonge quaestor keert terug uit de provincie,' sprak Sabinus lijzig, 'waar hij een kist vol problemen heeft weten op te duiken.'

'Hou je bek, Sabinus,' beet Vespasianus hem toe, en hij gaf zijn opgevouwen toga aan Aenor en ging zitten terwijl zijn oom wat wijn voor hem inschonk.

'En het is geweldig om je weer te zien, broer. Genoten van de kamelen?'

'Ik leg net aan Sabinus uit in welk lastig parket jij verzeild bent geraakt,' zei Gaius snel en ten overvloede, in een poging een ruzie te voorkomen. De broers hadden het nooit goed met elkaar kunnen vinden, en hoewel Sabinus de afgelopen jaren meer respect voor zijn broertje was gaan tonen, vond hij het nog altijd leuk om hem te sarren, vooral als hij een tijd weg was geweest. 'Kom, eet wat, en vertel ons wat Antonia te zeggen had.'

'Moord?' riep Gaius uit, nadat hij Vespasianus uitgebreid verslag had horen doen van zijn gesprek met Antonia. 'Niet een woord dat ik graag hoor.'

'Ik weet het, oom, het is een wapen waar vrouwen naar grijpen,' zei Vespasianus beschroomd, 'maar we zagen geen andere mogelijkheid.'

'Ik vind het goed dat je het voorgesteld hebt,' zei Sabinus tot verbazing van Vespasianus, 'het is de snelste en grondigste manier om het probleem op te lossen, hoe verwijfd het dan misschien ook is.'

Vespasianus negeerde de schimpscheut. 'En Corbulo en ik kunnen ons wreken op Poppaeus.'

'Wat ook bevredigend is,' beaamde Sabinus, 'omdat het betekent dat we een belofte nakomen die ik zowel namens ons als namens Pomponius Labeo heb gedaan.'

'Welke belofte?'

'Hij ontbood mij op de dag dat hij zijn aders doorsneed, in het besef dat wij bij hem in het krijt stonden omdat hij onze ouders onderdak had geboden op zijn landgoed in Aventicum ter bescherming tegen Seianus. Om deze schuld in te lossen liet hij mij beloven dat wij wraak zouden nemen op Poppaeus.'

'Nou, ik ben blij dat ik daar een steentje aan kan bijdragen,' zei Vespasianus met nauwelijks verholen sarcasme.

'O, is dat zo. In feite heb je twee steentjes bijgedragen, want nu weet ik ook hoe ik Herodes kan terugpakken.'

'Wat heeft Herodes jou dan aangedaan?'

'Hij heeft mij in Judaea op onaanvaardbare wijze publiekelijk beledigd. Dat kan ik niet ongestraft voorbij laten gaan. Dit jaar houd ik als aedilis toezicht op de graandistributie en ik kan je zeggen, in vertrouwen, dat de prijs stijgt omdat de bodem van de graanput in zicht begint te komen.'

'Dat heb ik gehoord, ja.'

'Echt?' Sabinus schrok. 'Dat had geheim moeten blijven.'

'Dat blijft het ook: alleen jij, ik, de kruispuntbroeders van Magnus en hun vrienden en kennissen weten ervan.'

'Heel grappig,' zei Sabinus snuivend.

'En het graan van het tweede schip? Hoe kan het dat je dat kwijt bent en dus niet kunt distribueren?'

'Hoe weet jij dat nou weer?'

'Ook al zo'n goed bewaard geheim.'

'En wat hebben de broeders jou nog meer verteld? Zeker dat ik geld krijg als ik het graan niet vind?'

'Dat hoop ik niet, beste jongen, want daar kun je de doodstraf voor krijgen,' riep Gaius uit, en hij nam een kalmerende teug wijn.

'Zo dom ben ik ook weer niet, oom. Hoe dan ook, de Afrikaanse graanvloot kan elk moment binnenvaren en dan zal alles langzaamaan weer normaal worden. Maar door de tekorten is de prijs sinds vorig jaar met bijna een vijfde gestegen, en hij stijgt nog steeds en zal voorlopig ook niet stabiliseren. Dus iedereen die net als onze vriend Herodes graan hamstert en daarop betrapt wordt, zal daar flink voor moeten boeten. Ik ga de alabarch een anonieme brief schrijven waarin ik hem vertel dat Herodes het van hem geleende geld voor illegale graanspeculatie heeft gebruikt. Ik zal hem zeggen dat hij er goed aan doet Flaccus, de prefect, in te lichten, voordat ik het zelf doe, waarbij ik hem als handlanger zal aanmerken. Flaccus is ongelooflijk trouw aan Tiberius, dus hij zal de beschuldigingen zeker nader onderzoeken. Hij zal het opgeslagen graan vinden en aan Tiberius doorgeven wie de eigenaar is, en dan is het gedaan met Herodes.'

'Wees maar voorzichtig, beste jongen,' zei Gaius vaderlijk. Ondertussen werd er op de voordeur geklopt. 'Herodes kocht dat graan van Claudius. Als dat aan het licht komt, zit hij ook in de nesten. En Antonia is meestal niet zo aardig voor mensen die familie van haar in de problemen brengen, ze ziet het als haar voorrecht om die mensen aan te pakken.'

'Dat is nou het mooie van anoniem schrijven, zij zal er nooit achter komen dat ik het was, en Herodes ook niet,' antwoordde Sabinus terwijl een niet bepaald fris ogende Magnus werd binnengelaten.

Vespasianus kwam overeind en gebaarde naar Aenor dat hij zijn toga moest omhangen. 'Op de een of andere manier komt Antonia altijd alles te weten, Sabinus. Ze hoeft maar een kik te geven en jij kunt die praetor-verkiezingen wel vergeten. Ik zou maar naar mijn oom luisteren als ik jou was en een andere manier bedenken om mijn gram te halen op Herodes.'

Sabinus fronste het voorhoofd. 'Ik zal erover nadenken.'

'Goedemorgen, heren,' zei Magnus toen duidelijk was dat het gesprek was afgelopen.

'Goedemorgen, Magnus, wij moeten gaan,' antwoordde Vespasianus terwijl Aenor de laatste plooi van zijn toga schikte.

'Ziri wacht buiten.'

'En ik moet mijn beschermelingen verwelkomen,' zei Gaius, en hij kwam overeind. 'Ik wens je sterkte in deze akelige kwestie, jongen. Aenor, mijn toga.'

Met een knikje naar zijn broer draaide Vespasianus zich om en liep achter Magnus aan door de deur en de ongeveer veertig beschermelingen die daar stonden te wachten tot zij hun beschermheer konden begroeten.

Ziri bleek achteraan te staan en gedrieën daalden ze de Quirinaal af. Het was een schitterende, frisse zomermorgen, maar de warmte drong zich al bij vlagen op. Vanaf het land woei een briesje en Vespasianus verbeeldde zich dat een zweem van pas gemaaid gras en weidebloemen de stadsgeuren verjoeg, zijn gedachten gingen naar zijn landgoederen in Cosa en Aquae Cutillae en hij realiseerde zich dat hij er alles voor over zou hebben om nu op een van die plekken te zijn in plaats van een moord te moeten beramen.

Het huis van Claudius was niet wat Vespasianus verwacht had van een lid van de keizerlijke familie, ook al was hij dan uit de gunst geraakt. Het stond in een rustige zijstraat op de Esquilijn, bijna tegen de stadsmuur aan, en zag eruit als het huis van een koopman die onlangs een paar grote zakelijke tegenslagen had gehad. Het witkalk op het gebarsten en afbrokkelende pleister, dat op te veel plekken niet langer het onderliggende metselwerk bedekte, bladderde her en der af. Een groot huis was het wel, en wat er aan luister ontbrak werd gecompenseerd door de beslotenheid, het was een ideale plek voor een onopvallend bestaan, mijmerde Vespasianus terwijl hij vlakbij stond te wachten op Antonia en Corbulo.

Vlak voor het tweede uur kwam Corbulo in gezelschap van twee slaven de hoek om gelopen, ogenschijnlijk erg met zichzelf ingenomen. 'Goedemorgen, Vespasianus,' zei hij zonder acht te slaan op Magnus en Ziri. 'Alle ellende heeft toch nog iets goeds opgeleverd: Asiaticus stuurde me vanochtend een briefje waarin hij belooft mijn gooi naar het praetor-schap te steunen. Met zijn steun in de Senaat maak ik kans om hoog te eindigen bij de verkiezingen en zal ik na mijn termijn waarschijnlijk gouverneur worden van een provincie.'

'Ik ben heel blij voor je, Corbulo,' zei Vespasianus in alle ernst. 'En voor mijzelf ook.'

'Hoezo? Heeft Asiaticus jou ook iets toegezegd?'

'Nee, maar je bent dankzij mij met hem in contact gekomen, dus nu sta je toch weer bij me in het krijt. De lei is minder schoon dan je dacht, of niet soms?'

Corbulo fronste, maar voordat hij kon reageren kwam de draagkoets van Antonia de straat in, met Pallas ernaast, die de kist van Capella droeg. Antonia schoof het gordijn opzij en stapte uit. Het hart van Vespasianus sloeg over toen hij Caenis ook uit de koets zag komen. Ze wierp hem een steelse blik toe en glimlachte verlegen, over haar normaliter helderblauwe ogen hing een grauwe, trieste sluier, maar desondanks benamen ze hem opnieuw de adem. Zijn mond ging open, hij wilde haar alles uitleggen, maar hij besefte op tijd dat er anderen om hen heen stonden, en dus drukte hij zijn lippen op elkaar en produceerde een zenuwachtig glimlachje. Caenis knikte licht alsof ze begreep dat ze moesten praten, draaide zich om en pakte het schrijfgerei uit de draagkoets.

'Goedemorgen, heren,' zei Antonia, en Vespasianus werd ruw uit zijn binnenwereld getrokken. Haar licht geamuseerde blik gaf Vespasianus het gevoel dat zijn non-verbale gesprek met Caenis voor meer mensen te volgen was geweest dan de bedoeling was. 'Ik zal het woord voeren, jullie houden je mond, tenzij ik jullie vraag iets te zeggen. Vergeet niet dat jullie je uitsluitend bezig moeten houden met de logistieke kant van onze... uh... onderneming.'

Pallas liep de trap op en klopte op de deur.

'Ik wist het écht niet, m-m-moeder,' beweerde Claudius, en met een zakdoekje depte hij zijn hangende mondhoek, waar wat speeksel uit sijpelde, 'wat er met de landgoederen zou gebeuren.' Zijn alerte, grijze ogen schoten naar Narcissus, zijn vrijgelaten slaaf, die naast hem in de keurig onderhouden tuin zat, op een bankje onder een zwaarbeladen perenboom. 'En N-N-Narcissus ook niet, dat weet ik z-zeker.'

Vespasianus en Corbulo zaten aan weerszijden van Antonia en keken belangstellend toe terwijl zij haar zoon ondervroeg. Claudius had getrild en gestotterd nadat ze hem de eigendomsakten had laten zien en hij had toegegeven dat Narcissus illegaal land voor hem had gekocht in Egypte. Narcissus had het hele gesprek onverstoorbaar voor zich uit gekeken, alsof de kwestie totaal onbelangrijk was en hij het daarom beneden zijn waardigheid achtte om te bekennen. Vespasianus keek even naar Caenis, maar zij hield haar hoofd gebogen, concentreerde zich op het vastleggen van het gesprek op de wastabletten op haar schoot. Pallas stond uitdrukkingsloos achter haar.

'Dus ik moet geloven dat jij zeven van de grootste tarwelanderijen in Egypte ging verkopen,' zei Antonia, en zij wees naar de geopende kist van Capella die op de tafel tussen hen in stond, 'aan een onbekende koper en dat het jou geen zier interesseerde wie het was?'

'Maar we dachten het te weten, vrouwe Antonia, we dachten dat het Poppaeus was,' antwoordde Narcissus, en met zijn mollige hand streek hij over zijn geoliede baard; de edelstenen op de opzichtige ringen aan zijn dikke vingers glinsterden in de sterker wordende zon.

'Ik vroeg het niet aan jou, vrijgelatene,' snauwde Antonia. 'Jij begaat al een misdrijf door zonder uitnodiging in mijn gezelschap te verkeren, dus maak het niet erger door voor je beurt te praten, en voor jou ben ik trouwens "domina".'

'Uiteraard, domina,' antwoordde Narcissus, en berustend boog hij langzaam zijn hoofd en spreidde zijn handen.

'Dus je wist niet dat Macro de koper was?'

'M-M-Macro!' riep Claudius verschrikt uit. De volle mond van Narcissus trilde even. 'Nee, m-m-m-moeder. P-Poppaeus zei dat hij mij de schuld voor alle landgoederen zou kwijtschelden als ik hem er z-zeven verkocht.'

'En hij heeft niet gezegd wat hij ermee ging doen?'

'Nee, m-m-m-moeder.'

'Hou op met dat m-m-moeder, Claudius. Als je zoveel moeite met dat woord hebt kun je het beter niet gebruiken, dan verloopt dit gesprek meteen heel wat vlotter.'

'Goed, m-m-. Goed. Wij... uh... ik bedoel: ik ging ervan uit dat het voor hemzelf was.' Claudius' blik ging weer even naar Narcissus, die zijn gemanicuurde vingernagels bestudeerde. Met een nauwe-lijks zichtbaar knikje gaf de vrijgelatene aan dat hij het goede ant-woord had gegeven.

'Nou, dat is dus niet zo. Hij gaat ze aan Macro verkopen. Je mag van geluk spreken dat ik je geloof. Zelfs jíj bent niet zo dom dat je een dergelijke potentiële rijkdom verschaft aan een meedogenloze man die het rijk, waarover jij op een goede dag misschien zult heer-sen, wil opdelen.'

'Ik?' riep Claudius overdreven verbaasd uit. Vespasianus zag de mondhoeken van Narcissus heel even omhoogkomen tot een kleine glimlach.

'Ja, jij, Claudius. Speel nou maar niet de vermoorde onschuld, daar beledig je ons beiden mee. Als jij wilt dat ik jou serieus als een mo-gelijke erfgenaam zie, moet je een stokje steken voor dit handeltje, zonder Macro het idee te geven dat ik erachter zit. En je moet het aan niemand vertellen, zelfs niet aan je inhalige vriend Herodes Agrippa.'

Narcissus bracht een zijden zakdoekje naar zijn mond, schraapte zacht zijn keel, hief zijn wenkbrauwen en keek naar Antonia.

'Wat is er?' vroeg ze ongeduldig.

'Ik dank u, domina,' zei Narcissus stroperig. Zijn mond liep over van onderdanigheid. 'Wij, dat wil zeggen mijn meester en ik, zul-len natuurlijk alles doen wat u vraagt en u kunt erop rekenen dat het tussen ons blijft. Maar als ik zo vrij mag zijn: we kunnen uiteraard een stokje steken voor de verkoop of zelfs Poppaeus uitschakelen, maar zo gemakkelijk zal Macro zich niet om de tuin laten leiden.'

'Denk je dat ik daar niet aan gedacht heb?'

Narcissus stak zijn handen in de lucht, trok zijn schouders op, kantelde zijn hoofd iets naar achteren en deed zijn ogen half dicht. 'Nee, domina, nee, natuurlijk niet. Maar mag ik u wijzen op de mo-gelijkheid van een ongeluk?'

'Nee, dat mag je niet, onbeschaamde vlegel. Wij gaan een natuur-lijke dood in scène zetten en dat gaan we in dit huis doen.'

De ogen van Narcissus werden groot toen hij zich realiseerde wat dat inhield. 'En dat gebeurt dan nadat de verkoop is gesloten, domina?'

'Ja, dan heeft Claudius de getekende kwijtschelding én de eigen-domsakten in handen.'

'Wat een vernuft! Mag ik u daarmee complimenteren?'

'Nee, dat mag je niet. Het was Vespasianus' idee.'

Of het inderdaad zijn idee was geweest, dat wist Vespasianus eigenlijk niet meer. Hij voelde de ogen van Narcissus op hem rusten en beantwoordde zijn blik, waarin een mengsel van bewondering en waardering lag. Hij glimlachte licht en maakte een minimale buiging met zijn hoofd. Vespasianus moest aan de bankwissel denken. Als dit allemaal achter de rug was zou hij hem te gelde maken bij de gebroeders Cloelius.

'Ik laat het verder aan jullie over,' zei Antonia, en ze stond op en keek haar zoon streng aan. 'En verknal het niet, Claudius. Misschien dat je dan iets in mijn achting stijgt. Kom, Caenis.'

De mannen stonden op. Caenis volgde Antonia en wierp Vespasianus een onzekere blik toe. Hij keek haar na terwijl ze de tuin uit liep en vroeg zich af of hij ooit nog de kans zou krijgen om het goed te maken.

'Dus om het plan samen te vatten, meesters,' zei Pallas, die de kist van Capella op de grond had gezet toen ze na hun rondgang om het huis en de stallen, waar Magnus zich bij hen had gevoegd, het atrium betraden, 'meteen na hun aankomst worden Poppaeus en zijn secretaris, Kosmas, naar de tuin gebracht, waar de transactie zal plaatsvinden. Als de zaak beklonken is, vraagt Claudius aan Poppaeus of hij hem even onder vier ogen kan spreken. Narcissus neemt Kosmas mee naar zijn werkkamer, hij loopt via het atrium, waar hij ons ziet wachten voor een gesprek met Claudius. Ondertussen wordt de draagkoets naar de achterkant van het huis gestuurd, bij de stallen, waar hij zo dicht mogelijk tegen de trap van het huis moet worden gezet. De dragers krijgen in de keuken iets te eten en drinken, ze moeten daar blijven totdat Magnus komt vertellen dat hun meester staat te wachten aan de voorkant van het...'

Ze werden onderbroken door een hard gebonk op de deur. Voordat Narcissus hem kon tegenhouden had de portier al opengedaan voor een lange, elegante, middelbare man die een inktzwart gewaad droeg dat op zijn enkels viel en een paarse mantel met gouden borduursels op de randen. Hij werd vergezeld door een vrijgelatene.

177

'H-H-Herodes, beste vriend,' riep Claudius, en hij slofte naar hem toe voor een begroeting. Zijn zwakke knieën kwamen tijdens het schuifelen telkens tegen elkaar, waardoor hij meer strompelde dan liep en de indruk wekte voorover te zullen vallen zodra hij stil ging staan.

Herodes pakte de onderarm van Claudius stevig vast. 'Het spijt me als ik stoor,' zei hij, en hij keek nieuwsgierig over Claudius' schouder naar de anderen. 'Kom, Eutyches, Claudius heeft het druk. We proberen het wel een andere keer.'

De vrijgelatene draaide zich om en liep terug naar de deur.

'N-n-nee, Herodes, d-d-deze h-h-h-heren wilden net weggaan.'

'Waarom stotter je zo, vriend? Dat doe je normaal nooit.'

Pallas keek naar Vespasianus en knikte naar de deur.

'Wij laten u alleen met uw nieuwe gast, edele Claudius,' zei Vespasianus, die het gebaar had begrepen en naar de uitgang liep.

'Maar eerst stel je me toch wel voor, Claudius?' zei Herodes, en hij nam Pallas argwanend op. 'Pallas ken ik, hij is de dienaar van je moeder. En senator Corbulo, goedendag.' Corbulo knikte terug. 'Maar met deze jongeman heb ik nooit het genoegen gehad.' Hij glimlachte vleierig naar Vespasianus.

'M-maar natuurlijk,' zei Claudius terwijl zijn lange gezicht rood werd.

Vespasianus zweeg gegeneerd terwijl Claudius stotterend zijn volledige naam uitsprak, het speeksel sijpelde gestaag uit zijn mondhoeken en met een plooi van zijn toga probeerde hij de vloed te stoppen.

'Uw gastheer wordt erg zenuwachtig van u, Vespasianus,' zei Herodes, en hij greep zijn onderarm. 'Ik vraag me af waarom.' Hij wierp Pallas nog een achterdochtige blik toe en keek vervolgens weer naar Vespasianus. 'Ik heb uw broer ontmoet in Judaea en in Rome heb ik een paar keer zaken met hem gedaan. Doet u hem alstublieft de groeten.'

'Dat zal ik zeker doen,' antwoordde Vespasianus, en hij vroeg zich af waarom Sabinus zakendeed met een man die hem beledigd had.

'Maar laat ik u niet langer ophouden.'

'Naar ik hoop spreken we elkaar de volgende keer wat langer,' zei Vespasianus beleefd, zij het niet geheel naar waarheid.

'Inderdaad, dat hoop ik ook,' antwoordde Herodes al even beleefd. 'Eutyches, dwaas, kom terug. Je hebt hier dingen te doen.'

'K-k-k-kom, Herodes, Narciss-s-s-us zal hen uitlaten, laten wij heerlijk naar de t-t-tuin gaan. Een fijne dag nog, h-h-heren.' Claudius pakte Herodes bij zijn elleboog en leidde hem verdacht snel de kamer uit terwijl de vrijgelatene van Herodes zich weer het huis in spoedde.

'Mijn meester denkt dat hij iets goed kan voorwenden, maar dat is helaas niet zo,' merkte Narcissus op. 'Ik zal mijn best doen om Herodes de indruk te geven dat u hier puur voor een juridische kwestie was of zoiets. Jammer genoeg zijn zijn ogen, oren en neus geoefend in het bespeuren van intriges, dus het kan zijn dat hij voor problemen gaat zorgen.'

'Dan moeten we het zo snel mogelijk doen,' opperde Corbulo.

'U hebt helemaal gelijk, senator,' mompelde Narcissus, 'en dat spreekt voor u. Poppaeus wilde de verkoop heel graag rond hebben. Ik weet zeker dat hij het niet erg vindt om morgen op het tweede uur hier te zijn. Door het feest van Apollo komt de Senaat niet bijeen.'

'Wij zullen hier bij dageraad zijn, tenzij wij van jou horen dat het anders gaat, Narcissus,' zei Pallas, en hij pakte de kist op. 'Ik zal Asiaticus laten weten dat hij vanaf het derde uur op zijn plek in het forum moet staan om de draagkoets op te vangen.'

'Uitstekend, vriend. Ik zal een touw en een vat water klaar hebben staan. Mogen de goden ons gunstig gezind zijn.'

De portier liet hen naar buiten.

Op het moment dat de deur achter hen dichtviel, werden ze allen verrast door de uitroep van Pallas: 'Verdomme!'

Aan de voet van de Caelius hadden ze afscheid genomen van Corbulo, die naar huis ging, en nu liepen ze de Palatijn op. Honderden mensen beklommen langzaam de heuvel, zongen lofliederen voor Apollo en hielden blinkende, bronzen schijven omhoog die de zon moesten voorstellen. Ze konden niet door de dichte menigte komen en moesten zich aanpassen aan de trage tred van de drie witte ossen die de stoet leidden.

'Ze gaan een offer brengen aan Apollo, Ziri,' legde Magnus uit aan zijn slaaf.

'Apollo? Is wat?' vroeg Ziri, en hij keek zenuwachtig naar de mensenmassa.

'Hij is de god van heel veel dingen: de waarheid, herders, kolonisatie, boogschieten, allerlei...' Magnus zweeg, de wezenloze blik van Ziri zei hem dat zijn Latijn tekortschoot. 'Laat maar. Na het offer treden de gladiatoren op in het amfitheater van Taurus aan de Campus Martius. Wij gaan er ook naartoe, er zullen goede gevechten zijn.' Magnus keek naar Vespasianus. 'Lijkt u dat wat?'

'Nee, dank je. Zodra ik Antonia gesproken heb ga ik naar het badhuis,' antwoordde Vespasianus. Ze konden de optocht nu verlaten en de straat van Antonia in lopen. 'Sinds Kreta zijn we niet meer geweest,' voegde hij eraan toe, en hij keek Magnus indringend aan.

'Ja, dat is waar, maar dan kan die ene dag ook nog wel, toch? Bovendien wil ik graag zien hoe Ziri reageert als iedereen zich zo... nou ja, u weet wel.'

Vespasianus fronste. 'Denk je dat hij dat aankan?'

'Ik weet niet of de Romeinen nou zo trots moeten zijn op het feit dat er bij iedere gladiator die een kopje kleiner wordt gemaakt openlijk gemasturbeerd wordt,' merkte Pallas op.

Magnus grijnsde. 'Dat is waar, maar daardoor heeft het ook wel iets, vindt u ook niet? Vooral als je hulp krijgt van een leuk hoertje, als u begrijpt wat ik bedoel.'

'Gemasturbeerd? Is wat?' vroeg Ziri.

'Ik vrees dat je daar nog wel achter komt, Ziri,' antwoordde Vespasianus toen ze bij de deur van Antonia's huis stonden.

Nadat hij Magnus en Ziri had weggestuurd met de opdracht om een uur voor zonsopkomst bij het huis van Gaius te zijn, liep Vespasianus achter Pallas naar binnen. Ze hoefden maar even te wachten op Antonia en Caenis, die zich in een mantel met kap had gestoken.

'Is het geregeld?' vroeg Antonia aan Pallas.

'Jawel, domina. Alleen zijn we daar gezien door Herodes Agrippa en Eutyches, zijn vrijgelatene.'

Het gezicht van Antonia verstijfde. 'Herodes! Als iemand zal zien dat de dood van Poppaeus niet toevallig is, is hij het wel. Dit moet ik even op me laten inwerken. En wie is die vrijgelatene?'

'Herodes moest hem een paar jaar terug zijn vrijheid schenken zodat hij namens hem kon tekenen voor een lening. Verder weet ik niet zoveel over hem, alleen dat Herodes hem als jongetje kocht en sindsdien heeft behandeld alsof hij idioot is.'

'Is hij trouw?'

'Dat betwijfel ik. Wie is er nu trouw aan een man die alleen trouw is aan zichzelf?'

'Misschien kunnen we hem te spreken krijgen, wellicht geeft hij een paar geheimpjes prijs.'

In een helder moment schoot het Vespasianus te binnen hoe Sabinus een geheim van Herodes aan het licht wilde brengen. 'Domina, waarom dreigt u niet met het openbaar maken van Herodes' rol als graanspeculant? Dat kan zonder Claudius in gevaar te brengen, omdat hij het graan oorspronkelijk aan hem verkocht heeft.'

'Hoe dan?'

'Via mijn broer. Als graanopzichter heeft hij het recht om in tijden van gebrek beslag te leggen op de graanvoorraad van Herodes in Egypte. Ik weet zeker dat Sabinus door de vingers ziet waar Herodes het gekocht heeft.'

Ze draaide zich naar Vespasianus en glimlachte. 'Zodat Herodes de keus heeft: of hij raakt al dat geld kwijt, of hij zwijgt over zijn eventuele vermoeden dat de landaankoop van Macro niet doorgaat. Heel goed. Je begint het door te krijgen, Vespasianus. Ik ga er meteen mee aan de slag. Caenis wil ondertussen naar de offerande in de tempel van Apollo gaan. Ik weet dat het heel ongebruikelijk is om een lid van de Senaat te vragen met een slaaf mee te gaan, maar ik dacht dat je voor deze ene keer misschien een uitzondering zou willen maken.'

Vespasianus keek naar Caenis, die verlegen naar hem lachte. 'Met genoegen, domina.'

'Mooi. Pallas, kom mee. Er is werk aan de winkel. Stuur Sabinus een bericht dat hij hiernaartoe moet komen als hij klaar is in de graanopslag.' Na Caenis bemoedigend in de arm te hebben geknepen draaide ze zich om en liep de kamer uit.

Vespasianus deed een stap richting Caenis. 'Caenis, ik...'

Zij deinsde terug. 'Niet hier, liefste. Kom, we gaan.'

'Mijn meesteres heeft het uitgelegd,' zei Caenis tandenknarsend, en ze liet haar gebalde vuisten hard op haar dijen landen. 'Ik weet nu dat we nooit met elkaar kunnen trouwen, maar ik wist niets van die wet totdat mijn meesteres mij erover vertelde, kort voordat ze me vroeg de brief van Corvinus over te schrijven. Ik begreep toen niet waarom ze het mij vertelde, het kwam uit het niets en kwetste me diep. Ik droomde van ons huwelijk, liefste, en toen kwam ik erachter dat het onmogelijk is, en even later begreep ik ook waarom Antonia het me vertelde: om me voor te bereiden op het nieuws dat jij achter een andere vrouw aan zat.'

'Het is mijn plicht om zonen voort te brengen,' was het slappe verweer van Vespasianus.

'Je plicht! Ik weet dat het je plicht is,' tierde Caenis. Ze trokken de nodige aandacht van de mensen op straat. 'En ik dan? En wij? Hoe zit het dan met onze liefde voor elkaar?'

'Die is het allerbelangrijkst, Caenis, en dat zal het altijd blijven,' antwoordde Vespasianus zacht, want hij was zich ervan bewust dat de mensen de ruzie tussen de vermeende geliefden wel vermakelijk vonden.

'Dus jij sticht een gezin met die andere vrouw en verwacht van mij dat ik mezelf wegcijfer, dat ik wacht op het greintje troost dat jij mij kunt bieden op de spaarzame momenten dat je jezelf kunt losrukken van je gezin en je werk? En ondertussen teer ik weg van jaloezie omdat ik weet dat mijn geliefde, mijn beste vriend, iets krijgt van iemand van wie hij beweert niet zoveel te houden als van mij, iets wat ik hem volgens de wet niet mag geven maar wat ik hem juist zielsgraag zou willen geven: kinderen.' Caenis bleef staan en keek Vespasianus recht in de ogen. 'Dat kan toch niet, liefste? Dat kun je toch niet van mij verwachten?' vroeg ze met zachte, bevende stem.

'Maar Flavia is verdwenen, ik zal haar niet terugvinden.'

'Dan kom je wel een andere vrouw tegen, dat is een kwestie van tijd.'

Vespasianus keek in haar smekende, met tranen omrande ogen en voelde de rauwe emotie zich als een knoop in zijn maag nestelen. Caenis had gelijk, dat was precies wat hij van haar verwachtte, alleen had hij er niet op die manier over nagedacht. Als hij aan zijn toekomstige thuissituatie dacht, had hij steeds aangenomen dat Caenis ruimte zou maken voor zijn toekomstige vrouw en dat beide vrouwen zich daarbij zouden neerleggen. Nu drong het tot hem door dat hij zichzelf op een dwaalspoor had gezet. Hij had, al dan niet bewust, de gevoelens van Caenis steeds gekoppeld aan haar sociale status, die van een slavin die spoedig haar vrijheid zou krijgen. Hij zag haar voor het eerst als zijn gelijke, nu waren ze gewoon een man en een vrouw die smoorverliefd op elkaar waren.

'Dit leidt nergens toe. Of wel, liefste?' fluisterde hij, zich niet langer bewust van de mensen die links en rechts langs hen liepen. Hij had alleen oog voor Caenis.

Zij nam zijn handen in de hare. 'Nee, Vespasianus, dit leidt nergens toe, tenzij ik negeer dat mijn lichaam schreeuwt om kinderen van jou, of jij de positie en de loopbaan opgeeft die horen bij jouw dignitas.'

'Wat moeten we doen?'

Ze glimlachte flauw en sloeg haar ogen neer. 'Laten we eerst maar naar de offerande lopen.'

De menigte bij de tempel van Apollo was even groot als op die gedenkwaardige dag van de ondergang van Seianus, bijna vier jaar geleden. Vespasianus en Caenis liepen naar voren – de mensen weken uiteen voor zijn senatorentoga – en dachten aan de rol die zij destijds hadden gespeeld in de tumultueuze gebeurtenis en de aanloop ernaartoe. Ze babbelden wat, alsof ze op een genoeglijk uitje waren, en wisten alle emotionele beroering even opzij te zetten. Beiden beseften ze dat ze bezig waren een beslissing uit te stellen die onvermijdelijk was. Maar tot die tijd namen ze graag hun toevlucht tot ongecompliceerde vriendschap.

Toen ze bij de tempeltrappen kwamen, keek Vespasianus naar Caenis: nog nooit had hij zoveel van haar gehouden. Zij voelde zijn blik en pakte stiekem zijn hand, en hij voelde een rilling over zijn rug gaan.

'Wij zijn niet achteloos jegens Apollo, die van verre schiet.' De melodieuze stem van de opperpriester schudde hen wakker.

Achter de priester, voor de gesloten tempeldeuren, stonden de drie witte, met gouden linten versierde stieren geduldig te wachten in de portiek, hun halsters werden vastgehouden door jongens met goud geschilderde gezichten. De opperpriester werd geflankeerd door twee priesters, ieder met een plooi van hun toga over het hoofd gedrapeerd. Op de trap, op gelijke afstand van elkaar, stonden drie grote koperen kommen. Aan weerszijden van dit offertafereel stonden muzikanten.

'Vader Apollo, ik bid tot U, alziende beschermgod, wees Rome genadig en bescherm haar. Wees te allen tijde waakzaam en waarschuw haar keizer welke van zijn onderdanen of welke vreemdelingen tegen hem samenspannen, welke verraders plannen smeden, en zorg ervoor dat hij op zijn hoede en voorbereid is. Bied ons te allen tijde bescherming en veiligheid.'

Cimbalen kletterden en de tempeldeuren gingen open, zodat er zicht kwam op het beeld van de god, omhangen met bloemen en verlicht door de gouden gloed van fakkels, die weerkaatste in de blinkende bronzen schijven.

Caenis boog haar hoofd en begon mompelend te bidden terwijl de stieren elk naar een van de kommen werden geleid. Uit de tempel kwamen drie helpers, een met een gouden urn, een met een platte gouden schaal en de derde met een dienblad waarop drie offermessen lagen. Aan hun riem hing een zware houten hamer.

De opperpriester pakte drie platte zoute koekjes van de schaal en verkruimelde die boven de koppen van de stieren. Hij werd gevolgd door een tweede priester, die een plengoffer over de kruimels goot. De derde priester pakte de messen en deelde die uit aan zijn collega's. De helpers ging ieder bij een dier staan, ze haalden de hamers van hun riem en hielden ze gereed.

'Richt U tot ons, Machtige Boogschutter, wij bidden dat U, Apollo, ons nu te hulp schiet. Vader, houd Uw handen boven ons en boven onze keizer. Als onze daden U welgevallen, wek dan kracht op in ons en in hem die van het grootste belang is voor het welslagen van het avontuur dat onze stad te wachten staat. Vader Apollo, wees zo goed dit geschenk te aanvaarden.'

De drie hamers knalden tegelijk op de voorhoofden van de stieren, die versuft werden maar niet neergingen. Drie messen flitsten tegelijk door de lucht en doorboorden de kelen van de verdwaasde dieren. Het bloed gulpte in steeds grotere golven uit de wonden toen vlees, aderen en luchtpijpen werden doorkliefd. De harten pompten door en de kommen onder de dieren stroomden over, het bloed liep in drie stromen de trap af. De twee buitenste stromen mondden uit in de middelste – in het midden was de trap dieper uitgesleten dan aan de zijkanten –, die naar Vespasianus en Caenis liep.

Toen het eerste van de grote beesten neerstortte op de stenen vloer, bereikte het riviertje de voeten van Vespasianus en Caenis. Daar splitste het zich op, volgde de groeven in de ruwe tegel waar zij op stonden. Ze zagen beiden dat de twee stromen achter hen weer bij elkaar kwamen, zodat ze op een eilandje in een bloedrivier stonden.

Caenis keek op naar Vespasianus. 'Ik vroeg Apollo me een teken te geven om te helpen bij mijn beslissing, en dat heeft hij gedaan,' zei ze, en ze wees naar de grond. 'Het bloed van zijn offer heeft ons omcirkeld, en nu weet ik dat wij altijd samen moeten zijn. Ik kan niet tegen de wil van Apollo in gaan. Je moet doen waartoe jouw plicht je roept. Ik zal altijd de jouwe zijn, wat er ook gebeurt.'

Vespasianus wilde niets liever dan haar kussen, maar voor een senator was het niet gepast dat in het openbaar te doen. Caenis voelde zijn verlangen en fluisterde in zijn oor: 'Van mijn meesteres moest ik bij zonsopkomst terug zijn. Neem me mee naar jouw bed, mijn liefste.'

HOOFDSTUK XI

Ruim voor zonsopkomst werd Vespasianus wakker doordat er iemand onophoudelijk op de deur van zijn slaapkamer klopte.

'Ja?' riep hij slaperig.

'Het is tijd, meester,' antwoordde een jonge stem met een dik Germaans accent.

Vespasianus bromde iets en legde een arm om Caenis' warme lichaam. Ze bewoog toen hij met zijn neus in haar nek wreef.

'Is het al ochtend, liefste?' vroeg ze, en ze draaide zich naar hem om.

'Ik ben bang van wel.' Hij kuste haar teder en drukte haar zo stevig tegen zich aan dat hun lichamen versmolten.

De beslissing die Caenis had genomen, de opluchting die hij had gevoeld, het was overweldigend geweest. Hij had in de afgrond geblikt die een leven zonder haar zou zijn, en het had hem doodsbang gemaakt.

Het plotselinge besef dat hij niet van haar kon verwachten dat zij zich zou aanpassen aan zijn plan had hem doen schrikken, maar alarmerender was het nieuwe inzicht in zijn eigen prioriteiten geweest. Had hij moeten kiezen tussen zijn liefde voor Caenis en zijn plicht tegenover Rome, die nauw samenhing met het wel en wee van zijn familie, een plicht die niemand eervol kon verzaken, dan zou hij Caenis hebben moeten laten gaan, ondanks het feit dat hij daarmee veel verdriet over hen beiden zou hebben uitgestort. Nu staarde hij in de duisternis, hield hij haar stevig vast en dankte Apollo dat hij die keus niet had hoeven maken. Als deze dag achter de rug was, zou hij de god een dankoffer brengen.

Na nog even van elkaar te hebben genoten sleepten ze zichzelf uit bed, kleedden zich aan en liepen naar het atrium, waar Magnus in gesprek was met Gaius. Ziri stond zich bij de deur te vergapen aan de homo-erotische kunstwerken van Gaius, die nogal aanwezig waren.

'Goedemorgen, beste jongen, en jij ook, Caenis,' zei Gaius. 'Ik hoop dat jullie nog een beetje hebben kunnen slapen.'

Vespasianus grijnsde, Caenis bloosde. 'Dank u, oom. Goedemorgen, Magnus.'

'Goedemorgen. Dag Caenis. We kunnen maar beter meteen gaan, als we eerst nog langs Antonia moeten.'

Ze werden onderbroken door iemand die op de deur klopte. Sabinus kwam binnen. 'Oom, ik heb uw hulp nodig,' zei hij zonder hem te groeten. 'Ik ga nu naar Antonia en zou het fijn vinden als u meeging.'

'Waarom zou ik?'

'Omdat er iets is wat ik u niet verteld heb.'

'En dat is?'

Sabinus keek zenuwachtig naar Caenis.

'Wat ik in dit huis hoor komt bij niemand anders terecht, Sabinus. U kunt mij vertrouwen.'

Sabinus ging zitten en pakte een beker wijn. 'Antonia liet mij gisteren naar haar huis komen en vroeg of ik vandaag samen met haar een gesprek wilde voeren met Herodes Agrippa, om hem te zeggen dat zijn Egyptische graan wel eens in beslag zou kunnen worden genomen. Ik kon dat natuurlijk niet weigeren.'

'Ben je dan niet blij dat je een kans krijgt om wraak te nemen op Herodes?' vroeg Vespasianus, die niet begreep waarom Sabinus zich zo druk maakte.

'Kwam dat idee van u?'

'Ja, het leek mij veiliger dan naar de alabarch schrijven.'

'Maar ik zou hem een anoniem bericht sturen. Herodes had nooit ontdekt dat het van mij was. Als hij erachter komt, geeft hij mij aan en kan ik de doodstraf krijgen.'

'Wat weet hij dan, beste jongen?' vroeg Gaius.

'Op de dag dat ik Pomponius sprak vroeg hij mij een voorraad graan te verkopen waarop hij gespeculeerd had en de opbrengst aan zijn erfgenamen te geven. Als er iets minstens zo zeker was als zijn dood, zei hij, was het dat de graanprijs dit jaar zou stijgen. Hij vertelde zelfs wie de gok zou wagen en het graan zou kopen, maar ik heb het niet verkocht.'

'O nee, uilskuiken!' riep Vespasianus uit. 'Jij bent ook gaan speculeren, hè? Je hebt het zelf gekocht.'

'Het leek een makkelijke manier om aan geld te komen. Ik was net terug uit het Oosten en had aardig wat geld, genoeg om stemmen te kopen voor de aedilis-verkiezingen van vorig jaar en geldschieter voor een paar spelen te zijn, zodat ik me zou kunnen profileren voor de aanstaande praetor-verkiezingen, maar dan had ik bijna niets overgehouden.'

'En dus heb je alles in het graan van Pomponius gestoken.'

'Zijn erfgenamen kregen hun geld en ik had de kans om er een slaatje uit te slaan. Het zou maar voor een jaar zijn, terwijl de prijs steeg. Hoe kon ik verdomme nou weten dat ik tot aedilis zou worden gekozen? Ik verkocht het zo snel mogelijk na mijn verkiezing, maar desondanks maakte ik een aardige winst.'

'Een graanopzichter die winst maakt op een graanhandeltje, dat kan je inderdaad de kop kosten,' zei Gaius.

'Aan wie heb je het verkocht?' vroeg Vespasianus, hoewel hij bang was dat hij het antwoord al wist. 'Of is dat een domme vraag?'

De schouders van Sabinus gingen hangen. 'Aan Herodes Agrippa. Anders had hij het toch niet geweten?'

De wangen van Gaius trilden van schrik. 'Waarom juist aan hem?'

'Omdat Pomponius hem had voorgesteld en ik hem kende, hij was een voor de hand liggende keus, ondanks wat ik van hem vond.'

'Wie weet het nog meer?'

'Alleen de gebroeders Cloelius in het forum. Zij gaven het geld aan mij door en maakten de koopakte op, die ik nog steeds heb, maar zij hebben een kopie en Herodes ook. Herodes heeft me ermee gechanteerd. Een van de twee graanschepen die de storm doorstonden vervoerde een deel van de Egyptische voorraad die hij van Claudius kocht. Hij wil die met enorm veel winst verkopen op de zwarte markt. Ik weet waar in Ostia het graan is, maar als ik het in beslag neem, wat mijn plicht is, maakt hij de koopakte van Pomponius' graan openbaar.'

'Maar dan weet iedereen dat hij ook in graan speculeert.'

'Dat is waar, maar hij is niet de graanopzichter. Ik zal hoe dan te-recht worden gesteld.'

Gaius wreef over zijn nek en zoog door zijn tanden lucht naar bin-nen. 'Ik vrees dat je de situatie helaas goed inschat. Dus nu wil je dat ik met Antonia bespreek hoe we jou hieruit kunnen redden.'

Sabinus knikte ongemakkelijk.

'Dan kunnen we maar beter gaan.'

'Ja,' beaamde Vespasianus, en hij keek zijn broer afkeurend aan, 'laten we deze dag snel tot een eind brengen.'

Claudius was zich enorm aan het opwinden toen Vespasianus, Cor-bulo en Pallas door Narcissus naar zijn werkkamer werden gebracht. Het feit dat ze een halfuur te laat waren omdat Antonia Pallas had vastgehouden toen ze op de hoogte was gebracht van wat Sabinus haar wilde vertellen, had zijn opwinding alleen maar vergroot.

'H-H-Herodes vertrouwde het h-h-helemaal niet. Volgens mij g-g-geloofde hij me niet.'

'Wat heb je hem verteld?' vroeg Pallas, en hij zette de kist van Capella op het bureau.

'Dat jullie juridische zaken moesten regelen voor Antonia,' ant-woordde Narcissus, om hun een hortende en stotende uitleg te besparen. 'En hij slikte dat voor zoete koek, wat ik verdacht vind. Ik weet dat hij wist dat het een leugen was; als onverbeterlijk leu-genaar ruikt hij die al van ver. Ik denk dat we het moeten afbla-zen.'

'Onmogelijk,' zei Vespasianus vastbesloten. 'Poppaeus komt zo en hij verwacht dat er zaken worden gedaan, als hij met lege handen moet vertrekken zal hij achterdochtig worden, en als hij met de eigendomsakten vertrekt kunnen we niet verhinderen dat hij die aan Macro geeft.'

'Ik kan g-g-gewoon weggaan, alsof ik het verg-g-geten ben,' op-perde Claudius.

Vespasianus, Corbulo en Pallas keken eerst naar elkaar en toen naar Narcissus, die zijn ogen neersloeg uit schaamte voor het waardeloze idee van zijn meester.

Claudius ging door, was zich er niet van bewust dat hij zichzelf voor schut zette. 'En dan s-s-schrijf ik hem l-l-later dat het me spijt en dat we het een m-m-maand later kunnen doen, als H-H-Herodes het helemaal vergeten is.' Hij blikte triomfantelijk om zich heen, alsof hij zojuist een onvoorstelbaar geniale en vernuftige oplossing had gevonden voor een uiterst ingewikkeld probleem.

Er viel een korte, ongemakkelijke stilte.

'Een overweging waard, meester,' reageerde Narcissus, met zoveel respect dat Vespasianus hem bijna geloofde.

'Maar onnodig, edele Claudius,' verzekerde Pallas hem. 'Uw moeder treft momenteel maatregelen om... tja... hoe zal ik het zeggen? Om Herodes voorlopig uit te schakelen.'

'Hoe dan?'

'Dat is nu niet onze zorg, enkel die van Herodes. Ik stel voor dat we verdergaan waar we gebleven waren. Narcissus, vriend, breng jij Magnus en Ziri naar de andere kamer, wij wachten zoals afgesproken in het triclinium terwijl de edele Claudius zijn beschermelingen welkom heet.'

Een uur later zaten ze zwijgend in het ruime triclinium. De schaal met brood, olijven, ham en gekookte eieren op de tafel in het midden van de eetzaal bleef onaangeroerd.

'Het begint op mijn zenuwen te werken,' zei Corbulo, en hij stond op om een blik te werpen door het houten traliewerk in de deur die toegang bood tot de tuin. 'Claudius moet nu toch wel klaar zijn met zijn beschermelingen.'

Vespasianus ging naast hem staan en keek naar de twee stoelen die aan weerskanten van de houten tafel waren gezet, speciaal voor Poppaeus. Een slaaf stoof de tuin in, zette een kan en twee zilveren bekers op de tafel en holde weer weg naar de poort die naar de stallen aan de achterkant van het huis leidde.

Toen de slaaf de poort achter zich sloot, liep Narcissus de tuin in met de kist van Capella en zette die op de tafel. Claudius liep achter hem met een berg papyrusrollen in zijn armen. Hij ging zitten, rolde een van de documenten open en begon te lezen. Zijn onophoudelijke stuiptrekkingen en trillende handen bevestigden de uitspraak die Narcissus eerder gedaan had: dat zijn meester bepaald geen held was in toneelspelen.

'Die gek gaat het nog verknallen,' mompelde Corbulo toen Narcissus weer naar binnen ging.

'Laten we hopen dat Narcissus het woord gaat voeren,' antwoordde Vespasianus, die het met Corbulo eens was. Plotseling trok hij wit weg, het drong tot hem door dat hij iets over het hoofd had gezien. 'Vervloekt! Stel dat Poppaeus zijn secretaris niet meeneemt?' Hij draaide zich vliegensvlug om en keek naar Pallas.

'De list blijft werken zolang iedereen precies doet wat ik zeg.'

De spanning begon Vespasianus zo langzamerhand te veel te worden, maar hij stelde zichzelf gerust met de gedachte dat Pallas en Narcissus wisten wat ze deden. Hij hoefde alleen maar Corbulo te helpen Poppaeus te doden. Daar moest hij zich op richten.

In het atrium klonken voetstappen en hij concentreerde zich weer op wat hij door het traliewerk kon zien.

'Mijn meester wacht hier op u, proconsul.' De stem van Narcissus was doortrokken van nederigheid, en hij leidde Poppaeus en een lange, pezige man met scherpe trekken en sprietig, vet haar de tuin in.

Vespasianus had Poppaeus al meer dan negen jaar niet van zo dichtbij gezien en verbaasde zich over het feit dat het mannetje zo oud was geworden. Zijn rug was krom en hij leunde zwaar op zijn stok, waardoor hij nog kleiner leek dan hij was. Zijn huid was dun en slap, hing in plooien langs zijn gelaat. Haar had hij niet meer. Hij was niet meer de generaal die zich op de muur in Thracië, in een regen van pijlen en slingerstenen, zo ontzettend moedig had getoond. Hij was een kwetsbare oude man geworden.

'Dit wordt een weerzinwekkende moord,' mompelde Corbulo.

Dat realiseerde Vespasianus zich ook, hij voelde zich waardeloos. Hij draaide zich weer naar de tuin.

'Mijn beste Pop-p-p-'

'Poppaeus, C-C-Claudius!' snauwde Poppaeus, en hij strompelde naar de tafel. 'Laten we dit snel afhandelen, en ik doe het woord wel.'

'Nat-t-tuurlijk.' De ogen van Claudius vernauwden zich heel even tot spleetjes en voor het eerst zag Vespasianus een glimp van de haat die hij koesterde jegens mensen die de spot met hem dreven.

191

'Kosmas, de kwijtschelding,' beval Poppaeus, die zonder daartoe te zijn uitgenodigd met zijn rug naar het traliewerk ging zitten, op slechts vijf passen afstand.

De pezige secretaris trok een leren tas over zijn hoofd en gaf hem aan zijn meester, terwijl Narcissus de twee sleutels van Capella's kist tevoorschijn toverde.

'Dit is de kwijtschelding van de veertieneneenhalf miljoen denarii die u van mij heeft geleend,' zei Poppaeus. Hij haalde een rol uit de tas en overhandigde die aan Claudius. 'Laat mij de eigendomsakten zien.'

Narcissus schoof de kist naar hem toe en Poppaeus begon de zeven rollen stuk voor stuk te bestuderen.

Pallas kwam naast Vespasianus en Corbulo bij het traliewerk staan. 'Zodra de zaak beklonken is gaan we naar het atrium,' fluisterde hij.

Poppaeus las de laatste rol en legde hem terug in de kist. 'Alles is in orde.'

Narcissus gaf de twee sleutels aan Kosmas, die het deksel neerliet en de kist op slot deed. Hij liet de sleutels in zijn tas glijden en haalde een pen en inkt tevoorschijn.

'Uw handtekening, P-Poppaeus,' zei Claudius, en hij gaf de kwijtschelding aan Narcissus.

Vespasianus voelde zijn hart bonken.

Narcissus rolde het document uit op tafel, Kosmas doopte de pen in de inkt en gaf hem aan zijn meester. Poppaeus tekende met de toewijding van iemand wiens ogen hem in de steek lieten en gaf rol en pen toen door aan Claudius, die met verrassend vaste hand tekende. De twee secretarissen maakten het document rechtsgeldig door als getuigen te tekenen.

'Volg mij,' zei Pallas tegen Vespasianus en Corbulo, en hij ging hun voor naar het atrium.

'De zaak is rond,' hoorde Vespasianus Poppaeus zeggen. 'Ik wens u een fijne dag toe.'

'Er is nog iets wat ik graag met u zou willen bespreken, met betrekking tot de aankomende verkiezingen,' antwoordde Claudius opmerkelijk vloeiend. 'Het zal niet langer duren dan een beker wijn.'

Het bleef stil. Vespasianus hoorde dat er wijn werd geschonken en dat de kan terug op tafel werd gezet.

'Onder vier ogen,' zei Claudius nadrukkelijk.

'Dat is goed, maar hou het kort. Kosmas, pak de kist en wacht buiten op me.'

'Een beker wijn in mijn werkkamer, lijkt je dat wat, mijn beste Kosmas?' vroeg Narcissus poeslief.

Pallas, Vespasianus en Corbulo wachtten aan de andere kant van het impluvium terwijl Kosmas, die de kist stevig vasthield, door Narcissus vanuit de tuin naar binnen werd geleid. 'Heren,' zei hij, 'mijn meester zal u niet veel langer laten wachten, hij is in gesprek met proconsul Poppaeus.'

'Het zou een eer zijn om de proconsul bij zijn vertrek te mogen begroeten,' antwoordde Pallas. Narcissus leidde Kosmas weg en keek de wachtende mannen nauwelijks aan.

Terwijl de voetstappen zich verwijderden, kwam Pallas in beweging. Vespasianus liep met Corbulo achter hem aan. Zijn mond was droog en hij had een knoop in zijn buik. Vanaf de andere kant van het atrium hoorden ze de deur van Narcissus' werkkamer open- en dichtgaan.

'Wat er ook gebeurt, laat hem niet schreeuwen en bezorg hem geen blauwe plekken,' fluisterde Pallas toen ze de tuin in liepen.

Corbulo sprong naar voren en had zijn ene hand al op Poppaeus' mond gelegd en zijn andere onder zijn arm voordat de oude man zich van enig gevaar bewust was. Vespasianus hurkte neer om zijn enkels te pakken en ze tilden hem van zijn stoel. Ze stootten tegen de tafel en Pallas kon nog net de wijnkan pakken voordat die van tafel viel.

'Deze kant op,' zei Claudius. Hij kwam snel overeind en liep met onvaste tred naar een deur achter in de tuin.

Ze sleepten hun tegenstribbelende gevangene de kamer in, Pallas deed de deur achter hen dicht. Magnus en Ziri stonden in de hoek bij een vol watervat, aan een haak in het plafond zat een katrol waar een touw aan hing, vlak voor een fel brandend vuur, dat de enige lichtbron in de kamer was. De luiken waren dicht, de lucht was bedompt. Meteen brak het zweet hun uit.

'Wat is dit voor onzin, Claudius?' riep Poppaeus uit nadat hij tamelijk onzacht op de vloer was gedeponeerd.

'Dit gebeurt er met mensen die mij belachelijk proberen te maken.'

'Dan moet je nog een flinke lijst afwerken,' beet Poppaeus hem minachtend toe. Hij stond op en keek om zich heen. 'Corbulo!' riep hij toen zijn ogen gewend waren aan het halfduister. Zijn ogen bleven op Vespasianus rusten. 'En jou ken ik ook, jij bent die beschermeling van Asinius, die verdween na dat bloedbad in zijn tent. Vespasianus, toch?'

'Inderdaad, Poppaeus.'

'Dit gaat niet alleen over de akten die ik heb gekocht van een idioot...' Een hand kletste hard tegen zijn gezicht.

'Verwond hem niet, meester,' riep Pallas, en hij greep Claudius bij de pols om te voorkomen dat hij nog een keer uithaalde met de rug van zijn hand.

'Ik sta niet toe dat iemand mij een idioot noemt,' tierde Claudius, en hij probeerde zijn pols los te krijgen.

Poppaeus veegde een druppel bloed van zijn lip, sloeg geen acht op de uitbarsting van Claudius. 'Wat kan ik u aanbieden, heren? Of is dit persoonlijk en heeft het weinig met geld te maken?'

'Het heeft helemaal niets met geld te maken, Poppaeus,' antwoordde Corbulo. 'U probeerde ons op schandelijke wijze te vermoorden, samen met twee cohorten van uw rekruten.'

Poppaeus glimlachte, een zweetdruppel rolde over zijn rode wang. 'Dus daar moet ik nu voor boeten? Het haalt zeker weinig uit als ik zeg dat het niet persoonlijk was en dat wat wij deden in ieders belang was?'

'Hoe kan zoiets nou in ieders belang zijn?' viel Vespasianus uit.

'Omdat, jongeman, Rome krachtig en ondubbelzinnig bestuurd moet worden. Als je erkent dat een terugkeer naar een onvervalste republiek betekent dat elke generatie een burgeroorlog moet uitvechten, kom je vanzelf tot de conclusie dat we een keizer moeten hebben. Maar moet je zien wat we nu hebben, Rome moet zichzelf ontdoen van die afstandelijke, gestoorde keizer en zijn bespottelijke familie. En wie moet Tiberius opvolgen? Hij?' vroeg Poppaeus, zonder Claudius een blik waardig te gunnen.

'Er was een tijd dat u mij steunde,' zei Claudius.

'Alleen omdat u het eenvoudigst aan de kant te schuiven en door Seianus te vervangen was.'

'Maar nu hij niet meer leeft steunt u Caligula, zodat Macro zijn vrouw kan gebruiken om Egypte te kopen en het Oosten over te nemen, zodat hij het rijk in tweeën kan splitsen. Is dat wat u bedoelt met krachtig, ondubbelzinnig bestuur?' beet Vespasianus hem toe.

Poppaeus staarde hem een ogenblik aan. 'Ik vermoed dat iemand die veel intelligenter is dan u onze plannen heeft doorzien. Ik denk dat Antonia hierachter zit. Als dat zo is ga ik sterven, hoe hard ik ook probeer u ervan te overtuigen dat ik gelijk had. Dus als ik vermoord ga worden zal ik mij waardig gedragen, al is het alleen maar om u te beschamen, al zou ik graag willen weten hoe jullie mijn lichaam hier weg denken te krijgen, met al die getuigen.'

'Vertel mij eerst maar eens waarom het goed is voor Rome als het rijk wordt opgesplitst.'

'Denkt u nou echt dat het verdeeld zou blijven? Natuurlijk niet. Wie Egypte in handen heeft, heeft Rome in handen. Caligula en Ennia zouden binnen enkele maanden dood zijn, Macro zou keizer worden en mijn dochter, Poppaea Sabina, zijn keizerin... dat kost hem dan slechts een echtgenote.'

'En aan de horizon gloorde een nieuwe dynastie,' merkte Claudius spottend op.

Poppaeus schudde zijn hoofd. 'Nee, dat was het mooie ervan. Als Seianus in zijn opzet geslaagd was, zou dat een probleem zijn geweest, maar met Macro lag dat anders: hij heeft geen kinderen, en mijn dochter kan na de complicaties bij de geboorte van de jonge Poppaea geen kinderen meer krijgen. Er zou geen mannelijke erfgenaam zijn, dus dan zou Macro moeten kiezen voor de meest geschikte man en hem aannemen als zijn zoon, waarmee hij een precedent schiep dat, zo hoopte ik, in het belang van Rome zou voortduren. Daarom wilde ik hem helpen, hoewel hij mijn vijand was. Ja, ik geef toe dat ik graag wilde dat mijn familie zich kon beroemen op een keizerin, maar nog meer wilde ik ons verlossen van het erfelijke koningschap. Vijfhonderd jaar geleden hebben we ons ontdaan van de koningen, en nu we ze weer hebben blijkt het inderdaad niet te werken. Maar als Antonia vastbesloten is haar familie aan de macht te houden, hoe ongeschikt ze ook is, wil ik daar niets mee te maken hebben, dus handel dit maar snel af.' Poppaeus trok zijn toga uit en knielde neer. 'Geef mij het zwaard, dan kan ik sterven als een echte Romein.'

'Zo gaan we het niet doen,' zei Vespasianus zacht. Hij had grote sympathie voor de opvattingen van zijn oude vijand. Als Rome eerbaar geregeerd moest worden door een keizer, was het dan niet beter om een geschikte man te kiezen in plaats van het over te laten aan de onvoorspelbare uitkomst van een bloedband? Hij had hetzelfde idee uitgesproken in het bijzijn van Sabinus, Corbulo en Pallas toen ze op Capreae in de onvoltooide slaapkamer van Tiberius hadden gewacht op de krankzinnige oude keizer, die de brief van Antonia zou lezen waarin Seianus vervloekt werd.

'Hoe dan wel?' vroeg Poppaeus, en hij keek op.

'Wij gaan u verdrinken,' verklaarde Pallas.

'Ah, ik vroeg me al af waar dat vat voor was. Jullie willen het eruit laten zien als een natuurlijke dood. Dat komt Antonia zeker beter uit. Het zij zo.' Hij stond op en liep naar het vat. Magnus en Ziri gingen voor hem opzij. 'Ik zou het waarderen als u mij toestaat dit zelf te doen, ik denk dat we ons daar allemaal een stuk beter bij voelen. Als ik tegen het einde hulp nodig heb, oefen dan met de hand lichte druk uit. Veel kracht zal niet nodig zijn, ik ben niet zo sterk meer.' Hij dompelde zijn hoofd onder water en hield de zijkanten van het vat stevig vast, de spieren onder de slappe, bleke huid van zijn onderarmen zwollen van de inspanning die het hem kostte om zijn hoofd onder water te houden. Toen er water in zijn longen liep deed een plotselinge reflex zijn lichaam schokken en zijn hoofd omhoogschieten. Happend naar lucht en sputterend stopte Poppaeus zijn hoofd terug in het water. Corbulo keek Vespasianus meewarig aan en liep naar het vat. Een tweede stuiptrekking van de stervende man deed zijn hoofd opnieuw uit het water komen, zijn ogen puilden uit en zijn tanden kwamen bloot te liggen omdat zijn mond zich opende in een stille schreeuw, het water spoot uit zijn samentrekkende longen. Maar zijn wilskracht was indrukwekkend en opnieuw dompelde hij zijn hoofd onder. Corbulo legde zijn rechterhand op zijn hoofd. Hij schopte, hij maaide met zijn armen, maar hij bleef onder water. Ten slotte vloeiden alle krachten uit zijn schokkende lichaam weg, en na een paar laatste stuiptrekkingen van zijn uitvallende zenuwstelsel bleef hij roerloos liggen.

Poppaeus was dood.

Zwijgend staarden ze naar het levenloze lichaam dat over de rand van het vat hing. Corbulo trok zijn hand terug.

Magnus doorbrak de stilte. 'Verdomme zeg, dat was moedig,' mompelde hij.

'Hij was een w-w-walgelijke verrader die zich onrechtmatig macht toe-eigende,' verklaarde Claudius. 'Hij v-v-verdient geen respect.'

Vespasianus, Corbulo en Pallas keken naar de stotterende en kwijlende man, die wellicht de volgende keizer van de Julisch-Claudische dynastie zou zijn.

De ogen van Claudius vernauwden zich tot spleetjes, misschien voelde hij wat ze dachten. 'W-w-we moeten verder,' beval hij. 'Narcissus kan Kosmas niet veel langer aan de praat houden.'

Magnus liep naar het lichaam. 'Kom, Ziri, je moet me helpen zijn tuniek uit te trekken en hem op te hangen.'

De naakte Poppaeus hing aan zijn voeten voor het fel brandende vuur. Water verzamelde zich in zijn verhemelte en sijpelde door zijn lippen op zijn gezicht, vulde zijn neusgaten en druppelde ten slotte via zijn kale schedel in de flinke plas op de grond.

'Goed, dat moet lang genoeg zijn. Hou hem stevig vast,' zei Magnus tegen Vespasianus.

Vespasianus knielde neer en legde met enige tegenzin zijn handen op de klamme, magere rug van Poppaeus.

'Doe zijn mond open, Ziri,' zei Magnus. Het klonk als een bevel. Magnus legde zijn handen op de ribbenkast en begon hard en regelmatig te pompen. Plotseling gutste het water uit Poppaeus' mond, spetterde op het gezicht en de tuniek van Magnus. Hij bleef pompen, totdat de waterstroom afnam en ten slotte ophield. 'Dat lijkt me voldoende. Nu maken we hem los en leggen hem op zijn buik.'

Voorzichtig lieten ze hem op zijn buik zakken, maakten het touw los en haalden de doeken weg die zijn enkels hadden beschermd.

Magnus duwde nog een paar keer op Poppaeus' rug om het water eruit te krijgen dat nog in de luchtpijp zat.

'Nu drogen we hem af en kleden hem aan,' zei Pallas toen Magnus meende dat al het water eruit was.

De tuniek en riem waren zo aangetrokken, maar niemand had verwacht dat het vreselijk lastig was om een dode man een toga aan te trekken. Toen Magnus en Ziri de levenloze ledenpop rechtop hielden, lukte het Vespasianus en Corbulo de toga zo te schikken dat Pallas tevreden was, terwijl Claudius heen en weer drentelde en iedereen er ten overvloede op wees dat de tijd drong.

'Leg zijn armen over jullie schouders en volg mij,' zei Pallas tegen Magnus en Ziri terwijl hij zelf de deur opendeed.

'Wat een waanzin,' zei Ziri tegen Magnus toen hij het lichaam optilde. 'Zoiets heb ik nog nooit meegemaakt. Zelfs gisteren niet in het circus, toen jullie allemaal...'

'Ja, ja, Ziri. Nu weten we het wel,' zei Magnus, en hij werkte het lichaam door de deur.

Vespasianus en Corbulo wierpen een snelle blik door de kamer om zich ervan te vergewissen dat er geen spullen van Poppaeus meer lagen en liepen toen achter de anderen aan de tuin in.

'Ik w-w-wacht hier op jullie,' zei Claudius. 'Ik heb v-v-vooral uitgekeken naar wat er nu komen gaat.'

'Volgens mij vindt die kreupele klootzak het nog leuk ook,' klaagde Corbulo toen hij samen met Vespasianus door de tuinpoort naar de stallen liep, waarachter de imposante Serviaanse muur opdoemde.

De dichte draagkoets van Poppaeus stond bij de trap. Pallas schoof de gordijnen weg en wees naar de stapel kussens. 'Leg hem zo neer, met zijn hoofd op die kussens.'

Magnus en Ziri tilden het lichaam de draagkoets in. Pallas legde het lichaam zo neer dat Poppaeus op zijn rechterelleboog leek te rusten. Vespasianus en Corbulo hielpen hem met de kussens, die het bovenlijf ondersteunden.

'Doe zijn kleren goed,' zei Pallas toen hij tevreden was met de houding. 'Ik ben zo terug.'

Tegen de tijd dat de toga van Poppaeus op een natuurlijke manier om zijn lichaam gedrapeerd was, kwam Pallas alweer terug met de kist van Capella.

'Heb je die van Kosmas afgetroggeld?' vroeg Vespasianus verbaasd.

Pallas glimlachte zowaar. 'Nee, ik heb hem laten namaken toen u het origineel bij mij achterliet. De sloten zijn precies hetzelfde, en er zitten zeven valse eigendomsakten in.' Hij zette de kist naast Poppaeus, schoof de gordijnen dicht en bond ze vast. 'Magnus, ga jij de dragers uit de keuken halen. Maak ze even goed bang zodat ze vaart maken, want we willen niet dat ze in de koets kijken. Loop met ze mee naar voren en ga voor de enige drager staan die goed zicht heeft op de trap en doe het gordijn iets open als ik naar je knik. Ziri, zet de poort open.'

Magnus en Ziri spoedden zich weg. Pallas ging Vespasianus en Corbulo voor naar de tuin, waar Claudius nog op hen wachtte.

'Nu moeten we het afmaken zoals we gisteren hebben besproken. We lopen door het atrium en voeren een luid gesprek over de verkiezingen alsof Poppaeus er ook bij is,' herhaalde Pallas terwijl ze door de tuin liepen. 'Als wij de deur naderen, haalt Narcissus Kosmas uit zijn werkkamer zodat hij ons van achteren kan zien. Wij moeten er vooral aan denken dat we een paar keer de naam van Poppaeus noemen en veel lachen, maar probeer het niet gemaakt te laten klinken.'

Toen ze langs de tafel liepen raapte Pallas de wandelstok van Poppaeus op en zette die tegen de stoel waarin hij had gezeten.

'M-maar mijn beste Poppaeus,' schreeuwde Claudius bijna toen ze het atrium in liepen, 'waarom zou ik de jonge Lucianus steunen, hij is een malloot.'

Pallas barstte in lachen uit en Vespasianus volgde zijn voorbeeld. De aristocratische stijfheid van Corbulo weerhield hem ervan mee te doen. Hij zweeg.

'Goed gesproken, Poppaeus,' bulderde Pallas. 'U hebt helemaal gelijk.'

'Wilt u mijn broer steunen bij de praetor-verkiezingen van dit jaar, Poppaeus?' vroeg Vespasianus, die lol begon te krijgen in het toneelstukje.

'Zijn broer is ook een malloot, vindt u ook niet, P-P-Poppaeus?'

Schaterend liepen ze langs het impluvium.

'Ik zou me vereerd voelen als u mij dit jaar steunt, Poppaeus,' flapte Corbulo eruit op het moment dat Vespasianus de deur van Narcissus' werkkamer open hoorde gaan.

'Ik heb u niet verstaan, Poppaeus,' zei Pallas. 'Wat zei u?' Hij overstemde het ontbrekende antwoord met een schaterlach. 'U bent de verstandigste man van Rome, Poppaeus. Het is mij een eer u te hebben mogen ontmoeten.'

Nogmaals schaterend liepen ze door de hal en de openstaande voordeur naar buiten. Vespasianus keek achterom en zag Kosmas dribbelen; met de kist stevig onder zijn arm geklemd probeerde hij hen in te halen.

'P-P-Poppaeus, het was een genoegen om zaken met u te doen,' zei Claudius terwijl ze dicht op elkaar de trap af liepen naar de gereedstaande draagkoets. Magnus ging zo staan dat hij de dichtstbijzijnde drager het zicht ontnam. 'Ik zie u binnenkort in het forum.'

'Sta mij toe u te helpen, Poppaeus,' zei Pallas, en hij knikte naar Magnus, die het gordijn iets openschoof. Pallas pakte het met zijn linkerhand en streek met zijn rechterhand over het gordijn zodat het leek alsof er een hoofd langs het gordijn de koets in ging. Kosmas kwam ondertussen de trap af gerend, met Narcissus in zijn kielzog.

'Uw stok, Poppaeus? Ik zal Kosmas vragen hem nog even te halen. Kosmas, je meester heeft zijn stok in de tuin laten staan,' zei Pallas. Hij liet het gordijn los en draaide zich naar de secretaris. 'Geef die maar aan mij, dan kun jij hem gaan halen.' Hij nam de kist onder zijn arm en schoof het gordijn weer open, zodat de secretaris zicht had op de benen van Poppaeus, en zette de kist naast hem neer terwijl Narcissus naar de andere kant van de draagkoets liep.

'Schiet op, Kosmas,' snauwde Vespasianus. 'Poppaeus heeft haast, hij heeft een belangrijke afspraak in het forum.'

'Dat wist ik niet,' zei Kosmas beduusd.

Pallas stak zijn hoofd in de draagkoets. 'Natuurlijk, Poppaeus, ik zal het tegen hem zeggen,' zei Pallas, en hij kwam weer tevoorschijn. 'Het Forum Romanum, via de Rostra, zo snel mogelijk,' droeg hij de dragers op alvorens zich weer tot Kosmas te richten. 'Hij zegt dat hij je daar wel ziet en dat je zijn stok moet meenemen.'

Kosmas haalde zijn schouders op en spoedde zich naar binnen, de draagkoets werd opgetild en de dragers liepen in allerijl de straat in, zodat Narcissus zichtbaar werd, die met zijn rug naar het huis stond. De ogen van Vespasianus en Corbulo werden groot van verbazing toen hij zich naar hen toe draaide: hij had de kist van Capella.

'Snel, ga achterom,' zei Narcissus terwijl hij de kist aan Magnus gaf, 'we willen niet dat onze vriend Kosmas hem ziet als hij naar buiten komt.'

Magnus verdween net om de hoek toen Kosmas met Poppaeus' stok naar buiten kwam gehold.

'Meester,' riep Narcissus, en hij sloeg zijn hand tegen zijn voorhoofd, 'uw boek!'

'Natuurlijk, Narcissus, dank je. Wat zou ik toch moeten zonder jou?' reageerde Claudius al even melodramatisch. 'Kosmas, wacht even op mij, dan ga ik de eerste vier delen van mijn *Geschiedenis van de Etrusken* halen, die ik jouw meester zou lenen.'

De ongelukkige secretaris keek de lege straat in en vervolgens weer naar Claudius, die al met Narcissus naar binnen liep. Zijn schouders zakten en hij sjokte weer de trap op.

De secretaris werd mooi voor de gek gehouden en Vespasianus moest een geamuseerde grijns onderdrukken. 'Hij kan alleen maar kwaad zijn op Poppaeus, die in allerijl is vertrokken en hem heen en weer laat vliegen om de spullen te halen die hij vergeten is,' merkte hij op.

'Dat was ook de bedoeling,' zei Pallas, 'maar hij is nog niet uitgespeeld. Claudius en Narcissus zullen hem nog even ophouden en dan achter hem aan gaan naar het forum om te zien hoe hij reageert op de dode Poppaeus.'

'Zouden de dragers hebben gezien dat Narcissus aan de andere kant van de koets de kist heeft gepakt?' vroeg Corbulo. Het duizelde hem nog een beetje, zo snel als alles gegaan was.

'Alleen de achterste man aan de straatkant kan iets hebben gezien, maar Narcissus pakte de kist toen zij bukten om de koets op te tillen en is steeds met zijn rug naar die ene drager blijven staan. Hoe dan ook, er is niets aan de hand, want de valse kist zal worden aangetroffen bij de dode Poppaeus.'

Ze zwegen abrupt toen Kosmas en Narcissus eraan kwamen.

'Mijn beste Kosmas,' zei Narcissus slijmerig, 'het was me een genoegen u weer eens te zien. Wij secretarissen zouden elkaar wat vaker moeten treffen.'

'Dank je, Narcissus, dat zouden we inderdaad moeten doen. Maar nu moet ik snel weg.'

'Natuurlijk. Tot binnenkort dan.'

Kosmas boog zijn hoofd naar Vespasianus, Corbulo en Pallas en liep met de stok van zijn meester en vier leren boekkokers in zijn tas gepropt op een draf de straat uit.

'Wij gaan achter hem aan, Narcissus,' zei Pallas toen de secretaris de hoek om verdween, 'en zorg ervoor dat Asiaticus doet wat hij moet doen.'

'Wij zien elkaar morgen. Heren, het ga u goed.'

Vespasianus wilde weglopen, maar voelde Narcissus' hand op zijn schouder. 'Trouwens, Vespasianus,' fluisterde Narcissus in zijn oor, 'als u van plan bent om in het forum de gebroeders Cloelius op te zoeken, doe geen moeite, ik heb de bankwissel laten intrekken.'

Vespasianus draaide zich als door een wesp gestoken om.

Narcissus grijnsde vreugdeloos. 'Ik zie aan uw gezicht dat ik daar juist aan heb gedaan. Maar omdat ik nu dubbel bij u in het krijt sta, heb ik hem niet ingetrokken bij Thales in Alexandrië. Mocht u ooit toestemming krijgen om daarheen te gaan, wat ik betwijfel, is het geld van u. Zo gemakkelijk kunt u zich het geld van mijn meester nou ook weer niet toe-eigenen, begrijpt u?'

HOOFDSTUK XII

Vespasianus zei niets toen ze Kosmas achtervolgden, die de Esquilijn afdaalde richting het forum en langzaam inliep op de draagkoets van zijn meester. Hij dacht na over de waardigheid waarmee Poppaeus de dood tegemoet was getreden en de oorzaak van de vijandschap tussen hem en Antonia. Diep vanbinnen wist hij dat Poppaeus gelijk had: de Julisch-Claudische familie was totaal ongeschikt om te regeren. De mannelijke lijn, na jaren van intriges en vergiftigingen beroofd van zijn intelligentste en meest getalenteerde vertegenwoordigers, was teruggebracht tot een armzalig overblijfsel dat bestond uit Tiberius, een seksueel verdorven, krankzinnige oude man; Claudius, een stotterende machtswellusteling die het toonbeeld van middelmatigheid was; Caligula, bevriend met Vespasianus en een incestueuze hedonist; en tot slot Gemellus, een jonge, onbeduidende kerel die alleen interessant was vanwege de speculaties omtrent de vraag wie van zijn familieleden hem uiteindelijk zou vermoorden. En dan was er nog Antonia, de geniale politieke strateeg. De meedogenloosheid waarmee zij iedereen aanpakte die de positie van haar familie bedreigde had hij ooit, in zijn jeugdig idealisme, aangezien voor een principiële verdediging van het wettige Romeinse bestuur. Maar nu hij ouder was en het klappen van de zweep kende, begon hij steeds vaker de echte Antonia te zien: een nietsontziende bendeleidster die haar macht koste wat het kost wilde behouden. Als groentje had hij een keus gemaakt en nu zat hij als onbeduidend lid van haar bende vast in haar wereld. Zijn grootmoeder had jaren geleden gelijk gehad toen zij hem waarschuwde 'dat de kant die Rome lijkt te dienen niet altijd de meest eerzame is'. Dat zou binnenkort echter veranderen, want met al die moorden in de familie moest de Julisch-Claudische familie toch spoedig uitsterven? Misschien zou nu de nieuwe tijd aanbreken die de feniks aankondigde: een tijd waarin Rome eervol geregeerd zou worden, door mensen van verdienste, onbezoedeld door bloed. Maar als hij was voorbestemd om een rol te spelen in deze nieuwe, eervolle tijd, kon dat nu toch niet meer, schuldig als hij was aan een lage, verachtelijke moord?

'Waar is de draagkoets?' hijgde Magnus. Ze liepen op de Via Sacra en Ziri en hij hadden zich zojuist bij hen gevoegd.

'Zo'n honderd passen voor ons,' antwoordde Pallas, en hij wees door de menigte naar het dakje, dat vlak boven de golvende zee van hoofden te zien was. 'Kosmas zit vlak voor ons, maar hij loopt in. Misschien moeten jij en Ziri hem afremmen, tot de koets bij het forum is.'

'Maar hij heeft mij gezien.'

'Nauwelijks, en Ziri helemaal niet.'

'Goed dan.'

Achter steeg een enorm gejoel op, Vespasianus keek over zijn schouder naar het Circus Maximus.

'Mis ik verdomme nog die wedstrijd ook,' kermde Magnus. 'Kom op, Ziri, we gaan even wat duw- en stootwerk doen.'

Ziri keek zijn meester niet-begrijpend aan.

'Op een gegeven moment krijg je het wel door, zo moeilijk is het niet, gewoon je ellebogen gebruiken,' zei Magnus, en hij begon zich door de menigte te worstelen.

Ze naderden het forum, waar de mensen dichter opeengepakt stonden, de Romeinse burgers die geen plekje in het circus hadden kunnen veroveren keken naar acrobaten, jongleurs en andere artiesten die ter ere van Apollo hun kunsten vertoonden.

Langzaam liepen ze in op de draagkoets, totdat die nog maar tien passen voor hen was toen ze de Rostra naderden. Rechts zag Vespasianus de grote gestalte van Kosmas, die zwoegend langs Magnus en Ziri probeerde te komen. Opeens deinsde de menigte terug, vlak voor hem zag Vespasianus de bijlen van de fasces van de twaalf lictoren linea recta naar de draagkoets gaan.

'Asiaticus is er,' zei hij terwijl de lictoren rond de draagkoets gingen staan.

'Mooi, dan blijven we hier staan kijken,' antwoordde Pallas. De meeste mensen liepen gewoon door, langs het officiële kordon, op deze feestelijke dag liet het doen en laten van de consul hen koud.

'Proconsul Poppaeus,' riep Asiaticus boven het rumoer uit. 'Wat een toeval dat ik u hier tref.' Hij liep naar de draagkoets en wachtte op een reactie. 'Poppaeus?' herhaalde hij een ogenblik later. Er kwam nog steeds geen reactie, hij knoopte het gordijn los en keek naar binnen. 'Poppaeus?'

'Laat me erdoor, dat is de koets van mijn meester,' riep Kosmas, en hij drong zich langs de lictoren.

Asiaticus stak zijn hand naar binnen en trok hem vervolgens snel terug. 'Bij Jupiter! De proconsul is dood!' Hij schoof het gordijn helemaal opzij zodat de gestalte van Poppaeus zichtbaar werd, precies zoals ze hem hadden neergelegd. Zijn hoofd hing opzij, rustte op de nepkist van Capella. De paar mensen die stonden te kijken zogen geschokt lucht naar binnen. Er kwam nu snel meer mensen bij. De koetsdragers keken verbijsterd naar hun dode meester.

Kosmas stormde naar voren. 'Meester? Meester?'

'Volgens mij leeft jouw meester niet meer,' meldde Asiaticus.

'Onmogelijk, hij leefde nog toen ik een halfuur geleden bij hem wegging.'

'Dat kan, maar nu is hij dood. Kijk maar.'

Kosmas tilde Poppaeus' kin op en liet hem geschokt weer los. 'Maar ik zweer u dat hij nog leefde toen we bij Claudius weggingen, ik zag hem in de koets stappen, hij stuurde me nog terug om zijn stok te halen.' Hij zwaaide met de stok om Asiaticus te laten zien dat hij de waarheid sprak. 'Hij moet onderweg hiernaartoe zijn gestorven.'

Vespasianus keek even naar Pallas, die een tevreden glimlachje niet kon onderdrukken.

'Wie ben jij?' vroeg Asiaticus.

'Ik ben Kosmas, de secretaris van Poppaeus.'

'Wat is dit?' Asiaticus wees naar de kist.

'Daar zitten wat documenten van mijn meester in.'

'Laat eens zien.'

Kosmas deed de sleutelketting af en opende de kist.

Asiaticus pakte een paar rollen, wierp er een nieuwsgierige blik op en rook eraan. 'Hier zit niets in waaraan hij heeft kunnen doodgaan.'

Kosmas keek in de kist en knikte instemmend.

'Ik denk dat je snel naar zijn huis moet gaan en aan zijn bedienden moet vragen of ze hem op respectvolle wijze naar huis willen dragen. Het lijkt me niet gepast als een groot man als hij in een draagkoets wordt teruggebracht.'

Kosmas keek naar de consul, toen naar Poppaeus en vervolgens weer naar de consul. Hij wist zich duidelijk geen raad.

'Kom op, man,' schreeuwde Asiaticus. 'Wat sta je nou te talmen? Ik blijf hier bij het lichaam.'

'Jawel, consul. Dank u.'

'Neem die kist maar mee.'

'Jawel, consul.' Kosmas deed snel het deksel dicht en sloot de kist af.

'Rennen!'

Vespasianus grijnsde toen de ongelukkige secretaris de kist pakte, de stok er voorzichtig op legde en zich uit de voeten maakte. 'Die zal zijn ogen nooit meer geloven.'

'Triest genoeg heeft hij ook weinig tijd meer om ze te testen,' zei Pallas, en hij knikte naar iemand aan de andere kant van de menigte.

Vespasianus volgde zijn blik en zag de jongere versie van Pallas terugknikken naar zijn grote broer en met zijn hand een tikje geven op het mes aan zijn riem. Felix maakte zich los van de menigte en volgde Kosmas het forum uit.

'Ik vind dat de consul zijn rol bewonderenswaardig goed gespeeld heeft,' merkte Pallas op toen ze het forum verlieten, waar iedereen inmiddels opgewonden praatte over de dood van Poppaeus. 'En er waren genoeg mensen die Kosmas hoorden zweren dat Poppaeus nog leefde toen hij bij Claudius wegging. Mijn meesteres zal verrukt zijn.'

'Ik heb wel te doen met Kosmas,' zei Vespasianus. 'Het is jammer dat hij moest sterven.'

Corbulo reageerde verbaasd. 'Is Kosmas dood? Wanneer is dat gebeurd?'

'Nu ongeveer, vermoed ik,' zei Pallas. 'Mijn broer zal het lichaam laten verdwijnen en dan zal iedereen denken dat de oneerlijke secretaris geprofiteerd heeft van de situatie en ervandoor is gegaan met de eigendomsakten van het land van zijn meester. Macro zal misschien argwaan koesteren, maar hij kan alleen iets bewijzen als hij toegeeft van de Egyptische landgoederen te weten, wat hij zich niet kan veroorloven.'

'Dus Claudius is nu veertieneneenhalf miljoen denarii rijker,' zei Vespasianus knorrig.

'Liever hij dan Macro.'

'Vind je, Pallas? Poppaeus maakte wel een rake opmerking over wat er met de opvolging gebeurt als Macro keizer wordt.'

'Dat is waar,' zei Corbulo, 'ik moest denken aan wat jij op Capreae zei. Hoe vaker ik erover nadenk, hoe logischer het klinkt. Het kan niet zo zijn dat Rome geregeerd blijft worden door een stelletje krankzinnigen omdat die toevallig afstammen van Julius Caesar.'

'Dat is idealisme, vrees ik,' meende Pallas. 'De aristocratie mag de Julisch-Claudische familie dan terecht haten, aangezien velen onder deze dynastie zijn vermoord en er nog velen zullen volgen zolang de familie de macht niet uit handen geeft, maar het leger en het volk zullen hen blijven steunen. Zij houden van stabiliteit, en in hun ogen is er stabiliteit als er één familie regeert, zodat ze weten wie de rijkdom en het graan verdeelt en wie de voorstelling in het circus regelt. Pas als er een aantal slechte keizers achter elkaar komt en hun leefomstandigheden verslechteren, gaan ze misschien nadenken over een ander en beter systeem.'

'Een deprimerende gedachte.'

'Niet als je in dienst bent van de regerende familie.'

En daar zat hem de kneep, dacht Vespasianus toen ze over de Palatijn naar de schreeuwende meute in het Circus Maximus klommen: er waren zoveel mensen met een zekere mate van macht – Pallas, Asiaticus, Narcissus, de praetoriaanse garde, zijn oom, de meeste senatoren – en hun lot was via beschermheren en -vrouwen onlosmakelijk verbonden met dat van de Julisch-Claudische familie. Alleen het idee van verandering boezemde hun al angst in, want ze deden alles uiteindelijk alleen maar voor zichzelf en hun familie. Je kon nog zulke fantastische ideeën hebben over het bestuur van Rome, daar bleef niets van over als je bang was om onder een nieuw bewind je hele hebben en houden kwijt te raken. Daar kon hij weinig aan veranderen, zo zat de mens nu eenmaal in elkaar.

In dat besef sjokte Vespasianus de heuvel op naar het huis van Antonia, denkend aan het onvermijdelijke: een immoreel leven waarin veel te bereiken was als je je in dienst stelde van de mensen met de werkelijke macht. Dat was niet waarvan hij gedroomd had toen hij naar Rome kwam. Maar, dacht hij met naargeestige zelfspot, hij zou het er goed vanaf brengen. Hij had zich immers al verlaagd tot moord.

Antonia had een boodschap achtergelaten: ze moest eerst nog wat andere zaken regelen en vroeg hun op haar te wachten. Pallas bracht Vespasianus en Corbulo naar de tuin, waar Vespasianus tot zijn verbazing Gaius en Sabinus aan een tafel wijn zag drinken. Geen van beide mannen maakte een opgewekte indruk, en het zweet stond op hun voorhoofd, want de zon stond hoog aan de hemel. Er werden vier extra bekers op tafel gezet.

'U kunt hier wachten terwijl ik mijn meesteres help,' zei Pallas. 'Ik geloof dat ze die laatste onopgeloste kwestie aan het afhandelen is. Roep maar als jullie meer wijn willen hebben.' Hij liep naar de zwartgelakte deur die naar de privévertrekken van Antonia leidde, aan de andere kant van de binnentuin.

'Herodes Agrippa?' vroeg Vespasianus terwijl hij en Corbulo gingen zitten.

'Ja,' antwoordde Sabinus verre van enthousiast. 'Hij kwam vlak voor jullie binnen.'

'Is Antonia bereid je te helpen?' vroeg Vespasianus. Hij vulde twee bekers met wijn en gaf er een aan Corbulo.

'Ja, maar leuk vond ze het niet. Nu moet ze Herodes op een andere manier aanpakken. Ze kan niet meer dreigen met een inbeslagname van zijn graan zonder dat hij haar dreigt mij te verlinken. Hij weet dat ik hier ben, ze zorgde ervoor dat hij me zag toen hij binnenkwam.'

'Wat heb je gedaan?' vroeg Corbulo, en hij nam een slok wijn.

'Dat gaat je niets aan, Corbulo,' antwoordde Sabinus terwijl twee stevige, kale equites van middelbare leeftijd door een slaaf de tuin in werden geleid. Sabinus trok wit weg, hij stond op. 'Primus en Tertius,' stamelde hij, en hij liep naar de nieuwkomers om hun zijn onderarm aan te bieden. 'Wat doen jullie hier?'

'Ontboden door vrouwe Antonia, senator Sabinus. Ongelegen, maar moeilijk te weigeren,' antwoordde de iets oudere van de twee. 'En te oordelen naar de documenten die we van haar moesten meenemen, moet het voor jou niet eens zo'n grote verrassing zijn ons hier te treffen.' Hij zette een leren tas op tafel en knikte kort en zakelijk naar Gaius en Corbulo. 'Goedendag, senator Pollo en senator Corbulo.'

'Primus. Tertius,' zeiden de senatoren, en terwijl Sabinus de jongere man begroette stonden ze op.

'Heren, dit is mijn broer, Vespasianus,' zei Sabinus. Ze gingen zitten. 'Primus en Tertius Cloelius van het bankbedrijf in het forum.'

Ze wachtten in het steeds fellere zonlicht tot de zwartgelakte deur openging en wisselden zo nu en dan enkele beleefde woorden uit. Elke poging tot een gesprek over koetjes en kalfjes werd in de kiem gesmoord door de bankiers, die de tijd nuttig maakten door zich te verdiepen in de berekeningen op hun papyrusrollen, die ze controleerden met een abacus uit de tas van Primus. De wijn hadden ze afgeslagen. Vespasianus betrapte hen een paar keer op een steelse blik in zijn richting, hij vroeg zich af of Narcissus zijn naam had laten vallen toen hij de bankwissel had ingetrokken. Het snelle tikken van de houten balletjes op de abacus begon hem te ergeren.

Eindelijk ging de deur open. Antonia kwam zij aan zij met Herodes, die zeer in zijn nopjes leek, op hen af gelopen, op de voet gevolgd door Pallas. 'Heren, dank u voor het wachten. Als u het niet erg vindt wil ik de zaak hier afronden,' zei ze. Ze ging zitten en gebaarde naar Herodes hetzelfde te doen. 'Ik heb wat frisse lucht nodig. Primus en Tertius, goed dat jullie gekomen zijn. Ik hoop dat het goed gaat met Secundus?'

'Hij is op zakenreis, domina,' antwoordde Primus.

'Mooi, dan gaat het dus goed met hem. Hebben jullie alles mee-genomen waar ik om gevraagd heb?'

Primus snuffelde in zijn tas en haalde daar drie rollen uit, die hij op tafel legde.

Antonia pakte een rol op en keek er heel even naar. 'Herodes, dit is een bankwissel voor een half miljoen denarii.'

Herodes keek er verlangend naar.

'En dit,' vervolgde Antonia, en ze pakte de tweede rol en zwaaide daarmee demonstratief naar Herodes, 'is de kopie van de gebroeders Cloelius van de koopakte van het graan dat u van Sabinus kocht én hun kopie van de eigendomsakte zoals die is ondertekend door u en Sabinus. De gebroeders wilden die uiteraard graag aan mij overhan-digen, aangezien ze drommels goed weten dat het streng verboden is om een percentage op te strijken van een handeltje waarbij sprake is van graanspeculatie.'

'Een inschattingsfout onzerzijds,' bevestigde Primus.

'Die ik gaarne voor jullie rechtzet.' Antonia legde de rol terug op tafel en richtte zich tot Sabinus. 'Jouw kopieën graag, Sabinus.'

Sabinus was zo goed haar de documenten te overhandigen.

Antonia lachte vriendelijk naar Herodes. 'Zo, Herodes, uw ko-pieën zijn de laatste die Sabinus in verband brengen met dit graan.' Ze gaf de bankwissel eerst aan de gebroeders Cloelius, die ieder hun handtekening eronder zetten, en daarna aan Herodes. 'Het graan is veel minder waard dan deze bankwissel. Ik denk dat het u goed uit-komt als we ruilen.'

De mond van Corbulo viel open van verontwaardiging. Maar voor-dat hij iets kon zeggen legde Antonia hem met een fel gebaar van haar linkerhand het zwijgen op.

Herodes nam de bankwissel aan. 'Zodra ik thuis ben zal ik Eutyches, mijn vrijgelatene, mijn kopie van de koopakte en de eigendomsakte laten afleveren. Het graan is nu van u.'

'Evenals uw loyaliteit, Herodes, als u tenminste nog wilt dat Judaea weer een vazalkoninkrijk wordt, met u als koning. Dat is aan mij om te vergeven, niet aan Macro.'

'Dat begrijp ik nu wel. Onderweg hiernaartoe kwam ik door het forum. Poppaeus is gestorven op de dag dat hij zaken zou doen met uw zoon.' Hij keek de tafel rond. 'Ik weet niet hoe u het hebt gedaan, maar ik neem aan dat die zaak niet door is gegaan en dat Macro niet in staat is mij te bieden wat ik wil.'

'Ik heb niets gedaan, Herodes. Ik heb liever dat u zulke onge-gronde verdachtmakingen, alsof ik hier iets mee te maken zou heb-ben, voor u houdt.' Antonia pakte de derde rol. 'Macro kan uw schuld bij mij niet ongedaan maken. Als ik eis dat u hem aflost, zou u de woestijn in vluchten, en geloof me, daar zou u dan blijven ook.'

'Zoals altijd, vrouwe Antonia, is het een genoegen met u te mogen onderhandelen.'

'Het is een genoegen mijn geld in te pikken, bedoelt u.'

Herodes boog het hoofd en glimlachte. 'Dat kan ik niet ontkennen.'

'En nu kunt u gaan.'

'Met genoegen.' Herodes kwam overeind en maakte een sierlijke buiging. 'Nog een fijne dag, heren.'

Antonia zwaaide met de kwijtschelding toen hij zich omdraaide. 'En onthoud goed, Herodes, dat ik deze heb.'

'Mijn lippen zijn verzegeld, vrouwe Antonia,' zei Herodes over zijn schouder toen hij zwaaiend met zijn bankwissel de tuin uit liep.

Antonia keerde zich naar de twee bankiers. 'Primus en Tertius, ik weet dat ik in deze kwestie op jullie discretie kan rekenen.'

'Wij houden van cijfers, domina, niet van kletspraatjes,' ant-woordde Primus. Hij stond op terwijl zijn broer hun papyrusrollen en abacus verzamelde.

'Heel verstandig, cijfers zijn betrouwbaarder, zeker wanneer de kletspraat over jullie zou kunnen gaan. En hoe zit het met die andere kwestie?'

Primus pakte nog een rol, de vierde, uit de plooi van zijn toga en gaf hem aan Antonia. 'Dit is het laatste waar u om vroeg, domina: onze kopie van de eigendomsakte van de overleden heer betreffende die andere transactie die u interesseerde. U moet begrijpen dat dit zeer ongebruikelijk is.'

'Net als een aandeel van tien procent in een onwettig graanhan-deltje, Primus, wat dankzij mijn discretie tussen ons zal blijven.'

'Onze nederige dank, domina. Gezien de omstandigheden laten we een nota voor ons honorarium maar achterwege.'

Antonia rolde het document uit en wierp een tevreden blik op de inhoud. 'Dat waardeer ik zeer, Primus, ik weet hoe avontuurlijk u het honorarium soms berekent.'

'Van avontuur hebben wij geen kaas gegeten, domina, wij zijn bankiers.'

Met een beleefde hoofdknik namen de gebroeders Cloelius afscheid.

'Dat heeft flink wat geld gekost, dankzij jou, Sabinus,' zei Antonia terwijl hun voetstappen wegstierven, 'maar geenszins rampzalig.'

Sabinus bloosde en boog beschaamd het hoofd.

'De graanopzichter die in graan handelt!' barstte Corbulo los, wiens gezicht paars aanliep van aristocratische woede. 'Ik moet dit melden.'

'Natuurlijk moet je dat, maar dat ga je toch niet doen, mijn beste Corbulo?' zei Antonia sussend. 'Wat schieten we daar nou mee op?'

'Maar hij wil meedoen aan de praetor-verkiezingen. Wat hij gedaan heeft druist in tegen alle oude principes waardoor senatoren zich laten leiden.'

'En dat geldt niet voor wat jij vanochtend gedaan hebt?' beet Antonia hem toe. 'Doe nou niet net alsof jij een van de grondleggers van de republiek bent. Sabinus heeft een dure fout gemaakt, maar ik heb die op zo'n manier rechtgezet dat het ons niet deert en Herodes hard getroffen wordt. Ik vertrouw hem niet, ik denk dat hij er toch met Macro over gaat praten, dus daar ga ik een stokje voor steken. Pallas, laat Eutyches hier komen zodra hij er is.'

'En daar durf je op te zweren?' vroeg Antonia aan Eutyches, die voor haar stond. Ze legde de twee rollen die hij van zijn meester had meegekregen op tafel, naast een stapel gouden munten.

'Jazeker, domina,' antwoordde de vrijgelatene van Herodes, 'mijn meester zei tegen uw kleinzoon Caligula: "Ik wou dat die oude vent eindelijk eens doodging, zodat jij keizer kunt worden." Ze zaten in de koets van Herodes, ik mende de paarden, ik hoorde het duidelijk.'

'En wat zei mijn kleinzoon toen?'

Eutyches keek hebberig naar de stapel gouden munten en toen weer naar Antonia. 'Wat denkt u zelf, domina?'

212

'Wij begrijpen elkaar. Heel goed zelfs. Ik weet zeker dat hij zei: "Herodes, dat is verraad. Moge Tiberius voor eeuwig leven. Als u nog een keer zoiets zegt, laat ik u arresteren."'

'Dat is precies wat hij zei, ik zweer het.'

'Mijn lieve kleinzoon is te goed voor deze wereld.'

'Een nobel gebrek, domina,' beaamde Gaius.

'Laten we hopen dat hij er in de toekomst geen last van krijgt,' voegde Vespasianus eraan toe, en hij keek naar zijn oom en knikte instemmend.

'Dank je, Eutyches, het geld is van jou zodra de zaak in kannen en kruiken is. Tot dan blijf je hier. Pallas, laat hem ons gastenverblijf zien.'

Vespasianus keek toe terwijl de nietsvermoedende vrijgelatene naar de ondergrondse privégevangenis van Antonia werd gebracht en vroeg zich af hoe lang hij gekerkerd zou blijven.

Antonia pakte de munten en liet ze in een zakje glijden. 'Ik zie het als mijn plicht om de fout van mijn kleinzoon te herstellen en dit te melden. Macro is naar de keizer in Antium, waar hij de bruiloft van de jonge Gaius zal bijwonen, dus laten we zijn afwezigheid aangrijpen om onze slag te slaan. Senator Pollo, ik laat het opschrijven. Zou u dan zo vriendelijk willen zijn het bij de volgende vergadering van de Senaat voor te lezen?'

'Uiteraard, domina.'

Plotseling klonk er hysterisch geschreeuw in het atrium.

'Ga opzij. Ik wil haar spreken. Ik weet dat ze er is.'

Een kleine vrouw met brede heupen, die zo te zien tegen de dertig liep, rende met gescheurde kleding en verward haar de tuin in. Felix probeerde haar tegen te houden, maar zij sloeg hem telkens van zich af. 'Antonia!' krijste ze. 'Ik weet wat u gedaan heeft!'

'Mijn lieve Poppaea Sabina,' zei Antonia terwijl ze van haar stoel kwam. 'Rustig nou toch.'

'Rustig? Hoe kan ik rustig doen tegen degene die mijn vader vermoord heeft?'

'Ik heb het zojuist gehoord, deze senatoren hebben mij op de hoogte gebracht van de tragische dood van jouw vader.'

'Tragisch?' gilde Poppaea, en ze keek de mannen rond de tafel een

213

voor een strak aan. 'U hebt hem vermoord, en deze mannen zullen u daar wel bij geholpen hebben. Ik weet dat senator Pollo en zijn neven u altijd gesteund hebben in de strijd tegen mijn vader, dat heeft hij mij zelf verteld. U hebt hem vermoord, Antonia, omdat hij uw gehate familie van de troon wilde stoten. U hebt hem vermoord om uzelf in bescherming te nemen. Ik weet niet hoe het komt, maar als hij een natuurlijke dood is gestorven, waarom heeft hij dan een dikke en kapotte lip? Vanochtend had hij die nog niet. Mijn familie heeft een smetteloos blazoen, als ik gerechtigheid eis zullen de mensen naar mij luisteren.' Ze spuugde op de grond, draaide zich om, drong zich langs Felix en liep met geheven hoofd de tuin uit.

'Vergeef me, domina, ze...'

'Het is goed, Felix, ze was niet te stoppen. Is dat andere goed gegaan?'

'Jawel, domina, het lichaam en de kist zijn in de Tiber gegooid, het hoofd is vernietigd.'

'Mooi. Volg haar om te zien of ze niets uitvreet en laat Asiaticus weten dat hij zo snel mogelijk hier moet komen.' Antonia keerde zich weer naar haar gasten rond de tafel. 'Het lijkt erop dat we twee blazoenen moeten bezoedelen als we willen voorkomen dat Poppaea in de Senaat steun vindt voor haar ideeën. Gaius, laat het verslag over Herodes wachten tot Asiaticus, Corbulo en Vespasianus hebben gedaan wat ik hun ga vragen te doen.' Antonia pakte de vierde rol die Primus aan haar gegeven had en gaf die aan Sabinus. 'En als je oom dat gedaan heeft, Sabinus, lees dan dit voor, ik denk dat het geen kwaad kan nu Herodes je er niet langer mee kan chanteren.' Ze tikte met haar vingers op Herodes' kopie van de koopakte en de eigendomsakte van het graan die Eutyches was komen brengen. 'Ik wilde het voor later bewaren, maar gezien het bezoekje van Poppaea is dit wel een goed moment om het openbaar te maken. En het zal je allicht helpen bij de praetor-verkiezingen.'

Sabinus las het snel door en grijnsde. 'Ik doe niets liever.'

'En daarom, *patres conscripti*,' zei consul Asiaticus tot slot tegen de voltallige Senaat, 'stel ik voor dat de Senaat zich dankbaar toont tegenover zijn trouwe dienaar, Gaius Poppaeus Sabinus, voor de vele jaren waarin hij ons en onze keizer zo onbaatzuchtig tot dienst was. Tevens stel ik voor hem te eren met een bronzen beeld, bekostigd uit de staatskas, op te richten in het forum.'

Asiaticus ging zitten, aan beide kanten van de Senaat werd goedkeurend geklapt. Vespasianus applaudisseerde ook en dacht dat Antonia blij zou zijn met de manier waarop de consul het debat had opgezet, precies zoals ze het verlangd had.

'Consul,' bulderde Corbulo boven het kabaal uit terwijl hij opstond, 'mag ik het woord?'

'De Senaat luistert naar senator Corbulo,' riep Asiaticus, en hij maande de senatoren met een handgebaar tot stilte.

Vespasianus glimlachte toen Corbulo naar voren liep, het was duidelijk dat hij niets wilde laten merken van zijn afschuw van het eerste deel van wat hij in opdracht van Antonia ging zeggen.

'Patres conscripti, drie jaar lang diende ik met Poppaeus in Moesia en Thracië, het is mij een eer het voorstel van de consul te steunen. Ik was, net als u allen, geschokt toen ik hoorde van het overlijden van Poppaeus, maar het is mooi dat een man als hij de dood vond in het forum, in het hart van ons rijk. Maar zoals wij allen weten liet Poppaeus zich door zijn manschappen uitroepen tot "imperator", dus een beeld in het forum, zo dicht bij die van onze illustere keizer en diens voorganger, zou naar mijn idee een onprettige herinnering zijn aan die ene inschattingsfout, door sommigen betiteld als verraad, van de man die wij vandaag eren.'

Er werd instemmend gemompeld toen Corbulo weer ging zitten.

Asiaticus nam weer het woord. 'Het is heel goed dat senator Corbulo de Senaat herinnert aan dat onfortuinlijke voorval. Wij willen niet dat de keizer denkt dat deze trouwe Senaat de fout van Poppaeus gedoogt, een fout die hij, dat weet ik zeker, maakte in de roes die de overwinningen op de vijanden van het rijk teweegbracht. Het feit dat de keizer zo barmhartig is geweest zijn fout door de vingers te zien, geeft aan dat een beeld weliswaar ongepast is, maar dat een blijk van dank voor deze man, die in zijn hele leven slechts één fout maakte, zeker op zijn plaats is.'

Vespasianus stond zenuwachtig op, voor het eerst in de Senaat. 'Consul, mag ik het woord?'

'De Senaat luistert naar de eerste toespraak van senator Titus Flavius Vespasianus,' zei Asiaticus plechtig.

Vespasianus wist de ogen van ruim vijfhonderd senatoren op zich gericht toen hij naar het midden liep. Hij probeerde niet te denken aan het feit dat hij nu voor het eerst in het openbaar moest spreken en schraapte zijn keel. 'Patres conscripti, velen van u vragen zich allicht af wat ik, een van de jongste leden van deze oude vergadering, aan dit debat heb toe te voegen. Ook ik was met Poppaeus in Thracië, en uit loyaliteit naar de Senaat van Rome en onze keizer kan ik niet zwijgen over wat ik daar zag. Senator Corbulo heeft ons terecht gewezen op het feit dat de manschappen "imperator" schreeuwden, maar zijn verhaal is niet volledig. Hij was niet bij het overwinningsfeest na de laatste veldslag, hij was met twee cohorten de berg op gestuurd om het bolwerk van de verslagen Thraciërs veilig te stellen en de overlevenden uit de weg te ruimen. Hij zag daarom niet dat Poppaeus het "imperator" zich liet welgevallen en zijn schreeuwende manschappen niet tot kalmte maande, zoals wij zouden hebben gedaan, uit loyaliteit jegens de keizer.'

Vespasianus onderbrak zijn betoog, de senatoren probeerden brullend, liefst harder dan hun buurman, hun trouw aan de keizer te betuigen. 'Dit was weliswaar een schandelijke belediging van de keizer, maar het was niet het ergste misdrijf dat Poppaeus die dag beging.'

De luidruchtige loyaliteitsbetuigingen van de senatoren stierven weg, ze wilden horen wat er erger was dan een misdaad tegen de keizer. 'Ik was erbij toen uw afgezant, proconsul Marcus Asinius Agrippa, Poppaeus op de hoogte stelde van het feit dat de keizer het besluit van de Senaat had goedgekeurd en dat hem de Versierselen van de Triomf zouden worden verleend. Ik was er getuige van dat Poppaeus van Asinius het bevel kreeg, in naam van de Senaat en van de keizer, het commando over te dragen aan Pomponius Labeo en terug te gaan naar Rome. Met zijn weigering pleegde de ondankbare Poppaeus een misdrijf, niet alleen tegen de keizer, maar ook tegen de Senaat. Pas toen Asinius na de strijd, ten overstaan van heel het leger, het bevel herhaalde, voelde Poppaeus zich verplicht het commando over te geven.'

Woedende kreten dwongen Vespasianus zijn betoog opnieuw te onderbreken. Asiaticus veerde op en maande de senatoren tot kalmte.

'Senator Vespasianus,' riep hij boven het kabaal uit, 'u kunt zweren dat het zo gegaan is?'

'Dat kan ik, consul. Sterker nog, ik kan het bewijzen. Senator Corbulo, op de avond van de Thracische aanval, waar trof u Poppaeus toen aan?'

Corbulo ging staan. 'In de tent van Asinius.'

'Wie waren daar nog meer?'

'Asinius, u, koning Rhoemetalces en Primus Pilus Faustus.'

'Spijtig genoeg is Asinius dood, consul, en Faustus ook, maar koning Rhoemetalces leeft nog. Schrijf hem en vraag hem naar het gesprek dat vóór de komst van Corbulo plaatsvond tussen Asinius en Poppaeus. Hij zal alles bevestigen wat ik zojuist gezegd heb.'

Vespasianus liep terug naar zijn vouwstoel; de eerste van de vele senatoren die meteen duidelijk wilden maken hoe afschuwelijk zij deze veronachtzaming van het senatoriale gezag vonden, sprong al op.

Nadat een reeks senatoren was uitgevaren tegen het gedrag van Poppaeus – ze deden ieder hun best de verderfelijke, schijnheilige Poppaeus harder te veroordelen dan de vorige spreker –, vond Asiaticus het welletjes geweest.

'Patres conscripti, ik trek de door mij voorgestelde motie in en stel in plaats daarvan voor het overlijden van Poppaeus aan te grijpen om te verklaren dat hij zijn plicht jegens Rome vervulde, niet meer en niet minder. In een schrijven aan de keizer vragen wij hem of hij, in het licht van Poppaeus' gedrag, hem zijn Versierselen van de Triomf postuum wil afnemen.' Dit werd begroet met een eenstemmige kreet van goedkeuring. 'Ik zie geen enkele blijk van onenigheid met betrekking tot deze kwestie.'

'Consul,' riep Gaius, 'als wij de keizer dan toch schrijven, heb ik nog een andere kwestie die ik onder zijn aandacht wil brengen.'

'De keizer dood wensen is een zeer ernstige aantijging,' zei Asiaticus tegen de Senaat nadat de verklaring van Eutyches was voorgelezen. 'Wij moeten deze vrijgelatene naar de keizer sturen, zodat hij hem persoonlijk kan ondervragen. Weet u waar hij verblijft, senator Pollo?'

'Jawel, consul. Vrouwe Antonia heeft hem opgesloten, want hij probeerde haar af te persen omdat haar kleinzoon Herodes slechts een uitbrander gaf vanwege zijn opvattingen, in plaats van hem aan te geven wegens verraad.'

'Goed, ik zal haar vragen hem daar te houden totdat de stadsprefect zijn overplaatsing heeft geregeld. Dan moeten we nu bespreken wat we met Herodes Agrippa doen.'

Sabinus stond op en zwaaide met de papyrusrol die Antonia hem had gegeven. 'Consul, ik beschik over informatie die betrekking heeft op beide kwesties die vanmorgen besproken zijn.'

'Het woord is aan u.'

'Met genoegen deel ik u mede dat Vrouwe Antonia met eigen middelen een zending graan heeft gekocht die zij schenkt aan de gemeenschappelijke graanvoorraad om het tekort te lenigen.' Sabinus onderbrak zijn betoog om de senatoren de kans te geven hun goedkeuring en dank te uiten voor deze onbaatzuchtige daad. 'Toen ik met het nodige papierwerk bezig was, viel mijn blik op een van de onlangs binnengekomen graanpartijen.' Met een melodramatische zwaai rolde hij het document uit. 'Het is een eigendomsakte van een graanlevering uit Egypte met een waarde van een miljoen denarii. Dit graan maakte deel uit van de Egyptische graanvloot die in de storm ten onder ging. Deze partij bevond zich echter op een van de twee schepen die Rome wél bereikten, maar als graanopzichter kan ik het graan niet verdelen omdat het niet aan Rome toebehoort. Het ligt in een particuliere opslagruimte in Ostia, en zolang de graanprijzen stijgen wordt het alleen maar meer waard. Deze akte toont aan dat het graan nadat het in Ostia gelost was in bezit kwam van Gaius Poppaeus Sabinus, als terugbetaling van een lening die hij deed aan Herodes Agrippa.'

Deze onthulling leidde tot opschudding.

'Wilt u daarmee zeggen dat Herodes Agrippa munt heeft willen slaan uit de huidige problemen van de stad om zijn eigen schulden af te kunnen lossen?' bulderde een oprecht verontwaardigde Asiaticus boven de senatoren uit.

'Daar lijkt het wel op, consul.'

'Laat mij die rol eens zien.'

Sabinus liep de hele Senaat door en gaf het document aan Asiaticus.

Na een vorsende blik rolde de consul het document weer op en stopte het in de plooi van zijn toga. 'Dank u, senator Sabinus.' Zijn ogen gleden over de zee van verwachtingsvolle gezichten en bleven hangen bij de stadsprefect. 'Breng Herodes Agrippa geketend voor de Senaat.'

DEEL III

ROME, MAART, 37 N.C.

HOOFDSTUK XIII

'Hoeveel tijd gaat het kosten om het weer op te bouwen?' vroeg Vespasianus aan Sabinus. Ze keken naar een groep staatsslaven die bij de zwartgeblakerde ruïne van Sabinus' huis op de Aventijn een lading bakstenen aan het lossen waren. Overal tussen de verkoolde resten van de huizen op de Aventijn werkten tal van slaven aan het herstel van de eens zo mooie en welvarende heuvel die uitzicht bood op het Circus Maximus. De grijze lucht en onophoudelijke miezerregen maakten de verwoesting extra triest; vrijwel geen enkel gebouw was ontsnapt aan de vlammen die zes maanden geleden door dit deel van de stad waren geraasd en die Sabinus' jaar als praetor een wrang randje hadden gegeven. Zijn publieke veroordeling van Herodes Agrippa had ertoe geleid dat de Joodse koning in een vochtige cel aan de muur was gekluisterd en Sabinus de verkiezingen had gewonnen − tot ergernis van Corbulo, die door hem was verslagen −, waardoor hij nu gekozen kon worden tot gouverneur van een senatoriale provincie.

'De voorman denkt ongeveer drie maanden, maar zoals bij haast elk huis op de Aventijn dat herbouwd wordt, kan hij het niet met zekerheid zeggen. Het hangt af van de beschikbaarheid van bouwmaterialen en slaven, en ook van jou, of jij als wegopzichter je werk goed doet en de straten vrij weet te houden. Hoe dan ook, nu het scheepsverkeer weer op gang is gekomen moet ik over een paar dagen weer terug naar mijn provincie, dus dan moet jij het werk aan mijn huis in de gaten houden.'

Er verscheen een grimas op Sabinus' gezicht. 'Tweehonderd mil-

223

joen sestertiën lijkt veel, en het is natuurlijk een heel gulle gift van Tiberius geweest, maar het zal niet genoeg zijn voor alle gebouwen op de heuvel. Ik zal nog ergens geld vandaan moeten halen als ik het huis weer in zijn oorspronkelijke staat wil laten herstellen, en Clementina wil trouwens niet anders.' Hij schudde treurig het hoofd. 'Had ik het maar gehuurd in plaats van gekocht, dan had ik dit probleem niet gehad.'

Vespasianus wierp een blik op zijn broer en dacht dat dit waarschijnlijk niet het moment was om hem eraan te herinneren dat hij hem had afgeraden voor de aankoop van het huis geld te lenen bij Paetus.

Sabinus ving zijn blik op. 'Je zult wel denken: ik heb het je nog zo gezegd, vervelend rotventje. Maar goed, je had gelijk. Als ik niet boven mijn stand was gaan leven, had ik nu nergens last van gehad. Voortaan geen leningen meer.'

'Heb je die al afgelost?'

Sabina keek beschaamd weg. 'Nee, steeds als ik dat wilde kwam er iets tussen, weer een kind, of zoiets als dit.'

'Dan zou ik het maar snel gaan doen. Je hebt beloofd het binnen twee jaar terug te betalen.'

'Heb jij je aan je belofte gehouden om voor Paetus een oogje te houden op zijn zoon, Lucius?' wierp Sabinus tegen.

Nu was het de beurt van Vespasianus om beschaamd weg te kijken. 'Nee, dat heb ik niet. Ik moet meer belangstelling voor hem tonen.'

'Hij zal inmiddels een jaar of zeventien zijn, een eigen leven beginnen op te bouwen. Jij bent net zo goed in gebreke gebleven, broertje, als het om Paetus gaat, dus ga mij nou niet de les lezen. Ik zal de lening aflossen zodra ik het geld ervoor heb.'

'En ik zal eens langsgaan bij de jonge Lucius. Trouwens, vorig jaar heb je als praetor toch aardig wat verdiend, en uit jouw provincie valt nog veel meer te halen. Bithynia is erg rijk, ik kan me slechtere provincies voorstellen om gouverneur van te zijn.'

'En ik betere, maar je hebt gelijk, over een jaar zal ik geld genoeg hebben.'

'Heer! Heer!'

Vespasianus en Sabinus draaiden zich om en zagen Magnus de heuvel op rennen.

'Hebben jullie het al gehoord?' hijgde Magnus terwijl hij zich langs twee slaven met een zware houten balk drong. 'Iedereen heeft het erover.'

'Nee, het heeft deze uitgebrande buurt nog niet bereikt,' antwoordde Sabinus, 'tenzij je het hebt over het feit dat mijn broer het verbod op bestelkarren in de stad tijdelijk heeft opgeheven voor karren die overdag met bouwmaterialen naar de Aventijn moeten.'

'Uw zwager, Clemens, kwam een uur geleden van Capreae met een bericht: Tiberius is dood.'

'Dood? Hoe lang al?' vroeg Vespasianus.

'Sinds gisteren. De fora staan vol mensen die eisen dat zijn lichaam naar Rome wordt gebracht, zodat het in de Tiber kan worden gekieperd.'

'Heeft hij Claudius aangewezen als zijn opvolger?'

'Het testament is nog niet voorgelezen, maar het schijnt dat Caligula nu de ring draagt en zichzelf heeft uitgeroepen tot keizer. Hij heeft Macro opgedragen de Senaat toe te spreken en het testament van Tiberius voor te lezen. Volgens Clemens ligt hij een paar uur op hem achter.'

Vespasianus keek zijn broer geschrokken aan. 'Verrek! Dit zal Antonia niet leuk vinden. We kunnen haar maar beter gaan vragen wat ze van plan is.'

'Ze kan helemaal niets doen. Als Caligula de ring heeft en Macro biedt hem de steun van de praetoriaanse garde, is hij de keizer. Punt uit. We moeten nu op onze tellen passen en gewoon naar de Senaat gaan, anders zijn wij straks de enige twee senatoren die er niet bij zijn als Caligula wordt uitgeroepen tot keizer.'

Clemens stond onder aan de trap van de Senaat toen Vespasianus, Sabinus en Magnus daar aankwamen. Uit alle richtingen stroomden de senatoren toe, ze moesten zich een weg banen door de uitzinnige menigte om, net als de twee broers, openlijk hun steun te betuigen aan het nieuwe regime.

'Ik hoopte al dat ik jullie hier zou treffen,' zei Clemens, die de broers begroette door hen stevig bij hun onderarm te pakken. Hij knikte naar Magnus en leidde de mannen vervolgens weg van de menigte. Zijn smalle gezicht leek nog fletser te zijn dan normaal.

'Je oogt bezorgd, Clemens,' merkte Sabinus op.

'Natuurlijk ben ik bezorgd, iedereen met een beetje verstand in zijn hoofd zou bezorgd moeten zijn. Een krankzinnige heeft zojuist het rijk gestolen.'

'Hoe bedoel je, "gestolen"?'

'Caligula heeft Tiberius vermoord en is daarbij geholpen door Macro. Ze hebben hem gewurgd, ik weet het zeker. Toen ik het lichaam zag, vlak nadat ze uit de vertrekken van Tiberius kwamen om zijn overlijden bekend te maken, zat zijn gezicht vol vlekken en stak zijn gezwollen tong uit zijn mond. Ik geef toe, hij was al op sterven na dood, maar hij had net zijn testament gewijzigd.'

'Ten gunste van wie? Claudius?'

'Hoe moet ik dat weten? Het is nog niet voorgelezen. Het enige wat ik weet is dat Tiberius mij naar zijn kamer riep en me opdroeg aan zijn secretaris te vragen zijn testament te brengen. Nadat de wijzigingen waren doorgevoerd, kwam de secretaris met het testament naar buiten. Macro pakte het en las het met Caligula. Toen gingen ze naar de kamer van Tiberius en even later was Tiberius dood, had Caligula zijn ring en groetten de Germaanse lijfwachten hem als keizer. De secretaris beschuldigde Caligula en Macro van moord, dus het eerste bevel dat Caligula als keizer gaf was de man zijn tong uit te snijden en hem aan een kruis te nagelen.'

Sabinus haalde zijn schouders op. 'Dus Caligula is keizer, daar kon je natuurlijk op wachten, Tiberius liet hem in leven, wat Antonia ook probeerde. Wij kennen hem tenminste, al is het een tijd geleden dat we elkaar spraken. Voor ons hoeft het niet eens zo slecht te zijn, en voor jou ook niet, Clemens, je bent tenslotte de tribuun van zijn lijfwacht.'

'Als we met een normale man van doen hadden zou je gelijk hebben, maar dat hebben we niet. Jullie hebben hem de laatste zes jaar niet gezien, maar ik ben al die tijd bij hem op dat idiote eiland geweest. Ik heb hem seksueel zien ontsporen zoals Tiberius dat ook deed, maar hij heeft een uithoudingsvermogen dat de oude man ontbeerde. Hij heeft nooit genoeg, hoeveel mensen hij ook geneukt heeft, of door wie hij ook geneukt is. Tiberius moedigde hem aan – ik hoorde hem gekscherend zeggen dat hij in de boezem van Rome een adder koesterde – door te laten zien hoe je ongebreidelde macht aanwendt voor grenzeloze bevrediging van je eigen behoeften, en Caligula was een snelle leerling. Maar er was één ding dat hem altijd tegenhield, namelijk de wetenschap dat hij in feite Tiberius' slaafje was en elk moment door hem gedood kon worden, zoals hij zo vaak met anderen had zien gebeuren. Dus een betere slaaf kon je niet hebben. Maar nu is Tiberius er niet meer en is de slaaf meester geworden, en ik zeg jullie: een slechtere meester kun je niet hebben.'

'Dan moeten we er gewoon voor zorgen dat de meester ons niet opmerkt,' zei Vespasianus. Op grond van wat hij over Caligula had horen zeggen, vreesde hij dat Clemens gelijk had.

'Daar is het al te laat voor. Hij ziet uit naar een ontmoeting. Ik moest van hem zeggen dat hij jullie nog steeds beschouwt als vrienden, hoewel hij jullie al zes jaar niet gezien heeft, en nu hij keizer is en terugkomt naar Rome kijkt hij uit naar de lol – dat woord gebruikte hij – die jullie nog zouden gaan trappen.'

'Ik weet niet of ik me in de lol van Caligula kan vinden, nu ik weet wat die ongeveer inhoudt,' merkte Sabinus op. 'Het schijnt iets te maken te hebben met zijn zussen.'

'Het gaat niet altijd alleen maar om zijn zussen. Ik ben bang dat het misschien ook wel eens om míjn zus kan gaan. Ik heb mijn vrouw, Julia, al met de kinderen naar mijn landgoed in Pisaurum gestuurd, zodat ze in elk geval uit zijn buurt is. Hij loopt al maanden tegen mij te verkondigen dat hij het moeilijk kan verkroppen dat een mooie vrouw als Clementina verstoken blijft van zijn niet onaanzienlijke mannelijkheid. En dat terwijl ik haar broer ben!'

Dit verontrustte Sabinus, en terecht. 'Het is beter als ik haar en de kinderen weghaal uit Rome. Ik vertrek morgenochtend vroeg naar Bithynia, voordat Caligula aankomt.'

'Het is beter om nu meteen te gaan. Als je naar de Senaat gaat zal je naam genoteerd worden en weet Caligula dat je vertrokken bent zonder hem te begroeten. Ik zal zeggen dat je een paar dagen geleden, voordat het nieuws bekend werd, al vertrokken bent. Misschien gelooft hij het, want de haven van Brundisium is weer open.'

Sabinus pakte zijn onderarm stevig vast. 'Dat is heel fijn, Clement.'

'Blijf daar zo lang mogelijk, begin een oorlog of zo. Caligula zal alleen maar erger worden, geloof mij maar.'

'Dat doe ik.' Sabinus keerde zich naar Vespasianus. 'Als ik oom Gaius niet bij het huis zie, groet hem dan namens mij en bedank hem voor de gastvrijheid die hij mij na de brand de afgelopen zes maanden geboden heeft.'

'Dat doe ik, en ik stuur je alles na wat je nodig hebt, Sabinus,' zei Vespasianus. 'Ga nou maar.'

'Ik zal vier maten van mij vragen om u naar Brundisium te brengen,' bood Magnus aan. 'Ze zijn over een uur bij u.'

'Dank je, Magnus, en jij ook, broer,' zei Sabinus, 'en succes met onze vriend.' Hij draaide zich om en liep snel weg.

'Dat komt wel goed,' riep Vespasianus hem na.

'Het komt wel goed, ja,' beaamde Clemens, 'zolang je hem in zijn kont neemt wanneer hij dat wil, zoals in mijn geval. Ik word er soms echt doodmoe van.'

'Wat zeg je nou? Jij, Clemens? Je houdt me voor de gek.'

'Helaas niet, en ik kan je zeggen dat dit nog een van de minst onprettige dingen is die ik verplicht word te doen. Maar jij hebt nu ook een probleem, want Clementina is niet de enige vrouw die Caligula in zijn bed wil zien te krijgen. Ik weet zeker dat hij zich nu ook niet veel meer wenst aan te trekken van het verbod van Antonia om zich aan Caenis te vergrijpen.'

Buiten, in het Forum Romanum, vierde de menigte luid schreeuwend de dood van de gehate oude keizer en de troonsbestijging van hun nieuwe hoop, Caligula. Maar in de volgepakte Senaat was het vrijwel stil toen Quintus Naevius Cordus Sutorius Macro binnentrad, in vol militair ornaat en met een koker in zijn hand. Hij werd geflankeerd door vier gewapende praetorianen, wat gerust overdreven genoemd kon worden, die ook in uniform waren in plaats van de toga die ze normaal gesproken droegen wanneer ze in de stad dienst hadden. Van de meeste gezichten was af te lezen wat de senatoren vonden van dit openlijke machtsvertoon van de praetorianen, in een Senaat die steeds minder te zeggen had.

'Hij wil duidelijk maken dat de keizer dit keer gekozen is door de garde,' fluisterde Gaius tegen Vespasianus boven het gemompel van hun ongelukkige collega's uit, 'en wij moeten die keus bekrachtigen, want anders krijgen we te maken met hun zwaarden.'

Gnaeus Acerronius Proculus, de consul, bleef zitten op zijn curulische zetel terwijl het groepje zich met veel gekletter naar het midden van de zaal begaf. 'Quintus Naevius Cordus Sutorius Macro zal de Senaat inlichten over de gezondheidstoestand van onze geliefde keizer, Tiberius. Is het gerucht waar?' riep Proculus, die zo probeerde het senatoriale gezag enigszins te herstellen.

'Natuurlijk is het waar, zoals u zelf drommels goed weet, consul,' grauwde Macro, 'en ik ben gekomen om u te vertellen...'

'Patres conscripti,' onderbrak Proculus hem, 'de praetoriaanse prefect heeft ons een intrieste mededeling gedaan: de keizer is inderdaad dood.' Hij begon theatraal te jammeren.

De hele senaat volgde zijn voorbeeld. Gejammer en geweeklaag vulden de zaal, overstemden alle pogingen van Macro zijn verhaal te doen totdat hij inzag, hoe vernederend dat ook voor hem was, dat hij weinig anders kon dan machteloos wachten tot hem het woord werd gegund.

Vespasianus en Gaius deden mee aan de rouwbetuiging en genoten volop van de uitdrukking op Macro's gezicht. 'Ik weet niet of het heel verstandig is,' riep Vespasianus in het oor van Gaius, 'maar het is heel goed en uiterst vermakelijk.'

'Voor zover het vermakelijk is om een leeuw op te hitsen,' antwoordde Gaius. 'Maar als hij probeert enig gezag terug te veroveren op de garde, dan is dit zonder twijfel een goed begin.'

Terwijl de spijtbetuiging aanhield, voelde Vespasianus dat hij vanaf de andere kant van de zaal werd aangestaard door twee donkere ogen. Ineens besefte hij dat Corvinus terug was in Rome en zijn plaats in de Senaat weer had ingenomen.

'Ik stel voor om een rouwperiode van tien dagen in te lassen, vanaf heden,' riep Proculus ten slotte boven het kabaal uit. 'Alle rechtszaken worden opgeschort, er worden geen vonnissen uitgevoerd en alle bestuurlijke activiteiten, die van de Senaat incluis, worden stil-gelegd. Daarna zullen wij het testament van Tiberius bekrachtigen en Gaius Caesar Germanicus alle eer geven die hem toekomt. De Senaat zal daar nu over stemmen.'

'De Senaat zal nu naar mij luisteren!' bulderde Macro.

'De Senaat gaat stemmen, prefect. U wilt toch niet op uw geweten hebben dat de Senaat niet kan rouwen om een keizer?'

'Loop een eind heen met uw rouw, consul, er dient naar mij ge-luisterd te worden. Keizer Gaius heeft mij opgedragen u het testa-ment van Tiberius te geven met de vraag dat nietig te verklaren.'

Proculus werd ineens onzeker. 'Maar hij wordt toch genoemd als erfgenaam van Tiberius?'

'Hij wordt genoemd als mede-erfgenaam, net als Tiberius Gemel-lus. Maar dat kan natuurlijk niet, want dat is vragen om een burger-oorlog.'

'En wat geeft ons het recht het testament van een keizer te ver-anderen?'

'Hij was ontoerekeningsvatbaar toen hij het opstelde, en als dat niet genoeg is: hoort u dat?' Macro gebaarde naar het rumoer van buiten, dat nu agressiever leek dan eerst. 'Dat is het geluid van een volk dat door één man geregeerd wil worden, niet door één man en een jongen. Mijn mensen hebben zich onder de menigte begeven en gepolst wat men ervan vindt, en men vindt het niks. Ik kan u ver-zekeren dat niemand hier levend uit komt tenzij u het aanpast. En als u dan toch bezig bent, stel ik voor de keizer alle titels en eer te schenken die hem zullen behagen. Daarna mag u van mij gaan stem-men tot u erbij neervalt.' Macro gooide de koker met de papyrusrol naar de consul, draaide zich om en liep met zijn geleide pedant de zaal uit.

De schouders van Proculus zakten, zijn poging om het gezag van de Senaat in oude glorie te herstellen, was jammerlijk mislukt. Hij wist dat geen van zijn collega's de toorn van de meute over zich heen wilde krijgen. Vermoeid stond hij op. 'Ik stel voor dat de Senaat het testament van Tiberius nietig verklaart en Gaius Caesar Germanicus aanwijst als zijn enige erfgenaam en derhalve als de enige keizer.'

Tranen rolden over de wangen van Caligula, zijn stem sloeg over van emotie, zijn keel werd dichtgeknepen door verdriet. 'In zijn bescheidenheid weigerde hij de eretitel "Vader van het Land", hij wilde niet vereerd worden als een god, hij zag de liefde die het volk hem gaf uit dank voor zijn rechtvaardige en heilzame bewind als de beloning van zijn onbaatzuchtige werk.'

'Ik vraag me serieus af of hij het wel over Tiberius heeft,' mompelde Gaius vanuit zijn mondhoek naar Vespasianus.

'Nou, dat zou anders wel eens tijd worden,' antwoordde Vespasianus, 'hij heeft hem geloof ik nog niet één keer genoemd.'

Ze hadden al bijna twee uur moeten aanhoren hoe Caligula de loftrompet stak over zowel zijn vader Germanicus als zijn oudoom Augustus en de burgers van Rome herinnerde aan zijn afkomst en ze probeerde in te prenten dat hij wel degelijk recht had op de troon. Nu leek hij dan eindelijk toegekomen te zijn aan het onderwerp waarover hij eigenlijk een lofrede had moeten houden, al kon Vespasianus aan de gezichten van de andere senatoren op de trappen van het theater van Pompeius op de Campus Martius zien dat zijn oom niet de enige was die moeite had om de woorden van de nieuwe keizer in verband te brengen met zijn voorganger.

Staand op een hoog podium vervolgde Caligula zijn emotionele lofrede, omringd door acteurs die de dodenmaskers van de voorouders van Tiberius ophadden. Naast het podium was de brandstapel opgericht, met daarop de baar en het lijk, dat die nacht was binnengesmokkeld, deels om het te beschermen tegen de meute, maar vooral om ervoor te zorgen dat het politieke doel van de dag verwezenlijkt zou worden: dat de burgers van Rome Caligula als hun nieuwe keizer accepteerden.

De Campus Martius barstte uit zijn voegen van de mensen, en zij waren niet gekomen voor de overduidelijke onzin die Caligula uitkraamde, maar voor de onthutsend jonge keizer zelf, prachtig gehuld in een paarse mantel met gouden borduursels en gekroond met een vergulde lauwerkrans. Toen hij eerder die dag in de stad was gearriveerd, hadden ze hem binnengehaald als hun redder, hem liefdevolle kreten toegeroepen en hem hun ster genoemd, hun favoriet, de geliefde zoon van de grote Germanicus, die een nieuwe gouden eeuw voor Rome zou inluiden. Deze woorden galmden nog na in Vespasianus' hoofd terwijl hij het schouwspel in zich opnam, steeds meer vrezend voor het ergste en tegelijk met de vage hoop dat deze ophemeling Caligula zou bewegen tot een gematigd en verstandig beleid en dat hij zijn onvolkomenheden voor zichzelf en zijn innemendheid voor het volk zou bewaren.

Het ongebreidelde gezever over de goedheid en gematigdheid en het rechtvaardigheidsgevoel van Tiberius ging nog een kwartier door – de enige waarheid die hij verkondigde betrof de eruditie van zijn voorganger –, maar toen sloot Caligula zijn rede af: hij dankte de goden voor het feit dat zij Tiberius zo'n lang leven hadden gegund en betreurde het – niemand in de menigte deelde zijn gevoel – dat hij nu mee moest met de veerman. Terwijl zijn laatste woorden wegstierven werd de brandstapel aangestoken en begonnen de beroepsrouwers weer hartstochtelijk te jammeren en hun kleren te verscheuren, tot vermaak van de menigte, die een paar dagen geleden nog schreeuwde dat het lichaam van de gehate keizer zonder enig ceremonieel vertoon in de Tiber moest worden gesmeten.

De vlammen vraten zich snel door het dorre hout, aangewakkerd door de zakjes met olie tussen de takken, en warmtetrillingen en rookslierten kringelden door de frisse lucht van het vroege voorjaar omhoog. Priesters en voorspellers speurden in de lucht naar vogeltekens, hoopten een arend te zien die verdacht gedrag vertoonde, dat zij, in voorzichtig overleg met de jonge keizer, zodanig konden interpreteren dat het strookte met het beleid van de nieuwe machthebber. Maar ze zagen niets, en ze konden ook niets uit hun duim zuigen, aangezien de gebeurtenis werd bijgewoond door een grote menigte, die net als zij op zoek was naar tekens.

Toen de baar vlam vatte en het lijk begon te knetteren, kwam Caligula van het podium en liep, geflankeerd door de consuls en praetoren en voorafgegaan door de twaalf lictoren, naar het theater van Pompeius, dwars door de menigte, die haar nieuwe held toejuichte met een geestdrift die gevoed was door de verbranding van het lichaam van de vorige keizer. Caligula liet zich de aanbidding welgevallen en toonde zich edelmoedig door kaartjes uit te delen voor de herdenkingsspelen die na de rouwperiode zouden plaatsvinden.

'Laten we naar binnen gaan,' mompelde Gaius, en hij liep achter de andere senatoren aan het theater in, waar ze door de nieuwe keizer zouden worden toegesproken.

'Wat de door u toegekende titels en eerbewijzen aangaat, die aanvaard ik alle, met uitzondering van "Vader van het Land", die kunt u mij later nog toekennen. En ik schort mijn aanvaarding van het ambt van consul op tot juni. Maar mijn grootmoeder kunt u de titel "Augusta" toekennen, en mijn zussen alle voorrechten van de Vestaalse Maagden.'

De senatoren, die zich al bijna schor hadden geschreeuwd toen Caligula het theater had betreden, gaven juichend hun goedkeuring aan deze lastgevingen.

'Zou die laatste maatregel ironisch bedoeld zijn, oom?' grapte Vespasianus vanuit zijn mondhoek. Gaius was zo verstandig niet om deze grap te lachen.

Terwijl Caligula zijn toespraak vervolgde, wierp Vespasianus steelse blikken op de gezichten van de senatoren. De meesten van hen hoorden de eisen van de nieuwe keizer in sombere berusting aan, ze hadden er eigenlijk niets op aan te merken. Maar bij het einde van een rij stuitte hij wederom op die twee donkere ogen, en hij voelde de haat daarin branden.

'Tot slot,' sprak Caligula, 'leg ik alle lopende rechtszaken wegens hoogverraad stil. Het is ondenkbaar dat iemand verraad pleegt jegens een keizer die zo geliefd was bij het volk. Ik zal alle documenten met bewijzen tegen de leden van deze Senaat die Tiberius verzameld had laten verbranden. Hoezeer ik ook wrok koester tegen u omdat u instemde met de terechtstelling van mijn moeder en broers, ik zal dan niet in staat zijn u voor het gerecht te slepen.'

De senatoren juichten nu harder dan ze tijdens de hele bijeenkomst gedaan hadden. Ze waren opgelucht dat hun complot hun vergeven zou worden; immers, ze hadden leden van de familie Germanicus aangeklaagd in een opportunistische poging in de gunst te komen bij Tiberius en Seianus, die, om verschillende redenen, de familie van Caligula hadden willen uitmoorden.

Het duurde vrij lang voordat Caligula gebaarde dat hij genoeg was geprezen om zijn grootmoedigheid. 'Maar aangezien u mij beroofd heeft van een broer met wie ik in juni het consulaat zou kunnen delen, moet ik iemand anders aanwijzen als collega, en degene die in mijn ogen het meest geschikt is, is mijn oom Claudius.'

Monden vielen open van verbazing. Dat Claudius stotterend en kwijlend alle oude rituelen van de Senaat zou moeten afwerken, was voor alle aanwezigen een weerzinwekkende gedachte.

'Ik begrijp uw verwarring, patres conscripti,' zei Caligula medelevend, en hij deed weinig moeite de glinstering in zijn ogen te onderdrukken. 'Claudius is slechts een edelman en geen lid van de Senaat.' Opeens werden zijn ogen kil. 'Dus benoem ik hem met onmiddellijke ingang tot senator. De consuls, praetoren, aediles en quaestoren hebben het voorrecht mij te vergezellen naar het huis van Augustus, waar ik me zal vestigen. Verder heb ik geen mededelingen.' Hij draaide zich om en liep snel naar de uitgang. De magistraten moesten zich verlagen tot een ordinaire dringpartij om hem bij te benen.

Toen de jonge keizer in de buurt van Vespasianus kwam, die klaarstond om een plekje tussen de andere magistraten te veroveren, vielen zijn diepliggende, donker omrande ogen op hem. Met een stralende glimlach gebaarde Caligula dat hij samen met hem voor aan de stoet kon gaan lopen.

'Mijn vriend,' zei Caligula toen Vespasianus naast hem kwam lopen. 'Ik heb uitgekeken naar ons wederzien, wat zal het een feest worden.'

'Ik ben vereerd, *princeps*,' antwoordde Vespasianus, en hij voelde dat de oude magistraten misprijzend naar hem keken.

'Dat zal gerust. Ik moet er nog aan wennen dat mijn vrienden vereerd zijn als ik hun een gunst verleen.'

Hij had Caligula al bijna zes jaar niet van zo dichtbij gezien en was verbaasd dat het haar boven op zijn hoofd dun en piekerig was geworden, zijn ogen werden er als vanzelf naartoe getrokken. Caligula zag zijn blik, en de vrolijke uitdrukking op zijn gezicht verdween onmiddellijk.

'Dat was de laatste keer dat je naar mijn weelderige haardos keek,' waarschuwde hij kil. De ijzige blik maakte ineens plaats voor een warme grijns. 'Ik nodig je uit voor het avondeten. Mijn grootmoeder komt ook, ik kan je hulp wel gebruiken. Ik denk dat ze gaat proberen mij goede raad te geven, ze zal zeggen hoe ik het moet aanpakken. Maar dat zou heel onverstandig van haar zijn, vind je ook niet?'

'Als u denkt dat het onverstandig zou zijn, dan ben ik het met u eens, princeps,' antwoordde Vespasianus behoedzaam.

'Ach, hou op met die princeps-onzin als we onder elkaar zijn, Vespasianus, we zijn vrienden. Kom, loop met me mee naar de Palatijn en vertel me onderweg over die mooie Caenis.'

Vespasianus moest iets wegslikken.

'Meer dan vijfhonderd miljoen denarii, dat geloof je toch niet?' riep Caligula uit toen de keizer en zijn gevolg de top van de Palatijn bereikten en de juichende menigte achter zich hadden gelaten. 'Lag gewoon stof te vangen in de schatkist. Die oude vrek deed er helemaal niets mee.'

'Het is altijd goed om wat reserve te hebben,' merkte Vespasianus op, hij was nog steeds opgelucht dat Caligula zo'n korte concentratieboog had, want hij was het onderwerp Caenis al na een paar hortende en stotende zinnen van Vespasianus zat. 'Hij heeft wel veel geld in de wederopbouw van de Aventijn gestoken, om maar iets te noemen.'

Caligula fronste. 'Ja, wat een verspilling om het aan mensen te geven die zich heus wel een nieuw huis kunnen veroorloven. Maar ik krijg het nog wel terug, maak je daar maar geen zorgen om. En denk eens aan alles wat ik met de rest kan doen. Elke dag spelen, Vespasianus, en ik ga bouwen, heel veel bouwen.' Hij wees naar het statige huis van Augustus, waar ze met hun gezicht naartoe stonden, en naar dat van Tiberius ernaast. 'Ik ga van deze twee krotjes een enorm paleis maken dat geschikt is voor een keizer en zijn zussen, en daar komen dan de mooiste en beste meubels, kunstwerken en slaven uit het hele rijk in. En vergeet de veroveringen niet, Vespasianus, ik ga glorieuze overwinningen behalen en triomftochten houden zoals niemand die nog heeft aanschouwd. De senatoren zullen me benijden om mijn macht en glorie, achter mijn rug om mopperen en samenzweren maar mij publiekelijk vleien met lof, en ik zal hen om hun kruiperigheid bespotten en vernederen. Ze zullen me haten zoals ze

Tiberius hebben gehaat, maar in tegenstelling tot hem zal ik de stad vullen met de rijkdommen van honderd volken en het circus met duizenden gevangenen, die ik zal laten afslachten ter vermaak van het volk, dat van mij zal houden en me zal beschermen.'

Vespasianus keek opzij naar Caligula terwijl ze de trap van Augustus' huis op liepen en zag dat zijn ogen groot waren van enthousiasme en eerzucht. Rome ging een dure tijd tegemoet. Wat zou hij doen, vroeg hij zich af, als het geld op was?'

'Heren, dank voor het gezelschap,' zei Caligula boven aan de trap tegen zijn gevolg. 'Ik ga nu rusten en mijn krachten verzamelen voor de beproevingen die komen gaan. U kunt gaan.'

De senatoren streden om wie er het hardst 'Heil caesar' kon roepen toen Caligula zijn rechterhand hief – aan zijn wijsvinger schitterde de keizerlijke ring in de zon –, zijn hoofd in zijn nek legde en de lof tot zich nam. Vespasianus deed net zo enthousiast mee als de anderen, maar voelde zich ongemakkelijk over het feit dat Caligula zo overduidelijk genoot van alle loftuitingen en niet van zins leek er een eind aan te maken. Dreef hij nu al de spot met vooraanstaande Romeinen door te kijken hoe lang ze hem lof konden toezwaaien? Ten slotte liet hij dan toch zijn arm zakken, draaide zich parmantig om en liep het huis in. Vespasianus verroerde zich niet, hij wist niet of hij nu ook kon gaan of dat hij nog verwacht werd voor het eten.

Hij wilde net weglopen, toen Caligula zijn hoofd door de deur stak. 'Kom!' riep hij fel. 'Je bent mijn vriend, jij blijft hier.'

Vespasianus holde naar de deur en vroeg zich af welke voordelen er zaten aan een vriendschap met de keizer, áls er al voordelen aan zaten.

HOOFDSTUK XIV

De ruimte in het huis van Augustus maakte diepe indruk op Vespasianus, het atrium was al ongeveer even groot als het huis van zijn familie in Aquae Cutillae. Het was veel groter dan dat van Antonia of haar dochter Livilla, de twee grootste huizen die hij op de Palatijn vanbinnen had gezien, en had tot doel gehad bezoekende hoogwaardigheidsbekleders te imponeren met de macht van de man die de eerste onder de gelijken binnen de Romeinse heersende klasse was geworden. Toch was het niet opzichtig, het was een architectonisch verantwoorde vertoning van macht, geen pocherige tentoonstelling van rijkdom. De pilaren die het hoge plafond van het atrium ondersteunden waren van fraai wit marmer en de uitgebreide mozaïeken op de vloer waren schitterend verbeelde taferelen uit de *Aeneis*, de figuren die erin voorkwamen waren zo realistisch vormgegeven dat ze bijna echt leken te bewegen. De meubels, ornamenten en beelden waren eenvoudig gehouden, stuk voor stuk meesterwerken, maar niet protserig of schreeuwerig, de waarde zat in het vakmanschap waarmee ze gemaakt waren en niet in het goud of de kostbare stenen of dure stoffen die men had kunnen toevoegen. Alles getuigde van de smaak en de politieke finesse van de man die het huis had laten bouwen. Hij had niet lopen graaien in de schatkist om zich een uitzinnig luxueuze, 'oosterse' levensstijl te kunnen veroorloven terwijl het grootste deel van zijn onderdanen hun kostje bij elkaar moest scharrelen. Hij had dit huis laten bouwen om zijn bezoekers ertoe te bewegen Rome tot vriend te nemen en te profiteren van de gezamenlijke macht van alle burgers van het rijk. Hij had het gebouwd naar het evenbeeld van Rome: praktisch, sterk, indrukwekkend en, bovenal, zonder pretentie.

'Heel pover, vindt u ook niet?' klaagde Caligula toen Vespasianus hem had ingehaald. 'Augustus had geen idee hoe hij zijn rijkdom moest etaleren. Ik zal heel wat moeten veranderen om er iets moois van te maken.'

'Ik vind het schitterend, Caligula, ik zou alles zo laten.'

'Hoe weet jij nou wat mooi is,' schimpte Caligula, 'als jongen van het platteland met een Sabijns accent? Hoe dan ook, jij hebt er niets over te zeggen, ik ben de keizer en jij bent slechts mijn onderdaan.'

'Zo is dat, princeps.'

'Gaius, mijn vriend,' zei Antonia, die vanaf de andere kant van het enorme atrium naar hen toe kwam, 'ik zat al op je te wachten. Kom hier en laat me eens kijken naar de nieuwe keizer, die ik zes jaar niet gezien heb.'

Caligula bleef staan. 'Kom maar hier, grootmoeder. Ik laat mij niets meer zeggen, zelfs niet door jou.'

Antonia liep met een stijve glimlach naar hen toe en bleef vlak voor haar kleinzoon staan, nam zijn gezicht in haar handen en keek indringend in zijn diepliggende ogen. 'Juno zij geprezen, je ziet er goed uit. Ik heb er heel vaak om gebeden en nu is het zover, mijn kleine Gaius is keizer.'

'Ik zal je belonen voor je gebeden, grootmoeder, al waren ze in feite niet nodig, ik was hiertoe voorbestemd. Ik heb de Senaat al opdracht gegeven je de eretitel "Augusta" te schenken.'

'Hoe edelmoedig, Gaius, om mij op die manier te eren.' Ze bracht automatisch haar hand omhoog om in zijn haar te woelen, zoals ze zo vaak had gedaan toen zij hem in zijn jonge jaren verzorgde, maar trok die meteen terug toen ze zag hoe dun het was geworden.

'Dat komt door al dat gewoel van jou,' beet Caligula. 'Pas op, mens, dat ik je een eretitel heb gegeven betekent niet dat ik je niet even zo gemakkelijk laat doden. Ik kan met mensen doen wat ik wil.' Hij beende boos weg, en Antonia keek Vespasianus verontrust aan.

'Het is erger dan ik vreesde,' zei ze zacht, 'hij jaagt ons allemaal nog de dood in.'

Caligula gierde het uit. 'Dit is toch kostelijk?' kon hij een ogenblik later uitbrengen. 'Ik heb ze vier jaar geleden uit Alexandrië laten komen. Kostte me een fortuin, maar ze zijn hun geld dik waard.'

Vespasianus keek beleefd naar de bokkensprongen van een groep naakte dwergacrobaten die, zo hoopte hij althans, met hun laatste act bezig waren. De zestien mannen hadden een taps toelopende toren gemaakt, vijf dwergen hoog, die werd beklommen door vier vrouwen, die de stijve penissen van hun collega's als handvatten en voetsteunen gebruikten, en alles onder begeleiding van driftig trommende en joelende vrouwelijke muzikanten die niet veel groter waren dan hun instrumenten en woeste blikken om zich heen wierpen.

'Tiberius vond ze geweldig,' zei Caligula enthousiast, 'vooral wanneer ze gaan rampetampen, want soms kunnen ze zich gewoon niet inhouden.'

'Dat kan ik me voorstellen,' zei Vespasianus zo enthousiast mogelijk. Hij hoopte dat ze zich vandaag zouden inhouden. Maar hij zag hoe aandachtig de vrouwen de handvatten pakten en zag aankomen dat hij teleurgesteld zou worden, even teleurgesteld als hij was geweest in de manier waarop Caligula zich gedurende de maaltijd tegenover Antonia had opgesteld. Hij had elke gelegenheid aangegrepen om haar tegen te spreken of haar mening weg te wuiven, het was duidelijk dat hij alleen maar dwars wilde liggen en geen gegronde redenen had om het niet met haar eens te zijn. Antonia had de beledigingen over zich heen laten komen, zelfs toen hij haar, nadat zij hem had aangeraden uit de buurt van zijn zussen te blijven, even liefdevol als uitgebreid had verteld wat hij met hen zou doen als ze weer in Rome zouden zijn. Caligula was dronken van macht en Vespasianus had de lastige weg door het midden gekozen: hij moest de keizer niet kwaad maken en er tegelijk voor zorgen dat Antonia hem niet kruiperig zou vinden. Maar Antonia besefte dat hij in een lastig parket zat; op de momenten dat Caligula was afgeleid had ze met een welwillende blik haar begrip getoond.

Het kinderachtige plezier dat Caligula een halfuur lang beleefde aan de voorstelling van de dwergen, bracht hen beiden in grote verlegenheid, omdat hij overduidelijk genoot van Antonia's afschuw.

'Gaius, ik weet niet zeker of dit wel geschikt vermaak is, zo vlak na het eten,' zei Antonia, die de verleiding niet kon weerstaan een opmerking te maken. Ze schilde een appel en vermeed elke blik op de trage acrobatische beklimming.

'Kom nou toch, grootmoeder, het is gewoon een beetje vertier. Dit is een tamme boel vergeleken bij de voorstellingen die Tiberius op Capreae organiseerde.'

'Maar we zitten niet op Capreae, beste Gaius. Dit is Rome, en hier dient men bepaalde normen te handhaven.'

'Welke normen? Die van de aristocraten? Je vastklampen aan zweterige, bebloede boksers nadat die elkaar totaal hebben uitgeput, om nog even hard gepakt te worden als je gasten weg zijn? Dat zijn jouw normen en daar oordeel ik niet over, dat is wat jij graag doet. Ik hou van deze dwergen, ze maken me aan het lachen en ik zou het fijn vinden als je mij daar vrij in laat, ik ben er tenminste eerlijk over. Sterker nog, ik ben waarschijnlijk de enige eerlijke man van goede komaf in deze hele schijnheilige stad met twee gezichten.'

Antonia legde de half geschilde appel op haar bord en kwam overeind. Het feit dat haar seksuele voorkeuren in aanwezigheid van Vespasianus over tafel gingen, was kennelijk te veel voor haar. 'Ik laat je daar vrij in, Gaius, ik doe er alleen liever niet aan mee. Ik ben moe, dat recht heb ik, als oude en teleurgestelde vrouw, dus ik wens jullie beiden een goede nacht. Het was een boeiende avond. Dank jullie wel.' Ze liep driftig weg, zonder om te kijken.

'Ik laat Vespasianus zijn mannetje wel sturen om je wat op te vrolijken, grootmoeder,' riep Caligula haar na terwijl ze het triclinium verliet. Met een triomfantelijke lach draaide hij zich naar Vespasianus, die zijn best moest doen om zijn ontsteltenis over deze slechte schimpscheut, de slechtste die Caligula deze avond tegen zijn weldoenster gemaakt had, te onderdrukken. 'Ik denk dat het haar nu wel duidelijk is hoe ik over haar denk, denk je ook niet?'

'Ik vind dat u haar vakkundig hebt aangepakt,' antwoordde Vespasianus. Nu Antonia weg was kon hij, hoe erg hij dat zelf ook vond, de hielen van Caligula zo vaak en zo lang likken als hij wilde. 'En u hebt gelijk, u bent de eerlijkste man van Rome.'

Caligula glimlachte veelbetekenend naar Vespasianus. 'Omdat ik de enige ben die het zich kan veroorloven. De senatoren hebben te lang in de door Augustus gevoede veronderstelling geleefd dat zij en de princeps de macht deelden, terwijl ze in werkelijkheid aan de leiband liepen van eerst Augustus en later Tiberius, in de hoop bij hen in de gunst te komen. Ze zijn vergeten wat eerlijkheid is, je kunt net zo goed een kudde schapen in de Curia zetten. Nou, ik ga de schapen leren wat eerlijkheid is.'

Vespasianus overwoog een eerlijk antwoord te geven, maar deed het niet. 'Ik weet zeker dat u een geweldige leraar zult zijn.'

'Je hebt gelijk, beste vriend, je hebt gelijk,' beaamde Caligula, die zijn aandacht weer op de dwergenberg richtte, waar de eerste vrouw nu letterlijk bovenop ging zitten en haar collega-klimsters zich op hun handvatten stortten.

'Princeps, ik moet u om een gunst vragen,' zei Vespasianus, en hij hoopte dat het aankomende hoogtepunt – in vele opzichten – van de lievelingsvoorstelling van Caligula hem in een vrijgevige bui zou brengen.

'Vespasianus, mijn vriend, zeg het maar.'

'Ik heb familiezaken te regelen in Egypte. Kunt u mij toestemming verlenen om af te reizen?'

'En vijf maanden mijn kameraad kwijt zijn? Wat moet ik zonder jou? Stuur iemand anders, maar geen senator, want het is nog altijd niet veilig, de feniks schijnt herboren te zijn, maar is nog niet oostwaarts gevlogen.'

'Ik moet zelf gaan, en bovendien kan ik pas eind dit jaar weg, als mijn termijn als aedilis erop zit,' merkte Vespasianus op, en hij vroeg zich af wat de oostwaartse vlucht van de feniks te maken had met de veiligheid van senatoren die naar Egypte reisden.

'Ach, we zullen zien, misschien ben ik je dan wel zat en is de feniks gevlogen. Callistus!' De kleine, pezige dienaar van Caligula, die Vespasianus herkende van zijn bezoek aan Misenum, kwam aangedribbeld. 'Laat Clemens komen als mijn dwergen klaar zijn en regel wat vuile tunieken en mantels met kappen.' Caligula concentreerde zich op het onvermijdelijke, nogal smerige klapstuk. 'Ik wil in de stad gaan drinken en naar de hoeren. Misschien kunnen we Magnus vragen ons naar wat interessante plekken te brengen. Ik wil weten wat de gewone mensen, de eerlijke mensen, over mij zeggen.'

241

'Je hebt hier wel eens beter gehad, Magnus,' zei de gezette waard, en hij kwakte een volle beker op de gore tafel met wijnvlekken, 'maar ook wel eens slechter.'

'Het zal gerust het bocht zijn dat ik hier altijd krijg, Balbus,' antwoordde Magnus met een grijns terwijl hij de gehavende bekers van zijn gezelschap vulde.

'En wie zijn je drinkmaten? Volgens mij ken ik ze niet, al kan ik hun gezichten niet echt goed zien.'

'Zakenvrienden van buiten de stad die de nieuwe keizer willen zien.'

Balbus kuste zijn duimnagel. 'Moge Jupiter onze stralende ster beschermen, hij is de nieuwe hoop van Rome. Ik heb hem gezien vandaag, en hij ziet eruit als een jonge god.'

'Misschien is hij dat ook,' opperde Caligula van onder zijn kap.

'Misschien wel, ja. Augustus was... is het wel. Hoe dan ook welkom, mannen, maar we hebben hier liever dat jullie die kappen van je hoofd halen, als jullie het niet erg vinden.'

Vespasianus en Clemens trokken de kap van hun hoofd, maar Caligula maakte geen aanstalten om hetzelfde te doen. Hij haalde een aureus uit zijn beurs en gaf die aan Balbus. 'Dit moet voorlopig genoeg zijn voor wat wijn en vrouwen.'

Balbus zette zijn tanden in de munt. Zijn ogen lichtten op toen hij besefte dat hij echt was. 'Wat jullie maar willen, mannen, jullie mogen zelfs om mij vragen, en dan kan het me niet schelen dat ik niet jullie gezichten en de liefde in jullie ogen kan zien.'

In een mum van tijd wist de hele herberg, waar de rook van het kookvuur achter de bar met kruiken onder het lage plafond bleef hangen, van het goud. Niet veel later hadden ze alle vier een mollige, naar oud zweet riekende hoer op hun schoot, terwijl andere hoertjes om hen heen dwarrelden in de hoop dat zij een kans zouden krijgen als een van de vier gelukkigen werd afgewezen. De mannen aan de andere tafels in de schemerige ruimte, die waren beroofd van hun vrouwelijke gezelschap, dat over de met plakkerige wijnvlekken bezaaide vloer naar de tafel met het geld werd getrokken, mopperden en wierpen boze blikken naar de nieuwkomers.

'Ik weet niet zeker of het een goed idee was om met goud te gaan lopen smijten, Gaius,' merkte Magnus op, die door de enthousiaste hofmakerij van zijn nieuwe gezelschap moeite had om een slok wijn naar binnen te krijgen. Ze hadden de strikte opdracht gekregen Caligula uitsluitend bij zijn voornaam aan te spreken.

Caligula ging anders zitten zodat zijn partner onder zijn tuniek kon komen. 'Wie het breed heeft, Magnus, laat het breed hangen.'

'En jij hebt het, schat,' zei de vrouw, die haar hand over zijn been omhoog liet kruipen. 'In meerdere opzichten,' voegde ze daar verbaasd en vol bewondering aan toe. 'Lieve Venus nog 's aan toe! Zusters, kom eens voelen, zoiets ben ik nog nooit tegengekomen.'

Caligula genoot volop van alle aandacht die zijn enorme erectie van bijna een voet kreeg, beurtelings mochten de vrouwen voelen hoe indrukwekkend de omvang was.

'Dat zou Jupiter zelf niet misstaan,' riep de hoer van Vespasianus uit toen zij aan de beurt was, 'ik kan mijn vingers er niet eens omheen krijgen.'

Vespasianus greep de gelegenheid aan om de vrouw voorzichtig van zijn schoot te werken en om zich heen te kijken. Veel van de boze klanten waren van hun plaats gegaan en stonden nu op een kluitje kwade blikken te werpen naar hun tafel. 'Ik weet niet of we nog heel lang kunnen blijven,' mompelde hij tegen Clemens, die naast hem zat, en hij knikte naar het gevaar.

Clemens keek om zich heen en boog zich naar Caligula om iets in diens oor te fluisteren en ondertussen de onder zijn mantel verborgen gladius uit zijn schede te halen. Caligula duwde een stel graaiende vrouwenhanden weg en stond op, de kap zat nog steeds over zijn hoofd. 'Balbus,' riep hij, zonder zich druk te maken over zijn opgetrokken tuniek, 'wijn en eten voor iedereen in de herberg.' Hij deed een greep in zijn beurs en haalde nog twee gouden munten tevoorschijn. 'Laten we drinken op de gezondheid van onze nieuwe keizer.'

Er klonk een rauw gejuich, Balbus nam de munten aan en gaf de slaven een teken, die de kruiken uit hun houders achter de bar haalden en bekers begonnen te vullen, die ze naast de borden met brood en gekookt varkensvlees op de toog zetten.

Op een harde kern na bediende de hele groep nijdassen zichzelf, voorlopig waren de gemoederen gesust door de gratis drank en spijs.

'Schenk me bij, Magnus,' zei Caligula, die door de haren streek van twee van de vrouwen die nu op hun knieën aan zijn voeten zaten.

Met gevulde wijnbeker waadde Caligula door de vrouwen en nam het woord. 'De zoon van Germanicus en nazaat van de god Augustus is als keizer teruggekeerd naar Rome. Lof zij hem!' Caligula sloeg zijn wijn in één keer achterover terwijl kreten als 'Caligula! Onze stralende ster!' de herberg vulden.

Vespasianus stond op en juichte net zo hard als de anderen, met een enthousiasme dat zijn ongerustheid verhulde: als Caligula geliefd bleef bij het gepeupel zou hij kunnen doen wat hij wilde, en Vespasianus wist maar al te goed wat hij wilde.

'Zie je, mijn vriend,' zei Caligula tegen hem, en zijn ogen, die nog net zichtbaar waren onder de kap, glommen van trots, 'eerlijke mensen houden van mij.'

Het goud van Caligula had de wijn rijkelijk doen vloeien, en Vespasianus voelde zich beneveld. De herberg zat intussen tjokvol, het nieuws van gratis drinken was als een lopend vuurtje door de buurt gegaan en knokpartijen waren uitgebroken, omdat elke wissewasje door het overmatige drankgebruik werd opgeblazen tot een zaak van levensbelang. In een paar gevallen waren er messen getrokken en bebloede slachtoffers waren op straat gegooid, waar ze zich maar moesten zien te redden.

Caligula had gestaag doorgedronken, maar dat had niets afgedaan aan zijn mannelijkheid en hij had talrijke vrouwen bevredigd door hen op zijn schoot te laten rijden. Zijn uithoudingsvermogen was indrukwekkend en Vespasianus, die zich twee keer had laten gaan, verwonderde zich over zijn vermogen om maar door te blijven gaan.

Clemens was steeds op zijn hoede geweest, had weinig gedronken en de vrouwen weggestuurd, maar Magnus was zich te buiten gegaan aan drank en hoeren en lag nu te snurken met zijn hoofd op een bord koud varkensvlees terwijl het kwijl, rood gekleurd door de wijn, uit zijn mondhoek sijpelde en de inhoud van een omgevallen beker in zijn schoot druppelde.

'We moeten gaan,' zei Caligula toen de zoveelste hoer met een diepe zucht van hem af klom, 'ik begin me hier te vervelen.'

Opgelucht dat de avond eindelijk voorbij was, boog Vespasianus zich over de tafel en schudde Magnus wakker uit zijn roes.

'Gaan we naar huis?' vroeg Magnus slaperig. Hij trok een plakje varkensvlees van zijn wang en nam er een hap van.

'Nee, maar hier ben ik het wel zat,' zei Caligula, 'breng me ergens anders naartoe.'

Magnus kwam moeizaam overeind. 'Iets met meer variatie, zullen we maar zeggen?'

'Variatie? Ja, dat is precies wat ik nodig heb.' Caligula begon zich een weg door de meute te duwen.

'Hé jongens, onze goudmijn gaat ervandoor,' brabbelde een schurkachtige, nare dronkaard, 'hij moet natuurlijk wel zijn geld bij ons achterlaten.' Zijn twee maten besprongen Caligula, pakten hem bij zijn armen en sloegen zijn kap naar achteren terwijl de dronkaard naar zijn beurs greep.

Clemens trok vliegensvlug zijn fonkelende zwaard en dreef het tussen de ribben van de dichtstbijzijnde belager. Met een schreeuw klapte de man in elkaar en liet de arm van Caligula los. Toen Clemens zijn wapen weer terugtrok, golfde het bloed uit de wond. Vespasianus en Magnus trokken hun mes uit de schede in hun lendestreek en sprongen op de andere twee mannen af, aardewerk kletterde op de grond toen ze enkele tafels omverstootten. Vrouwen krijsten, messen flikkerden in het licht van de olielampen, mannen moesten meteen partij kiezen: beschermden ze hun kersverse weldoener, of sloten ze zich aan bij de dieven?

Vespasianus wierp zich op de dronkaard en gooide hem tegen de grond, buiten bereik van Caligula, wiens beurs hij nog in zijn hand had, en Magnus, die ineens klaarwakker was, rukte het hoofd van de derde man aan zijn haar naar achteren en sneed zijn keel door. Het bloed spatte op Caligula's gezicht en mantel toen Clemens een arm om hem sloeg en hem terug in de relatief veilige vrouwengroep trok die samendromde rond hun tafel, met zijn zwaard gericht op het grootschalige messengevecht dat vlak voor hen was losgebarsten.

Een aardewerken beker miste Vespasianus op een haar na, de wijnspetters vlogen hem om de oren toen hij naar de gevloerde dronkaard sprong en hem met zijn sandaal keihard een schop tussen zijn benen gaf. Een golf van pijn schoot door zijn lichaam, hij kromp ineen en zijn armen zwaaiden omhoog, zodat de beurs dwars door de chaotische herberg vloog. Vespasianus zag hem richting de bar vliegen, maar verloor hem toen uit het oog omdat hij verstrengeld raakte met Magnus, die worstelend uit de wurggreep van een nieuwe tegenstander probeerde te komen. Ze kwamen alle drie met een smak op een tafel terecht, die met Vespasianus bovenop instortte. Vespasianus herstelde zich als eerste, greep de man bij zijn oor en trok zijn hoofd op. Op het moment dat hij de schedel tegen de stenen vloer ramde en verbrijzelde, vloog de deur open en stroomde er een nieuwe strijdmacht naar binnen: de met hun knuppels zwaaiende *vigiles*.

Deze nachtwacht, die hoofdzakelijk uit voormalige slaven bestond, had geen enkele reden om de burgers van Rome te sparen en maakte een einde aan het gevecht op een manier die vele malen gewelddadiger was dan het gevecht zelf geweest was. Zonder eerst op zoek te gaan naar de aanstichters lieten ze hun knuppels willekeurig op hoofden, ruggen en uitgestrekte armen neerdalen, braken ze botten en tanden en haalden ze huid open. Vespasianus en Magnus konden ternauwernood ontsnappen, ze stonden snel op en trokken zich terug naar de andere kant van de herberg, waar de bebloede en hysterisch lachende Caligula door Clemens werd beschermd. Ze gingen schouder aan schouder voor de keizer staan en wachtten, met hun wapens in de aanslag.

De vigiles, die bij hun actie slechts één man hadden verloren, haalden de laatste vechters uit elkaar, verzamelden de schooiers die nog bij bewustzijn waren en dreven ze langzaam op. Hun *optio*, een gedrongen, kale man met onderarmen die aan mossige boomtakken deden denken, zag door de samengedromde gevangenen opeens Vespasianus en zijn kameraden in het schemerdonker staan.

'En jullie daar,' gromde hij terwijl hij naar hen toe liep, 'leg je wapens neer.' Toen hij het zwaard van Clemens zag, deed hij een stap naar achteren. Hij wist dat binnen de stadsmuren uitsluitend leden van de stadscohort of de praetoriaanse garde een zwaard mochten dragen en dan alleen wanneer ze dienst hadden, en dus ging hij er logischerwijs van uit dat hij te maken had met een gevaarlijke misdadiger.

'Ik zou ons met rust laten, optio,' waarschuwde Clemens, die tussen Caligula en de commandant van de vigiles bleef staan.

'Jongens, hier komen,' riep hij naar zijn mannen, 'deze hier vragen om een afstraffing.'

Nadat ze de ontwapende gevangenen bij de toog hadden samengedreven, stelden de vigiles zich op tegenover Vespasianus, Magnus en Clemens.

'U hebt uw keizer een goede dienst bewezen, optio,' zei Caligula, en hij drong zich langs Clemens.

'Hoe kan jij dat nou weten, stakige rat?'

'Om ik uw keizer ben, en nog één zo'n opmerking en u kunt me een goede dienst bewijzen in het circus.' Caligula stapte met bebloed maar geheven hoofd het licht in. Het viel stil, bij de meesten stokte de adem toen ze de man herkenden voor wie ze die ochtend nog massaal de stad in waren getrokken. Hij was het, dat leed geen enkele twijfel, zelfs niet met al dat bloed op zijn gezicht.

'Princeps,' sputterde de optio, en hij boog het hoofd, 'vergeef mij.'

'Onze ster!' riep iemand.

Anderen volgden zijn voorbeeld, Caligula hief zijn armen, liet zich hun aanbidding welgevallen en wees toen naar de oorspronkelijke aanvaller, die nog altijd met zijn handen in zijn kruis op de grond lag. 'Die man heeft last van zijn ballen zo te zien,' riep hij boven al het kabaal uit, 'verlos hem ervan, optio.'

Het geschreeuw hield op, de optio keek naar de gewonde man en vervolgens naar Caligula en realiseerde zich dat hij het meende. Hij vreesde voor zijn leven, nu hij de keizer zo-even nog had beledigd, en had geen keus. Hij trok zijn mes en bukte zich.

Een schelle kreet gaf aan dat de klus geklaard was. Caligula glimlachte. 'Dank u, optio, ik heb het u vergeven. De anderen kunt u laten gaan, zij houden van mij en zullen mij volgen zoals een kudde zijn herder volgt, in het vertrouwen dat hij hun geen kwaad doet.'

'Princeps, dit is van u,' zei Balbus, en hij reikte de beurs aan.

'Hou hem maar, Balbus, maar geef wat munten aan de vrouwen.' Caligula liep naar de deur met Vespasianus, Clemens en Magnus in zijn kielzog. De meute week voor hen uiteen.

'Dank u, heer,' riep een van de hoeren, 'wij zullen uw goedheid en het genot dat u ons schonk niet vergeten. Alsof we bevredigd werden door een god.'

'Bevredigd door een god?' Caligula herkauwde die woorden bij het verlaten van de herberg. 'Misschien wel, ja. Misschien ben ik dat ook. De herder heerst tenslotte niet over de schapen omdat hij een superieur schaap is, maar een superieur wezen. En aangezien ik de herder ben van de Romeinse kudde die in de Senaat zit, moet ook ik een superieur wezen zijn.'

De denkwijze van Caligula beviel Vespasianus niet. 'Dat mag een logische gedachte lijken, princeps, maar vergeet niet dat de herder geregeld een van zijn schapen moet opeten om in leven te blijven.'

Caligula draaide zich naar Vespasianus toe, en de blik op zijn gezicht deed hem onmiddellijk spijt hebben van zijn redenering.

'Precies, beste vriend. De herder moet doorvoed en gezond blijven om zijn kudde een goed leven te kunnen geven, dus kiest hij de schapen uit die zijn honger het best stillen.'

HOOFDSTUK XV

Vespasianus keek rond in het nieuw ingerichte atrium van het herbouwde huis van Sabinus, waar de laatste ambachtsmannen hun gereedschap verzamelden. Ze hadden mooi werk afgeleverd, vond hij, voor het weinige geld dat zijn broer nog in zijn provincie bijeen had gesprokkeld en in de zomer naar Rome had gestuurd. Hoewel het nóg luxer had gekund, dacht hij dat Sabinus weinig klachten van Clementina zou krijgen wanneer zij hun woning zouden betrekken.

Hij had het erg leuk gevonden om toezicht te houden op het werk. Het had hem, in combinatie met zijn verplichtingen als aedilis die verantwoordelijk was voor de straten van Rome, voldoende beziggehouden om niet te hoeven denken aan de losbandigheid die de eerste zeven maanden van Caligula's bewind hadden gekenmerkt.

Caligula wilde de harten van het volk veroveren en had de mensen daarom getrakteerd op talrijke feesten, en de Senaat en priesters hadden hem, zoals Caligula zelf voorspeld had, getrakteerd op hun vleiende steun. Gedurende de eerste negentig dagen van zijn bewind had op de tempelaltaren het bloed van schapen, stieren, kippen, paarden en varkens rijkelijk gevloeid. Honderdzestigduizend dieren waren publiekelijk geofferd aan iedere denkbare god, als dank voor de gouden tijd die was aangebroken. En voor het gewone volk in Rome wás die tijd ook aangebroken: ze deden zich te goed aan het offervlees, ze keken naar eindeloze spektakelstukken in het Circus Maximus en de andere kleinere theaters in en rond de stad, en ze hadden geld om uit te geven, want Caligula had iedere ingezetene van Rome drie gouden aurei gegeven, zelfs een legionair verdiende in een jaar niet zoveel. En om zichzelf nog steviger in het zadel te drukken had hij alle legionairs en hulpsoldaten, en de vigiles ook, eveneens drie aurei gegeven, en de leden van de stadscohorten vijf en die van de praetoriaanse garde tien.

Met al dat geld in omloop waren de zaken voorspoedig gegaan, winkeliers, herbergiers en kooplieden verdienden een fortuin aan hun medeburgers, die hun geliefde keizer maar al te graag nastreefden en hun munten lieten rollen, in de waan dat de bodem van de put eeuwig uit zicht zou blijven.

Om de bezwaren van de Senaat tegen deze overmatige bestedingen teniet te doen, had hij de senatoren teruggeroepen die door het vorige regime waren verbannen of nog in afwachting waren van hun vonnis, zodat de Senaat bij hem in het krijt stond. Vervolgens had hij hen beledigd door de eer die ze hem als dank wilden bewijzen te weigeren, met de mededeling dat ze nooit meer een poging moesten doen hem eer te bewijzen, enkel om aan te geven dat hij geen schepping van de Senaat was en dat hij zijn heerschappij niet te danken had aan hun gunst.

Om zijn overgebleven familieleden hetzelfde duidelijk te maken, had hij, tegen de uitdrukkelijke wens van Antonia in, Herodes Agrippa vrijgelaten en koning gemaakt van de Joodse tetrarchieën van Batanaea en Trachonitius, ten oosten van de Jordaan. Hij had hem ook een ketting van zuiver goud gegeven, ter vervanging van de ijzeren ketting waarmee hij aan de muur van zijn cel gekluisterd was geweest.

Ter compensatie van deze aanvallen op de aristocratie deed hij nog meer zijn best de harten van de gewone mensen te stelen, molk hij hun liefde voor hem uit door de beenderen van zijn moeder en twee broers persoonlijk van het eiland waar ze rustten terug naar Rome te brengen en, met een beladen ceremonieel vertoon dat niemand in de enorme menigte onberoerd liet, een laatste rustplaats te geven in het mausoleum van Augustus. Tranen biggelden over de talrijke gezichten toen zij hun lieveling zo verdrietig en waardig tegelijk zagen rouwen om zijn naasten, die hem zo wreed waren afgenomen door de twee mensen die hij het meest haatte: Tiberius en Seianus. De senatoren hadden toegekeken, uiterlijk onbewogen, hoe hij dit theatrale meesterstuk uitvoerde, in de wetenschap dat zij, als gevolg van hun banden met de moordenaars van de keizerlijke familie en, dientengevolge, hun medeplichtigheid, wederom buitenspel waren gezet. En als ultieme belediging aan het adres van Antonia had hij haar verboden de ceremonie bij te wonen.

Telkens wanneer Caligula het circus of het forum bezocht werd hij door het volk bewierookt, maar dat vond hij kennelijk niet genoeg, want hij had de gewoonte ontwikkeld om zich in een open koets door de stad te laten dragen, waarbij hij links en rechts geld strooide en, op verzoek van de menigte, zijn enorme penis liet zien, want na de eerste publieke vertoning in de herberg van Balbus was het gerucht als een lopend vuurtje door de stad gegaan.

In zijn hoedanigheid als modale Romeinse magistraat en vriend van de keizer was Vespasianus verplicht aanwezig bij talrijke spektakelstukken, maar hij walgde van alle verkwisting en buitensporigheid. Hij was bij een banket voor honderden senatoren, equites en hun echtgenotes, waar de mannen een nieuwe toga en de vrouwen een nieuwe *palla* kregen en de gustationes van goud waren en mee naar huis mochten worden genomen. De stroperige bedankjes van de gasten aan het adres van de gastheer hadden hem met afschuw vervuld, maar hij had er net zo hard aan meegedaan. Hij had een hele dag in het circus toegekeken hoe vierhonderd beren en nog eens vierhonderd andere wilde dieren waren afgeslacht tijdens een spektakel dat zelfs naar Romeinse maatstaven exorbitant was. Maar hij moest wel, want Caligula had een zware straf in petto voor iedere prominente persoon die voortijdig vertrok of niet kwam opdagen. Uit zelfbehoud had hij gedaan alsof hij zich vermaakte, terwijl het volk zijn weldoener toejuichte, die omringd door priesters van Augustus in zijn speciale vak op de tribune zat, waar hij werd bevredigd door zijn zussen en de vaardigste courtisanes van Rome.

Vespasianus was het meer dan zat maar kon niets doen. Hij zat in de val, zoals iedereen in Rome, hij moest wel meedoen aan het verplichte vermaak dat hem werd opgelegd door een schijnbaar gestoorde keizer die zich gesteund wist door de zwaarden van de trouwe, goedbetaalde praetoriaanse garde.

Zijn sombere gedachten werden verdreven door de zachte stem die achter hem klonk. 'Ik dacht al dat je hier zou zitten.'

Hij draaide zich om en zag Caenis in de deuropening staan. Haar ogen waren rood en betraand.

'Caenis, wat is er?' vroeg hij, en hij liep naar haar toe.

'Mijn meesteres heeft me gestuurd, je moet meteen komen.'

'Geen probleem. Wat is er aan de hand?'

'Ze wil afscheid nemen.'

'Afscheid? Waar gaat ze naartoe dan?'

Caenis barstte in tranen uit en sloeg snikkend haar armen om zijn nek. 'Naar de veerman.'

'Al heel wat mensen, met veel meer aanzien dan jij, hebben geprobeerd me ervan af te brengen,' zei Antonia, 'dus verspil jouw en mijn tijd niet, mijn besluit staat vast.'

'Maar waarom, domina?' Vespasianus zat tegenover Antonia, aan de andere kant van haar eikenhouten bureau in haar persoonlijke vertrekken. De laagstaande zon schemerde door de erker, een straal viel op haar gezicht, rond haar ogen en mond zag hij hoe angst en zorgen haar gezicht hadden getekend. Voor het eerst zag ze er heel oud uit.

'Omdat ik niet machteloos ga toezien hoe die domme kleinzoon van mij het rijk in ellende dompelt en de heerschappij van mijn familie te grabbel gooit. Hij slaat mijn adviezen in de wind en vernedert me publiekelijk. Ik mocht niet eens naar de begrafenis van mijn andere kleinzonen. Ik heb niets meer in de melk te brokkelen. Het geld begint al op te raken; als hij de liefde van het volk wil blijven kopen, zal hij een nieuwe bron van inkomsten moeten aanboren. Er worden weer verraders voor het gerecht gesleept en de rijke en voorheen machtige mensen zullen hun land moeten inleveren, zodat de armen hun brood en spelen kunnen krijgen. De Senaat zal verscheurd raken omdat de senatoren elkaar zullen hekelen, enkel om zelf niet het onderspit te delven, en degenen die overblijven zullen zich ten slotte realiseren dat zij allen sterven als er niets verandert, wat natuurlijk precies is wat Gaius wil. Binnen drie of vier jaar zal hij vermoord worden, en wat dan? Dan zal de garde zelf een keizer kiezen, maar wie?'

'Claudius misschien, of Tiberius Gemellus.'

'Tiberius Gemellus haalt het einde van dit jaar niet eens, daar zorgt Gaius wel voor. Maar dat is geen groot verlies, hij lijkt te veel op zijn moeder, Livilla. En Claudius? Ach, wie weet. Ik heb hem dit huis nagelaten en een zo groot mogelijk deel van mijn land – het merendeel mag Gaius van mij verbrassen –, misschien dat Claudius wat met dat geld kan doen, als hij tenminste blijft leven, en dat is ten dele waarom ik mezelf van het leven beroof. Claudius heeft iedereen verrast als consul, door alle procedures, gebeden en formuleringen te kennen, zelden te stotteren, de Senaat zelden te schande te maken. Mensen zien hem in een nieuw licht. Zolang ik leef en hem steun, zal Gaius hem als een bedreiging zien en vrijwel zeker laten vermoorden, maar als ik dood ben bestaat de kans dat hij hem blijft zien als iemand aan wie hij nog wat lol kan beleven.

Mijn vrijgelaten slaven en slavinnen zullen trouw zijn aan Claudius, Caenis zal dus een beschermheer hebben in plaats van een meester, aangezien ik haar in mijn testament haar vrijheid geef.'

De ogen van Vespasianus werden groot, het moment waarnaar hij elf jaar had verlangd was eindelijk daar, al kwam het voort uit akelige omstandigheden.

'Dit is onder meer waarom ik jou heb laten komen, Vespasianus. Caenis is als een dochter voor mij, ik wil zeker weten dat ze veilig is en vraag je voor haar te zorgen.'

'Natuurlijk, domina, maar hoe kan ik dat doen als ze in het huis van Claudius woont?'

'Dat gaat niet gebeuren, Claudius is niet sterk genoeg om Caligula te weerstaan als hij haar door de garde laat ophalen. Als Caligula jou iets over haar vraagt, zeg dan dat ze met Felix naar Egypte is om hem te helpen met mijn zaken. Dat heb ik haar ook aangeboden, maar ze wil hier blijven, dus heb ik een huis voor haar gekocht op de Quirinaal, heel dicht bij jouw oom. Breng haar daar vanavond naartoe als ik er niet meer ben. Daar is ze veilig, zolang ze maar binnen blijft. Alleen jij, Pallas en ik weten ervan.'

'Dat zal ik doen, domina, en ik dank u, dit had u niet hoeven doen.'

Antonia glimlachte. 'Het is een geschenk voor Caenis, niet voor jou, al ga ik ervan uit dat jij er niet slechter van wordt. Voor jou heb ik iets anders, maar eerst wil ik je iets vragen.'

'Wat u maar wilt, domina.'

Antonia grinnikte wrang, de rimpels werden dieper. 'Zeg dat niet te snel, Vespasianus, er komt misschien een dag dat je het niet kunt nakomen.'

Vespasianus bloosde.

Nu moest ze ronduit lachen. 'En dat je aan je gezicht kunt zien wat er door je heen gaat, daar moet je ook iets aan doen. Maar nu geen adviezen meer, de tijd dringt.

Gaius heeft woord gehouden en Macro Egypte toegezegd, maar niet eerder dan volgend jaar, als hij in Rome stevig in het zadel zit. Niet echt een verrassing, aangezien Ennia nog altijd deel uitmaakt van zijn drukke seksleven. Zijn nieuwe vrouw is weliswaar overleden toen ze in januari beviel van haar kind, maar niets wijst erop dat Ennia zijn keizerin wordt, zoals hij beloofd heeft. Volgens mij is hij bang geworden voor Macro. Hij weet dat Macro hem zijn keizerschap net zo gemakkelijk kan afnemen als hij het hem geschonken heeft. Je moet die angst uitbuiten, maak er zo veel mogelijk gebruik van. Ik heb Clemens gevraagd hetzelfde te doen, hij is altijd trouw aan Gaius geweest en ik denk dat Gaius al gauw zal inzien dat zijn vriend Clemens als prefect van de garde meer veiligheid biedt dan zijn potentiële rivaal Macro. Zo niet, dan moet Clemens er gewoon van overtuigd worden dat Gaius ongeschikt is als keizer en dat de garde hem moet doden.'

'U vraagt mij om de dood van uw kleinzoon te organiseren?'

'Het zal toch moeten gebeuren, want eerdaags slaat hij helemaal door en richt hij Rome te gronde. Als het een feit is, moet Claudius tot keizer worden uitgeroepen. Ik heb Pallas opgedragen hem uit de vuurlinie te houden, ervoor te zorgen dat hij zich niet inlaat met politieke spelletjes en zichzelf steeds opnieuw voor gek zet.'

'En als dat niet lukt, wat dan?'

'Dan breekt er weer een burgeroorlog uit.' Antonia trok een lade open en haalde er een schede met zwaard uit, die ze liefdevol bekeek. 'Deze was van mijn vader, Marcus Antonius. Vlak voordat hij er in Alexandrië zelfmoord mee pleegde, schreef hij Augustus een brief waarin hij hem vroeg het zwaard bij mij te bezorgen, zodat ik het aan mijn toekomstige zoon kon geven. Augustus willigde de laatste wens van zijn vroegere zwager in en nam het mee terug naar Rome. Toen Germanicus een volwassen man was gaf ik hem het zwaard, en hij gebruikte het om de Germaanse stammen te onderwerpen en de Parthen terug te drijven. Nadat ook hij was gestorven wilde Agrippina, zijn vrouw, het aan haar oudste zoon geven, Nero Caesar. Dat mocht niet van mij, ik wilde zelf bepalen welke kleinzoon het verdiende, en dat was degene die in mijn ogen de beste keizer zou zijn. Ik dacht een poos dat ik het aan Gaius zou geven, maar toen zijn broers werden afgemaakt kreeg ik de ware Gaius te zien en besloot ik het maar zelf te houden, en gelukkig maar, want hij bezoedelt de naam van zijn grootvader.

Weldra zal ik met dit zwaard mijn aderen openen. Als ik dood ben, zal Caenis het naar jou brengen. Dan is het van jou. Vergeet niet dat het werd gedragen door twee geweldenaren van onze tijd. Gebruik het ten goede en doe hun naam eer aan.'

'Dank u, domina.'

'Nu kun je gaan, wacht in het atrium op Caenis, die mij zal helpen deze wereld te verlaten. Pallas zal jullie beiden naar haar nieuwe huis brengen. Neem Magnus ook mee zodat hij weet waar het is, en daarna is het aan jou en hem of zij in veiligheid of in angst verder leeft. Vaarwel, Vespasianus, en draag het zwaard van mijn vader op een wijze die hem waardig is.'

Vespasianus wierp een laatste blik op de machtigste vrouw van Rome en had ontzag voor de manier waarop ze dingen zelfs vanuit het graf naar haar hand kon zetten. Maar al die politieke handigheid had niet kunnen voorkomen dat ze nu uit het leven moest stappen. De macht die zij haar familie zo graag had gegeven, was in handen gekomen van die ene persoon op wie zij geen invloed had: haar kleinzoon Caligula. Dit plotselinge afscheid van het leven – al was het even plotseling, mijmerde Vespasianus, als elk ander verscheiden –, was haar enige kans om die macht terug te pakken en in handen te geven van de zoon die ze altijd veracht had: Claudius. Het was even ironisch als wrang, en Vespasianus zag aan de trieste, groene ogen van Antonia dat ook zij zich dat realiseerde.

'Vaarwel, domina, en ik dank u voor de gunst die u mij verleende.' Hij knikte haar toe, draaide zich om en liep de kamer uit.

De dag doofde, Vespasianus had al ruim een uur zitten wachten toen Caenis, Pallas en Felix verschenen. Tranen biggelden over hun wangen terwijl ze door het atrium naar hem toe liepen, de lucht leek zwanger van verdriet. Het hele huishouden was stil komen te liggen toen de meesteres in haar bad aan het doodbloeden was.

'Ze is dood,' snikte Caenis, en ze bood Vespasianus met twee handen het zwaard van Marcus Antonius aan. 'Dit is nu van jou, mijn liefste.'

Vespasianus pakte het zwaard bij de greep, die strak omwikkeld was met rood leer, en trok het uit de schede. Het gewicht was precies goed en het lag heerlijk in de hand. Het glanzende staalijzeren blad, waarin de naam van de eerste eigenaar was gegraveerd, lichtte over zijn hele lengte blauw op, tot aan de eenvoudige, bronzen, ovale pareerstang, die getekend was door in het verleden geweerde slagen. De eenvoudige pommel was ook van brons en de schede, versterkt met symmetrisch geplaatste bronzen stroken, was van hout waarop geelbruin schapenleer was geplakt. Vespasianus glimlachte, al stemde de gedachte dat Antonia zojuist nog haar aderen met dit zwaard had doorgesneden hem natuurlijk triest. Dit was geen exercitiewapen, dit was het wapen geweest van een echte strijder, en hij begreep waarom Antonia het had gebruikt om haar leven te beëindigen.

Met een zacht schrapend geluid gleed het zwaard terug in de schede. 'Hoe is ze gestorven?'

'Waardig,' antwoordde Pallas, 'en onbevreesd. Ze ondertekende haar testament en de vrijlatingsakten van Caenis en Felix en dicteerde nog twee brieven. Ze trok zich terug in haar slaapkamer, bereidde zich voor, stapte in het warme bad en… deed het, zonder enige aarzeling. Ze liet haar hoofd naar achteren vallen en bloedde met gesloten ogen leeg, en voordat ze te zwak werd om te spreken vervloekte ze Caligula bij alle goden en de geesten van haar voorouders, die ze vroeg hem te gronde te richten en het lijden van Rome te lenigen.'

'Naar haar zullen ze zeker hebben geluisterd.' Hij keek naar Caenis en tilde haar kin op, tranen glinsterden rond haar ogen. 'Nu niet meer huilen, Antonia Caenis, je bent eindelijk vrij.'

Caenis glimlachte door haar tranen heen. 'Ja, de rest van mijn leven zal ik zo heten, ter herinnering aan haar, ze was als een moeder voor mij.'

Vespasianus trok haar naar zich toe en kuste haar welriekende haar. Het geluid van voetstappen deed hem opkijken, en zijn ogen werden groot van verbazing toen Magnus de kamer in kwam lopen.

'Wat doe jij hier?' vroeg hij, en toen drong tot hem door dat hij het antwoord wel kon raden. 'Ah, natuurlijk.'

'Nou, ja...' mompelde Magnus verlegen.

'We moeten gaan, Vespasianus,' zei Pallas, die niet wilde stilstaan bij het waarom van de komst van Magnus, uit respect voor zijn overleden meesteres.

'Inderdaad,' beaamde Vespasianus, die het ook niet erg vond om van onderwerp te veranderen. Hij draaide zich om.

'Vespasianus, voor u weggaat,' zei Felix.

Vespasianus keek achterom naar Felix. 'Gefeliciteerd met jouw vrijheid, Marcus Antonius Felix.'

Felix glimlachte toen hij zijn nieuwe naam hoorde. 'Dank u, Vespasianus. Mijn meesteres heeft mij opgedragen terstond af te reizen naar Egypte om haar zaken daar af te handelen. Ik heb er ongeveer een jaar voor nodig. Ze heeft me verteld dat u toestemming probeert te krijgen om ook naar Egypte te gaan. Als dat lukt en ik u daar van dienst kan zijn, zoek dan gerust contact met me. De alabarch weet me altijd te vinden.'

Vespasianus knikte uit dank en liep met een beschermende arm om Caenis' schouder naar de deur.

Het nieuwe onderkomen van Caenis, gelegen in een rustige straat op driehonderd passen van het huis van Gaius, was klein en onopvallend. Antonia had een goede keus gemaakt, dacht Vespasianus toen ze naar de voordeur liepen, Caligula zou Caenis hier niet snel vinden.

'Ik ga weer terug,' zei Pallas, en hij trok aan de belketting, 'ik moet de afscheidsceremonie voor mijn meesteres gaan verzorgen.'

Caenis kuste hem op zijn wang. 'Dank je, Pallas.'

'Je spullen zijn al grotendeels hier, de rest laat ik morgen brengen.'

'Ik ga met je mee,' zei Magnus met een grijns, 'want ik kan me voorstellen dat ik hier alleen maar in de weg loop. Ik regel dat de straat altijd door een van mijn jongens in de gaten wordt gehouden, zodat we het meteen merken als er ongure types rondsnuffelen, als u begrijpt wat ik bedoel.'

De deur ging open toen Magnus en Pallas wegliepen en in de opening verscheen de grootste Nubiër die Vespasianus ooit had gezien. 'Antonia wilde in ieder geval dat jouw deur goed bewaakt werd,' zei hij, en hij bukte om een arm om haar knieën te slaan, deed de andere onder haar armen en tilde haar op. 'Als je hoopte dat ik jou ooit over een drempel zou dragen: dichterbij dan dit ga ik niet komen.'

Caenis giechelde, hield zijn gezicht in haar handen en kuste hem lang en hartstochtelijk. De Nubiër deed beleefd een stap naar achteren, en al kussend droeg Vespasianus haar door de hal naar het atrium. Daar hoorden ze iemand zijn keel schrapen. Vespasianus keek op en liet de benen van Caenis onmiddellijk los.

'Goedenavond, meesteres,' zei een lange, wat oudere Egyptenaar, en hij maakte een diepe buiging. 'Ik ben Menes, ik heb de leiding over uw huishouden, en deze mensen,' en hij wees naar de vijftien slaven die op een rij achter hem stonden, 'zijn uw dienaren.'

Hevig blozend staarden Vespasianus en Caenis naar de rij slaven en vervolgens naar elkaar, en ze barstten in lachen uit.

Vespasianus zag de grijze rookzuil opstijgen vanaf de Campus Martius, ruim een mijl bij hem vandaan, terwijl hij samen met alle gekozen magistraten en een groot aantal oudere senatoren in de audiëntiezaal van het huis van Augustus zat te wachten. Caligula liet al ruim een uur op zich wachten, bewust, vermoedde Vespasianus. Gaius zat naast hem te wiebelen, probeerde niet te laten merken dat de aanblik van de rook hem kwelde. In alle vroegte hadden ze opdracht gekregen zich op het derde uur bij de keizer te melden, en ze wisten dat het geen toeval was dat de afscheidsceremonie van Antonia op hetzelfde tijdstip begon. Als de machtigste mannen van Rome bij de plechtigheid ontbraken, zou dat afbreuk doen aan de waardigheid ervan en zou Caligula zijn grootmoeder nog een allerlaatste keer beledigen. Zelfs haar zoon Claudius was zijn wrok niet bespaard gebleven.

De senatoren begonnen een geanimeerd gesprek over allerlei zaken die niets met Antonia te maken hadden, want ook zij zagen, door de open ramen die uitzicht boden op de stad, dat de brandstapel was ontstoken. Niemand wilde iets laten merken van de ergernis die ze voelden omdat ze geen deel konden hebben aan de rouwplechtigheid voor de machtigste vrouw van Rome, mocht hun meester stiekem naar hen kijken en luisteren.

De rood-zwart gelakte dubbele paneeldeuren aan de andere kant van de zaal vlogen open en iedereen viel stil. Caligula trad binnen, geflankeerd door Macro en een praetoriaanse tribuun die Vespasianus niet herkende.

Caligula hield abrupt halt, veinsde theatraal verrast te zijn toen hij langs de verzamelde mannen door het raam naar buiten keek. 'Er is brand op de Campus Martius!' riep hij zogenaamd paniekerig. 'Heeft iemand de vigiles al gewaarschuwd?'

Macro en de tribuun schaterden het uit, en kruiperig volgden de senatoren hun voorbeeld.

Caligula zag Claudius staan, die dapper meelachte, en deed er nog een schepje bovenop. 'Oom, u bent de snelste hier, ren onmiddellijk naar de vigiles om hen te waarschuwen en meld u weer als de brand geblust is.'

'Natuurlijk, princeps,' antwoordde Claudius, en hij maakte zich uit de voeten met wilde waggelpassen die de indruk moesten wekken dat hij rende.

Caligula bulderde het hardst toen zijn oom houterig de kamer uit liep. 'Het is al uitgebrand tegen de tijd dat het die kreupele gelukt is de Palatijn af te strompelen,' riep hij tussen het lachen door.

Hij kreeg nog meer stroop om zijn mond gesmeerd: zijn gasten lachten nog harder, alsof dit het grappigste was wat ze ooit gehoord hadden. Het gezicht van Caligula liep paars aan en de aderen in zijn hals en op zijn slapen zetten uit. Hij vond het echt een goede grap en moest onbedaarlijk lachen, er leek geen einde aan te komen en de poging van de senatoren om zijn hilariteit te evenaren werd langzaamaan wel erg gekunsteld. Maar op een gegeven moment werd hij, tot ieders opluchting, toch moe en richtte hij zich op.

'Heren, ik heb een mededeling aangaande mijn geliefde zussen.' Hij zweeg en keek zijn gehoor stralend aan, overduidelijk genietend van hetgeen hij ging zeggen. Zijn hoofd schudde hevig en opeens bracht hij zijn handen naar zijn slapen. Macro schoot hem te hulp, iedereen hield zijn adem in.

'Hoepel op,' snauwde Caligula. Hij herpakte zich en duwde Macro weg. 'Goed, waar was ik… Ah, natuurlijk, mijn zussen. Vanaf heden moeten ook zij een eed van trouw…' Met een schreeuw zakte hij in elkaar, hij klauwde naar zijn hoofd alsof hij er iets uit probeerde te trekken.

Monden vielen open, Macro knielde meteen naast hem neer. 'Chaerea, haal de geneesheer,' riep hij na een snelle blik op zijn meester naar de praetoriaanse tribuun. 'Iedereen weg hier! Nu!' riep hij.

De aanblik van de lichamelijk getormenteerde keizer deed de senatoren huiveren, en ze vlogen de zaal uit.

'Het lijkt erop dat de goden naar Antonia hebben geluisterd,' mompelde Vespasianus in Gaius' oor terwijl ze zich door de deur drongen.

Of de goden hadden gereageerd op de door Antonia uitgesproken vloek was de vraag, maar één ding was zeker: vooral zij hadden baat bij de instorting van Caligula, want de dagen erna brachten de burgers van Rome duizenden offers voor het herstel van de jonge keizer. De armen uit pure liefde, want ze waren niet vergeten wat hij hun geschonken had en welke buitengewone spelen hij voor hun vermaak georganiseerd had. Maar de senatoren en equites deden het uit angst, want mocht Caligula herstellen, dan zou hij degenen die geen offers hadden gebracht en niet voor hem hadden gebeden genadeloos straffen. En dus wedijverden ze met elkaar om wie het mooiste en grootste offer bracht, wie zijn beste stier, renpaard of ram ter slachting bracht, terwijl sommigen, de minder bedaarden, zwoeren als gladiator te vechten als de keizer zou herstellen. Eén eques maakte het helemaal bont: hij beloofde Jupiter zijn leven te ruilen tegen dat van Caligula.

Vespasianus bracht de middag en avond vaak met Caenis door om als man en vrouw te genieten van hun nieuwe beslotenheid. 's Ochtends ging hij naar de Senaat om, net als alle andere senatoren, te bidden en offers te brengen voor de schone schijn en heimelijk te hopen dat de keizer zou sterven en er een einde zou komen aan deze donkere episode in de geschiedenis van Rome. Na dit dagelijkse ritueel – meer viel er niet te doen, want stel dat men dacht dat je geen rekening hield met de gezondheidstoestand van de keizer – gingen alle senatoren en equites in een stoet de Palatijn op, langs horden treurige burgers, om zich te melden bij het huis van Augustus, waar ze dagelijks werden ingelicht over de gezondheid van de keizer. En iedere dag deed Chaerea, de praetoriaanse tribuun, met zijn jammerlijke piepstemmetje dezelfde mededeling: er was niets veranderd, de keizer verloor nog steeds bij vlagen het bewustzijn.

De stad stond stil. De rechtbanken, theaters en markten waren dicht, zakelijke transacties werden tot nader order uitgesteld en feesten afgelast. Het enige wat niet stilstond was het bloed dat van de talrijke altaren stroomde.

'Het begint absurd te worden,' mompelde Vespasianus tegen Gaius. De senatoren en equites verzamelden zich, voor de dertigste keer inmiddels, in de miezerige novemberregen voor hun dagelijkse wandeling naar de top van de Palatijn. 'Wat als hij nog een maand ziek blijft? De stad zal instorten waar we bij staan.'

'We zitten allemaal in hetzelfde schuitje, beste jongen, er gebeurt helemaal niets. Veel mensen verliezen veel geld, maar dat hebben ze liever dan dat men denkt dat ze hun zakken vullen terwijl het leven van Caligula aan een zijden draad hangt.'

'Brak die maar eens keer.'

'Zeg dat niet te hard,' siste Gaius, 'helemaal niet tussen dit stelletje gewetenloze hielenlikkers.'

'Waar wij ook bij horen.'

'Schijnheiligheid, beste jongen, is een ondeugd die je het leven kan redden.'

Vespasianus bromde.

'Ik dacht al dat u hier zou zijn,' riep Magnus. Hij had zijn eenvoudige witte burgertoga aan en drong zich door de menigte in hun richting.

Vespasianus glimlachte en greep de onderarm van zijn vriend. 'Kom je meedoen met ons dagelijkse ritueel?'

'Dat mochten jullie willen. De leiders van de Quirinale en de Viminale Broederschap treffen elkaar. We proberen elkaar te intimideren met onze mooiste kleren. Jullie senatoren en alle andere mensen voeren dan misschien geen donder meer uit, ons werk gaat gewoon door.'

'Ik ben blij dat te horen. Iedereen heeft recht op een beetje afpersing en bescherming, zelfs een keizer.'

'Dat is niet eerlijk, iedereen moet brood op de plank hebben. En over werk gesproken: was u dit jaar niet de wegopzichter?'

'Dat weet je heus wel.'

Magnus wees op zijn voeten, ze zaten onder de modder en drek en er kleefden rottende plantenresten aan. 'Wat een klotezooi, in sommige delen van de stad sta je tot aan je enkels in de stront, en dat ziet er vrij belachelijk uit.'

Vespasianus stak zijn handen in de lucht. 'Ik kan er ook niets aan doen. Mijn voormannen weigeren de slaven aan te sturen die de straten schoonmaken, ze hebben het naar eigen zeggen te druk met het brengen van offers aan Juno en Jupiter en het bidden voor de keizer.'

'Nou, dan kunnen ze meteen een offer brengen aan de god van de aarsopeningen en bidden dat mens en dier ophouden met schijten.'

'Ssst,' siste Gaius met een gekwelde uitdrukking op zijn gezicht, en hij bracht een hand naar zijn mond en keerde zich letterlijk af van deze lasterlijke uitspraken.

Vespasianus grijnsde. 'Was er verder nog iets, of wilde je me alleen maar advies geven over de religieuze praktijken van mijn mensen?'

'Nee, ik heb ook nog iets wat ernstiger is,' zei Magnus. Hij keek om zich heen en dempte zijn stem. 'Vanochtend snuffelde er iemand rond bij het huis van Caenis, na een uur ging hij er weer vandoor. Een van mijn jongens die het huis in de gaten houden volgde hem naar de Aventijn. Hij ging een mooi huis in, in de straat waar Sabinus ook woont.' Magnus trok zijn wenkbrauwen op.

'En toen?'

'We hebben wat informatie ingewonnen en het blijkt het huis van uw goede vriend Corvinus te zijn.'

Vespasianus voelde een rilling door zijn lijf gaan. 'Hoe is hij het te weten gekomen?'

'Misschien heeft hij u laten volgen, maar wat doet het ertoe? Maar omdat ik weet dat hij niet veel op heeft met u en uw vrienden, heb ik de wacht in de straat verdubbeld.'

'Dank je, Magnus.'

'Maak u geen zorgen, hij weet misschien dat u naar dat huis gaat, maar hij weet niet wie erin zit. Ze is veilig zolang ze de deur niet uit gaat.'

'Dat doet ze niet, ze gaat alleen naar mijn oom, maar die woont twintig passen verderop.'

'Als ze dat wil kan ze volgens mij beter een slaaf naar mijn jongens sturen, die kunnen haar dan brengen in een dichte draagkoets.'

'Ik zal het doorgeven. Dank je.'

'Goed, volgens mij vertrekken jullie. Ik kan ook beter verdergaan. Ik kan mijn tijd wel nuttiger besteden dan aan zorgen over een zieke, als u begrijpt wat ik bedoel.'

'Wat was er allemaal?' vroeg Gaius, die zich weer bij Vespasianus voegde toen ze het forum uit schuifelden.

'Niets, oom,' mompelde Vespasianus in gedachten verzonken. 'Magnus houdt alles in de gaten.'

De stoet van meer dan tweeduizend prominenten arriveerde bij het huis van Augustus. Cassius Chaerea stond al klaar in de portiek voor zijn mededeling. De glimlach op zijn gezicht was voor Vespasianus genoeg om te weten dat Caligula aan de beterende hand was.

'Dit keer heb ik dan eindelijk goed nieuws,' zei Chaerea met zijn typische kopstem. 'Een uur geleden is de keizer op wonderbaarlijke wijze hersteld. Ik was zojuist nog bij hem en hij zit rechtop in zijn bed en eet wat. Zijn toestand is niet meer kritiek!'

Gejuich steeg op uit de verregende menigte en nam pas af toen men schor begon te worden. Het feestgedruis en het nieuws over de reden daarvan kroop de helling van de Palatijn af en sijpelde door de straten van Rome, en tegen de tijd dat Chaerea weer kon spreken, kwam het opgewekte gejuich vanuit de stad terug de heuvel op.

'De keizer dankt u allen voor uw gebeden en offers en verzoekt u om...' De deuren achter hem gingen open en er voer een schok door de menigte: wankel maar zonder hulp liep Caligula naar buiten. Hij had zich een maand niet geschoren en was vermagerd, zijn ogen lagen nog dieper in hun kassen dan voorheen, hij zag er nog altijd erg ziek uit, maar aan de houding van zijn hoofd kon je zien dat er wat kracht was teruggekeerd. Hij hief zijn armen, de menigte begroette hem met een rauw 'Heil Caesar!'

Na een poosje vroeg hij om stilte. 'U kunt er niets aan doen,' verkondigde hij met verrassend luide stem, 'dat u mij enkel als uw Caesar begroet. U weet niet wat er de afgelopen maand met mij is gebeurd.' Hij wees op zijn uitgemergelde lichaam. 'Dit lichaam, dit zwakke mensenlichaam, liet het bijna afweten toen ik het teisterde met mijn transformatie. Maar als het gestorven was zou ik nog altijd onder u zijn, alleen niet zoals u mij nu ziet, lieve mensen, want ik ben niet langer slechts uw keizer, ik ben uw god. Eerbiedig mij!'

Een paar senatoren waren zo vlug van begrip dat ze na deze verbijsterende mededeling en buitenissige opdracht meteen een deel van hun toga over hun hoofd trokken, alsof ze bezig waren met een godsdienstige ceremonie. De rest volgde snel hun voorbeeld, en Caligula schaterde het uit toen hij de menigte overzag: iedereen was van top tot teen in wol gehuld.

'U bent waarlijk mijn trouwe kudde, wat een wol zullen wij oogsten. Ik meen dat een van u zelfs bereid was zijn leven te geven aan mijn broeder Jupiter in ruil voor het mijne. Welk schaap was er zo edelmoedig?'

'Dat was ik, princeps,' klonk het trots achter Vespasianus, die zich omdraaide en een goed gebouwde, jonge eques zelfgenoegzaam naar de omstanders zag kijken, blij dat de keizer aandacht voor hem had.

'Wat is uw naam, trouw schaap?'

'Publius Afranius Potitus, princeps.'

'Wat doet u hier nog, Potitus? Laat Jupiter niet wachten. Wij goden zien graag daden in plaats van woorden.'

Het gezicht van Potitus betrok, de hoop op een beloning maakte plaats voor het afschuwelijke besef dat Caligula het meende. Hij blikte vragend om hulp in het rond, maar hoe konden ze tegen een bevel van hun nieuwe god in gaan? Ze deinsden terug, en hij stond moederziel alleen in hun midden. Met hangende schouders draaide hij zich zwijgend om.

'Hij was een goed schaap,' zei Caligula, en hij grijnsde goedkeurend terwijl Potitus zijn onnodige dood tegemoet sjokte. 'Nu ik weer onder u ben, kunnen de dagelijkse zaken weer worden opgepakt en zal meteen een begin worden gemaakt met de *Ludi Plebeii*, de feestdagen die eigenlijk vijf dagen geleden hadden moeten beginnen. Iedereen die heeft gezworen als gladiator te vechten voor mijn gezondheid, krijgt morgen in het strijdperk de kans zijn gelofte na te komen.'

'Spaar hem, Caesar! Spaar hem!' riepen twintigduizend mensen in koor in het uit steen opgetrokken amfitheater van Statilius Taurus op de Campus Martius. Een alles doordringende urinegeur kwam van de kant waar men, uit angst zijn plek kwijt te raken, gewoon op de stenen trappen had zitten wateren, waardoor de tunieken van degenen die lager zaten doordrenkt raakten met urine.

De zegevierende *retiarius*, als enige over van de zes mannen die slag hadden geleverd, had de punten van zijn drietand stevig tegen de keel van de als laatste gevelde tegenstander gedrukt, een *secutor* die verstrikt zat in een net, en keek op naar de keizer. Vespasianus keek naar Caligula, die naast Drusilla zat, in de keizerlijke loge naast de senatoren, en vroeg zich af of hij de wens van het volk zou inwilligen. Dat had hij tot nu toe wel steeds gedaan, en er werd inmiddels al vier dagen gevochten, maar het publiek had telkens gewild dat de verslagen gladiator gedood werd.

Caligula haalde zijn vingers uit de anus van de jongeman die tussen hem en zijn zus in zat en strekte, terwijl hij zijn hoofd naar zijn schouder kantelde, zijn arm naar voren en vormde met gebalde hand het teken van genade. Het applaus voor de barmhartige keizer ging over in gejoel toen zijn duim ineens, als een zwaard dat getrokken werd, uit zijn vuist omhoogschoot: de gladiator moest sterven.

De *summa rudis*, de scheidsrechter, haalde de lange staf weg die hij voor de borst van de retiarius had gehouden, waarop de retiarius een stap terug deed om de gladiator een waardige dood te gunnen, knielend op één knie voor de overwinnaar, in plaats van als een gewond hert op het roodgekleurde zand van het strijdperk.

Het woedende gejoel van de meute, die de gladiator had willen belonen voor de getoonde moed, bereikte een hoogtepunt toen de secutor, die het net inmiddels had kunnen afwerpen, het dijbeen van zijn tegenstander pakte en wachtte op de doodssteek. De retiarius gooide de drietand opzij, trok zijn lange, dunne mes en zette dat met de punt naar beneden op de keel van de secutor, vlak boven zijn sleutelbeen. Met een knikje van zijn hoofd, dat verborgen bleef onder zijn gladden bronzen helm en gezichtsmasker, waarin alleen twee kleine gaten voor de ogen zaten, accepteerde de gedoemde man zijn lot. Terwijl de mannen zich beiden schrap zetten voor de rituele moord, sloeg de summa rudis zijn staf plotseling tegen de borst van de retiarius om hem tegen te houden.

Op de tribunes werd het stil. Alle ogen waren gericht op Caligula, die hysterisch zat te lachen, met zijn duim plat op zijn gebalde hand, als een zwaard dat terug in de schede was gedaan: het teken van genade. 'Ik heb jullie voor de gek gehouden!' schreeuwde hij half lachend. 'Dacht u nou echt dat ik, wiens hart vol is van uw welzijn, uw wens niet zou inwilligen? Natuurlijk doe ik dat wel.'

Het publiek barstte in lachen uit, genoot van de grap die de keizer met hen had uitgehaald. De retiarius trok zijn mes terug en de secutor begon te hyperventileren van opluchting.

Vespasianus keek weer in de richting van Caligula en zag zijn gezicht opeens verwrongen raken van woede. Hij sprong overeind en schreeuwde om stilte.

'Maar jullie jouwden mij uit,' krijste hij, 'alsof jullie niet van me houden. Van mij! Jullie god en keizer, uitgejouwd. Hoe durven jullie. Ik wou dat jullie één gemeenschappelijke keel hadden, dan kon ik die doorsnijden. Het moet jullie duidelijk worden gemaakt dat jullie mij van nu af aan eerbiedigen en van mij houden. Ik zal mijn beeld in elke tempel laten zetten om jullie daaraan te herinneren, niet alleen hier in Rome, maar door het hele rijk.' Hij zweeg en keek verdrietig om zich heen. 'Ik kan geven maar ik kan ook nemen, ik zal niet doen wat u van mij verlangt.' Hij stootte zijn gebalde vuist met gestrekt duim uit.

De twee gladiatoren namen weer hun dodelijke houding aan. Het mes doorkliefde het hart, bloed spoot uit de wond, maar niemand juichte en niemand kwam klaar, er heerste slechts een sombere gelatenheid. De retiarius groette de keizerlijke loge en liep met zijn net en drietand in de lucht naar de poort die toegang bood tot de gladiatorencellen. Niemand beloonde hem voor zijn overwinning.

Caligula gebaarde naar Macro, die achter hem zat, om dichterbij te komen. Hij fluisterde iets in het oor van de prefect en wees naar een bepaald deel van het publiek. Het duurde even voordat Macro zichtbaar kwaad zijn plek verliet en enkele woorden sprak met Chaerea, die bij de ingang van de keizerlijke loge stond. Nukkig stak Caligula zijn vingers weer in de schandknaap en richtte zijn aandacht op het strijdperk, terwijl Drusilla de jongen liefdevol over zijn hoofd aaide alsof hij een huisdier was. Chaerea verliet de loge.

Beneden in het zand liep een dodendrager, verkleed als Charon de veerman, kaal en gehuld in het zwart, die keek of de doden wel echt dood waren door een gloeiend hete pook tegen hun geslachtsdeel te houden. Als hij zeker wist dat iemand dood was, deed hij de helm af en sloeg hij met een zware houten hamer de schedel stuk om de geest te bevrijden. Na dit ritueel werden de lichamen weggesleept en begraven en werd het zand geharkt en op de plekken waar veel bloed lag ververst.

Het publiek werd weer wat vrolijker, de mensen keken uit naar het volgende deel van het spektakel, want nu zouden vier van de equites die in een impuls hadden aangeboden in het theater te zullen vechten voor de gezondheid van Caligula, elkaar op leven en dood bestrijden. Het hek ging open en een golf van nieuwsgierig gemurmel ging door het theater, want in plaats van vier gladiatoren hoorde het publiek beesten brullen: een stuk of tien hongerige leeuwen stormden het strijdperk in, opgejaagd door slaven die met fakkels zwaaiden. Het hek ging weer dicht, de leeuwen waren alleen in het strijdperk. Het publiek, dat wist dat de leeuwen niet tegen elkaar zouden vechten en dat de veroordeelden of de bestiarii die het tegen ze moesten opnemen altijd als eersten de arena betraden, vroegen zich af wie of wat er door de leeuwen gedood moest worden.

Het gekletter van bespijkerde sandalen op de stenen trappen van twee ingangen tot het zitgedeelte maakte een einde aan de onzekerheid. Een halve centurie praetorianen stormde met zwaaiende zwaarden de tribune op. In een mum van tijd hadden ze twintig toeschouwers omsingeld op de voorste rij van het deel waar Caligula naar gewezen had. Achter hen probeerden de mensen wanhopig te ontsnappen aan het lot dat hun ongelukkige medetoeschouwers naar hun idee te wachten stond, en in de kakofonie van gegil en geschreeuw werden velen onder de voet gelopen. Het gebrul van de leeuwen steeg uit boven het gegil toen de eerste twee slachtoffers smekend om hun leven het strijdperk in werden gegooid. Nog voordat ze de grond raakten haalden de leeuwen uit, de mannen vlogen tollend als poppen door de lucht en werden opgevangen door openstaande bekken, die al gauw rood zagen van het bloed.

De praetorianen gooiden de rest van hun gevangenen er snel achteraan. De meesten werden meteen gepakt, kelen werden doorgebeten, armen of benen afgescheurd, ingewanden uitgerukt, maar een stuk vijf wisten aan de slachting ontkomen, al konden ze nergens heen. Tot verbazing van Vespasianus begon de rest van het publiek te lachen en te juichen terwijl de vluchters door het ovale strijdperk achterna werden gezeten door leeuwen die een achtervolging kennelijk spannender vonden dan de schranspartij bij de verminkte lichamen. Hij keek weer naar Caligula, die glimlachend met verbeten voldoening zijn vingers in en uit de schandknaap liet glijden en ondertussen hevig masturbeerde. De laatste slachtoffers werden verscheurd en het publiek joelde goedkeurend: ze hielden weer van hem.

Vespasianus zat de rest van de dag uit, want elke poging om weg te glippen, een actie die Caligula voor zijn ziekte al niet kon waarderen, zou nu de keizer zijn verstand helemaal leek te hebben verloren wel eens fatale gevolgen kunnen hebben. Toen het leven uit het laatste slachtoffer wegvloeide in het met bloed doordrenkte zand, maakte Caligula zich eindelijk op voor zijn vertrek en liet hij zich nog een laatste maal toejuichen door het publiek. Vespasianus en de andere senatoren spoedden zich naar buiten, de blikken van anderen werden zo veel mogelijk vermeden, iedereen was bang iets te moeten zeggen over wat ze hadden gezien.

Hij liep de straat op en sloeg kordaat de weg naar huis in.

'Daar is hij!' hoorde hij Caligula van dichtbij roepen. 'Macro, ga hem halen.'

Vespasianus draaide zich om en zag Chaerea en twee praetorianen zich een weg door de menigte banen. Hij voelde zijn maag omkeren toen hij besefte dat ze op hem afkwamen. Wegrennen had geen zin, en dus liet hij zich door de praetorianen naar Caligula brengen, die bijna in tranen was.

'Ik dacht dat je mijn vriend was,' snikte hij, en hij schudde zijn hoofd, alsof hij niet kon geloven dat het nu anders was. Drusilla had een troostende arm om hem heen geslagen.

'Dat ben ik ook, princeps,' antwoordde Vespasianus. Hij vroeg zich af wat hij gedaan had.

Caligula wees op de grond. 'Hoe verklaar je dit dan?'

Vespasianus keek naar beneden. De straat was bezaaid met vuil, was tijdens de maandenlange ziekte van Caligula niet schoongemaakt.

'Dit is mijn stad,' jammerde Caligula, 'en het is de taak van mijn vriend om de straten schoon te houden. Och, Drusilla, hij heeft mij teleurgesteld.'

Drusilla veegde bij haar broer een traan uit zijn ooghoek en likte hem van haar vinger.

'Het spijt me, princeps, het is gekomen toen u...'

'O, dus het komt door mij?'

'Nee. Nee. Het komt helemaal door mij.'

'U zou hem moeten aanklagen,' zei Macro giftig, 'het is bijna verraad als je je plicht zo verzaakt.'

'Zeg me niet steeds wat ik moet doen, prefect. Chaerea, laat je mannen wat van dit vuil oprapen en in de toga van de aedilis stoppen.'

Vespasianus verroerde zich niet terwijl de stinkende troep met handenvol tegelijk in de plooien van zijn toga werd gegooid. 'Ik zal het morgen herstellen, princeps.'

'Nee, niets daarvan, het is duidelijk dat je het niet aankunt, ik vind wel iemand anders.' Hij keek Vespasianus boos aan en begon toen ineens te lachen. 'En los daarvan, mijn vriend, ik heb iets wat je voor mij moet doen.' Hij maakte een gedachtesprong en richtte zich tot Macro. 'Waar was mijn neef Gemellus vandaag? Waarom heeft hij mijn transformatie niet gevierd?'

'Ik heb vernomen dat hij ernstige hoestaanvallen heeft, princeps.'

'Hoestaanvallen, zeg je? Of hij had mij liever zien doodgaan en wil mij niet in al mijn glorie zien. Wat denk jij, Vespasianus?'

'Het zal gerust die hoest zijn, niemand wenst u dood.'

'Hm, je zult wel gelijk hebben. Toch denk ik dat we hem van die hoest af moeten helpen, vind je ook niet?'

Vespasianus probeerde niet te laten zien wat hij dacht en herinnerde zich het advies van Antonia; het kon hem zijn leven kosten als hij het niet met de keizer eens zou zijn, het kon Gemellus zijn leven kosten als hij het wel met de keizer eens zou zijn. 'Misschien gaat het wel vanzelf over, princeps. Heeft het gewoon wat tijd nodig.'

Caligula staarde Vespasianus niet-begrijpend aan. 'Tijd? Tijd? Nee, dat duurt te lang. Chaerea, verlos mijn neef van zijn hoest. Voor altijd.'

'Is dat verstandig, princeps?' vroeg Macro. 'Gemellus is erg geliefd bij de jongeren.'

'Dan vloeien er veel tranen,' snauwde Caligula. 'Dit is de tweede keer vandaag dat je mijn beslissing in twijfel trekt, Macro. Laat er geen derde keer zijn. Verdwijn uit mijn ogen.'

Macro wilde nog iets zeggen maar bedacht zich. Hij boog het hoofd en liep weg.

'Wat sta je hier nou nog, Chaerea?' schreeuwde Caligula. 'Ik heb je toch een bevel gegeven?'

Chaerea sprong in de houding, bracht schijnbaar onbewogen een groet, draaide zich om en leidde zijn mannen weg.

Caligula sloot langzaam zijn ogen, zuchtte wellustig en kuste Drusilla op haar mond. 'Is ze niet mooi, Vespasianus? Ik laat in het forum een theater bouwen, zodat ik haar goed kan laten zien. Wil je dat, liefste?'

'Als het jou behaagt, mijn lieve Gaius,' zei Drusilla. Ze lachte onbenullig en ging met haar vinger langs de rand van zijn lippen.

Caligula keek haar liefdevol aan en streelde haar hals. 'Je weet, Drusilla, dat ik dit lieve keeltje kan doorsnijden wanneer ik het wil.'

Drusilla zuchtte verrukt. 'Wanneer je maar wilt, lieve Gaius.'

Caligula likte haar hals en sloeg toen vriendschappelijk een arm om de schouder van Vespasianus en liep, tot opluchting van Vespasianus, met hem weg. 'Ik heb een probleem, vriend. Het is alsof ik constant jeuk heb, maar als ik krab wordt het alleen maar erger, en toch moet ik ervan af zien te komen.'

'U kunt toch doen wat u wilt?' antwoordde Vespasianus, en hij verplaatste zijn arm om te voorkomen dat alle troep uit zijn toga zou vallen.

'Dat is waar, maar soms zijn de gevolgen zelfs voor mij niet te overzien.'

'Welke gevolgen?'

'Ik heb genoeg van Macro's vrouw en van Macro zelf, hij zegt steeds vaker wat ik moet doen. Voor mijn transformatie vertelde hij mij zelfs dat het ongepast is voor een keizer om hardop te lachen als er op het toneel een grap wordt gemaakt. Het was een stuk van Plautus. Hoe kun je nou niet lachen bij Plautus?'

'Onmogelijk.'

'Precies. En vandaag trok hij mijn beslissing in twijfel, dus hij moet verdwijnen.'

'Maar dat zou een schok teweegbrengen binnen de garde.'

'Och, mijn vriend, je begrijpt mij helemaal. Dat zou het gevolg zijn. Kon ik ze maar allemaal doden. Wat raad je mij aan?'

Vespasianus dacht even na en vroeg zich af of een advies even fataal voor hem zou zijn als voor Macro. 'Als hij niet de prefect van de praetoriaanse garde is, zal de garde zich niet bedreigd voelen.'

Caligula keek hem met een vertrokken gezicht aan, alsof hij te maken had met een achterlijk kind. 'Maar hij ís de prefect, idioot, en als ik hem weghaal bij de garde heeft dat hetzelfde gevolg.'

'U hoeft hem niet weg te halen, hij heeft er zelf al om gevraagd en u hebt, in al uw wijsheid, zijn verzoek al ingewilligd.'

'Is dat zo? O, mooi. Wanneer?'

'Zodra in het voorjaar de schepen weer gaan varen.'

Caligula fronste. 'Praat niet in raadsels.'

'Princeps, u bent zo slim geweest Macro te beloven dat hij de provincie Egypte krijgt. Zodra hij in Ostia aan boord gaat van het schip, is hij prefect van Egypte en niet langer van de praetoriaanse garde.'

Caligula begon te stralen, hij begreep wat Vespasianus bedoelde en sloeg hem op de schouder. 'En dan kan ik hem laten vermoorden zonder bang te hoeven zijn voor de gevolgen.'

'Dat zou kunnen, ja, maar is het niet handiger om hem te bevelen zichzelf van het leven te beroven? Dan kan er niemand beschuldigd worden van moord.'

'Ik mag me gelukkig prijzen dat je mijn vriend bent, Vespasianus. Vergeet je dan niet te vertellen hoe hij keek toen je het hem vertelde?'

HOOFDSTUK XVI

De kleine vlam kwam sputterend tot leven en wierp zijn licht op de vijf bronzen beeldjes op het *lararium*, die de huisgoden van Caenis moesten voorstellen. Het licht weerkaatste speels op hun glanzende gedaantes, waardoor ze even ongrijpbaar leken als de goden die ze symboliseerden. Vespasianus trok een deel van zijn toga over zijn hoofd terwijl Caenis de olielamp op het altaar zette en naast hem ging zitten. Achter hen stonden de slaven, flauw verlicht door het haardvuurtje naast het lararium, de enige andere lichtbron in het atrium.

Vespasianus goot wijn op het altaar en sprenkelde een handje zout over het plengoffer, waarna hij zijn armen spreidde en zijn palmen hemelwaarts richtte. 'Ik roep de *lares domestici* aan, of hoe u dan ook genoemd wenst te worden, en vraag u mij en mijn huis in goede gezondheid te laten genieten van wat wij reeds hebben, zoals u in het verleden ook gedaan heeft, en ons op deze dag te behoeden voor het kwaad, mocht dat zich op deze dag aandienen. Als u de kwestie waarvan wij nu spreken in ons voordeel beslecht en de huidige omstandigheden laat voortbestaan of verbetert – en daarom verzoeken wij u – dan beloof ik plechtig, in de naam van dit huis, u na zonsondergang onze dank te zullen bewijzen. Meer vraag ik niet van u.'

Caenis draaide zich naar het vuur en wijdde zich aan het vrouwelijke deel van het ochtendritueel: ze deed een gebed tot Vesta, godin van het haardvuur, en wierp zoet ruikende wierook in de vlammen. Vespasianus keek naar haar, zoals hij de afgelopen zes maanden iedere ochtend had gedaan, en met pijn in zijn hart zag hij haar de taken vervullen van de vrouw die zij nooit voor hem kon zijn.

273

Na het ochtendgebed gingen de huisslaven ieder huns weegs om zich van hun diverse taken te kwijten, het bleke licht sijpelde door de ramen die uitkeken op het peristilium en kondigde in deze eerste dagen van april weer een koude dag aan.

Vespasianus trok de toga van zijn hoofd en drapeerde hem om zijn schouders. 'Onze huisgoden krijgen het weer druk vandaag,' zei hij met een zuur lachje. 'Caligula gaat het theater inwijden dat hij in het forum heeft laten bouwen om Drusilla aan het volk te tonen en hij wil dat ik en nog een paar van zijn "vrienden" erbij zijn. Hij zei dat hij ons misschien zal vragen een handje te helpen. Als je het grote bed met paarse lakens midden op het toneel ziet, zal het niet bij een handje blijven.'

'Ga dan niet, liefste.'

Vespasianus keek haar met opgetrokken wenkbrauwen aan. 'Je weet dat je hem niets kunt weigeren, dus doe geen zinloze voorstellen.'

Caenis glimlachte spijtig. 'Het spijt me, ik moet beter weten. Juist omdat hij geen nee accepteert heb ik sinds jij mij hier over de drempel droeg geen voet meer buiten de deur gezet, afgezien van die paar bezoekjes aan je oom.'

Vespasianus keek diep in haar trieste ogen, die door de ketting die ze droeg nog fraaier leken; de cilindervormige kralen van helderblauw glas glinsterden in het bleke licht zacht om haar nek. Hij had met haar te doen omdat ze vrijwel in gevangenschap leefde, en hoewel Caligula dacht dat ze in Egypte zat en de broeders van Magnus het mannetje van Corvinus niet meer hadden gezien en ook geen andere verdachte dingen hadden ontdekt, leek het hem nog altijd beter als ze binnen bleef. Hij kuste haar.

Een harde bonk op de deur deed hen opschrikken. De enorme Nubiër deed open en een gespannen Aenor liep door de hal naar het atrium, waar hij wachtte tot hij mocht spreken.

'Wat wil mijn oom, Aenor?'

'Hij heeft gevraagd of u onmiddellijk naar zijn huis wilt komen, meester,' antwoordde de jonge Duitse slaaf in zijn van keelgeluiden doorspekte accent.

'Zei hij ook waarom?'

'Ik moest zeggen dat er een belangrijk iemand op u wachtte.'

'Wie?'

Aenor trok een moeilijk gezicht, hij probeerde zich de precieze titel te herinneren die hij moest doorgeven. 'De prefect van de praetoriaanse garde.'

Met angst en beven betrad Vespasianus het huis van zijn oom nadat hij zich door de samengedromde beschermelingen had gedrongen die buiten met walmende adem in de koude ochtendlucht stonden te wachten tot ze hun beschermheer konden begroeten. Caenis was bang dat hij gearresteerd zou worden, maar hij had haar gerustgesteld met de logische redenering dat het beneden de dignitas van de prefect zou zijn om een jonge senator persoonlijk aan te houden. Desondanks liep hij met een vervelend voorgevoel door de hal naar het atrium.

'Ah, daar ben je, beste jongen,' bulderde Gaius. Hij klonk opgewekt, in zijn stem was geen spoor van ongerustheid te bekennen. Hij zat met Clemens bij de haard. Beiden verorberden een rimpelige winterappel. 'Heb je al ontbeten?'

'Jawel, oom. Dank u. Goedemorgen, Clemens.'

'Goedemorgen, Vespasianus. De keizer heeft mij gestuurd.'

Vespasianus keek verward om zich heen. 'Waar is Macro?'

Gaius barstte in lachen uit. 'Wat heb ik je gezegd, Clemens? Hij brengt te veel tijd door in dat liefdesnestje van hem, hij heeft het nog niet gehoord.'

'Wat heb ik niet gehoord?' vroeg Vespasianus korzelig.

'Vergeef me, jongen, het leek me wel grappig, om te zien dat jij dacht dat Macro hier zou zitten. De keizer heeft Macro gisteravond officieel uit zijn functie ontheven, en hij vertrekt vandaag naar Egypte om daar als prefect aan de slag te gaan.'

Vespasianus keek naar Clemens. Zijn gezicht klaarde op, nu begreep hij het. 'En jij bent de nieuwe prefect van de garde?'

'Een van de nieuwe prefecten,' bevestigde Clemens. 'De keizer wil terug naar het oude idee van Augustus, die vond dat er twee prefecten moesten zijn, en dus deel ik de functie met Lucius Arruntius Stella.'

'De keizer lijkt toch minder gek dan we dachten,' zei Gaius, die zijn vrolijkheid inmiddels weer onder controle had, 'hij heeft twee prefecten aangesteld die elkaar niet kunnen luchten of zien. Dat maakt de garde alleen maar zwakker, toch, Clemens?'

'Er zal in ieder geval verdeeldheid ontstaan.'

'En dan is de kans groot dat een van de twee zich tegen hem zal keren,' merkte Vespasianus op. 'Niet dat ik je beticht van ontrouw, Clemens. Vooralsnog niet, tenminste.'

Het zat Clemens niet lekker. 'Als Clementina deze zomer met Sabina terugkeert naar Rome, wie weet wat mij dan tot ontrouw kan drijven als Caligula zijn zinnen op haar zet.'

'Dan moet Sabinus haar dus in Aquae Cutillae laten, zoals jij je vrouw in Pisaurum laat.'

'Niet meer. Van Caligula moest ik haar terughalen naar Rome en meenemen naar een feestmaal in het paleis. Zijn nieuwe vrouw was er ook, Lolia Paulina, en nog twaalf andere vrouwen, allen echtgenotes van zijn gasten. Hij kwam verkleed als Apollo, betastte alle vrouwen en koos er toen twee uit – Julia niet, gelukkig –, met wie hij naar bed ging terwijl hun mannen aan tafel moesten gaan alsof er niets aan de hand was. Toen hij samen met de vrouwen terugkwam, ging hij de bedprestaties van de vrouwen doornemen met de ongelukkige echtgenoten. Het was hemeltergend, de twee vrouwen moesten daar blijven aanliggen alsof het een gesprek over koetjes en kalfjes betrof. Toen moest Lolia haar kleren uitdoen, zodat hij de finesses van zijn verhaal kon demonstreren.'

'Dat wist ik niet,' zei Gaius met een van afschuw vertrokken gezicht.

'Dat kan heel goed. Het was gisteravond, bij het banket ter gelegenheid van de nieuwe betrekking van Macro, wat nogal ironisch is in het licht van de opdracht waarmee hij mij hiernaartoe heeft gestuurd.'

Vespasianus kermde. 'O, ik hoopte eigenlijk dat hij dat vergeten was.'

'Als je bedoelt dat je hebt aangeboden om Macro vandaag, voor zijn vertrek naar Egypte, op te dragen zichzelf van het leven te beroven, dan is hij dat niet vergeten.'

'Ik heb het niet aangeboden, ik heb alleen geopperd dat het de beste tijd, plaats en manier was om van Macro af te komen, als hij dat wilde.'

'Nou ja, hoe het dan ook gegaan is, dat is wat hij van je verlangt, en ik moet je met een turma van mijn cavalerie begeleiden om ervoor te zorgen dat Macro het bevel opvolgt.'

'Je weet je wel in de nesten te werken, jongen.'

'Daar heb ik niet veel aan, oom,' antwoordde Vespasianus.

'Nee, maar het is wel waar.'

Vespasianus negeerde Gaius' opmerking. 'Heb je het bevelschrift?' vroeg hij aan Clemens.

'Nee, we moeten naar zijn Drusilla-theater gaan, daar zouden we hem te spreken krijgen, na de voorstelling, zoals hij het noemt, wat weinig goeds voorspelt.'

'Inderdaad.' Vespasianus kwam met een zucht overeind. 'Goed, als het dan toch moet gebeuren kan ik het maar beter goed doen. Eerst moet ik nog even iets uit mijn kamer halen, Clemens.'

Het nieuwe theater was niet zo groot geworden als Caligula had gewild, maar dat had een praktische reden; het gebouw, dat de vorm van een halve cirkel had, vulde het gebied tussen het Rostrum en de tempel van Saturnus, en het toneel stond zo dicht op de trap van de tempel van Concordia dat je die nauwelijks meer in kon. Maar het theater bood wel plaats aan tweeduizend toeschouwers, die, tot afgrijzen van Vespasianus en de andere senatoren die hadden moeten komen, ontzettend genoten van de voorstelling. Als belediging aan het adres van de Senaat had Caligula het speciale vak voor de senatoren opgeheven – ze moesten plaatsnemen tussen het plebs. Ze hadden gejuicht toen Caligula, verkleed als Hercules, met een goudkleurige leeuwenhuid en zwaaiend met een gouden knuppel, zijn zuster langzaam had uitgekleed. Ze hadden harder gejuicht toen hij haar een aantal gymnastische houdingen liet aannemen, stuk voor stuk bedoeld om het vrouwelijke lichaam te etaleren. En daarna hadden ze nog harder gejuicht toen hij een reeks seksuele handelingen met haar verrichtte op het enorme, met paarse lakens bedekte bed, waarbij zij krijste als een harpij.

'Haal mijn gladiatoren,' schreeuwde Caligula. Hij duwde zich los van Drusilla, die voor hem op haar knieën op het bed zat en meteen zwaar hijgend op haar buik zakte.

Vespasianus was blij om de vier geoliede, naakte gladiatoren, een Ethiopiër en drie Kelten, allen in perfecte conditie, het podium op te zien lopen. Hij was bang geweest deel te moeten nemen aan de obsceniteiten die zich voor zijn eigen ogen voltrokken, maar die angst was blijkbaar onterecht geweest.

'Dit gaat erger worden dan je denkt,' fluisterde Clemens in zijn oor terwijl Drusilla zich bezig ging houden met de mannen die om haar heen waren komen staan en zich opdrongen met een gretigheid die tomeloze, schaamteloze lust verraadde.

'Kan het nog erger dan?'

'Dat zal wel blijken. Ik heb her en der in het theater boogschutters opgesteld die er voor moeten zorgen dat Caligula niets overkomt. Hij vond het niet prettig dat een van de gladiatoren in het slotstuk zo dicht bij hem zou komen met een zwaard.'

Vespasianus kon zijn ogen niet geloven en keek met stijgende afschuw naar Caligula en zijn zus, die met drie gladiatoren dusdanig gestalte gaven aan vleselijke lusten dat de handelingen met de schandknaap in het circus bijna acceptabel leken. De verstrengelde lichamen kronkelden steeds heftiger om elkaar heen en het publiek ging steeds meer kabaal maken, en op een gegeven moment gingen ze zo in elkaar op dat ze zich niet meer bewust leken van hun omgeving. Op dat moment liep een praetoriaan het toneel op, overhandigde de vierde gladiator een zwaard en gaf een teken naar de achterkant van het theater. Vespasianus keek om zich heen en zag de boogschutters op gelijke afstand van elkaar tussen het publiek staan. Hun bogen waren gespannen en hun pijlen gericht op de man met het zwaard, die de Ethiopiër, die Caligula een beurt gaf, van achteren naderde. Het publiek, toch al enorm luidruchtig, rook bloed en begon oorverdovend te gillen en schreeuwen. Op het toneel bracht Caligula zijn vuisten naar zijn schouders en deed een jonge haan na door met zijn armen te flapperen, om vervolgens op de rug van zijn zus in elkaar te zakken. De Ethiopiër greep Caligula bij zijn heupen, gooide zijn hoofd in zijn nek en slaakte een brul van bevrediging, die niet boven de herrie van het publiek uit kwam. Dit was het laatste geluid dat hij maakte. Met één flitsende houw van zijn flikkerend zwaard onthoofdde de vierde gladiator de Ethiopiër, wiens hoofd tollend het publiek in vloog en wiens bloed uit zijn bovenlichaam omhoog spoot en vervolgens spetterend neerkwam op Caligula en Drusilla. Toen de bloedregen was opgehouden, reikte Caligula naar achteren en duwde het onthoofde lichaam van zich af. Het zakte op de vloer ineen. De beul hief zijn zwaard, bracht de gladiatorengroet en werd vrijwel op hetzelfde moment getroffen door een stuk of tien goed gerichte pijlen, die hem achterover wierpen alsof hij door een onzichtbaar touw naar achteren werd getrokken. Caligula en Drusilla leken hier niets van te merken, ze staarden elkaar liefdevol in de ogen en smeerden elkaar in met bloed. De twee andere gladiatoren stonden voorzichtig op en keken angstig naar de boogschutters, die hun nieuwe pijlen nu op hen hadden gericht.

'Hij was dom,' riep Clemens in het oor van Vespasianus. 'Hij was gewaarschuwd, meteen nadat hij het hoofd had afgehakt moest hij het zwaard laten vallen. Als hij geluisterd had, had hij nog geleefd. De andere twee zal niets overkomen, zolang ze maar uit de buurt van het zwaard blijven.'

Vespasianus was met stomheid geslagen, verbijsterd ging zijn blik van de keizer en zijn zus, die elkaars lichaam nog steeds insmeerden met bloed, naar het publiek, dat aan het overgooien was met het hoofd van de gladiator. Had men dan helemaal geen respect meer? En hoe zat het met de dignitas? Was hiermee de toon gezet voor de nieuwe tijd, zouden vunzigheid en verloedering de komende vijfhonderd jaar, tot de terugkeer van de feniks, regeren? En toch was dit het Rome waarvoor hij in dienst van Antonia gewerkt had, dit was het Rome dat zij ongewild in stand had gehouden door de heerschappij van haar familie te laten voortduren. Hij had het gezien op Capreae toen hij jong was, aan het hof van Tiberius. Hij had de 'visjes' van de losbandige keizer gezien, de dwergen en kinderen die er lustig op los copuleerden in het water, en hij had Caligula hen horen omschrijven als grappig. Hij had gezien hoe Caligula omging met zijn zussen en hij wist dat incest eerder regel dan uitzondering was. Hij had Caligula zien genieten van zijn dwergen en had hem in een openbare herberg de ene hoer na de andere zien nemen. Hij hoopte toen getuige te zijn geweest van het hoogtepunt van zijn buitensporige gedrag, maar nee, dat viel in het niet bij wat hij zojuist had gezien. Vespasianus vreesde het ergste voor de toekomst.

Broer en zus leken weer oog te hebben voor hun omgeving. Caligula was opgestaan en vroeg nu om stilte. 'Wie heeft het hoofd?'

En jongeman in een versleten tuniek en een afgedragen mantel hield het weerzinwekkende voorwerp aan een oor omhoog. 'Ik, Caesar.'

'Dan win je het spel en krijg je duizend aurei als je het mij komt brengen.'

Degenen die in de buurt van de jongeman zaten stortten zich meteen op hem, een bedrag als dat zou op slag een einde maken aan hun armeluisleven. Caligula lachte, het gevecht breidde zich uit omdat steeds meer mensen in de buurt van de prijs probeerden te komen. Hij draaide zich parmantig om en bood zijn zus een hand aan. Naakt en bebloed liepen broer en zus het toneel af, met geheven hoofden en kalme tred, als een pasgetrouwd stel uit een oud en waardig patriciërsgeslacht dat onderweg was naar hun bruiloftsfeest. Achter hen grepen dood en verderf razendsnel om zich heen.

'Misschien moeten we nu maar naar hem toe gaan,' zei Clemens. 'Hij wilde per se dat we meteen na de... de...' De zin bleef hangen, hij wuifde naar het toneel, alsof hij niet het goede woord kon vinden voor wat hij zojuist gezien had.

Vespasianus kon daar helemaal in komen.

'Was ze niet schitterend?' vroeg Caligula enthousiast. Hij was het bloed van Drusilla's gezicht aan het likken toen Vespasianus en Clemens naar hem toe werden geleid. Ze stonden in het midden van een tent, waarvan de zachte, paarse stof het zonlicht temperde. 'En was ik niet indrukwekkender dan die halfgod Hercules?'

Vespasianus keek naar Caligula en had moeite om enige gelijkenis te zien tussen de stakige keizer en de immens sterke held. Hij probeerde alles wat hij had gezien uit zijn gedachten te zetten en zijn gezichtsuitdrukking zo neutraal mogelijk te houden. 'Met uw kracht hebt u de goden stuk voor stuk overtroffen, princeps,' loog hij schaamteloos met alle eerbied die hij in zijn stem kon leggen, 'wij eenvoudige stervelingen kunnen slechts dromen van de kracht en het uithoudingsvermogen die u tentoonspreidt.'

'Ja,' beaamde Caligula met een vriendelijke blik, 'uw vrouwen moeten teleurgesteld zijn. Geen wonder dat Caenis al zo lang in Egypte is. Wanneer verwacht u haar terug?'

'Ik weet het niet, princeps. U had mij nodig?' antwoordde Vespasianus. Hij had het liever over wat anders.

Caligula wierp zijn hoofd in zijn nek, leek even verward. Hij ging met een hand door zijn klitterige haar. 'Nodig? Ik heb altijd wel iets nodig.' Hij klikte met zijn vingers en Callistus kwam aanzetten met een papyrusrol, die hij met een diepe buiging aan zijn meester overhandigde. 'Macro en die snol van hem, Ennia, vertrokken rond het middaguur naar Ostia. Ik wil dat u met Clemens naar de haven gaat om hun dit te geven. Het spreekt voor zich, als het goed is.' Hij gaf de rol aan Vespasianus en keek hem een ogenblik peinzend aan. 'Volgend jaar moet jij maar praetor worden. Ik heb het beste voor met mijn vrienden.'

'Als u mij geschikt acht, graag, princeps,' antwoordde Vespasianus zonder blijk te geven van zijn onbehagen dat hij een jaar lang in Rome zou moeten blijven, terwijl Caligula volstrekt niet te beteugelen was.

Caligula sloeg hem op zijn schouder en leidde hem de tent uit. 'Natuurlijk ben je geschikt, je god en keizer vindt dat je geschikt bent.'

Toen ze het zonovergoten forum bereikten begonnen de mensen die zich bij de ingang hadden verzameld te juichen. Caligula – nog steeds naakt, en plakkerig van het bloed – spreidde zijn armen om hen te bedanken en pakte vervolgens Vespasianus' hand en stak die in de lucht. 'Deze man gaat mij en Rome een grote dienst bewijzen,' riep hij. Het kabaal stierf weg, want de meute wilde horen wat hij zei. 'Zijn naam is Titus Flavius Vespasianus, en hoewel hij een senator is, geniet hij mijn bescherming.'

Vespasianus vertrok zijn gezicht tot een krampachtige glimlach en wist de toejuiching op een waardige manier over zich heen te laten komen.

'Zo is het genoeg,' riep Caligula. De herrie nam af en hij draaide zich verbaasd naar Vespasianus. 'Wat doe je hier nog? Hup hup, aan de slag.'

'Jawel, princeps.'

'Vanmiddag paardenrennen, Caesar?' riep iemand uit de menigte toen Vespasianus en Clemens wegliepen.

'Wat een fantastisch idee,' antwoordde Caligula enthousiast. 'Ik laat de ploegen meteen naar het circus komen, de wedstrijden beginnen over twee uur en dan kunnen we mijn nieuwe paard, Incitatus, voor het eerst in actie zien komen, dus zorg ervoor dat je bij de eerste race op de Groenen wedt.'

Vespasianus keek naar Clemens terwijl ze zich door de menigte ploegden, die nu massaal het forum overstak om een mooie plek in het Circus Maximus te veroveren. 'Nu gaat hij nog meer geld uitgeven aan die races omdat iemand hem toevallig op dat idee brengt. Hoe is het met jouw trouw gesteld, Clemens, na wat we vandaag hebben gezien?'

'Die staat onder spanning,' bekende Clemens.

De meeuwen zweefden ruziënd in de lucht, op een warme bries vanaf de licht deinende zee. Stagen en schoten pingelden en het hout van de uiteenlopende handelsschepen, wiegend langs de drukke stenen kades en houten steigers, trekkend aan hun meertrossen, kraakte en piepte.

Vespasianus en Clemens zaten in de schaduw van een flapperend dekzeil wat gedroogde vruchten en vlees te eten. Ze zwegen, waren ieder in hun gedachten verzonken. Een paar passen bij hen vandaan inspecteerde een mollige koopman zijn lading, geëmailleerde schalen en bekers uit Egypte, onlangs gelost van het grote handelsschip dat later die dag zou terugvaren naar Egypte, met Macro aan boord. De koopman was blijkbaar niet tevreden met een deel van de lading en begon een tirade af te steken tegen de kapitein van het schip, die vooral veel zijn schouders ophaalde en met zijn handen zwaaide, totdat op een gegeven moment de havenopzichter kwam bemiddelen. Vlak achter de bekvechters gingen de herbevoorrading en de lading van de voor Egypte bestemde vracht gestaag door. Hoe sneller de lossing en lading, hoe hoger de winst. Tijd was geld, zoals altijd en overal, maar vooral in de koopvaardij, waar de winstmarges gering waren, en een oponthoud in de dure haven van Ostia zou de eigenaar van het schip de kapitein bij terugkeer in Alexandrië niet in dank afnemen.

Clemens doorbrak het stilzwijgen. 'Het verbaast me dat glas de reis van Egypte naar hier overleeft, hoe dik het ook in stro verpakt zit.' Hij nam een teug uit de zak met flink aangelengde wijn en gaf hem door aan Vespasianus.

'Het ziet er inderdaad heel breekbaar uit,' beaamde Vespasianus. Hij keek naar de beschadigde kan met een kleurrijke, geëmailleerde afbeelding van Dionysus erop, die de koopman aan de aedilis liet zien om duidelijk te maken wat hij bedoelde.

De komst van de decurio van de praetoriaanse turma cavalerie die hen had vergezeld naar Ostia, maakte een einde aan hun terloopse geklets en hun maaltijd.

'Het rijtuig van Macro is zojuist door de stadspoort gegaan, prefect,' meldde de saluerende jongeman.

'Dank u, decurio,' antwoordde Clemens, en hij ging staan. 'Laat uw mannen de kade afsluiten zodra hij hier is.'

De decurio salueerde nogmaals, maakte rechtsomkeert en liep terug naar zijn turma, die zich uit het zicht bevond, achter de pakhuizen aan het einde van de kade.

Vespasianus trok zijn toga recht. De inhoud van de tas die hij van zijn kamer had gehaald rinkelde in de plooi toen hij het bevelschrift van Caligula eruit pakte. 'Ik hoop dat Caligula geen smerige streek met ons uithaalt, dat dit een bevel is voor Macro om de boodschappers te vermoorden,' zei hij met een grijns.

Clemens keek hem kwaad aan. 'Dat is niet grappig.'

'Je hebt gelijk. Vergeef me,' zei Vespasianus. Hij realiseerde zich dat dit precies het soort grap was dat Caligula hilarisch zou vinden.

Het rijtuig van Macro kwam ratelend in zicht aan de andere kant van de kade en werd niet voorafgegaan door lictoren; omdat Macro zich slechts tot de stand van de equites mocht rekenen, liepen er tien andere equites voor zijn rijtuig, om aan te geven dat een van de machtigste posities in het rijk alleen voor hen was weggelegd en niet voor leden van de Senaat. De equites liepen duwend en trekkend de drukke kade over en enkele onfortuinlijke havenslaven belandden, in sommige geval met goederen en al, in het stinkende water. De eigenaren van de verloren handelswaar reageerden verbolgen, maar hun geschreeuw werd beantwoord met onverschillige blikken vanuit de stoet die zich een weg baande naar het wachtende handelsschip. Achter hen verscheen de praetoriaanse turma om de terugweg af te sluiten.

Clemens glimlachte kil en stapte naar voren toen de deur van het rijtuig openging en de sterke, gedrongen gestalte van Quintus Naevius Cordus Sutorius Macro verscheen, gevolgd door zijn voluptueuze vrouw, Ennia.

'Clemens, wat leuk dat u mij komt uitzwaaien,' zei Macro toen hij zijn opvolger zag. 'Als u, om wat voor reden dan ook, behoefte heeft aan een andere, hoe zal ik het zeggen, verbintenis, dan is een man als u altijd welkom in het Oosten.' Hij bood zijn onderarm aan. Clemens pakte hem niet.

'Als ik naar het Oosten ga, verandert dat natuurlijk niets aan mijn verbintenis met Rome.'

'Dingen veranderen, Clemens, alle dingen veranderen,' antwoordde Macro. Hij had zijn arm nog niet teruggetrokken en keek Clemens indringend aan.

'Dat klopt, prefect,' beaamde Vespasianus, die achter het groepje van de havenopzichter vandaan kwam, waar het gebekvecht was opgehouden omdat ze luisterden naar het gesprek.

'Jij? Wat doe jij hier?' zei Macro lijzig.

Vespasianus liet het bevelschrift zien. 'Ik heb een bevel van de keizer voor u en wil u ook een geschenk overhandigen.'

Macro keek naar het bevelschrift, de onzekerheid trok als een donkere schaduw over zijn gezicht en zijn ogen zochten zenuwachtig die van Vespasianus. 'Waarom acht de keizer het noodzakelijk mij een nieuw bevel te geven?'

'U moet het zelf maar lezen, Macro.'

Macro pakte de papyrusrol aan, brak het keizerlijke zegel en rolde het bevel uit. Enkele ogenblikken later werd hij bleek. 'Goed,' zei hij zonder op te kijken. 'En wat als ik dit bevel weiger op te volgen?'

'Dan zal mijn turma u terugbrengen naar Rome, zodat u de keizer zelf kunt vertellen waarom u hem niet gehoorzaamt,' zei Clemens, en hij wees naar de wachtende soldaten.

Macro draaide zich om en zag dat ontsnappen onmogelijk was. Hij glimlachte wrang. 'Ik moet in u mijn meerdere erkennen. Ik zal mezelf niet vernederen door in het water te springen en weg te zwemmen, dat genoegen wil ik u niet doen. Ik zal het bevel van de keizer opvolgen.' Hij draaide zich om naar zijn vrouw, die op respectvolle afstand bij het rijtuig stond te wachten. 'Ennia, jouw voormalige geliefde heeft ons bevolen onszelf van het leven te beroven.'

'Dat verbaast mij niet, manlief,' zei ze, en ze liep naar Macro toe. 'Toen hij terugkwam op zijn gelofte aan mij, wist ik dat hij zijn belofte aan jou ook niet zou nakomen. Jij bent niet voorbestemd om voet op Egyptische bodem te zetten.'

Het was de eerste keer dat Vespasianus van dichtbij een blik kon werpen op de vrouw die Caligula koste wat het kost tot zijn keizerin had willen kronen. De van oorsprong Griekse dochter van de astroloog van Tiberius was inderdaad ontzettend mooi. Ze had de blanke huid en blauwe ogen van de oude tak van haar volk, haar blonde haar, deels verscholen onder een oranjegele palla, was in Romeinse stijl gekapt: opgestoken in verstrengelde golven en bij elkaar gehouden door met edelstenen ingelegde spelden. Op haar gezicht tekende zich geen ontsteltenis af, de manier waarop ze de hand van haar man pakte verraadde slechts de berusting van iemand die levensmoe is.

'Ik heb je teleurgesteld, Quintus,' zei ze. 'Ik heb hem niet kunnen verleiden langer in mijn bed te blijven. Vergeef me.'

'Er valt jou niets te verwijten, Ennia. Je hebt alles gedaan wat een trouwe vrouw kan doen.'

'En jij zou die trouw beloond hebben met verraad.'

Macro schrok. 'Je wist ervan?'

'Natuurlijk wist ik ervan. Zolang ik leefde kon jij je ultieme ambitie niet verwezenlijken, dat was zonneklaar.'

'Maar waarom...'

'Omdat ik van je hou, Quintus, en omdat ik je wilde helpen. Van welk misdrijf beschuldigt hij ons?'

'Jou van overspel met hem, mij van het koppelen van jou aan hem.'

Ennia snoof. 'Is dat alles wat hij kon verzinnen, na alles wat jij had beraamd, overspel met hem? Wat ironisch.'

Macro richtte zich weer tot Vespasianus. 'Je zei dat je ook nog een geschenk voor me had, senator, maar ik vraag me ten zeerste af of dat nog nut heeft, nu mijn leven voorbij is.'

Vespasianus haalde een lederen tas uit de plooi van zijn toga, maakte die open en haalde er twee dolken uit. 'Deze zijn van u, Macro. Deze liet u twaalf jaar geleden in mijn been zitten op de Brug van Aemilius en de andere liet u vallen in het huis van vrouwe Antonia. U zei toen dat ik hem mocht houden en beloofde mij een derde te geven om het stel compleet te maken. Omdat u die belofte niet meer kunt inlossen, zal ik het stel nooit compleet kunnen krijgen en dus geef ik ze u hierbij terug.' Hij gaf de dolken aan de glimlachende Macro, die het echt vermakelijk leek te vinden.

'Ik heb er meer behoefte aan dan jij, dat is waar. Ik waardeer het zeer, Vespasianus. Erg attent.' Opeens verdween alle vrolijkheid van zijn gezicht en keek hij Vespasianus indringend aan. 'Ik zal je zeggen waarom je de derde nooit gekregen hebt. Dat heeft maar één reden: Caligula. Hij wist dat ik je dood wenste, en bij de overeenkomst die wij sloten, dat ik ervoor zou zorgen dat hij keizer werd en hij mij als tegenprestatie prefect van Egypte zou maken, liet hij me zweren dat ik je zou sparen, gewoon omdat hij je graag mag.'

'Waarom?'

'Dat heb ik hem ook gevraagd en hij zei dat het komt door de nacht dat jullie Antonia's slavin Caenis redden uit handen van Lavilla. De wachters in de tunnel waren buiten zijn gezichtsveld gedood. Maar om de sleutel te pakken te krijgen waarmee je haar kon bevrijden, liet je haar gillen, om de aandacht te trekken van de wachter op de trap. Toen hij door de deur kwam, stak jij hem in zijn keel. Dat was de eerste keer dat Caligula buiten het theater iemand gedood zag worden, en dat heeft respect bij hem afgedwongen.'

Vespasianus ging in gedachten terug naar dat moment, hij moest dit even tot zich laten doordringen. 'Dat klopt, maar waarom is het zo belangrijk voor hem?'

'Omdat er daarna niets met je gebeurde, het deed hem beseffen dat je straffeloos kon doden. Voor hem was dat een heuglijk moment.'

Vespasianus' ogen werden groot van afschuw, hij dacht aan al het bloed dat Caligula sindsdien had doen vloeien. 'Ik heb hem op het idee gebracht?'

Macro schudde zijn hoofd en glimlachte, al lachten zijn ogen niet mee. 'Zonder jou was hij er ook wel achter gekomen. Het betekent alleen dat je je gelukkig kunt prijzen, omdat je nooit iets van hem te vrezen zult hebben. Ik heb hem gezworen dat ik niet meer op zoek ga naar wraak en daar heb ik me ook aan gehouden. En nu draagt hij het me toch na en stuurt hij nota bene jou met het bevel mezelf te doden. Dat zal dan wel zijn gevoel voor humor zijn.'

'Misschien wel, ja, maar het kan ook zo zijn dat ik hier ben omdat het mijn idee was. Ik wist wat u wilde gaan doen in Egypte, vrouwe Antonia had alles uitgeplozen, en zij liet Poppaeus weliswaar uit de weg ruimen, maar ik ging ervan uit dat u wel een andere melkkoe zou vinden waarmee u keizer van het Oosten kon worden.'

'Poppaeus stierf een natuurlijke dood, dat weet iedereen.'

'Nee, Macro. Hij is vermoord. Ik kan het weten, ik heb eraan meegeholpen.'

Macro nam Vespasianus op. 'Je bent gevaarlijker dan ik dacht. Misschien had ik toch mijn eed moeten breken en je moeten laten vermoorden. Maar je hebt gelijk, ik heb een andere melkkoe gevonden, maar het heeft nu toch geen zin meer, mijn leven is voorbij.'

'Als u meer beslotenheid wilt, kunt u misschien naar de kapiteinshut gaan?' opperde Vespasianus, die een einde aan het gesprek wilde maken.

'Dat stel ik zeer op prijs. Dank je.' Macro gaf een van de dolken aan Ennia. 'Kom, liefste, ik heb een eeuwigheid om jou om vergiffenis te smeken.'

'Ik heb jou niets te vergeven, Quintus,' antwoordde Ennia. Ze pakte Macro's arm en samen liepen ze over de loopplank hun dood tegemoet.

Vespasianus keek hen na en richtte zich toen, na de felle protesten van de kapitein, die twee betalende passagiers was kwijtgeraakt, te hebben weggewuifd, tot de equites die Macro hadden begeleid. 'Zodra ze het bevel van de keizer hebben uitgevoerd, moet u hen begraven. Doe het meteen, hier, en niet in Rome.'

'We kunnen beter even controleren of ze het wel gedaan hebben,' zei Clemens zacht, en de equites lieten zwijgzaam knikkend weten het daarmee eens te zijn.

'Misschien wel, ja,' antwoordde Vespasianus, die merkwaardig genoeg geen enkele behoefte had om Macro's lijk te zien. De manier waarop Macro en Ennia hun lot hadden aanvaard, met een waardigheid die je van Romeinen mocht verwachten, had indruk op hem gemaakt, en hoewel Macro zich verkneukeld zou hebben over de dood van Vespasianus, wilde hij liever niets te maken hebben met die van zijn oude vijand.

Ze gingen naar de kapiteinshut achter in het schip en keken door het luik naar beneden. In het schemerlicht zagen ze Macro en Ennia op de vloer liggen, ze hadden hun linkerarm om de ander geslagen en hun rechterhand zat nog om de dolk geklemd waarmee ze elkaars hart hadden doorboord.

Clemens staarde naar de twee geliefden, verstrengeld in de dood. 'Dit was een van de weinige verstandige beslissingen die Caligula genomen heeft,' merkte hij op.

'Ja,' beaamde Vespasianus, en hij draaide zich om. 'We kunnen maar beter teruggaan naar Rome, kijken welk gestoord plan hij nu weer heeft opgevat.'

Het gestoorde plan bleek een zeer praktische aanvulling op Caligula's denkwijze te zijn. Hij voelde de sterke behoefte om dagelijks van gedachten te wisselen met zijn broer Jupiter, maar had geen zin om zich elke dag weer te bezoedelen door zich onder de gewone stervelingen te begeven, en dus wilde hij een enorm houten viaduct van vijfhonderd passen lang laten bouwen, dat zijn paleis op de Palatijn verbond met de tempel van Jupiter op de Capitolijn. Dit, zo redeneerde hij, zou hem in staat stellen te reizen als een god: hoog boven de hoofden van het volk waarvoor hij was neergedaald, zodat hij het kon leiden.

De mensen keken maandenlang verwonderd naar het gevaarte dat zich als een slang tussen de twee heuvels door kronkelde, het uitzicht bedierf en, omdat alle inkomsten van het rijk werden opgeslokt door deze nieuwe bevlieging van de keizer, de handel en nijverheid danig verstoorde. Caligula was zich van geen kwaad bewust en ging door met het organiseren van verplicht vertier voor het volk. Iedere dag weer waren er paardenrennen of gladiatorgevechten, werd er op wilde dieren gejaagd, een toneelstuk opgevoerd of, uiteraard, een voorstelling met Drusilla gegeven, en elk van die voorstellingen was weer buitensporiger, niet alleen met betrekking tot het aantal deelnemers, maar ook wat duur, vindingrijkheid en geweld betrof.

Het was Vespasianus gelukt om na de dood van Macro niet op de voorgrond te treden. Nu hij geen hoog ambt meer bekleedde, kon hij buiten de organisatie van Caligula's buitensporige evenementen blijven, hij hoefde ze alleen maar te bezoeken en plezier voorwenden terwijl hij zag hoe de schatkist, waarvan de bodem reeds in zicht was gekomen, leeggeplunderd werd. Zijn leven draaide om Caenis en de vergaderingen in de Senaat, die slaafs gehoor gaf aan alle wensen van Caligula. Hij zag de keizer nog zelden van dichtbij, eigenlijk alleen op de paleisbanketten waar hij zo nu en dan kwam, maar die waren hem ook gaan tegenstaan, omdat Caligula tegenwoordig de gewoonte had om tussen de gangen zijn gasten te trakteren op de executie van een misdadiger. In feite leidde hij een rustig, onopvallend leven.

De ochtend dat het viaduct geopend werd, rukte de hele stad uit om te zien hoe Caligula, gekleed als Jupiter, met goddelijke waardigheid en zwaaiend met een bliksemschicht van de ene naar de andere kant liep.

Vespasianus keek met Gaius en de andere senatoren vanaf de trap van de Senaat toe hoe Caligula het viaduct overstak en de heiligste tempel van Rome binnenging om van gedachten te wisselen met zijn medegod. Na een tijdje kwam hij naar buiten en deelde hij de mensenmassa via boden mede dat Jupiter hem als zijn gelijke had erkend.

'Bovendien,' declameerde de bode bij de Senaat, die de tekst van Caligula vanaf een papyrusrol voorlas, 'verklaar ik dat mijn zus Drusilla een godin is. In het Forumtheater zal ik u het bewijs van haar goddelijkheid tonen.'

De menigte sloeg bijna op hol toen degenen die het dichtst bij het theater stonden in allerijl op jacht gingen naar een goede pek.

'Als ik weer moet kijken hoe hij Drusilla bespringt, ga ik denk ik vrijwillig in ballingschap,' mompelde Vespasianus tegen Gaius.

'Ik denk dat we vandaag niet hoeven,' reageerde Gaius al even zacht. 'Caligula heeft een verzoek ingediend en wil dat wij daar zo snel mogelijk gehoor aan geven. Nu het viaduct af is, heeft hij een andere manier bedacht om geld over de balk te smijten, dus ik denk dat we vandaag helaas niet kunnen genieten van het extatische gejoel van Drusilla.'

'Dat horen we binnen waarschijnlijk ook wel,' merkte Vespasianus op, en hij draaide zich om met de bedoeling weer terug de Senaat in te gaan.

'Dat weet ik wel zeker, beste jongen,' antwoordde Gaius. 'Wat wil je ook, met zo'n uithoudingsvermogen?'

Vespasianus' angst bleek gegrond, de voorafgaande plechtige openingsgebeden en rituelen van de vogelwichelaar werden verricht onder begeleiding van Drusilla's stem, die een crescendo van genot maakte, waarna consul Marcus Aquila Julianus verklaarde dat het een gunstige dag was voor een Senaatsvergadering.

'De motie die voor ons ligt,' kondigde hij aan toen iedereen weer zat, 'is een voorstel om onze goddelijke keizer de financiële middelen te bieden om op het Meer van Nemorensis twee plezierschepen te bouwen waar hij met zijn goddelijke zuster ontspanning kan zoeken en waar ze gemakkelijk in gesprek kunnen met de nimfen van het meer.'

Dit werd begroet met een zwaarwichtig geknik en instemmend gemurmel, alsof het volkomen logisch was om beter in contact te willen treden met waternimfen. Terwijl het debat doorging, Drusilla op de achtergrond bleef kermen en het publiek zo nu en dan brulde, dacht Vespasianus dat als ook maar één senator zich niet zou voegen naar de rest en geen strak gezicht kon houden, de rest van de Senaat in een mum van tijd slap zou liggen van het lachen. Vespasianus moest even kort grinniken, achter zijn hand, bij het idee, en terwijl de consul opsomde wat de keizer nodig had voor zijn schepen – heet en koud stromend water, een kamer om te baden, marmeren vloeren en andere bespottelijke luxegoederen – kreeg hij steeds sterker het onrustbarende gevoel dat hij de eerste zou zijn die zijn masker af zou doen en zijn ware emoties zou laten zien. Hij voelde de hand van zijn oom op zijn schuddende schouder en wist zichzelf, terwijl hij een traan uit zijn ooghoek veegde, tot bedaren te brengen.

Een krijs gevolgd door een aanhoudende gil deed de consul zwijgen, want dit was geen teken van genot meer, maar een onmiskenbare uiting van pijn. Opeens hield het op, de adem van het publiek stokte van afschuw en daarna werd het stil.

En dat bleef het, heel lang.

Alle senatoren draaiden zich naar de open deuren die uitzicht boden op het houten theater.

De stilte hield aan, niemand verroerde zich.

De stilte werd doorbroken door een beverig jammeren dat door merg en been ging, dat steeds luider werd en op een gegeven moment het hele forum vulde. Alle senatoren herkenden de stem: het was Caligula.

De menigte stroomde het theater uit en liep weg over het forum, vluchtend voor hun jammerende, krankzinnige keizer voordat hij in zijn radeloosheid besloot dood en verderf te zaaien. De senatoren stonden op en renden naar de deur.

'Ik denk dat het uithoudingsvermogen van Drusilla toch niet eindeloos was,' merkte Gaius op terwijl hij zich met Vespasianus een weg naar het zonlicht baande.

'Wat doen we nu?' vroeg Vespasianus. 'Naar huis gaan en ons gedeisd houden tot de rust is weergekeerd?'

'Ik denk, beste jongen, dat wij onze families een hoop verdriet besparen door medeleven te tonen met het verdriet van Caligula. Degene die nu naar hem toe gaat maakt de meeste kans om dit te overleven, wat de gevolgen ook zullen zijn.'

Vespasianus haalde diep adem en liep, net als Gaius en de vele senatoren die tot dezelfde conclusie waren gekomen, de trap af en naar het theater.

Caligula stond, stil nu, in het midden van het toneel met Drusilla in zijn armen. Bloed druppelde uit haar verscheurde ingewanden in de poel rond zijn voeten. Om hen heen lagen de lichamen van de mannen die zo onfortuinlijk waren een rol te hebben gehad in haar laatste, fatale optreden. Clemens en een stuk of vijf praetorianen stonden met bloederige zwaarden in een groepje bij elkaar.

De consul leidde de senatoren over de lege tribune naar het toneel. Caligula keek hen wanhopig aan, hij schokte van verdriet en het hoofd van Drusilla rolde over zijn linkerarm heen en weer.

'Bij wie haal ik warmte en troost?' schreeuwde Caligula uit het niets. 'Bij wie? Een kind gaat naar zijn moeder, een vrouw naar haar man en een man naar de goden, maar naar wie gaat een god? Zeg het mij, wijze en geleerde heren van de Senaat.' Hij viel op zijn knieën, die plonzend neerkwamen in de steeds groter worden bloedplas, barstte in snikken uit en kuste gretig de mond en nek van zijn dode zus.

Niemand in het theater zei iets, de hartstocht van Caligula laaide op, hij liefkoosde het lijk, murmelde in de dove oren. De verbijsterde stilte duurde voort, hij rolde zijn slappe, levenloze zus op haar knieën. Het doorbreken van taboes was zijn dagelijkse ritueel, maar dit... dit was gruwelijk.

'Ik beveel u te leven,' jammerde Caligula terwijl hij zich in zijn dode zus stootte. 'Leef!' Tranen stroomden over zijn wangen, trokken vleeskleurige strepen door het rood van het bloed van zijn zus, en ondertussen probeerde hij leven in Drusilla's lichaam te pompen. 'Leef! Leef! Leef! Leef!'

Met een diepbedroefde kreet beval hij zijn zus nog een laatste keer terug te keren uit het schimmenrijk en bereikte hij zijn hoogtepunt, om vervolgens in te storten en even roerloos als het lichaam van zijn zus te blijven liggen.

Niemand kwam in beweging, iedereen keek naar de keizer, die niet leek te ademen. Hoop welde op in Vespasianus, misschien was Caligula nu dan toch te ver gegaan en hadden de goden genoeg van hem gekregen.

Maar het mocht niet zo zijn. Met een even plotselinge als hevige inademing leek Caligula, en hij alleen, terug te keren in het land der levenden. Hij ging op zijn knieën zitten en staarde wezenloos naar de omstanders. Zijn bloeddoorlopen, diepliggende ogen bleven rusten op Vespasianus. Met een waanzinnige glimlach gebaarde hij langzaam dat Vespasianus bij hem moest komen.

Met zwaar gemoed liep Vespasianus naar het toneel.

Caligula schuifelde naar voren, legde zijn hoofd achter op Vespasianus' hoofd en trok dat zo dicht naar hem toe dat hun voorhoofden elkaar raakten. 'Het enige wat mij kan troosten is mijn eigen grootheid, vriend,' siste hij. 'Weet je nog hoe ik zou bouwen, Vespasianus?'

'Jawel, princeps,' antwoordde Vespasianus, die verstijfd was van angst, 'u zei groots te bouwen, zoals u groots hebt gebouwd aan uw brug.'

'Inderdaad, maar dat is een brug van niets. Nu zal ik, ter nagedachtenis aan Drusilla, presteren wat nog niemand gepresteerd heeft, de bruggen tussen Azië en Europa van Darius en Xerxes zullen kinderspel lijken.'

'Ik weet zeker dat u het kunt, maar hoe?'

'Ik ga een brug bouwen die een god waardig is. Ik zal een brug bouwen over de Baai van Neapolis en mijn medegoden en alle mensen op aarde laten zien dat ik de grootste leider aller tijden ben, ik zal over de brug gaan in het borstpantser van de man die ik overtroffen heb: Alexander.'

'Maar dat ligt in zijn mausoleum in Alexandrië.'

Caligula grijnsde maniakaal. 'Precies. En jij wilt daar naartoe, dus ik geef je toestemming, op voorwaarde dat je naar het mausoleum gaat om Alexander zijn borstpantser af te nemen en het mee terug neemt naar Rome.'

DEEL IV

ALEXANDRIË, JULI, 38 N.C.

HOOFDSTUK XVII

'Een groter gebouw zal ik van m'n leven niet meer zien,' prevelde Vespasianus. Met grote ogen keek hij op naar de vuurtoren, die meer dan vierhonderd voet boven hem uitstak. Hij rekende uit dat een *insula*, een huizenblok in Rome, veertig verdiepingen zou tellen als het net zo hoog zou zijn als deze toren, en hij vroeg zich af of de brug die Caligula voor ogen had dit bouwwerk kon overtreffen. Hij greep de reling van de trireem om zichzelf in evenwicht te houden toen een grote golf, afgeslagen door de enorme dam die de haven van Alexandrië beschermde, tegen het schip beukte. De zilte wind voerde druppeltjes mee, die zijn toga vochtig maakten en zijn huid, blakend in de hete zon, verkoelden. De fluitjes van de slagman volgden elkaar minder snel op en het grootzeil werd gestreken, de reis liep op zijn eind.

'Dat moet verdomme het grootste ding in de hele verdomde wereld zijn,' zei Ziri. Zijn welbespraaktheid begon het niveau van zijn grofheid te naderen. 'Als je het verdomme naast de hoogste berg van de woestijn zet, lijkt het verdomme nog groot.'

'Dat zal aardig wat werk zijn geweest,' merkte Magnus naast hem op.

Vespasianus knikte. 'Zeventien jaar. Driehonderd jaar geleden was hij klaar. Ptolemaeus Soter gaf opdracht de toren te bouwen, zijn zoon maakte het af. Als je niet vergeten wilt worden, is dit waarschijnlijk de manier: laat een groots bouwwerk verrijzen.'

'Zoals de brug van Caligula?' vroeg Magnus met een glimlach.

'Die zal de geschiedenis in gaan als duur en nutteloos. Ik bedoel iets waar de mensen ook echt wat aan hebben, zodat ze je naam steeds weer tegenkomen.'

'Wie liet het Circus Maximus bouwen?'

Vespasianus fronste en dacht een ogenblik na. 'Dat weet ik niet.'

'Dat bedoel ik. Kijk, het werkt dus niet altijd.'

Vespasianus keek nog een keer omhoog naar de Pharos van Alexandrië, die aan het groeien was geweest vanaf het moment, vijftig mijl terug, dat ze zijn licht ontdekt hadden; overdag de stralen van de zon, 's nachts zijn machtige vuur, beide weerkaatst door een enorme, glanzende bronzen spiegel. Het bouwwerk op het oostelijke puntje van het lange, smalle eiland Pharos was werkelijk prachtig: eerst de vierkante basis, negentig voet hoog en met een oppervlakte van driehonderdvijftig vierkante voet, gemaakt van granietblokken die met gesmolten lood aan elkaar vastzaten, om goed bestand te zijn tegen de krachten van de zee. De toren zelf bestond uit drie delen: het eerste was vierkant en besloeg iets meer dan de helft van de totale hoogte, het tweede was achthoekig en het bovenste stuk, met daarin de spiegel en het vuur, was rond. Als kroon op het bouwwerk stond helemaal bovenop een reusachtig beeld van Poseidon, en op elke hoek van de basis stond een beeld van Triton. Hij kon zich niet voorstellen dat er een imposanter gebouw bestond.

'Genoeg gegaapt, Ziri. Ga je spullen pakken,' beval Magnus na nog enkele bewonderende blikken. 'We gaan zo aanmeren.'

'Jawel, meester.' De kleine Marmaride holde naar hun hut achter in het schip.

Vespasianus riep hem nog iets na: 'En vergeet niet...'

'Nee, ik vergeet uw kist verdomme niet,' riep Ziri al voordat Vespasianus uitgesproken was.

Vespasianus keek naar Magnus. 'Moet ik al die brutaliteit pikken?'

Magnus haalde zijn schouders op. 'Dat hoeft niet, ik kan ervoor zorgen dat hij niet in uw buurt komt, als u dat wilt, maar ja, u hebt zelf geen slaaf bij u, dus wie moet u dan helpen?'

'De hoogste tijd dat ik mijn eigen slaven koop,' zei Vespasianus. Tot nu toe had hij altijd gebruikgemaakt van de slaven van zijn ouders of Gaius, en in Cyrenaica was hij verzorgd door de slaven die bij de gouverneurswoning hoorden. Het was gewoon nooit bij hem opgekomen om zijn eigen slaven te kopen. 'Het probleem is dat ze zo duur zijn in de aanschaf en het onderhoud.'

'Als u die bankwissel bij Thales te gelde hebt gemaakt, kunt u kopen wat u wilt, en tot die tijd hebt u niets te klagen, u kunt die van mij gebruiken, voor niks.'

Het schip gleed door de havenmond en Vespasianus zette alle gedachten over de afschrikwekkende kosten van een slaaf opzij. De Grote Haven van Alexandrië was al bijna even ontzagwekkend als de vuurtoren: twee mijl breed en anderhalve mijl lang. Rechts de Heptastadion, een gigantische havendam met een lengte van zeven stadia of veertienhonderd passen en een breedte van tweehonderd passen, die het eiland Pharos verbond met het vasteland. Achter de dam, in de handelshaven, die bijna net zo groot was als de Grote Haven, zag Vespasianus naast de grote silo's de enorme schepen van de graan-vloot liggen. Links de Diabathra, een al even lange dam met een scherpe bocht, die vanaf de havenmond naar de tempel van Artemis liep, naast het koninklijke paleis van de Ptolemeeën aan de eigenlijke kust. De kust tussen deze twee kunstmatige zeeweringen was bezoomd met gebouwen die wat grootsheid betrof niet onderdeden voor die in Rome. In het midden, op de punt van een kleine klip, waren de zuilen van het Timonium te zien, dat Marcus Antonius had laten bouwen nadat hij bij Actium was verslagen door Augustus. Ten westen hiervan, en zich uitstrekkend tot aan de Heptastadion, lagen de steigers en kades van de marinehaven. Daar deinden de talloze tri-remen, quadremen en quinqueremen van de Alexandrijnse vloot aan de meerpalen, ze zagen er na hun winterbeurt weer uit als nieuw. De zon glinsterde in de bronzen platen van de rammen, die half onder water stonden, en deed de ontelbare, bezige figuurtjes op de dekken afsteken tegen de achtergrond. De drie vierkante mijl grote haven was verder bezaaid met een verscheidenheid aan kleine vaartuigen, met bollende driehoekige zeilen en een geleide van krassende meeuwen, die als lichter, veerboot of vissersschip hun dagelijkse werk deden, waardoor Vespasianus helemaal de indruk kreeg dat hij de drukste en grootste haven van de wereld binnenvoer.

Vespasianus verwonderde zich over de vooruitziende blik van de man die dit allemaal van de grond af had opgebouwd: Alexander de

Grote, wiens borstpantser hij mee terug moest nemen naar Rome voor de keizer die dacht hem te hebben overvleugeld. Hij aanschouwde deze majestueuze stad, slechts één van de vele die Alexander had gesticht in het gigantische rijk dat hij veroverd had, en realiseerde zich hoe diepgaand het waanidee van Caligula was: de grootste prestatie die een mens kon verrichten, was namelijk al verricht. Niemand zou Alexander kunnen overvleugelen, zelfs Julius Caesar of Augustus was niet in de buurt gekomen van wat deze man in zijn korte leven had bewerkstelligd. Je kon hooguit hopen een vage schim te zijn van de man wiens nalatenschap, of althans een deel daarvan, hij nu voor zich zag, badend in de hete zomerzon, op de plek waar vóór Alexander slechts een klein vissersdorp op een gloeiende zandvlakte was geweest.

De trireem gleed naar de kade. Er werd een bevel geblaft en de bakboordriemen werden ingetrokken. De stuurboordriemen gingen voorzichtig, in omgekeerde richting, door het water en met een zachte bons en veel geschreeuw van scheepslui en havenarbeiders kwam het schip tot stilstand tegen de dikke houten palen die de stenen aanlegplaats beschermden. Landvasten werden uitgeworpen en geknoopt, de fok werd opgerold en de loopplank neergelaten. De eindbestemming was bereikt.

Na met de *triarchus* de afspraak te hebben gemaakt dat het schip zou wachten tot hij de zaken van de keizer geregeld had, liep Vespasianus met Magnus en Ziri over de loopplank naar de havenopzichter, die met zestien legionairs en een optio van het Legio XXII Deiotariana op de kade stond te wachten. De stevige bodem leek na tien dagen op zee te schommelen onder Vespasianus' voeten, hij slingerde een beetje en voelde dat Magnus zijn elleboog pakte.

'Rustig aan. Openlijk gestrekt gaan als een Vestaalse maagd die zojuist haar dertig jaar trouwe dienst heeft volbracht, dat zien we een senator niet graag doen.'

'Fijn dat je me daar nog even aan herinnert, Magnus,' antwoordde Vespasianus korzelig, en hij hield zich even vast om het bevelschrift van de keizer aan de havenopzichter te overhandigen. 'Senator Titus Flavius Vespasianus meldt zich op gezag van de keizer.'

De aedilis las het document zorgvuldig, richtte zijn blik op het keizerlijk vaandel dat hoog aan de mast wapperde en trok zijn wenkbrauwen op. 'Dat is zo te zien allemaal in orde, senator. We hebben al vier jaar geen bezoek gehad uit uw kringen. De vorige keizer verbood het u en de uwen, op advies van zijn astroloog.' Hij zweeg even en grinnikte wrang. 'En dan ook nog komen met een schip van de keizer zelf! Wat kan ik voor u doen?'

'Ik wil onmiddellijk de prefect spreken over staatszaken.'

De aedilis knikte en keerde zich naar de optio. 'Hortensius, breng de senator naar het koninklijk paleis en blijf bij hem zolang hij hier is en wees hem van dienst wanneer hij daar behoefte aan heeft.'

Vespasianus mompelde een bedankje, al had hij het vermoeden zojuist onder militair toezicht te zijn geplaatst.

'Dat kunt u wel vergeten,' zei prefect Aulus Avilius Flaccus tegen Vespasianus nadat hij op de hoogte was gebracht van Caligula's wensen. 'Als het borstpantser wordt weggehaald zullen de Grieken in de stad, die een ruime meerderheid vormen, in opstand komen. Alexander is hun held, en als wij zijn graf ontheiligen zullen zij dat zien als een oorlogsverklaring. De verordening van Caligula om in alle tempels een beeld van hem te zetten heeft al kwaad bloed gezet bij de Joden, en het is voor mij geen doen om de Joden bij de kladden te grijpen en tegelijkertijd de Grieken een lesje leren.' Zijn hoekige, gebruinde gezicht stond strak en zijn donkere ogen staarden Vespasianus van onder licht grijzende wenkbrauwen aan, alsof hij hem uitdaagde tot een discussie. Door het raam achter hem glinsterde de watervlakte van de Grote Haven in het namiddaglicht. Er woei een zeebries naar binnen die verkoeling bracht in de kamer waar Cleopatra, Julius Caesar en Marcus Antonius audiëntie hadden gehouden.

'Maar het is de wens van Caligula.'

'Dan moet die zeikerd maar iets anders wensen.'

Daar schrok Vespasianus van, dat een gouverneur zijn keizer zo openlijk beledigde. 'Zo mag u niet over de keizer praten, en al helemaal niet tegen een senator.'

'En wie gaat het hem vertellen? U? Nou, ga gerust uw gang, het kan me geen moer schelen.'

Vespasianus rechtte zijn rug. 'Als lid van de Senaat ben ik uw meerdere, dus ik eis dat u mij dat borstpantser geeft.'

'U mag dan een senator zijn en ik maar een eenvoudige eques, maar hier in Egypte heb ik het voor het zeggen, en als de keizer de rest van de zomer in Rome nog graan wil hebben terwijl ik hier twee opstanden onderdruk, kan hij maar beter in een ander kledingstuk over zijn zielige bruggetje gaan rijden. En vertel hem gerust dat ik dit gezegd heb.'

'Hij zal u laten vervangen, terug naar Rome sturen en terechtstellen.'

'Hij wilde mij al vervangen, door Macro, maar toen hij hem beval zichzelf van het leven te beroven stelde hij mij opnieuw aan. Toen ik u zag hoopte ik eigenlijk dat u het keizerlijk mandaat kwam afleveren, maar dat is de keizer blijkbaar vergeten. Geeft niet, dat komt binnenkort wel. Maar zelfs als hij zich bedenkt en mij terugroept, ga ik niet terug naar Rome. Er mogen dan duizend mijl tussen zitten, verhalen hoor ik genoeg. Caligula is gek geworden, hij heeft zijn neef laten executeren omdat hij hoestte. Zolang hij keizer is, zet ik geen voet in Rome.'

'U kunt toch zeker niet hier blijven?'

'Natuurlijk niet, maar de wereld is groot en de prefectuur levert in Egypte aardig wat op, ik heb genoeg geld om te gaan waar ik wil.'

Vespasianus wilde dit bestrijden, maar hij slikte zijn woorden in en besloot het over een andere boeg te gooien. 'Ik heb een paar dagen nodig om wat persoonlijke zaken af te handelen en zou een onderkomen zeer op prijs stellen.'

Flaccus glimlachte welwillend. 'Wat dat aangaat kan ik wel iets voor u betekenen, senator. Ik zal u enkele vertrekken ter beschikking stellen, u zult ontdekken dat hier ruimte genoeg is. Ik hoop dat u straks het avondmaal met ons gebruikt? Mijn vrouw en ik hebben nog wat andere gasten.'

'Dank u, prefect, heel graag,' antwoordde Vespasianus niet geheel naar waarheid, maar hij wilde deze man, die zich in zijn provincie kennelijk zo veilig voelde dat hij een keizer durfde te trotseren, niet voor het hoofd stoten.

'Kan ik nog ergens mee van dienst zijn?'

'Ja, ik zou graag willen weten waar ik Thales de bankier kan vinden, en de alabarch.'

Flaccus' gezicht betrok. 'Thales is iedere dag al vroeg in de ochtend in het forum en de alabarch woont naast de Joodse tempel bij de Canopuspoort. Maar waarom wilt u hem spreken?'

Vespasianus stak een kort verhaal af over het goud van Ataphanes, de vrijgelatene van zijn overleden vader, dat terug moest naar zijn familie in Parthië.

'Nou, dat kunt u hem wel toevertrouwen, mits hij een percentage krijgt,' zei Flaccus. 'Op oneerlijkheid heb ik hem nooit kunnen betrappen, maar hij is een geslepen politicus, laat u zich niet voor zijn wagentje spannen. De Joden hebben de laatste tijd veel eisen gesteld: volwaardig burgerschap van Alexandrië, het recht om buiten de Joodse wijk te wonen, toestemming om de beelden van de keizer uit hun tempels te halen, om er een paar te noemen. Hij zal een beroep op u doen, als hij de kans krijgt. Maar nu moet u mij verontschuldigen, er wacht iemand op me die mij hopelijk kan helpen met die Joden.' Flaccus glimlachte koeltjes en leidde Vespasianus naar de deur. 'Ik zie u vanavond bij het eten, senator. Als u de deur uit wilt, ik heb uw geleide opdracht gegeven u overal naartoe te brengen. Ze wachten op u bij de poort, dat is de enige in- en uitgang van het paleis.'

'Dus we zullen moeten inbreken en het stelen,' zei Magnus. Ze dronken gekoelde wijn op het terras bij het onderkomen van Vespasianus, op de eerste verdieping, en keken naar de zon die achter de Grote Haven onderging.

'Dat kunnen we niet maken,' zei Vespasianus onthutst.

'Hebt u een beter idee dan? Misschien moeten we gewoon teruggaan en tegen Caligula zeggen dat Flaccus het niet wilde geven?'

'En wiens nek heeft hij dan vlak voor zich, als ik dat doe, die van mij of die van de prefect?'

'Precies. Dus hebt u een beter idee?'

Vespasianus troostte zich met een slok wijn. 'Nee.'

'Dan blijft alleen dat van mij over.'

Vespasianus stond op, liep naar de marmeren balustrade en leunde erop, diep in gedachten verzonken. Magnus kwam naast hem staan.

'Als we dat doen,' zei Vespasianus na een poosje, 'moet het lijken alsof er niets gebeurd is, anders komt de Griekse bevolking in opstand.'

'U denkt aan een replica en een wisseltruc?'

'Precies. En we moeten het paleis ongezien in en uit zien te komen.'

Magnus keek naar het water vijftig voet onder hen. 'Dat is de snelste manier, recht naar beneden.'

'Dan hebben we een boot nodig.'

'Ik was inderdaad niet van plan te gaan zwemmen.'

'En vervolgens moeten we het mausoleum in en uit glippen zonder dat de wachters het merken.'

'We verkennen de boel eerst.'

'Met ons geleide?'

'Waarom niet?'

'Flaccus zal het te weten komen.'

'Nou en? We gaan gewoon de bezienswaardigheden langs, toch?'

'Dat zou kunnen, ja.'

'We hebben wel iemand van hier nodig die weet hoe 's nachts de beveiliging van het mausoleum is en die ook een boot voor ons kan regelen.'

Vespasianus dacht even na. 'Felix?'

'Is die te vertrouwen?'

'Wat denk jij?'

'Is er een ander die te vertrouwen is?'

'Antonia vertrouwde hem.'

Magnus zweeg even en knikte toen. 'Hij is te vertrouwen. Hoe sporen we hem op?'

'Hij zei dat de alabarch altijd weet waar hij uithangt.'

'Dus u gaat het hem morgen vragen?'

Een bonk op de deur maakte een einde aan hun bespreking. Ze keken naar binnen en zagen dat Ziri de deur opendeed voor een heel erg mooie slavin.

'Heer,' riep Ziri, 'ze zegt dat ze u naar uw banket moet brengen.'

'Ik kom eraan.' Vespasianus keek naar Magnus, die het meisje aan het opnemen was. 'Wat ga jij doen?'

'Denkt u dat u zelf de weg naar het triclinium kunt vinden?'
Vespasianus trok zijn wenkbrauwen op. 'Dat gaat wel lukken.'
'Dan denk ik dat ik de hele avond binnen blijf, als u begrijpt wat ik bedoel.'

Na een dooltocht door het paleis belandde Vespasianus ten slotte in een lange, hoge en brede gang met talrijke beelden langs de wanden. Aan het einde van de gang was een deur waarachter zo te horen een geanimeerd gesprek werd gevoerd. Hij liep op het geluid af, langs de beelden, die hij stuk voor stuk bewonderde: het waren levensgrote beelden van alle Ptolemeeën, zowel de vrouwen als de mannen, beginnend met de stichter van de dynastie, Ptolemaeus Soter, de veldheer van Alexander. De mannen waren in vol militair ornaat, men had de beelden uitgerust met authentieke helmen, gespierde borstharnassen, scheenplaten en zwaarden. De vrouwen droegen zijden gewaden die lichtjes wapperden in de tocht, en hun hoofden waren versierd met welige twijgen. De lichaamsdelen die niet schuilgingen onder de kleding waren met huidtinten beschilderd, en de gezichten waren zeer realistisch afgewerkt.

Toen hij bijna bij het einde van de gang was, bleef hij staan voor het op twee na laatste beeld, Cleopatra VII, en keek naar het gezicht dat eerst Julius Caesar had betoverd en vervolgens Marcus Antonius. Het was niet van een klassieke schoonheid, haar neus was groot en haar kind en mond bijna jongensachtig, maar ze had een zekere sensualiteit over zich die hij heel aantrekkelijk vond. Ze moest een opvallende verschijning zijn geweest.

'Nog steeds naar de vrouwen aan het kijken, quaestor? Of moet ik "senator" zeggen?'

Vespasianus draaide zich als door de bliksem getroffen om en zag in de deur het silhouet van een vrouw.

'Zij wil in ieder geval niets van u.'

'Flavia! Wat doet u hier?'

Flavia Domitilla liep een stukje de gang in, waar het lichter was. 'Ik ben hier al sinds ik de rellen in Cyrene ben ontvlucht. En u?'

Vespasianus gaapte haar aan, ze was niets veranderd, en zijn verlangen naar haar evenmin, te oordelen naar de snelheid waarmee het bloed door zijn aderen raasde. Ze was in zijn ogen nog steeds het prototype van een echte vrouw. 'De keizer heeft me gezonden.' Hij moest het eruit persen en voelde zich licht in het hoofd worden toen hij haar geur opving, die hem alleen maar meer opwond.

Haar ogen werden groot en haar pupillen verwijdden zich, ze deed nog een stap in zijn richting en glimlachte verleidelijk. 'U beweegt zich in hoge kringen, begrijp ik? Interessant. Daar moet u mij tijdens het eten maar wat meer over vertellen.' Ze pakte zijn arm en leidde hem door de deur, hij volgde gewillig, genietend van de zachte aanraking van haar hand op zijn huid.

'Ah, Flavia, je hebt onze senator gevonden. Dat doe je goed. Nu kunnen we gaan eten.' Een gezet vrouwtje van tegen de vijftig kwam glimlachend, met een schittering in haar ogen, op hen af. 'Senator Vespasianus, ik ben Laelia, de vrouw van de prefect.'

Vespasianus kneep zacht in haar mollige vingers. 'Aangenaam kennis te maken. Het spijt me dat ik aan de late kant ben.'

'Ik had een meisje gestuurd. Is ze niet bij u geweest? Als ik haar vind laat ik haar geselen.'

'Nee, doet u dat alstublieft niet. Ze is wel bij me geweest, maar... er... moesten... wat dingen gedaan worden in mijn vertrekken, dus ik heb haar gevraagd dat te regelen en ben vervolgens zonder haar op pad gegaan.'

'Dat maakt niet uit. U bent er in ieder geval. Aangezien Flavia u gevonden heeft, verdient zij het om naast u te mogen zitten. De andere vrouwen zullen jaloers zijn.'

'Dat doet ze alleen maar omdat haar man dan met zijn handen van me afblijft,' fluisterde Flavia in zijn oor terwijl ze achter Laelia aan naar de andere vijf gasten liepen, die bij Flaccus rond de lage eettafel zaten.

Er liep een rilling over Vespasianus' rug, haar mond was zo dicht bij hem dat hij haar zoete adem rook. 'Probeert hij het vaak?'

'Ja, en soms laat ik hem begaan.'

'Waarom? U kunt toch nee zeggen.'

'Ik ben hier ondertussen alweer drie jaar, hoe denkt u dat ik me al die tijd heb kunnen redden, zonder een man die voor me zorgt?'

HOOFDSTUK XVIII

Vespasianus werd wakker toen er op de deur van zijn slaapkamer werd geklopt.

Magnus stak zijn hoofd om de deur. 'Ik heb een stoel besteld om... Ah! Ik zal u met rust laten.' Hij maakte zich snel uit de voeten.

Vespasianus draaide zich op zijn zij en keek naar Flavia. Ze opende haar ogen.

'Hij denkt zeker dat je je rust hard nodig hebt?' zei ze gapend.

'Volgens mij vond hij eigenlijk dat mijn rust wel lang genoeg geduurd had.'

'Dat vind ik eigenlijk ook, maar misschien moet je het nog wel even bewijzen.'

Vespasianus glimlachte en kuste haar, liet zijn vingertoppen over haar borsten en haar platte buik glijden, om ze ten slotte tussen haar benen te nestelen. Flavia kreunde zacht, zoals ze een groot deel van de nacht had gedaan terwijl ze, tussen vlagen van hevige seksuele activiteit door, op zijn mond, tepels en penis had gezogen. Hij had de liefde met haar bedreven zoals hij met geen enkele andere vrouw behalve Caenis gedaan had.

Vespasianus had meteen, vanaf de eerste tellen van hun weerzien, met haar naar bed gewild, en dat gevoel leek geheel wederzijds te zijn, vooral nadat hij haar had verteld dat hij Capella gevonden en uit de woestijn gehaald had. Hij had haar niet teleurgesteld. Het feit dat Capella zo gruwelijk aan zijn einde was gekomen leek haar niet bijzonder diep te raken en ze reageerde oprecht verbaasd op zijn mededeling dat Capella niet in kamelen handelde. Hij vertelde haar

307

echter niet wat Capella dan wél had gedaan, en toen ze bleef doorvragen had hij gezinspeeld op staatszaken waarvan ze beter het fijne niet kon weten. Wat in feite ook zo was. Ze bewonderde hem om de hoge kringen waarin hij zich bewoog, wat hem in haar ogen overduidelijk onweerstaanbaar maakte, en hoewel het niet nodig was, haalde ze alles uit de kast om hem te verleiden, tot genoegen van Vespasianus en tot ongemak van de andere gasten. Toen het banket afliep, maakte Flaccus een gekrenkte indruk en nam de triomfantelijk ogende Laelia niet eens de moeite Flavia te vragen of ze haar draagkoets al wilde laten komen.

De oranje gloed van de opkomende zon sijpelde door de luiken en Vespasianus was bevredigd. Hij rolde van Flavia af en ging op de rand van het bed zitten. 'Ik moet gaan. Ik heb dingen te regelen.'

'Wat voor dingen, en hoeveel?' vroeg Flavia. Haar hoofd rustte op haar hand.

'Persoonlijke dingen, veel.'

'Ik ga mee.'

'Nee, zorg jij maar dat je hier bent als ik terugkom.'

Ze zuchtte en liet zich weer op het kussen zakken. 'Dat lijkt me geen probleem.'

'Zo te zien was het een geslaagd banket,' zei Magnus toen Vespasianus zijn slaapkamer uit kwam.

'Zeer geslaagd,' antwoordde Vespasianus terwijl Ziri zijn toga om hem heen drapeerde.

'En?'

'En nu gaan we eerst naar de alabarch en dan naar het forum, naar Thales, en dan gaan we op zoek naar Felix.'

'Ik weet wat we gaan doen. Ik bedoelde: wie is ze?'

'Jij gaat dit niet leuk vinden.'

Magnus dacht even na en sloeg toen zijn handpalm tegen zijn voorhoofd. 'Moge Venus u de kracht geven om haar te weerstaan: Flavia!'

'Wat is de wereld toch klein, vind je ook niet?'

'Veel te klein. U staat op het punt een wissel van een kwart miljoen te gelde te maken. Dat heeft ze u binnen de kortste keren afhandig gemaakt.'

'Niet als ik met haar trouw.'

'De laatste keer dat u aan trouwen dacht werd dat aardig wat mensen fataal. Waarom neemt u haar niet gewoon als scharrel voor zolang u hier bent?'

'Omdat ik dit jaar negenentwintig word en zoons moet hebben, dat is zo ongeveer het enige waar mijn ouders in hun brieven over schrijven.' Vespasianus bestudeerde de plooien van zijn toga, die over zijn linkerarm waren gedrapeerd, en knikte goedkeurend. 'Dat is perfect, Ziri. Je hebt het eindelijk onder de knie.'

Magnus fronste. 'Dus u gaat haar meenemen naar Rome?'

'Ik ga niet hier wonen.'

'Misschien wil ze niet mee.'

'Geloof me: dat wil ze wel. Een beter aanbod heeft ze sinds haar komst hiernaartoe niet gehad. Hoe dan ook, hoe was jouw avond?'

'In veel opzichten hetzelfde als die van u, alleen dan zonder langetermijnverbintenis aan een heel erg dure vrouw.'

'Waarom hebben jullie vannacht geneukt en ik niet?' vroeg Ziri boos.

'Omdat, Ziri, jij een slaaf bent,' zei Magnus, en hij gaf hem een tikje tegen zijn oor, 'en los daarvan, ik heb in en om het paleis geen kamelen gezien. Dus stop met klagen en ga de kist van jouw heer halen.'

Optio Hortensius en zijn mannen stonden hen op te wachten bij de paleispoort, ze aten in de schaduw van een reusachtig beeld van een zittende figuur die Vespasianus deed denken aan het beeld van Amon in de tempel in Siwa, maar volgens de Griekse inscriptie ging het om een beeld in Egyptische stijl van de eerste Ptolemaeus.

'Brengt u ons naar het huis van de alabarch bij de Canopuspoort, optio,' zei Vespasianus, en hij klom in de draagstoel die Magnus had laten komen, 'als we toch met u opgezadeld zitten.'

Hortensius salueerde en zijn mannen volgden zijn voorbeeld.

'U kunt zich onderwijl misschien nuttig maken als gids,' zei Magnus met een grijns.

Hortensius ging er niet op in.

'Hits hem niet op,' mompelde Vespasianus. Via de paleispoort gingen ze de omheinde Koninklijke Haven in. 'We kunnen hem nog nodig hebben.'

'Ik kan me niet heugen wanneer iemand van de Tweeëntwintigste Deiotariana voor het laatst iets nuttigs heeft gedaan, het legioen heeft al tijden geen slagveld van dichtbij gezien.'

Ze lieten de Koninklijke Haven alweer achter zich en kwamen in de stad zelf, waar ze langs de oude Macedonische kazerne kwamen, het hoge gebouw waar nu de legionairs verbleven die dienstdeden in de stad; het Romeinse legerkamp bevond zich buiten de stad. Ze sloegen links af en liepen langs de vaalbruine gevel, tweehonderd passen lang en uitgevoerd met vierkante ramen. Hun geleide baande een weg door de menigte en sloeg rechts af de Joodse wijk in.

Op slag veranderde de sfeer. Het was nog steeds druk, maar er hing een zekere somberheid in de lucht en Vespasianus zag dat er niet alleen boze blikken werden geworpen op de legionairs, die midden op straat liepen, maar ook op de brede, paarse senatorstreep op zijn toga. Hij stak zijn neus in de lucht, verwaardigde zich niet naar links of rechts te kijken en probeerde uit te stralen dat hij een Romeinse senator was in een deel van het rijk dat tot de Senaat en het Romeinse volk behoorde.

Toen ze dieper doordrongen in de wijk gingen de mensen minder snel aan de kant en moesten de soldaten bij wijze van waarschuwing hun zwaarden trekken en zo nu en dan met hun schild een koppig obstakel uit de weg duwen.

'Misschien was dat gewapende geleide toch niet zo'n slecht idee,' zei Magnus achter zijn rechterschouder, 'ik geloof niet dat we hier erg geliefd zijn.'

Ze liepen nog een halve mijl door, langs Grieks aandoende huizen – twee verdiepingen, gebouwd rond een rechthoekige binnenplaats, twee kleine ramen en een eenvoudige houten deur in de witgepleisterde gevel –, en draaiden toen in oostelijke richting de Canopusweg op. Het uitzicht benam Vespasianus de adem: de Canopusweg was drieënhalve mijl lang en zestig passen breed en van begin tot eind bebouwd met tempels en openbare gebouwen. Vanaf de Canopuspoort in de oostelijke muur liep hij loodrecht, als een pijl uit een boog, naar de westelijke muur en verder de Necropolis in. Vespasianus probeerde niet te staren alsof hij een of andere provinciaal was, hoewel hij dat, bedacht hij, in feite natuurlijk wel was.

Ze kwamen nu sneller vooruit; de breedte van de weg en het meer multiculturele karakter van de voetgangers zorgden daarvoor. Tussen de gebouwen links en rechts van hem zag Vespasianus vanuit zijn ooghoeken steeds delen van een bouwwerk dat wat vorm betrof op het Circus Maximus leek, met één open kant, waar ongeveer honderd mensen, hoofdzakelijk Grieken, naar een spreker luisterden die in de bocht aan de andere kant stond. Toen hij voor de vierde keer tussen de gebouwen door kon blikken, bleek, te oordelen naar het kabaal althans, dat het in ieder geval niet om een groep leerlingen ging die naar een filosofisch debat luisterden.

Dichterbij gekomen kon Vespasianus zien dat er behalve Grieken ook Joden en Egyptenaren waren. Iedereen schreeuwde om het hardst, her en der gingen mensen zelfs met elkaar op de vuist, en er was geen duidelijke etnische scheidslijn tussen de kampen. Een Joodse minderheid nam het op tegen het overgrote deel van het publiek – onder wie ook Joden –, dat de spreker leek te steunen, een kleine, kalende man die zich aan de andere kant verstaanbaar probeerde te maken. Vespasianus kon zich nog net inhouden om een, voor een senator onbetamelijke, tweede blik op de man te werpen toen hij de kromme benen en hooghartige stem herkende die het gebekvecht probeerde te overstemmen: Gaius Julius Paulus.

'Verrek! Wat doet hij hier nou?' riep Magnus uit toen hij Paulus ook herkende.

'Hij doet waar hij goed in is, zo te zien,' antwoordde Vespasianus. 'Opstootjes veroorzaken en tweedracht zaaien.'

'De gore rat!'

'Dit is het huis van Alexander de Alabarch, senator,' deelde Hortensius mee toen ze bij een groot huis aan de noordkant van de straat kwamen, waar de Joodse wijk ophield. Het huis was in Griekse stijl gebouwd, maar met een grootsheid die paste bij de andere gebouwen aan de Canopusweg. 'Ik zal hier met mijn mannen op u wachten, senator.'

'Dank u, optio,' zei Vespasianus. Hij stapte van de stoel en nam de kist van Ataphanes van Ziri over. 'Jij en Ziri wachten hier ook, Magnus. Ik probeer het zo kort mogelijk te houden.'

'Ik heb nog contact met die familie, senator,' zei Alexander de Alabarch van de Alexandrijnse Joden tegen Vespasianus, 'en ik kan u verzekeren dat het geen probleem is om dit ding bij hen te laten bezorgen. Bij de volgende volle maan, over drie dagen, vertrekt er een karavaan naar Parthië. De eigenaar ervan is een neef van mij. U kunt hem vertrouwen. Mag ik zien wat erin zit?'

Vespasianus tilde het deksel van Ataphanes' kist op, die tussen hen in op het bureau stond. Ze zaten in de koele werkkamer van de alabarch, aan de noordzijde van zijn huis, waar de zon nooit op stond. De kamer lag vol met papyrusrollen die naar hun taal waren gemerkt – Grieks, Hebreeuws, Armeens, Latijn –, waardoor er een bedompte geur hing die deed denken aan een oude bibliotheek. Het enige licht kwam van twee ramen met jaloezieën die uitkeken op de binnenplaats, waar twee jonge mannen in koor, en in hoog tempo, aan het lezen waren.

'Die vrijgelatene van u was een rijk man,' merkte Alexander op terwijl hij zijn vingers door de gouden munten en kleinoden in de kist haalde. 'Hoeveel is het?'

'Ik ben bang dat ik dat niet precies weet.'

'Dan moet ik het wegen.' Alexander stond op en pakte een grote weegschaal uit de houten kist in de hoek van de kamer. 'Mijn beloning, die alle kosten dekt die wij, mijn neef en ik, maken, zal achttien procent van het gewicht van het goud zijn. De kwaliteit van de afwerking laat ik buiten beschouwing. Kunt u zich daarin vinden?'

'Tien.'

'Zestien.'

'Twaalf.'

'Vijftien.'

'Elf.'

Alexander glimlachte achter zijn volle, zandkleurige baard. 'U bent niet erg toeschietelijk, terwijl het niet eens uw geld is. Goed dan, ik ga akkoord met twaalf.'

'Afgesproken,' zei Vespasianus. Alexander ging het goud wegen.

Het voorkomen van de alabarch had Vespasianus verrast. Hij had een wijze oude man met een grijze baard verwacht, tranende ogen, een loopneus en misschien een wat ronde rug. Maar het tegendeel bleek waar: Alexander was een energieke, sterke man van tegen de vijftig met alerte, priemende blauwe ogen en lang, bijna blond haar en een baard van dezelfde kleur. Het enige wat strookte met Vespasianus' stereotypische beeld van Joden waren zijn kleren – heel typisch – en zijn grote neus – iets minder typisch. Hij straalde de rust uit van een man die vrede had met zijn zichzelf en zijn bestaan, en Vespasianus wist meteen dat hij te vertrouwen was.

'Zes minen, vierentwintig drachmen en drie obolen,' zei Alexander ten slotte.

'Wat voor u neerkomt op een percentage van één obool minus vijfenzeventig drachmen,' zei Vespasianus na een ogenblik te hebben nagedacht, 'of bijna precies een Romeinse pond in goud.'

Alexander maakte snel wat berekeningen op een wastafeltje en trok zijn wenkbrauwen op. 'U zult niet zo makkelijk op te lichten zijn, vermoed ik.'

'Daar bent u ook de man niet naar, Alexander.'

Alexander woog zijn aandeel. 'Er is mij geleerd altijd eerlijk en oprecht te zijn, en ik hoop dat door te geven aan mijn zoons.' Hij wees naar de binnenplaats. 'Ze bestuderen de Thora, waaraan ze net zo'n hekel hebben als ik op die leeftijd, ben ik bang, maar ik sta erop dat ze het doen, want hoe kunnen ze later anders goed bepalen of ze gelovig willen worden of, zoals ik, niet?'

'U bent geen Jood?'

'Natuurlijk wel, ik behoor tot het Joodse volk, maar ik ben geen praktiserende Jood. Waarom denkt u anders dat ik de alabarch ben? Rome krijgt met mij het beste van twee werelden: een Jood die de Joodse gemeenschap in Alexandrië leidt en in de wijk de belastingen ophaalt, wat het voor de Joden acceptabel maakt.'

'Hoewel u hun geloof niet deelt?'

Alexander grinnikte. 'O, ik doe genoeg om in hun ogen een rechtvaardig mens te zijn. Onlangs zijn de negen poorten van de tempel in Jeruzalem op mijn kosten verguld, dus ze moeten mij wel accepteren. Tegelijkertijd heeft Rome een alabarch die niet wordt beïnvloed door een godsdienstige leer. Rome kan mij zien als een neutrale partij.'

'Die indruk kreeg ik anders niet van Flaccus,' zei Vespasianus. Hij realiseerde zich dat hij zijn mond voorbijpraatte. 'Hij zei dat u de laatste tijd te veel eisen stelde.'

'Er speelt een kwestie rond het Alexandrijnse burgerschap en de vraag of Joodse ingezetenen ook buiten de Joodse wijk mogen wonen, en dan zijn er natuurlijk nog de beelden van de keizer in de tempels. Maar ik probeer ook de oudsten en de prefect in een andere zaak tot elkaar te brengen: ze willen namelijk dat hij met harde hand optreedt tegen de nieuwe sekte, die naar hun idee onwaarheden verkondigt en door hen als een Romeinse aanval op hun godsdienst wordt gezien.'

'Maar dat is belachelijk, er is niets Romeins aan.'

'De belangrijkste prediker is een Romeins burger.'

Vespasianus fronste. 'Paulus? Absoluut niet. Hij probeert het juist uit te roeien.'

'Hij probeerde uit te roeien wat bekendstond als De Weg. Vier jaar geleden was hij hier en haalde hij akelige dingen uit met iedereen die volgens hem lid van de sekte was.' Alexander wees naar de weegschaal, die precies in evenwicht was.

Vespasianus knikte, de twaalf procent was in orde. 'Ja, ik kwam hem tegen in Cyrenaica. Hij was meedogenloos. Ik heb hem laten arresteren en op een schip naar het oosten gezet.'

'Jammer dat u hem niet hebt laten doden.' Alexander kiepte zijn goud in een zak en legde die in een lade. 'Maar goed, hij beweert dat hem onderweg naar Damascus het licht is gebracht. Twee maanden geleden keerde hij terug uit de woestijn, waar hij drie jaar moederziel alleen leefde, en begon zonder toestemming te prediken. Hij beweert op gezag van God te spreken en zegt dat het helemaal geen Joodse kwestie is, en in zeker opzicht heeft hij gelijk. Hij predikt niet een hervormde Joodse leer zoals die volgens de aanhangers van De Weg door Joshua bar Josef verkondigd werd aan Joden alleen. Hij predikt een volkomen nieuwe godsdienst aan Joden en niet-Joden, een godsdienst die zich vooral op onze God concentreert en niet zozeer op de Thora. Hij beweert dat Joshua bar Josef de zoon van God is, die kwam om te sterven voor de zonden van de wereld en de verlossing van alle mensen. Alleen door hem, zo verkondigt Paulus, kunnen zij die werkelijk berouw hebben van hun zonden hoop koesteren op een leven in Gods koninkrijk, dat niet van deze wereld is, in plaats van te moeten wachten op een opstanding uit de dood in een aards paradijs wanneer het einde der tijden daar is, zoals de meeste Joden geloven. Hij voegt een element van angst en nood-zaak aan zijn boodschap toe door te stellen dat het einde der tijden, of de dag des oordeels, zoals hij het noemt, nadert. Eigenaardig ge-noeg verwijt hij de Joden dat zij die Joshua gekruisigd hebben, hoe-wel het een typisch Romeinse vorm van executie is, en als hij niet geëxecuteerd was, zou Paulus geen enkele grond hebben om zijn on-samenhangende leer op te funderen. Nu begrijpt u misschien waar-om de oudsten en mijn volk zo boos zijn.'

'Ja, dat voelde ik al toen ik door de Joodse wijk kwam. Waarom doet Flaccus niets aan Paulus?'

'Vraag het hem zelf,' antwoordde Alexander, die het goud van Ataphanes terug in de kist deed. 'Ik weet het niet, maar ik denk dat het hem gewoon weinig kan schelen. Wat zegt een Romein nou, als er weer een godsdienst bij komt? Jullie omarmen ze allemaal.'

'En terecht, zolang je voorhuid er tenminste niet af wordt gesneden. Maar dit klinkt toch anders.'

Alexander deed de kist dicht. 'Het is anders en gevaarlijk omdat het geen wereldlijk gezag erkent. De aantrekkingskracht is dat er verlossing en beloning wordt beloofd in een wereld die nog komen moet, niet in het hier en nu. Als we het vaste voet aan de grond laten krijgen, dan kan het zwaartepunt van onze beschaving ver-schuiven van een filosofisch debat over de inrichting van het leven in het heden naar een spiritueel debat over de voorbereiding op een theoretisch leven na de dood. Ik heb daarover nagedacht, en ik vraag me af wat er met onze kennis en wetenschap gebeurt als men zich alleen nog maar druk maakt over het idee van een onsterfelijke ziel.'

'Ik ben bang dat ik u niet meer kan volgen,' zei Vespasianus. Alexander schreef een ontvangstbewijs. 'Ik begrijp echter het ge-vaar van een godsdienst die het ultieme gezag van de keizer niet erkent, van welke keizer dan ook. Maar dit is toch een kleine sekte, gesticht door een eenling?'

'Maar hij zal groter worden, omdat Paulus predikt voor de armen en de slaven, die in deze wereld niets te verliezen hebben en voor wie het idee van verlossing en spirituele rijkdom in de volgende wereld alleen maar voordelen biedt. Het is heel overtuigend. Paulus is een ontzettend ambitieuze man die denkt dat zijn talent wordt miskend en dat de samenleving hem nooit heeft gegeven wat hij verdient. Hij vroeg, nee, hij eiste een huwelijk met de dochter van de hogepriester, kort voor zijn vertrek naar Damascus, maar kreeg nul op het rekest. Ik denk dat hij dat zag als de ultieme belediging en besloot op eigen houtje op zoek naar macht te gaan, want kort daarna verdween hij. Nu is hij terug, en volgens mij heeft hij een manier gevonden om deze wereld op zijn kop te zetten, met hem bovenop.'

'Ik ga met Flaccus praten en zal proberen hem over te halen om Paulus te arresteren,' zei Vespasianus. Het was eruit voor hij besefte dat Alexander precies had gedaan wat Flaccus had voorspeld: hem erbij betrokken.

Alexander glimlachte en overhandigde hem het ontvangstbewijs voor het goud van Ataphanes. 'Dank u, Vespasianus, dat zou ik waarderen. Maar hem arresteren is niet genoeg, hij moet hem executeren.'

Vespasianus keek in de priemende blauwe ogen van de alabarch en zag dat het hem menens was. Hij was echt bang voor die nieuwe sekte. 'Goed, ik zal het te berde brengen, Alexander,' beaamde Vespasianus, en hij stond op en bood zijn arm aan. 'Ik moet gaan, ik heb een drukke dag voor de boeg. Kunt u mij misschien zeggen waar ik Felix kan vinden, de dienaar van wijlen vrouwe Antonia?'

Alexander greep over de tafel heen naar zijn onderarm. 'Hij is momenteel in de stad, u kunt hem vinden in het huis van Antonia, pal naast de zuidkant van het Gymnasium.'

Vespasianus volgde de alabarch naar de binnenplaats. Het lezen hield meteen op en de twee zoons stonden op voor de ouderen. Het waren tieners.

'Senator Vespasianus, dit is mijn oudste zoon, Tiberius,' zei Alexander, wijzend op de langste van de twee, die Vespasianus een jaar of zeventien schatte, 'en zijn broer Marcus.'

Ze bogen het hoofd.

'Jullie vader houdt jullie wel bezig, zie ik,' zei Vespasianus.

'Hij lijkt het fijn te vinden om ons te zien lijden,' antwoordde Tiberius met een grijns.

'Of hij probeert ons mentaal af te matten met zinloze herhalingen,' opperde Marcus, die een jaar of twee jonger was dan zijn broer.

Alexander glimlachte trots. 'Met die praatjes hebben jullie vijftig extra regels verdiend. Ik wil ze graag horen wanneer de zon ondergaat.'

'Dan zult u ons eerst moeten vinden,' zei Tiberius, en hij dook snel weg voor de speelse oorvijg van zijn vader.

'Zo is het leuk geweest,' zei Alexander lachend. 'Nu weer aan de studie. Ik zal u uitlaten, senator.'

Ofschoon hij gedragen werd, zweette Vespasianus als een rund toen ze over de Canopusweg terug in westelijke richting gingen. De zon stond nog niet op zijn hoogst, maar de droge hitte en de windstilte maakten het bijna ondraaglijk, helemaal voor wie een wollen toga droeg. Anders dan in Cyrene, verrezen op een plateau hoog boven de zee, leek men in Alexandrië niet te kunnen genieten van een verkoelende zeebries.

'Hoe houden jullie het uit, Hortensius?' vroeg Magnus, die weliswaar alleen een tuniek droeg, maar toch baadde in het zweet. 'Jullie worden levend gebraden, met die helmen en harnassen.'

'Je raakt eraan gewend, makker,' antwoordde de optio vriendelijk, 'na een jaartje of tien.'

'U bedoelt dat je er dan niet meer om maalt.'

'Daar heb je gelijk in, makker,' gaf Hortensius lachend toe, 'of niet soms, jongens?'

Zijn mannen beaamden het opgewekt. Vespasianus merkte dat Magnus tijdens het wachten bij het huis van de alabarch zijn tijd goed had besteed door vrienden te maken met hun beschermers.

'Paulus is weer verdergegaan,' zei Vespasianus tegen Magnus toen hij zag dat het circus waar hij gepredikt had leeg was.

'Bent u bij de alabarch te weten gekomen wat hij hier doet?'

'Dat ben ik, en je zult niet geloven...'

317

Hij werd onderbroken door een paar kreten en het harde gestamp van heel veel rennende voeten. Twee Joden snelden van zuid naar noord over straat, achtervolgd door een meute joelende Grieken die zwaaiden met provisorische knuppels en stenen gooiden naar hun slachtoffers.

De achterste Jood kreeg een klap achter op zijn hoofd en ging met een hoge, korte gil neer. Hij viel voorover op de straatstenen en gleed nog een paar passen door, waardoor de huid van zijn gezicht werd geschaafd. Zijn kameraad rende de Joodse wijk in terwijl de achtervolgers samendromden rond de gevallen man, die roerloos op de grond lag en werd geschopt en geslagen.

'Volg mij, mannen,' riep Hortensius, en hij trok zijn gladius. 'In linie, met z'n tweeën achter elkaar, gebruik de platte kant van je zwaard.' Hij zette het op een rennen, met aan iedere kant acht man naast zich. De vrouwen op straat gilden, de mannen deinsden terug, scholden hen uit of moedigden hen aan, afhankelijk van hun afkomst. Vespasianus kwam van zijn stoel en liep rustig, met Magnus en Ziri, achter de soldaten aan, die nu bijna bij de meute waren, waar ze zo ingespannen met hun afranseling bezig waren dat ze het gevaar pas opmerkten toen ze door negen in elkaar grijpende schilden met krakende botten tegen de grond werden gewerkt. Glanzend ijzer fonkelde in de zon, de mannen die nog stonden werden geveld door harde klappen op het hoofd met de platte kant van de zwaarden.

Degenen die kans zagen weg te komen maakten zich razendsnel uit de voeten, hun gevallen kameraden achterlatend bij de schoppende en stampende legionairs.

'Nu is het wel genoeg, Hortensius,' riep Vespasianus, 'roep je mannen terug.'

Het duurde even voordat de legionairs reageerden op het bevel van hun optio, maar ten slotte, nadat er nog wat armen waren gebroken en een schedel was gekraakt, trokken zij zich terug. Er lagen een stuk of vijf bebloede mannen op de grond. Twee gilden het uit, de anderen waren bewusteloos of kronkelden over de grond, grijpend naar hun verbrijzelde ledematen of kreunend van pijn.

'Ga jij even bij hem kijken,' zei Vespasianus tegen Magnus, en hij wees op de roerloze Jood, die onder het bloed zat.

Magnus stapte over een paar lichamen heen, knielde bij de man neer en draaide hem op zijn rug. Eén blik op zijn doffe ogen was genoeg. 'Dood.' Vanuit de Joodse wijk kwamen mannen en vrouwen aangestormd.

Hortensius liet zijn mannen de dode en gewonden afschermen. 'Daar blijven!' waarschuwde hij toen de eerste Jood dichterbij wilde komen.

'Dat is mijn broer,' riep een middelbare man, en hij maakte zich los van de menigte.

Vespasianus herkende hem, het was de Jood die samen met de vermoorde man op de vlucht was geweest. 'Laat hem door, Hortensius,' beval hij, 'en laat die gewonde mannen opsluiten. Ze moeten door de prefect worden veroordeeld wegens moord.'

De legionairs weken uiteen en lieten de man naar zijn gevelde broer gaan. Hij knielde neer, nam het levenloze hoofd in zijn handen en huilde.

'Waarom zaten ze achter jullie aan?' vroeg Vespasianus.

'Er is een afvallige prediker in de stad geweest. Vanochtend was hij er weer. Mijn broer en ik gingen de discussie met hem aan, maar hij wil niet luisteren, hij zegt alleen maar dat God alle mensen liefheeft, of ze naar de Thora leven of niet, en dat we tot God komen door het lichaam te eten en het bloed te drinken van de man die naar zijn zeggen de zoon van God is, Joshua. Het is godslastering.'

'Zijn lichaam eten en zijn bloed drinken? Bespottelijk. Joshua is al zo'n vijf jaar dood.'

'Hij zegt brood en wijn in zijn lichaam en bloed te veranderen.'

Vespasianus begreep niet goed hoe dit zat. 'Letterlijk, bedoel je?'

'Dat weet ik niet, ik neem aan van wel, waarom zegt hij het anders? Na afloop van de bijeenkomst zei de prediker tegen zijn volgelingen dat hij die ceremonie zou uitvoeren. Mijn broer en ik gingen achter ze aan, we wilden het zien. Ze gingen naar een huis aan het Havenmeer, een paar honderd passen verderop. We wisten op het dak te komen en konden door een gleuf naar binnen kijken, maar voordat we iets zagen werden we ontdekt en moesten we rennen voor ons leven.'

'Voor de volgelingen van de prediker?'

'Nee, voor gewone Grieken. Joden mogen tegenwoordig nauwelijks hun eigen buurt nog uit. Ze jagen ons altijd weg, dit is nog nooit gebeurd.' Hij wees naar het toegetakelde lichaam van zijn broer en begon te huilen.

'Neem zijn lichaam mee en begraaf het,' zei Vespasianus op een toon die van medeleven getuigde. 'Hoe heet u eigenlijk?'

'Nathaniël,' antwoordde de radeloze man door zijn tranen heen.

'Ik verzeker u dat zijn moordenaars hiervoor berecht worden, u hebt het woord van een Romeinse senator die uw alabarch een wederdienst moet bewijzen.'

'Dank u, senator,' antwoordde hij, en hij tilde zijn broer met de grootste moeite op. Met bloeddoorlopen ogen keek hij op naar Vespasianus. 'Ik denk niet dat mijn broer de laatste is die in deze stad wordt vermoord enkel omdat hij een Jood is.'

Vespasianus keerde zich naar Hortensius, wiens geleide nu nog maar uit acht mannen bestond, omdat de anderen hun handen vol hadden aan de moordenaars. 'We gaan verder, optio,' beval hij lusteloos. 'Ik heb nog veel te doen.'

'Het is niet goed als mensen worden vermoord omdat ze Joods zijn,' zei Magnus tegen Vespasianus toen ze vertrokken.

'Een dikke beurs is tegenwoordig al een reden om iemand te vermoorden.'

'Dat bedoel ik niet. Als er meer worden gedood vanwege hun Joodse afkomst, zal het volgens mij niet lang duren voordat ze terugslaan en er mensen worden vermoord omdat ze Grieks of Egyptisch zijn, of, de goden bewaren me, Romeins.' Hij staarde indringend naar de paarse streep op de senatorentoga van Vespasianus. 'Begrijpt u?'

Vespasianus begreep het.

Het vijfde uur van de dag was al ingegaan tegen de tijd dat Vespasianus en zijn uitgedunde gezelschap het forum bereikten, dat, zoals alles wat Vespasianus in Alexandrië gezien had, heel veel indruk maakte. Het bood een weids uitzicht op de Grote Haven en werd in het oosten geflankeerd door het theater, dat plaats bood aan dertigduizend mensen, en in het westen door het Caesareum, het door Cleopatra gebouwde en naar haar geliefde vernoemde paleis, dat twee naaldvormige obelisken als wachters had. Op het plein van tweehonderd passen lang en honderd passen breed, omringd door een reusachtige zuilengang van verschillende kleuren marmer, wemelde het van de mensen, die uit alle windstreken hiernaartoe waren gekomen om zaken te doen. Het forum was het kloppende hart van de stad.

Thales was zo gevonden, hij bleek een aanzienlijk en alom gerespecteerd bankier te zijn. Met zijn senatorentoga kon Vespasianus de rij negeren, maar tot opluchting van de ontstemde klanten had hij niet veel tijd nodig. Binnen een kwartier had hij een ontvangstbewijs voor zijn bankwissel en de belofte van de kale en veel te zware Thales dat de 237.500 denarii morgenochtend voor hem klaarlagen, in goud, omdat dat eenvoudiger te vervoeren was naar Rome. Thales verdiende 12.500 denarii aan commissie, maar daar liet hij zijn humeur niet door verknallen. Ze kwamen langs het grote complex van het Gymnasium en vonden het Alexandrijnse onderkomen van zijn overleden weldoenster.

Magnus trok aan de belketting en vrijwel ogenblikkelijk werd de deur geopend door een donkerhuidige slavin met golvend haar die heel erg aan Ziri deed denken.

'Senator Titus Flavius Vespasianus voor Marcus Antonius Felix,' zei Magnus.

Ze werden meteen binnengelaten en naar een atrium met talrijke fonteinen geleid, ze stonden niet alleen in het impluvium, maar her en der in de ruimte, waar ze voor verkoeling zorgden en de lucht vulden met hun constante geklater.

'Senator Vespasianus,' klonk een stem vanaf de andere kant van de kamer, 'wat fijn u te zien. Ik had al vernomen dat u aangekomen was, maar ik had niet verwacht dat u mij al zo snel met een bezoek zou vereren.' Felix kwam achter een beeld van Poseidon vandaan, een kleine replica van het beeld dat op de Pharos troonde, maar toch nog twee keer zo groot als een mens. Uit de openstaande mond stroomde water.

'Je zei destijds dat ik me bij jou kon melden als ik je nodig had, Felix,' antwoordde Vespasianus. Hij liep naar zijn gastheer toe. 'Nu heb ik je nodig, en hard ook.'

'Ik zeg niet dat het onmogelijk is,' zei Felix kalm tegen Vespasianus en Magnus, 'ik zeg alleen dat het heel moeilijk is.'

'Nou, volgens mij is het wel onmogelijk,' mompelde Magnus.

'Maar het moet gebeuren,' zei Vespasianus vlak, al vroeg hij zich af welke mogelijkheden Felix dan zag.

Ze stonden in de schemerige grafkamer van Alexanders mausoleum midden in de Soma, het heilige domein waar de vroegere heersers van de dynastie der Ptolemeeën een laatste rustplaats hadden gekregen. Tien voet voor hen, op een granieten blad dat werd ondersteund door twee granieten poten, lag een sarcofaag van doorschijnende kristallen platen in een gerasterd bronzen raamwerk. Het kristal kreeg een afwisselend oranje en gouden gloed door het flikkerende licht van de drie brandende fakkels die aan de andere kant brandden, laag bij de grond, waardoor de sarcofaag vanbinnen leek te gloeien. Vespasianus zag de contouren van het strak gebakerde, gemummificeerde lichaam van de grootste heerser aller tijden: Alexander van Macedonië.

Hoewel iedereen de sarcofaag kon zien door het gat in het plafond, dat dertig voet hoger uitkwam in de tempel, was de grafkamer zelf niet toegankelijk voor het grote publiek. Maar de priesters die de cultus rond Alexander in stand hielden, verleenden bezoekende hoogwaardigheidsbekleders graag toegang tot het lichaam, en aangezien het vier jaar terug was dat een Romeinse senator in Alexandrië was geweest, kwam Vespasianus zeker voor deze speciale behandeling in aanmerking. Alleen Ziri mocht als slaaf niet naar binnen, hij moest boven hen, in de tempel van Alexander, op hen wachten.

De reden van zijn bezoek was weliswaar praktisch van aard, maar dit boezemde toch ontzag in bij Vespasianus, dit was het harde bewijs dat Alexander echt bestaan had en niet een of andere mythische held was. Hij had de nabijheid van de grote man gevoeld toen hij in Thracië, in het paleis van koningin Tryphaena, naast het bureau had gestaan dat Alexander gebruikt had en hetzelfde uitzicht had dat Alexander iedere morgen had gehad toen hij Thracische huurlingen kwam rekruteren voor zijn veroveringen in het Oosten. Maar dat was niets vergeleken bij dit, nu was hij in dezelfde kamer als zijn bewaarde overschot.

Vespasianus deed een paar stappen naar voren om het lichaam beter te kunnen bekijken en ook om te zien hoe de sarcofaag openging.

'U mag dichtbij komen, meester, maar aanraken is verboden,' zei de priester die achter hen in de deuropening stond.

Vespasianus keek door het kristal naar een gezicht dat oud en jong tegelijk was. Op de gladde huid, die niet door afkomst maar door de jaren donker was gekleurd, was geen rimpel te zien, als dun velijn was hij over de schedel en kaken gespannen. Maar het was ingevallen, de onderliggende botten waren goed te zien, waardoor het een gezicht van een oude man leek. De mond echter was dicht en de dunne lippen krulden iets omhoog tot een flauwe glimlach, en de ogen, die meer wonderen en schatten hadden aanschouwd dan de ogen van allen die voor of na hem leefden, waren gesloten, alsof hij sliep. Het lange haar, nog altijd welig en blond, bedekte de oren en lag keurig gekamd op het kussen, dat het gezicht zacht en okerkleurig omlijstte. Al met al leek het de vredige rustplaats van een jongeman. Vespasianus ademde in en keek nog een keer goed. De enige smet was de verdwenen neusvleugel aan de schaduwzijde van het gezicht.

'De grote Augustus heeft dat per ongeluk gedaan toen hij het deksel van de sarcofaag liet verwijderen zodat hij Alexander kon aanraken,' zei de priester, die zag waar Vespasianus naar keek.

'Wat dat de laatste keer dat het deksel eraf is geweest?'

'Nee, Germanicus heeft zijn zoons een keer meegenomen, en we halen het er elk jaar af om de kruiden te vernieuwen die Alexander goed houden.'

Vespasianus liep om de sarcofaag heen en keek naar de naad tussen het bovenste en het onderste deel, alleen het gewicht van het deksel sloot de sarcofaag af. 'Denk je dat twee man dat kunnen tillen?' fluisterde hij tegen Felix en Magnus, die na zijn rondje bij hem kwamen staan.

Magnus haalde zijn schouders op. 'Als het niet lukt kunnen ze het deksel in ieder geval hoog genoeg krijgen om het borstpantser te pakken.'

De ogen van Vespasianus gingen naar het voorwerp waarvoor Caligula hem naar Egypte had gestuurd. Het was niet wat hij verwacht had: verguld, ingelegd en versierd met edelstenen. Het was zonder twijfel het borstpantser dat hij op het slagveld had gedragen en niet een dat speciaal was gemaakt voor zijn eeuwige rust. Net als het zwaard van Marcus Antonius had het duidelijk toebehoord aan een echte soldaat: het was gemaakt van hard leer en gevormd naar de spieren die het afdekte. Het enige sierelement waren de twee steigerende, tegenover elkaar staande paarden van ingelegd goud op de borst en de bronzen randen rond de nek, schouders en taille voor een sterker geheel.

'Kun je onthouden hoe dit is ingelegd?' mompelde Vespasianus tegen Felix.

'Dat hoeft niet, dit pantser vind je terug op vrijwel elk standbeeld van Alexander in de stad.'

'In dat geval zijn we hier klaar.' Vespasianus ging rechtop staan en richtte zich tot de wachtende priester. 'Het was een eer een blik te hebben mogen werpen op de grootste mens aller tijden,' zei hij welgemeend. 'Wij danken u daarvoor.'

'Ik blijf nog even hier voor het korte reinigingsritueel dat na elk bezoek moet worden uitgevoerd,' zei de priester, die hun dank met een lichte hoofdbuiging had aanvaard. Hij deed een stap opzij zodat zij de twee stenen trappen naar de tempel op konden lopen.

Komend uit het donkere trappenhuis, met bovenaan de gewapende wachters in Macedonische uniformen, moesten de ogen van Vespasianus wennen aan het felle licht. Pas na een poosje kon hij zijn ogen door de spelonkachtige, ronde kamer laten gaan, die hij eerder, toen ze door de grote deuren rechtstreeks naar de grafkamer waren geleid, slechts vluchtig had kunnen bekijken. De ruimte werd gedomineerd door een reusachtig beeld van Alexander, zonder helm, met golvende, wapperende haren, gezeten op zijn strijdros Bucephalus en met een lans onder zijn arm, alsof hij daar juist een stoot mee uitdeelde. Ernaast stond, nogal ongerijmd, het tegenwoordig verplichte beeld van Caligula.

Precies in het midden van de vloer stond een ronde, tot het middel reikende balustrade om de smalle schacht waardoorheen het grote publiek naar het gemummificeerde lichaam van Alexander kon kijken. Recht daarboven, vijftig voet hoog, was in het tempeldak een soortgelijk gat gemaakt.

'Op het midden van de tiende dag van juni, volgens de Romeinse kalender de dag waarop Alexander stierf,' vertelde de priester Vespasianus toen hij na zijn ritueel te hebben voltooid boven aan de trap verscheen, 'staat de zon zo dat hij precies op zijn gezicht schijnt. Ik ben bang dat u een maand te laat bent.'

'Dat is jammer,' zei Vespasianus terwijl hij omhoogkeek naar het gat. 'Wat doen jullie als het regent?'

'Dat doet het hier zelden, maar daarboven is een luik dat we dicht kunnen doen.'

Vespasianus knikte nadenkend. 'Dank u, u bent zeer behulpzaam geweest.' Hij draaide zich om en wilde weglopen, maar zijn voet gleed weg, en als Magnus hem niet bij zijn arm had gepakt, was hij gevallen. Hij keek naar de grond en zag een groene, slijmachtige substantie liggen.

'Vergeef me, senator,' zei de priester ogenblikkelijk. 'Ik zal de slaven die de vloer schoonmaken laten straffen wegens deze nalatigheid.'

'Wat is het?'

'Om veiligheidsredenen laten wij 's nachts ganzen in de tempel. Mocht iemand de wachters overmeesteren en de tempel in weten te komen, zal hun kabaal ons waarschuwen. Ik ben bang dat het ganzenpoep is.'

'Je hebt gelijk, de ramen zijn geen doen, de beste manier om naar binnen en naar buiten te komen is via het dak, als het luik tenminste sterk genoeg is om een touw aan vast te maken,' beaamde Magnus. Ze zaten op de lange en brede binnenplaats van de Soma, in de schaduw, omringd door de afzonderlijke mausoleums van de Ptolemeeën en, aan de noordzijde, de tempel van Alexander. In het midden stond een altaar waar een priester stond te wachten op de offerandes die de bevolking kwam brengen in de hoop dat hun koninklijke halfgoden voor hen een goed woordje konden doen bij de goden over zaken die hun nauw aan het hart lagen, of die nu financieel, juridisch of legaal van aard waren.

'Maar eerst moeten we de Soma in zien te komen,' merkte Vespasianus op, en hij keek naar de enige poort in de hoge muren van het complex, waar op dat moment een stel Grieken met een lam doorheen kwamen.

'Dat is niet zo heel ingewikkeld,' zei Felix geruststellend. 'De hoofdpoort wordt bewaakt maar gaat nooit dicht, dan hebben de mensen dag en nacht toegang tot het altaar.'

'Dus we doen gewoon alsof we een offer komen brengen?'

'Precies.'

'Goed dan,' zei Magnus sceptisch, 'stel dat we binnenkomen en het ons lukt ongemerkt de tempel in te glippen en op het dak en door dat gat te komen, wat moeten we dan met die verdomde ganzen?' Hij wees naar een omheind stukje grond links van de tempel, het onderkomen van meer dan twintig nachtwakers.

Vespasianus haalde zijn schouders op en keek naar Felix.

'Het probleem van de ganzen kan ik oplossen,' verzekerde Felix hun, 'maar er moet dan wel al iemand binnen zijn voordat wij gaan. Dat kan Ziri doen. Het echte probleem is de replica van het borstpantser.'

'Wat is daar dan moeilijk aan?' vroeg Vespasianus. 'Je zei dat de afbeelding makkelijk na te maken was.'

'Over die afbeelding maak ik me ook geen zorgen. Je hebt gezegd dat ze ongemerkt omgewisseld moeten worden, wat geen probleem is als de priesters het alleen door het kristal zien. Maar elk jaar halen ze een keer het deksel eraf en dan zien ze meteen dat het leer niet oud is. Hoe we ook ons best doen om het oud te laten lijken, als ze heel goed kijken zullen ze altijd het verschil zien.'

'Dus we moeten een leren borstpantser hebben dat driehonderd jaar oud is of zo?' vroeg Vespasianus met opgetrokken wenkbrauwen.

'Precies,' antwoordde Felix, die ten einde raad leek.

'Dat komt wel goed. Ik heb er gisteravond nog een stuk of tien gezien.'

HOOFDSTUK XIX

'Dat is heel goed, Felix, echt heel goed,' zei Vespasianus terwijl hij het leren kuras op de tafel in Felix' werkkamer bewonderde.

'Hij ziet er inderdaad oud uit,' beaamde Magnus, en hij knikte respectvol.

'Het voldoet,' zei Felix, 'maar niet als iemand er heel goed naar kijkt.'

'Ik kan me niet voorstellen dat iemand stil blijft staan om eens even heel goed te gaan kijken naar het standbeeld van Ptolemaeus Soter, en iemand die dat wel doet zal het beeld vast voor de eerste keer zien en dan kennen ze het origineel niet en denken ze dus dat dit echt is.' Vespasianus pakte het borstpantser van tafel en bekeek de bronzen randen rond de nek, schouders en taille. Ze kwamen niet precies overeen met die van Alexanders borstpantser, maar leken wel precies op die van het origineel dat ze zouden vervangen: dat van de eerste Ptolemaeus. Vespasianus had het borstpantser van Ptolemaeus Soter gekozen omdat dat eenvoudiger was dan die van zijn nazaten, van wie de harnassen zwieriger werden naarmate hun krijgshaftigheid afnam. Als veldheer van Alexander had hij de gewoonte van zijn leider om de eenvoudige maar functionele Macedonische bepantsering te dragen overgenomen; daar zaten geen opzichtige uitsteeksels op, oftewel plekken waar een speerpunt vat op kon krijgen en door het harde leer kon priemen. Bij dit borstpantser hoefden alleen de randen vervangen en de steigerende paarden ingelegd te worden.

'En Flaccus?' vroeg Magnus.

'Die loopt iedere dag door die gang en kijkt waarschijnlijk niet eens meer naar die beelden,' antwoordde Vespasianus. Hij voelde aan het leer van het kuras en bewonderde het vakwerk, want het voelde een beetje soepel, alsof het heel oud was. 'En dan nog, mocht hij doorhebben dat het borstpantser verwisseld is en dat ik daarachter zit, denk je dan dat hij de Griekse inwoners van deze stad gaat vertellen dat de keizer van Rome, die man die hij vertegenwoordigt, opdracht heeft gegeven een van hun dierbaarste bezittingen te stelen? Hij weet wel beter. Er zouden meteen rellen uitbreken, hij zou niet eens de kans krijgen om "Caligula is gek" te zeggen.'

'Rellen zijn er al genoeg,' merkte Magnus op. 'Het lijkt alleen maar erger te worden, te oordelen naar de rook die vanochtend boven verschillende delen van de stad hing.'

'Ja, de maatschappelijke onrust neemt toe,' beaamde Felix. 'De Grieken zien de Joodse roep om gelijke behandeling als een bedreiging van hun gezaghebbende positie en nemen het recht in eigen hand, maar dat is misschien wel in ons voordeel, omdat het zoveel aandacht trekt.'

Ze hadden tien dagen moeten wachten op het borstpantser en in die tijd was het etnische geweld in de stad alleen maar toegenomen. De Joden hadden wraak genomen voor de moord op de Canopusweg, maar toen Flaccus de moordenaars slechts liet geselen en niet liet kruisigen, was dat voor de Grieken een aanmoediging om meer geweld te gebruiken en begonnen ze Joodse huizen te verbranden die niet in de Joodse wijk stonden en vielen ze iedere Jood aan die zich in een ander deel van de stad waagde. De Joden op hun beurt deden uitvallen, waarbij ze niet-Joden aanvielen en soms doodden. Flaccus had versterkingen laten komen en probeerde de Joden in hun wijk te houden, maar dat bood weinig soelaas – de legionairs werden een doelwit voor beide partijen.

'Goed, nu hoeven we ze dus alleen nog te verwisselen,' zei Magnus. 'Wie gaat dat doen?'

'Ik. Vanavond laat,' antwoordde Vespasianus, en hij hield het pantser tegen zijn borst. 'Zo ingewikkeld is het niet. Ik draag het onder een mantel, wissel het om met het origineel van het beeld en draag dat op de terugweg naar mijn onderkomen. Niemand durft mij tegen te houden, zowel op de heen- als op de terugweg niet, om me te vragen wat ik daar doe, en de gang is een stuk van het paleis waar 's avonds laat niemand meer komt.'

Felix was het met hem eens. 'Goed. Mijn handwerksman denkt nog vijf dagen nodig te hebben voor de paarden en de randen, dus als ik het hem morgen kan geven, kunnen we rekenen op zes dagen vanaf vandaag.'

'Hoeveel zal hij dit keer vragen?'

'Het dubbele, plus de kosten voor het in te leggen goud, die volgens hem ongeveer tien aurii bedragen.'

Vespasianus deed wat snel hoofdrekenwerk en trok wit weg. 'Zeshonderdvijftig denarii! Dat is diefstal.'

'Hij is niet gek. Hij weet heus wel waaraan hij moet werken en ziet het ook als zwijggeld.'

Vespasianus kon er niets tegen inbrengen. De handwerksman had recht op een toeslag, immers, de man stelde geen vragen, en bovendien kon hij het missen nu hij de bankwissel te gelde had gemaakt en op het schip een kist vol munten had staan om mee naar huis te nemen. Hij gaf het alleen liever niet uit, bedacht hij. 'Goed dan, op de terugweg naar het paleis haal ik het op.'

'Dank je. Welnu, heren, ik heb genoeg touw en een boot en ik weet hoe we op het tempeldak kunnen komen zonder dat de wachters ons zien. Dan moet er dus nog maar één ding geregeld worden: de ganzen.'

'Ik dacht dat je daar al een oplossing voor had?'

'Heb ik ook. De enige manier om te voorkomen dat ze kabaal gaan schoppen is door ze te voeden en dus moeten we, zoals ik al zei, Ziri eerder in de tempel zien te krijgen, zodat hij al wat graan heeft gestrooid wanneer wij langs het touw afdalen. De vraag is waar hij zich moet verstoppen. Ik ben er gisteren nog een keer geweest en in de tempel zelf is nergens een goede schuilplek, dus dan blijft alleen de grafkamer over. Er is een kleine ruimte tussen de staande stenen die de plaat ondersteunen waarop de sarcofaag rust, daar past een kleine man als Ziri wel in, maar...'

'Hoe krijgen we hem langs de wacht die overdag bij de trap staat,' zei Vespasianus, die meteen doorhad wat het probleem was.

'We moeten voor afleiding zorgen,' opperde Magnus.

Felix knikte. 'Inderdaad. Maar hoe? De priester kent ons, ze zullen argwaan krijgen als we daar stennis gaan lopen trappen of zo.'

'Ik kan instorten, doen alsof ik niet goed word.'

'Dat kan, ja, maar een beetje wachter gaat niet lang genoeg van zijn post om Ziri kans te bieden naar binnen te glippen.'

'Hij heeft gelijk, Magnus,' zei Vespasianus met een grijns, 'bovendien kan een gehavende oud-bokser als jij kreunen en jammeren wat hij wil, erg ongerust zullen ze er niet van worden. Maar wat als het om een mooie vrouw gaat?'

'Ik zorg voor afleiding. Dus dat is hoe je mij ziet, als iemand die voor wat afleiding zorgt?'

'Nee Flavia, ik wil dat je iemand afleidt.'

'Jou?'

'Nee, een ander.'

'Je wilt dat ik voor een ander de hoer ga uithangen?'

Vespasianus sloot zijn ogen en ademde diep in. Ze hadden een valse start gemaakt. 'Als je nou gewoon even naar me luistert. Wij... Jij moet voor mij een wachter afleiden, lang genoeg om Ziri de kans te geven naar binnen te glippen.'

'Welke wachter?'

'Een wachter in de tempel van Alexander.'

'Waarom?'

'Zodat hij in de grafkamer kan komen.'

Flavia keek hem achterdochtig aan en ging rechtop in bed zitten. De zon piepte door de halfgesloten luiken, viel her en der op haar blanke huid en deed haar verwarde, losse haar glanzen. 'Wat ga je doen?'

Vespasianus wist dat hij volkomen eerlijk tegen haar moest zijn om haar medewerking te krijgen.

'Dus Caligula wil dat jij iets voor hem steelt?' zei Flavia toen hij haar de situatie had uitgelegd. 'Hij is gestoord.'

'Dat klopt, maar helaas is hij ook de keizer.'

'En als jij dat ding niet voor hem steelt?'

'Dan zal hij mij dat nooit vergeven. Of erger.'

'Waarom geef je hem niet gewoon de replica die je laat maken?'

'Dat is ook door mijn hoofd gegaan, maar Caligula heeft het origineel van dichtbij gezien toen hij met zijn vader in Alexandrië was. Ik durf het niet aan, stel dat er iets op zit wat wij niet hebben gezien maar wat hij zich wel herinnert.'

'Als dat zo is, dan komen de priesters er ook snel achter.'

Vespasianus haalde zijn schouders op. 'Dat risico moet ik maar nemen. Tegen die tijd zitten wij alweer in Rome.'

'Wij?'

'Als je met me mee wilt tenminste.'

Flavia keek op hem neer en glimlachte. 'Word ik dan jouw minnares of jouw vrouw?'

Vespasianus slikte. Dit was de tweede keer in het gesprek dat hij zich realiseerde dat een eerlijk antwoord het beste was. 'Ik heb al een minnares in Rome, met wie ik nooit zal breken.'

Flavia keek hem wantrouwig aan. 'Wil wil je dan van mij?'

'Zoons. Dus ik dacht meer aan de tweede optie.'

'En als die minnares zwanger raakt? Scheiden van mij en trouwen met haar?'

'Dat gaat niet. Ze is een vrijgelatene.'

'Dus voor mij vormt zij geen bedreiging?'

'Nee, Flavia.'

'Wat ik van jou wil, is zekerheid.'

'Jij zult altijd mijn vrouw zijn en de moeder van mijn kinderen.'

Flavia liet zich op hem vallen en kuste hem hartstochtelijk. 'In dat geval, Flavius: graag,' zei ze tussen de kussen door. 'Ik was de laatste tijd zo bang.'

'Dat ik je hier zou achterlaten?'

'Nee, dat ik eeuwig een minnares zou blijven en nooit de kinderen zou krijgen waar ik Moeder Isis iedere dag om bid.'

Vespasianus' voetstappen galmden door het grote trappenhuis toen hij in het paleis van zijn vertrekken naar beneden liep. Hij deed geen enkele moeite zijn aanwezigheid in de goed verlichte gang op de bovenverdieping te verbergen en had geen aandacht geschonken aan de slaven die hij was tegengekomen en die beleefd hadden gebogen. Hij sloeg geen acht op de twee legionairs die onder aan de trap op wacht stonden en in de houding sprongen toen hij langsliep, het had hem beter geleken te doen of hij alle recht had om midden in de nacht door de paleis te lopen, en dat had hij natuurlijk ook. Als hij zich opstelde zoals verwacht kon worden van iemand van zijn stand, zo had hij geredeneerd, zou dat de minste achterdocht wekken.

Na de wachters sloeg hij links af een brede gang in met aan weerszijden brede nissen waarin op zuilvoeten de borstbeelden van vorige prefecten stonden. Het flikkerende licht van de muurfakkels bracht de stenen gezichten tot leven en weerkaatste in de glanzende marmeren vloer. Door een raam aan het uiteinde van de gang, dat uitzicht bood op de Koninklijke Haven, dreven samen met het maanlicht talrijke schreeuwen en kreten binnen, en ook kon je het onmiskenbare schuren horen van riemen die werden binnengehaald, alsof een groot schip bezig was aan te meren. Vespasianus liep naar het raam en wierp een blik op de privéhaven van het paleis in de oostelijke hoek van de Grote Haven, waar hij in het flauwe licht zag dat een trireem werd vastgemaakt aan de kade en een groepje mensen boven aan de loopplank stond te wachten tot ze aan wal konden. Even vroeg hij zich af waarom een schip in het holst van de nacht in de haven aankwam, maar toen schoot hem het grote voordeel van de vuurtoren van Pharos te binnen: ook in het pikdonker kon een schip de haven vinden.

Hij sloeg nog een paar keer een andere gang in, kwam verder niemand tegen en bereikte ten slotte de onverlichte gang waar de beelden van de Ptolemeeën een lange rij zwijgzame schildwachten vormden, stil en op een vreemde manier ook dreigend. Hij zette alle gedachten aan geesten opzij, duwde de zware mantel van Ptolemaeus Soter opzij en begon de gespen van het borstpantser los te maken, wat door het gebrekkige licht en de stugge gespen en leren riempjes nog een hele klus was. Enkele spannende ogenblikken later, gedurende welke zijn hartslag geleidelijk was gestegen, had hij alle stugge riempjes door de gespen gekregen en kon hij het borstpantser losmaken. Hij zette het op de grond, haalde de replica onder zijn mantel vandaan en gespte het aan het beeld. Toen hij het laatste riempje vastzette, zag hij in zijn ooghoek een oranje flikkering. Hij draaide zich om, keek de gang in, zag van de andere kant een fakkel aankomen en hoorde tegelijk harde leren zolen over het marmer schuren. In het halfduister kon hij drie mensen ontwaren, twee mannen en een vrouw, die rechtstreeks op hem afkwamen. Snel sloeg hij de mantel van het beeld om zich heen, pakte het kuras op en drukte zich zo hard mogelijk tegen de stenen farao en bad dat de drie voorbijgangers in het donker niet zouden merken dat Ptolemaeus Soter ineens twee extra benen en een bochel had.

'Het kan me niet schelen dat de prefect allang in bed ligt,' zei iemand uit de hoogte. Vespasianus herkende de stem, maar kon hem niet meteen plaatsen. 'Zeg hem maar dat ik zojuist uit Rome ben aangekomen en graag onmiddellijk een boodschap wil overbrengen van onze geliefde keizer.'

'Ik zal op zijn deur kloppen, meester,' klonk het onderdanig en beverig.

'Dat niet alleen, je zorgt maar dat hij wakker wordt! Ik ga ondertussen naar het triclinium, waar mijn vrouw en ik graag wat wijn en eten willen krijgen terwijl we op Flaccus wachten. Ga nu heen en laat je fakkel hier achter.'

Terwijl hij iemand op een drafje hoorde teruglopen, schoot hem de naam te binnen van de man die op nog geen drie passen bij hem vandaan langs zijn schuilplek liep: Herodes Agrippa.

Zodra Herodes en zijn vrouw aan het einde van de gang het triclinium in waren gegaan, gluurde Vespasianus voorzichtig door een spleetje in de mantel. Toen hij zeker wist dat er niemand aan kwam verliet hij zijn schuilplek en begon, met het borstpantser stevig tegen zich aan gedrukt, aan de terugweg.

De legionairs onder aan de trap sprongen in de houding toen hij langsliep. Hij besteeg de trap zo snel als de situatie toeliet en spoedde zich naar zijn vertrekken.

'Waarom bent u zo laat nog op, senator?' riep iemand toen hij vlak bij zijn deur was.

Vespasianus draaide zich om en keek in de slaperige ogen van Flaccus. 'Ik hoorde een schip aanmeren en was nieuwsgierig wie er midden in de nacht aankwam,' loog hij. Met een arm voor zijn buik hield hij het borstpantser op zijn plaats.

Flaccus leek niet overtuigd. 'Dat had u toch vanaf uw balkon kunnen zien?'

'Daar kun je de Koninklijke Haven niet zien,' antwoordde Vespasianus, naar waarheid nu, 'dus ging ik op zoek naar een raam waar je hem wel kon zien.'

'En is uw nieuwsgierigheid bevredigd?'

'Ja, ik heb gezien dat het Herodes is en nu wil ik weer terug naar bed gaan.'

'Naar de lieftallige Flavia, hè? Nou, die zal het nog even zonder u moeten stellen. Herodes wil mij spreken, en omdat u nu toch op bent kunt u mooi met mij meegaan als getuige, want ik vertrouw die gladde oosterling absoluut niet.'

'Ik ben niet van plan hier een dag langer te blijven dan nodig is,' verklaarde Herodes, en hij nipte aan zijn wijn. 'Ik wil morgen langsgaan bij de alabarch om het geld terug te geven dat hij mij heeft geleend en daarna nog wat andere zaken regelen, zodat ik de volgende dag weer kan vertrekken.'

'Dat mag u dan wel willen, Herodes,' antwoordde Flaccus, die de papyrusrol met het keizerlijke zegel vasthield die Herodes hem zojuist had overhandigd, 'maar een lastgeving van de keizer waarin hij mijn positie als prefect bevestigt, kunt u mij niet zo binnenskamers geven. Dat moet op de juiste manier gebeuren, ten overstaan van het stadsbestuur, de Joodse raad van oudsten en afgevaardigden van de stadsbesturen van Memphis, Saïs en Pelusium en nog wat kleinere plaatsen in de omgeving, zodat iedereen kan zien dat ik regeer op gezag van de keizer.'

'Dan moet u dat maar regelen voor morgen.'

'Memphis is twee dagen varen met een snel schip, dus dat kan op z'n vroegst over vijf dagen.'

'Dan ben ik alweer weg,' zei Herodes vlak.

'Nee, Herodes, dan bent u nog hier.'

Herodes keek Flaccus glimlachend aan, hij vond het kennelijk vermakelijk. Hij wendde zich tot zijn vrouw, die naast hem zat. 'De prefect lijkt zichzelf te vergeten, Cypros, mijn liefste.'

Vespasianus zat naast Flaccus en had alles zwijgend aangehoord.

Herodes had hem beleefd gegroet, ze hadden elkaars onderarm gepakt, en tot zijn grote opluchting had hij het borstpantser nog snel in zijn kamer kunnen leggen voordat hij met Flaccus naar beneden was gegaan.

Cypros trok haar dikke zwarte wenkbrauwen op. Haar oren, nek en vingers waren zwaar van de blinkende sieraden. 'U weet toch dat de keizer mijn echtgenoot tot koning heeft gekroond, prefect?'

'Ik ben een Romein, vrouwe Cypros, en dat uw man een koning is, is mij om het even. Hij mag deze provincie pas verlaten wanneer ik hem daar toestemming voor heb gegeven.'

Herodes stond op en hielp zijn vrouw overeind. 'Dit was een uiterst interessant gesprek, prefect, maar u hebt mij niet kunnen overtuigen. Mijn vrouw is moe en wij gaan nu slapen. Ik neem aan dat wij dezelfde vertrekken kunnen gebruiken als de vorige keer?'

'Ik vrees dat senator Vespasianus daar nu verblijft.'

Herodes keek naar Vespasianus en fronste zijn wenkbrauwen. 'Uw familie maakt er wel een gewoonte van mij om te ontrieven, vindt u ook niet?' Hij draaide zich om en beende de kamer uit.

'Wat een arrogante klootzak!' zei Flaccus toen de voetstappen in de gang waren weggestorven.

'Als u hem dwars wilt zitten, weet ik denk ik wel hoe u dat kunt doen,' zei Vespasianus.

'Wat bedoelt u?'

'Ik denk dat ik wel weet welke zaken hij tijdens zijn verblijf hier wil gaan doen.'

'Ga door.'

'Die informatie krijgt u natuurlijk niet voor niets.'

'Dat borstpantser van Alexander kunt u wel vergeten.'

'Daar dacht ik ook niet aan. Ik wil dat u die prediker arresteert, die Paulus.'

'Die krompoot met z'n halve oor? Waarom wilt u dat?'

'Ik wil dat u hem aanklaagt wegens opruiing en hem bij voorkeur de doodstraf geeft.'

Flaccus glimlachte schalks. 'U bedoelt dat de alabarch wil dat ik dat doe. Ik heb u nog zo gezegd dat u zich niet voor zijn Joodse wagentje moest laten spannen.'

'Paulus is een gevaarlijke fanatiekeling. Ik ben hem al eens tegengekomen in Cyrenaica, toen vervolgde hij de godsdienst die hij inmiddels vervangen heeft. Als hij zijn ideeën even geestdriftig predikt als hij die andere probeerde uit te roeien, hebt u wellicht een groot probleem. Hij brengt louter onenigheid.'

'U zegt dus dat de alabarch en ik in deze zaak dezelfde belangen hebben?'

'Dat denk ik inderdaad, ja.'

Flaccus dacht een ogenblik na. 'Goed dan, ik zal morgen het bevel geven.'

'Dank u, prefect.'

'En hoe kan ik volgens u Herodes Agrippa in de wielen rijden?'

'Graan. Ik vermoed dat hij een illegale partij graan naar zijn koninkrijk wil verschepen, zodat hij een goede beurt kan maken bij zijn nieuwe onderdanen.'

'Hoe weet u dat?'

'Van vrouwe Antonia.'

Flaccus knikte. 'Zij was altijd goed op de hoogte. Waar is dat graan?'

'Dat weet ik niet precies, maar ergens in deze provincie.'

'Daar schieten we weinig mee op. Ik kan het alleen in beslag nemen als ik weet waar het is.'

'Het spijt me, maar meer weet ik niet.'

'Van wie heeft hij het gekocht?'

'Van Claudius.'

'Heus? In dat geval weet ik wie ons kan helpen het te vinden, namelijk het mannetje van Claudius in Egypte: Thales.'

Het was een lange, vermoeiende ochtend geweest, in de volgepakte oefenarena midden in het Gymnasium. Elke afvaardiging had zich met een eindeloze toespraak trouw aan de keizer verklaard en vervolgens Flaccus geprezen voor zijn rechtvaardige bewindvoering in naam van de keizer. Elke afvaardiging had de andere willen overtroeven met superlatieven en retorische kunststukjes en moedwillig de oren gesloten voor het geschreeuw van de relschoppers en het gekletter van de spijkerzolen van de legionairs die achter de misdadigers aan zaten, in een stad die elk moment tot anarchie kon vervallen. Als ze hun longen volzogen met lucht om hun loftuitingen ten gehore te brengen, roken ze de scherpe, akelige lucht die de talloze uitgebrande Joodse huizen en winkels verspreidden.

Vespasianus zat op het podium tegenover de menigte van drieduizend man, rechts van Flaccus, zoals paste bij zijn positie. Herodes Agrippa, die links van Flaccus zat, staarde strak voor zich uit, hij voelde zich gekrenkt omdat hij was gedwongen, nota bene door iemand die zijns inziens onder hem stond, deze ceremonie bij te wonen.

Toen Thales van Flaccus te horen had gekregen dat zijn lastgeving van de keizer binnengekomen was en dat hij nog minstens twee jaar de prefect van Egypte zou zijn, was de bankier heel hulpvaardig geworden en had hij meteen, zonder dat er enige druk op hem uitgeoefend hoefde te worden, verteld waar de illegale graanpartij van Herodes lag. Hij had Flaccus zelfs zijn exemplaren van de verkoopakten en eigendomsakten gegeven, geheel vrijwillig, en hem een grote rentevrije lening aangeboden, die de prefect na lang aandringen van Thales met enige tegenzin dankbaar had aanvaard. Thales had het paleis verlaten met de plechtige belofte dat als iemand ooit nog eens via hem op onrechtmatige wijze graan wilde kopen, Flaccus dat als eerste zou weten. Flaccus had hem hartelijk bedankt en zou overwegen om steeds als Thales met zulke informatie kwam een deeltje van zijn lening af te betalen. Ze hadden ieder precies geweten wat de ander wilde.

Vervolgens had Flaccus duidelijke afspraken gemaakt met Herodes: als hij zou blijven voor de ceremonie kon hij daarna meteen terug naar zijn koninkrijk, en als hij zich naar wens gedroeg kon hij zelfs de helft van zijn graan meekrijgen. De andere helft zou hij uiteraard schenken aan Rome uit dank voor zijn nieuwe kroon.

Tandenknarsend had Herodes die ochtend bij de opening van de ceremonie een toespraak gegeven. Eerst hij had de lastgeving van Caligula voorgedragen en daarna had hij de keizer en diens wijze besluit alle lof toegezwaaid. Zijn lofzang op Flaccus was niet zo uitgebreid geweest als die van de afgevaardigden na hem, maar naar mening van Vespasianus was het voldoende geweest om hem een helft van het graan te laten houden. Toen Herodes had verkondigd dat het hem speet dat hij zijn goede vriend Flaccus nu al, na zo'n kort bezoek, moest verlaten om de terugreis naar zijn koninkrijk te aanvaarden, had Vespasianus een lachstuip moeten onderdrukken.

Nadat de afgevaardigden van de omliggende steden en dorpen de man hadden bewierookt die over hun leven en dood kon beschikken, was het de beurt aan de vertegenwoordigers van de opstandige stad Alexandrië. De Joden mochten eerst, zodat de grotere Griekse afvaardiging de eer ten deel viel vlak voor de prefect te spreken.

Alexander de Alabarch stond op te midden van een groep hevig zwetende, in mantels en lange gewaden gehulde oude mannen, die het snikheet hadden in de almaar feller schijnende zon.

'Ook wij, de Joden van Alexandrië,' verkondigde hij in het Grieks, 'loven onze geliefde keizer voor zijn wijze besluit onze edele prefect opnieuw te bevestigen in zijn ambt. Wij prijzen ons gelukkig dat keizer Gaius een man als Aulus Avilius Flaccus over ons laat regeren, want wij weten dat hij billijk zal omgaan met de grote onrechtvaardigheid die ons volk momenteel wordt aangedaan door het niet-Joodse deel van de bevolking van Alexandrië.'

Flaccus verstarde en de afgevaardigden van de stad en de Alexandrijnse Grieken achter hen roerden zich. Het was gebruikelijk noch fatsoenlijk om tijdens een lofrede zulke uitlatingen te doen.

'Hoewel de verwoesting van Joodse bezittingen doorgaat en er elke dag weer meer Joden worden verkracht en vermoord, weten wij zeker dat de prefect de daders ter verantwoording zal roepen en de slachtoffers een schadevergoeding zal toekennen. We vertrouwen er tevens op dat hij dit zal beloven aan koning Herodes Agrippa, de vriend van de keizer en de meest verheven Jood van alle Joden in het Romeinse rijk.'

Het verontwaardigde gemurmel van de Grieken werd steeds luider. Herodes schoof ongemakkelijk heen en weer in zijn stoel, hij wilde duidelijk niet betrokken raken bij de strijd van zijn geloofsgenoten in deze provincie.

'Tevens willen wij prefect Flaccus danken voor zijn bereidheid om de godslasterlijke prediker Gaius Julius Paulus op te sporen en te arresteren en daarmee een einde te maken aan zijn weerzinwekkende afvalligheid. Hoewel hij Paulus nog niet heeft kunnen vinden, weten wij zeker dat de prefect zijn inspanningen zal verdubbelen om deze tweedracht zaaiende en gevaarlijke man op te pakken.'

Nu klonken er woedende kreten uit de menigte. Het was ondenkbaar dat iemand publiekelijk verkondigde dat de prefect faalde. Flaccus echter bleef zitten, schijnbaar ontspannen, met een flauwe glimlach op zijn gezicht, omhuld door zijn toga, met zijn rechterelleboog op de stoelleuning en zijn linkerhand op de knie van zijn gestrekte linkerbeen. Het was beneden zijn waardigheid om de alabarch het zwijgen op te leggen.

Bij de ingang vlak bij Vespasianus gebeurde iets, maar Alexander vervolgde zijn betoog. 'Wij beloven derhalve hem trouw te zweren en namens hem een offer aan God te brengen zodra hij zijn opdracht volbracht heeft.'

Dit was de druppel die de emmer deed overlopen. Alexander had geweigerd het gezag van Flaccus te aanvaarden zolang hun eisen niet werden ingewilligd; hij eiste onder andere dat de Grieken aansprakelijk werden gesteld voor alle schade die zij hadden veroorzaakt.

Wat Alexander daarna nog zei werd overstemd door het gebrul van de boze meute, maar dat ging langzaam over in schaterlachen toen de menigte oog kreeg voor de eigenaardige stoet die de arena binnenkwam door de ingang aan de kant van Vespasianus, waar Flavia en de andere Romeinse vrouwen vlakbij zaten. Een vieze, tandeloze bedelaar werd in een paarse mantel door het publiek heen gedragen. Op zijn hoofd droeg hij een nepkroon van stukjes oud ijzer die aan een leren hoofdband waren vastgemaakt en in zijn hand hield hij zijn scepter: een stok met een spons erop, zoals die in een openbare latrine werd gebruikt om jezelf te reinigen. De bedelaar schaterde het uit terwijl zijn lijfwacht van al even morsige landlopers een weg door de menigte baande en ondertussen riepen: 'Maak ruimte voor de koning, pas nog een bedelaar!'

'Leve de koning!' brulde het publiek tussen de lachbuien door.

Vespasianus keek naar Herodes, wiens ogen uitpuilden van woede toen hij zich realiseerde dat deze farce bedoeld was voor hem, de koning die tot voor kort als een berooide bedelaar achter de tralies had gezeten. De arme schooier die nu ter vernedering van Herodes werd rondgedragen, was van de straat geplukt en als een koning uitgedost zoals Herodes door Caligula uit de gevangenis was geplukt en vrijwel meteen tot koning was gekroond.

Herodes kwam overeind en verliet zo waardig als hij kon, onder de spottende toejuichingen van de Griekse meute, de arena, op de voet gevolgd door de alabarch en de Joodse oudsten.

'Ik begrijp wat u bedoelt, Vespasianus,' merkte Flaccus met een flauwe glimlach op, en hij knikte met zijn hoofd naar de ingang waar de parodie was begonnen, 'hij weet goed hoe hij tweedracht moet zaaien.'

Vespasianus keek om en zag in de schaduw van de poort een kleine, boosaardig glimlachende man met een half oor staan. Even ontmoetten hun blikken elkaar, maar vrijwel op hetzelfde moment draaide Paulus zich om en liep met kromme benen weg.

HOOFDSTUK XX

'Ik snap niet waarom Flaccus er geen ene moer aan doet,' zei Magnus, die vol afschuw naar de lichamen van twee Joodse vrouwen keek, die duidelijk als beesten waren verkracht voordat hun kelen waren doorgesneden. Bij wijze van hoon was onder het hoofd van een van de vrouwen als kussen een dode zuigeling gelegd.

'Omdat de Grieken momenteel het werk voor hem opknappen door de Joden in hun wijk te houden,' antwoordde Vespasianus. Hij deed zijn best de lichamen te negeren en wierp een bezorgde blik op Flavia, die naast hem in een andere draagkoets zat. Ze zag erg bleek, ondanks het feit dat Ziri haar met een grote waaier probeerde koel te houden. Het zou haar weinig moeite kosten om in de tempel van Alexander flauw te vallen, dacht hij zwartgallig, helemaal als ze onderweg nog meer lijken zouden tegenkomen.

Dat Herodes tijdens de ceremonie was vernederd en gisteren in allerijl Alexandrië had verlaten – en de andere helft van zijn graan had opgegeven – was als een lopend vuurtje door de stad gegaan, en de Joden, die zijn vernedering als een vernedering van hun volk beschouwden, waren massaal in opstand gekomen en de Griekse wijk binnengedrongen. De Grieken hadden daarop hun gehate stadsgenoten, die in de minderheid waren, terug naar hun wijk gedreven en alle toegangswegen afgesloten, waardoor het geweld binnen de perken bleef. Maar de Joden opsluiten vonden ze kennelijk niet genoeg en ze waren de wijk in getrokken, hadden de Joden steeds verder teruggedrongen, totdat die met zijn allen in een paar straten langs de kust zaten, ten oosten van het koninklijk paleis. En dan hadden die nog geluk, want degenen die in handen van de Grieken waren gevallen, waren gegeseld, gekruisigd en levend verbrand aan het kruis.

Toen hij die ochtend vanuit het paleis naar buiten had gekeken, had Vespasianus de duizenden vrouwen en kinderen gezien die zich op het strand hadden verzameld, ze hadden daar een goed heenkomen gezocht terwijl hun mannen met hand en tand de gebieden verdedigden die zij nog in handen hadden. De rest van de wijk stond in lichterlaaie; zelfs twee mijl verderop, bij de tempel van Alexander, voelde je het aan je neus en ogen. Het geweld beperkte zich weliswaar tot de Joodse wijk, maar Hortensius had gevraagd om nog eens zestien man voor zijn geleide, en had die ook gekregen, nadat Vespasianus – die van Felix had vernomen dat het borstpantser klaar was – alle adviezen in de wind had geslagen en per se de straat op wilde omdat hij, zo zei hij, Flavia het lichaam van Alexander wilde laten zien.

'Ik begrijp het nog steeds niet,' zei Magnus toen een stel Grieken hun voorbijliep in de richting van de rellen, opgewonden schreeuwend en met een wijde boog om Hortensius en de legionairs die voor de koetsen liepen heen. 'Als de rellen zich beperken tot een klein gebied, waarom maken ze er dan geen eind aan?'

'Hoe erger het wordt, hoe dankbaarder de Joden zijn wanneer Flaccus ingrijpt. Dan moeten ze wel akkoord gaan met zijn voorwaarden,' zei Flavia met zwakke stem.

'Dan zijn ze toch juist verschrikkelijk kwaad op hem omdat hij daar zo lang mee heeft gewacht?'

'Dat zal gerust,' beaamde Vespasianus, 'maar dan zegt Flaccus dat hij de volgende keer helemaal niet meer ingrijpt en dat ze dus beter hun mond kunnen houden, geen eisen meer moeten stellen, dankbaar moeten zijn dat ze nog leven en gewoon verder moeten gaan met hun leven. Het is bijna alsof hij het allemaal zo geregisseerd heeft.'

'O, dat heeft hij ook, dat weet ik wel zeker,' zei Flavia.

'Je bedoelt dat hij niets heeft gedaan om het te voorkomen?'

'Nee, ik bedoel dat hij het heeft georganiseerd.'

'Waarom ben je daar zo zeker van?'

'Ik heb gezien wie dat toneelstukje in de arena op poten zette en ik herkende hem van de rellen in Cyrenaica, hij is een oproerkraaier.'

'Paulus? Ik weet het, maar dat betekent nog niet dat Flaccus hem gebruikt, sterker nog, hij heeft mij beloofd dat hij hem zal arresteren.'

'En jij denkt echt dat hij dat doet?'

'Waarom niet? Hij doet het in ruil voor nuttige informatie over Herodes, en bovendien is het ook in zijn eigen belang.'

'Dan moet jij je eens het volgende afvragen: als hij Paulus zo graag wil arresteren, waarom heeft hij dat gisteren dan niet gedaan, in het Gymnasium? Jij zag hem, ik zag hem, en Flaccus zag hem ook maar stuurde niemand op hem af. Paulus nam ook niet de benen, hij wandelde gewoon rustig weg.'

De blinddoek die Vespasianus al die tijd gedragen had, viel opeens af. Ze had gelijk. 'Flaccus luisterde glimlachend naar de toespraak van Alexander omdat hij wist wat er komen ging, hij had het namelijk zelf geregeld. En hij wist wat er daarna zou gebeuren: de Joden zouden massaal in opstand komen. Hij maakt pas een einde aan het geweld als de Joden hem daar min of meer om smeken, en dan heeft hij ze precies waar hij ze hebben wil en moeten ze alles van hem slikken. En ik heb het hem aangereikt, want ik heb hem verteld hoe goed Paulus is in het zaaien van tweedracht.'

Flavia trok haar wenkbrauwen op. 'Trek het je niet aan, liefste, dat wist Flaccus allang. Hij heeft Paulus eerder ontmoet. De avond van ons weerzien was hij in het paleis. Ik zag hem weggaan toen ik aankwam.'

Vespasianus bromde instemmend, hij herinnerde zich dat Flaccus na hun eerste gesprek snel naar een bespreking moest. 'Hij gebruikt Paulus al heel lang om de ergernis van de Joden te wekken, het is nooit zijn bedoeling geweest hem te arresteren. Hij heeft alles naar zijn hand kunnen zetten: een officiële ceremonie waar afgevaardigden uit de hele provincie konden zien dat hij de lastgeving van de keizer kreeg overhandigd door diens gezant Herodes, die vervolgens zo beledigd wordt dat hij meteen vertrekt, zonder zijn graan – dat Flaccus zich nu ongetwijfeld zal toe-eigenen. De Joden komen vervolgens in opstand en manoeuvreren zich dom genoeg in een situatie waaruit alleen Flaccus hen kan redden, uitaard op zijn voorwaarden.'

'Hij heeft het slim aangepakt,' merkte Magnus op toen ze bij de Soma aankwamen, 'maar ik zou er niet te lang bij stilstaan, wij moeten gewoon doen waarvoor we zijn gekomen en deze verrekte stad aan zijn zielige lot overlaten.'

Vespasianus zuchtte toen Hortensius hun lijfwacht bij de poort van de Soma liet stoppen, hij moest zich neerleggen bij het feit dat hij een andere keer wraak moest nemen voor deze vernedering, het gevoel door Flaccus gebruikt te zijn, en bovendien kon hij zich troosten met het feit dat hij Flavia van hem afpakte. 'Is dit het juiste moment, liefste?'

'Beter kan niet, Vespasianus.'

'Mooi. Hortensius, wacht hier op ons, we zijn zo terug. Vrouwe Flavia wil heel graag de grote Alexander zien.'

De zon raakte bijna de horizon en vulde de tempel van Alexander met een vol oranje licht dat het gebouw een zekere vredigheid gaf die in schril contrast stond met het geweld dat een paar mijl verderop gaande was. Vespasianus en Magnus keken naast het grote beeld van Alexander toe hoe de priester Flavia voorging, eerst langs de wachters en daarna de trap af naar de grafkamer. Ziri bleef staan bij de ingang, zoals verwacht werd van een slaaf die zijn meesteres vergezelde. Vespasianus was niet ingegaan op het aanbod van de priester om de grafkamer nog een keer te bezoeken, om de plausibele reden dat Augustus ook één keer geweest was, maar in werkelijkheid omdat het cruciaal was dat Flavia alleen boven aan de trap zou verschijnen wanneer de priester nog bezig zou zijn met zijn reinigingsritueel.

Toen het hoofd van Flavia onder de grond verdween, keerde Vespasianus zich naar Magnus. 'Jij moet nu recht tegenover de trap gaan staan. Als Flavia terugkomt, loopt ze naar mij toe. Zodra de priester naar boven komt, wrijf jij over je neus ten teken dat ze flauw moet vallen.'

'Lijkt me helemaal goed. Laten we hopen dat Ziri als hij daar zit te wachten niet al het brood opeet dat voor de ganzen bestemd is,' zei Magnus met een zuur glimlachje, waarna hij om de tempel heen liep om zijn positie in te nemen.

Vespasianus keek naar Ziri, die terugknikte en een klopje op de ransel gaf die over zijn schouder hing. De kleine Marmaride was er

klaar voor, dat was duidelijk, en Vespasianus richtte zich op de bebaarde wachter. Hij had een uniform aan van de Argyraspiden, de
elitetroepen van Alexander, die de ruggengraat van zijn infanterie
hadden gevormd: een bronzen helm met kam in Thracische stijl, een
bruin kuras van hard leer met daaronder een witte tuniek, bronzen
beenkappen en een klein, rond, verzilverd schild – waaraan de eenheid haar naam ontleende – met daarop in brons de zestienpuntige
Macedonische ster. Hij was gewapend met een kort zwaard, dat hij
links droeg, aan een over zijn rechterschouder geslagen riem, en de
befaamde, zestien voet lange speer, die met twee handen werd bediend en waar destijds geen enkel ander wapen tegen was opgewassen, totdat de Romeinen met hun pilum kwamen. Hij en zijn drie
collega's, twee bij de tempeldeur en twee bij de poort van de Soma,
waren de enige soldaten die uit eerbied voor Alexander dit uniform
nog mochten dragen. Vespasianus bad tot Mars dat deze ceremoniële
wachters minder gedisciplineerd zouden zijn dan hun voorgangers,
die het grootste rijk aller tijden hadden veroverd, en hun post zouden verlaten om een dame in nood te helpen.

Na wat een eeuwigheid leek maar in feite nog niet de helft was van
de tijd die Vespasianus een paar dagen eerder in de grafkamer had
doorgebracht, verscheen Flavia weer. Boven aan de trap bleef ze even
staan, naast de wachter, en wankelde licht. Ze kreunde even, alsof
datgene wat ze zojuist had gezien haar te veel dreigde te worden, en
zocht met een hand steun bij de gespierde onderarm van de wachter. Hij keek bezorgd naar haar. Vespasianus moest er vanbinnen om
lachen: ze wist precies hoe ze mannen moest aanpakken, door de aanraking zou hij het gevoel hebben even met haar verbonden te zijn.
Ze glimlachte de wachter verontschuldigend toe, gaf een klopje op
zijn arm, draaide zich naar Vespasianus en begon langzaam, met onvaste tred, zijn kant op te lopen. Vespasianus richtte zijn blik op
Magnus. Toen Flavia vier stappen gezet had, bracht Magnus zijn
hand naar zijn neus. Vespasianus keek naar Flavia en knikte: met een
gilletje zakte ze in elkaar. De wachter draaide zich vliegensvlug om,
liet onmiddellijk zijn speer op de grond kletteren en schoot de
vrouw te hulp die hem zojuist nog zacht had aangeraakt. Op hetzelfde moment verscheen de priester boven aan de trap. Hij vroeg

zich af wat de reden was van alle commotie en spoedde zich toen naar de plek waar zijn gezelschap van zo-even hulp behoefde.

'Flavia!' schreeuwde Vespasianus. Hij rende naar haar toe, de wachter knielde neer en tilde haar hoofd van de koude marmeren vloer.

'Wat is er gebeurd?' vroeg de priester, en hij keek angstig over de schouder van de wachter.

'Ik weet het niet,' antwoordde Vespasianus, met een gezicht dat een en al bezorgdheid was. Hij keek op en zag Magnus naderen. Ziri was verdwenen. 'Magnus, laat Ziri ervoor zorgen dat de draagstoelen klaarstaan.'

'Daar is hij al mee bezig.'

'Mooi. Dan tillen we haar samen op.'

'Dat is niet nodig,' fluisterde Flavia met knipperende ogen. 'Het gaat zo wel weer, ik werd door emotie overmand, meer niet.' Ze ging langzaam rechtop zitten, de wachter bood haar steun door zijn arm om haar schouder te slaan.

'Ik heb dit vaker zien gebeuren,' zei de priester somber, 'sommige mensen wordt het al te veel als ze door de schacht naar Alexanders gezicht kijken.'

'Het is gewoon een overweldigende ervaring om zo dicht bij hem te zijn, helemaal voor een vrouw,' zei Flavia lieflijk. 'Ik zou u aanraden geen vrouwen bij zo'n sterke man te laten.'

De priester knikte wijs. 'Misschien hebt u gelijk. Ik zal enkele priesters vragen zich over deze kwestie te buigen, wellicht moeten we ons beleid aanpassen.'

'Ik ben u heel dankbaar,' zei Flavia. Ze ging staan, met hulp van de wachter. 'Ik voel me al stukken beter. De onzichtbare kracht van Alexander is door mijn aderen gestroomd. Vespasianus, zullen we gaan? Ik moet nu echt de armen van een man om mij heen voelen.'

'We gaan, Flavia,' antwoordde Vespasianus, in de hoop dat ze niet zou doorschieten in haar rol.

Flavia pakte zijn arm en keek de wachter met reeënogen aan. 'Dank je, sterke beschermer van Alexander.'

In zijn volle baard verscheen een brede grijns. Vespasianus trok Flavia met een strakke glimlach mee. 'Kom, liefste.'

'Ik zal voor u bidden tot Alexander,' riep de priester hun nog na toen ze de tempel uit liepen.

Felix stond onder aan de trap op hen te wachten en keek naar het stukje grond naast de tempel waar de ganzen stonden. Hij had een lege zak over zijn schouder geslagen. 'Is hij binnen?' vroeg hij toen ze buiten gehoorsafstand van de poortwachters waren.

'Ja,' antwoordde Vespasianus. 'Het ging goed, al werd het aan het eind misschien wat te dramatisch. We zien je later nog, Felix.'

'Goed, als vannacht het vijfde uur begint ligt mijn boot onder jullie terras. Ik zal het borstpantser bij me hebben. Nu ga ik de laatste twee dingen regelen die we nodig hebben.'

'Mijn liefste, dat was niet te dramatisch,' zei Flavia terwijl Felix in de schemering naar de ganzen liep. 'Ik deed dat met een reden, want nu zien ze alleen mij nog voor zich wanneer ze later terugdenken aan dit voorval. Ze zullen niet tot de conclusie komen dat Ziri het onmogelijke presteerde: een opdracht krijgen van Magnus en vervolgens uit het zicht verdwijnen in de weinige tijd tussen mijn flauwvallen en Magnus' opmerking dat Ziri al onderweg was, nadat jij zo dom was de aandacht op zijn afwezigheid te vestigen.'

'Dat krijgen ze nooit door.'

'Nu in ieder geval niet, daar heb ik wel voor gezorgd.'

Vespasianus ging er niet op in. Zij had lef getoond en zonder haar was dit deel van de ontvreemding nooit gelukt. 'En ik weet zeker dat ze de herinnering zullen koesteren. Goed, mijn liefste, als we terug zijn moeten we jouw dienstmeisjes opdragen de spullen in te pakken, want die moeten naar het schip. Met een beetje geluk varen we morgen bij dageraad de haven uit.'

'Dat heb ik al gedaan. Ik vind het zo spannend om samen terug naar Rome te gaan.'

Vespasianus keek naar haar en glimlachte. 'Ik kijk er ook naar uit, liefste.'

De vlammen wierpen hun gloed op de nachtelijke hemel toen ze het paleis naderden. Uit de Joodse wijk daarachter klonk het geschreeuw en gegil van de strijd.

'Het lijkt erger te worden,' riep Hortensius over zijn schouder. Er kwam een stelletje Grieken aanlopen die een schreeuwende Jood meesleurden. 'Ik denk dat u beter uit de stoel kunt komen en verder te voet gaan, senator.'

'Dat is goed,' zei Vespasianus, en hij gaf zowel zijn eigen dragers als die van Flavia opdracht te stoppen.

'Waarom moeten we lopen?' vroeg Flavia aan Magnus terwijl hij haar hielp uitstappen.

'Omdat u dan makkelijker te verdedigen bent als we worden aangevallen. We willen toch dat u heelhuids in Rome aankomt? Of niet soms?' Met haar optreden bij de tempel had ze respect bij hem afgedwongen.

Het laatste stuk moesten ze zich langs relschoppers dringen die naar het strijdtoneel renden of daarvandaan kwamen, en het verbaasde Vespasianus dat hij nergens legionairs zag. Flaccus bracht de Joden tot aan de rand van de afgrond, hij wilde hen koste wat het kost op de knieën krijgen.

Vlak bij het paleis werd het rustiger op straat, de zwaarbewapende legionairs bij de poort hadden kennelijk een afschrikwekkende werking.

Hortensius salueerde naar hun centurio. 'Optio Hortensius geleidt senator Titus Flavius Vespasianus.'

'Ah, senator,' zei de centurio, 'er is een man die al een halfuur op u wacht, hij noemt zich Nathaniël en is hiernaartoe gezwommen vanaf de Joodse wijk.' Hij trok een man naar voren die onder het bloed zat. 'We wilden eerst niet geloven dat hij u kende,' voegde hij toe, om te verklaren waarom de man er zo uitzag.

'Senator, u moet ons helpen,' zei de man, en hij stapte het licht van de fakkels in.

Vespasianus keek hem aan en herkende de man wiens broer een paar dagen eerder was vermoord op de Canopusweg. 'Wat wil je dan, Nathaniël?'

'U zei dat u de moordenaars van mijn broer ter verantwoording zou roepen omdat u bij de alabarch in het krijt stond. Zoals u weet zijn ze gespaard, dus die schuld is nog steeds niet ingelost.'

'Ja. En?'

'De alabarch en zijn zonen zitten vast in een tempel niet ver hiervandaan. Ze hebben een paar man bij zich, maar heel lang zullen ze het niet meer volhouden. De prediker heeft zich met zijn volgelingen aangesloten bij de Grieken. De alabarch heeft mij hierheen gestuurd, vlak voordat het gebouw helemaal omsingeld was, om u om hulp te vragen. Komt u?'

Magnus trok zijn wenkbrauwen op en keek naar Vespasianus. 'Nou?'

'Nou, ik ben het hem verschuldigd en ik vind het een afschuwelijke gedachte dat Paulus met hem en zijn zoons speelt. Dus we gaan. Misschien krijgen we nog de kans dat nare fanatieke ventje uit de weg te ruimen.'

'Als we gaan, moeten we dat niet zo doen. Caesar heeft het destijds in het theater van Pompeius ook niet gered, in zijn toga.'

'Je hebt gelijk, we moeten ons goed bewapenen. Hortensius, wacht hier op ons, met deze man, en laat je mannen ondertussen hun zwaarden slijpen. We zijn zo terug.'

Hortensius sprong in de houding en salueerde.

'U kunt niet met legionairs de Joodse wijk in gaan, senator,' protesteerde de centurio.

'Waarom niet?'

'Omdat het niet mag. De prefect heeft het verboden.'

'Dat zal gerust, maar geldt dat dan ook voor een senator?'

Met die vraag wist de centurio zich geen raad.

'Ik ga, centurio, en als Hortensius en zijn mannen niet met mij meegaan, negeren zij het directe bevel van de prefect om mij overal in Alexandrië te begeleiden.'

Het strijdgewoel kwam hoorbaar dichterbij toen Vespasianus, met schild en bronzen kuras, Hortensius en zijn mannen op een drafje door de rookwalmen de Joodse wijk in leidde, met Magnus en Nathaniël aan zijn zijde. Hij was al nat van het zweet, want er kwam een enorme hitte van de branden die overal om hen heen woedden, en het jeukte onder de vilten binnenkant van zijn gewone legionairshelm. Het zwaard van Marcus Antonius klapte steeds tegen zijn rechterbeen en de spanning golfde door zijn lijf bij de gedachte dat hij dat zwaard nu, in al zijn woede, voor het eerst zou gaan gebruiken in de stad waar zijn eerste eigenaar zich ermee van het leven had beroofd.

De Grieken, die de Joodse huizen plunderden alvorens ze in brand te steken, zagen de eenheid gewapende legionairs een gebied binnendringen waar eerst geen gezag heerste en lieten prompt de grotere voorwerpen uit hun handen vallen om snel een goed heenkomen te kunnen zoeken in de veilige zijstraatjes. De stenen die de legionairs zo nu en dan naar hun hoofd kregen geslingerd werden onschadelijk gemaakt door hun schilden, maar ze maakten wel duidelijk dat ze niet welkom waren.

'Nog twee huizenblokken en dan gaan we linksaf richting zee,' zei Nathaniël met zijn kiezen op elkaar tegen Vespasianus, want door alle rook had hij moeite met ademhalen. 'De tempel is aan het einde van die straat.'

De straten waren bezaaid met verminkte lichamen, lichaamsdelen en puin, hierbij vergeleken was het oproer in Cyrene een misverstand tussen buren geweest: zo bijgelegd en snel vergeten.

'Ik weet niet wat u ervan vindt, maar ik krijg het idee dat vier *contuburnia* eigenlijk niet genoeg zijn om het op te nemen tegen alle Grieken in deze stad,' merkte Magnus op. Met een knal landde er een steen op zijn schild. 'Ik had nu liever het geluid van heel veel spijkerzolen achter me gehoord.'

'Het heeft geen zin je daar nu druk over te maken. We moeten het hiermee doen,' antwoordde Vespasianus kregelig. 'Laten we hopen dat het gezag van Rome zegeviert en wij hun kunnen bevelen die mensen vrij te laten.'

Magnus snoof, maar zei niets.

Al snel waren ze bij het einde van het tweede blok en sloegen ze links af een brede weg in. Vespasianus aarzelde. De weg lag vol lijken, sommige smeulden nog, verlicht door de brandende huizen aan weerszijden. De lucht was doordrongen van de geur van brandend vlees en midden uit de enorme meute vijftig passen voor hen stegen schorre kreten van angst en pijn op. Achter de meute zag Vespasianus een Joodse tempel opgeslokt worden door vlammen.

Nathaniël kreunde. 'We zijn te laat, ze villen de gevangenen levend.'

Vespasianus beval zijn kleine eenheid halt te houden. 'Hortensius, laat de mannen een carré maken met aan alle kanten hun gezichten naar buiten gericht.'

'We gaan dat stelletje wilden daar toch niet aanvallen?' vroeg Magnus ongelovig. Hij kwam rechts naast Vespasianus staan terwijl de legionairs zich snel opstelden.

'Als ze verstandig zijn is het niet nodig. Trek jullie gladii, langzaam voorwaarts!'

Het kleine carré kroop naar voren; de mannen, van wie sommigen achteruitliepen en anderen zijwaarts, als krabben, hielden hun schilden strak tegen elkaar en staken hun vlijmscherpe zwaarden, die oranje oplichtten in de gloed van het vuur, tussen de schilden door naar buiten.

Vanuit de meute klonk nog steeds gegil, maar het drong tot steeds meer mensen door dat er Romeinen waren, en tegen de tijd dat het carré twintig passen bij hen vandaan was, wisten ze honderden ogen op zich gericht.

'Halt!' beval Vespasianus.

De spijkers stampten op de stenen en het carré bleef staan.

Het rumoer van de meute stierf weg, zodat alleen de pijnkreten van de slachtoffers nog te horen waren.

'Wie heeft hier de leiding?' schreeuwde Vespasianus.

Na een korte stilte drongen vier mannen zich naar voren.

'Wat wil je, Romein?' vroeg hun leider, een grote, gespierde vent met kort zwart haar en een volle baard. In zijn hand lag een knuppel waar aan de dikke kant een grote spijker uitstak.

'Ik wil voorkomen dat ik een van jullie moet doden. Hoe heet u?'

'Isodorus, maar dat is geen geheim. Flaccus weet wie ik ben.'

'En Flaccus heeft u toestemming gegeven naar believen te moorden en brand te stichten?'

Isodorus glimlachte kil. 'De prefect heeft ons niets beloofd, maar hij heeft ons er ook niet van weerhouden om deze stad te verlossen van het addergebroed dat de goddelijkheid van de grote Caesar niet erkent en desondanks op gelijke voet wil staan met ons, zijn gehoorzame onderdanen.'

'Dat moge duidelijk zijn. Maar ik ben Flaccus niet, en ik sta ook niet onder zijn bevel. Ik ben door de keizer naar deze provincie gestuurd en als ik terug ben in Rome zal ik bij hem verslag uitbrengen. Dus u mag zelf kiezen, Isodorus: probeer mij te doden en dan zullen we zien hoeveel van jullie er sterven door onze zwaarden voordat jullie ons met jullie stokken en tafelmessen weten te overweldigen, of draag de gevangenen uit die tempel aan mij over voordat we ze komen halen.'

'Dat gaat jullie nooit lukken.'

De blik van Vespasianus verhardde. 'Daag me niet uit, Isodorus. Iedere legionair doodt met gemak tien mannen van uw bende. Dat zijn er in totaal al driehonderd, en u bent een van de eersten.' Hij nam zijn tegenstanders op. 'Dappere winkeliers, herbergiers en dieven, wie van jullie wil een van de driehonderd man zijn die met Isodorus het leven laten omwille van een paar gevangenen?' Hij wees met zijn zwaard op een dikke, kalende man met bloed op zijn handen en tuniek. 'Jij misschien?' De man trok zich terug in de meute. 'En jij dan?' riep hij, en hij wees op de man naast de dikzak, die zich nu ook terugtrok. 'Volgens mij hebt u een probleem, Isodorus, uw dappere stadsgenoten willen liever blijven leven dan dat ze uw gevangenen verdedigen zodat u ze de huid van het lijf kunt rukken. Ik wil weten wat u doet, Isodorus. Nu!'

De Griek keek naar zijn armoedige, slecht bewapende stadsgenoten en realiseerde zich dat zij niet het lef hadden om de strijd aan te gaan met de goed geoefende legionairs. Hij ging opzij.

'Heel verstandig,' zei Vespasianus met enige spot. 'Carré! Langzaam voorwaarts.'

De achter hun schilden weggedoken legionairs kwamen stapje voor stapje in beweging, zodat ook degenen die niet recht vooruitliepen in formatie konden blijven. De meute week uiteen, maakte flink wat ruimte voor de soldaten om buiten bereik te blijven van de zwaarden die fonkelden tussen de schilden, klaar om te doden of te verwonden.

'Ik weet niet of we veel kans maken als ze ineens wel over kloten blijken te beschikken,' mompelde Magnus toen ze het midden van de groep naderden.

De gevangenen schreeuwden het niet meer uit, er hing een onnatuurlijke stilte, die slechts werd verbroken door de gestage voetstappen van de soldaten.

Opeens stonden ze oog in oog met een bloedbad: aan een stevig houten raamwerk hingen drie naakte mannen en een vrouw aan hun polsen, zodat hun tenen net de grond raakten. Hun kin rustte op hun borst, die zwaar op- en neerging omdat ze moeite hadden met ademhalen en hun afschuwelijke wonden pijn deden. Ze waren gevild, maar niet allemaal even ernstig. De dichtstbijzijnde man leek het meeste geluk te hebben gehad: er was maar één reep huid, ongeveer een hand breed, van zijn rug getrokken. Die hing nu als het uiteinde van een bebloede riem onder aan zijn rug. De anderen hadden minder geluk gehad: grote lappen huid hingen onder aan hun rug, zacht wapperend als gruwelijke rokken. Hun lichamen sidderden en kronkelden. In het midden van het raamwerk stond een groep mannelijke gevangenen te wachten totdat zij onder het mes gingen, ze keken ongelovig naar de Romeinen en vervolgens naar de slachtoffers. Vespasianus zag Alexander staan, hij had zijn arm om Marcus, zijn jongste zoon, geslagen.

'Omsingel dit stuk!' beval Vespasianus.

Het carré werd opgebroken en de legionairs vormden een cirkel om het raamwerk. De meute deed geen poging om tussenbeide te komen, sterker nog, ze deinsden terug voor hun slachtoffers en keken somber toe, alsof ze door de komst van de Romeinen niet langer in de ban waren van hun haat en zich nu schaamden voor wat ze gedaan hadden.

'Ik had niet verwacht dat Nathaniël erdoorheen zou komen,' zei Alexander. Hij wees naar de minst gewonde man. 'Snijd hem los. Snel.'

Vespasianus sneed het touw met één zwaardhouw door, waarna de man in Alexanders armen viel. 'Och, mijn zoon, mijn zoon,' jammerde Alexander, 'wat hebben ze met je gedaan?' Hij zakte op zijn knieën en nam het hoofd van de man in zijn schoot. Toen zag Vespasianus dat het geen man maar een jongen was: Tiberius, de oudste zoon van Alexander. Hij kermde zacht.

'Dat komt wel goed, heer,' zei Magnus, 'ik heb dit al eens meegemaakt toen we in Germania een paar van mijn kameraden uit handen van de lokale bevolking redden. Degenen bij wie maar een beetje huid is afgerukt, zoals bij hem, overleven het.' Hij keek naar de andere twee mannen en de vrouw, die bijna rauwe stukken vlees waren. 'Voor de anderen is er geen hoop. We moeten hen doden en ons uit de voeten maken.'

'Dat is goed, maar ik wil het zelf doen,' zei Alexander. 'Marcus, help je broer.' Hij legde Tiberius' hoofd voorzichtig in de schoot van zijn broer en stond op. 'Geef me uw zwaard, Vespasianus, mijn vriend.'

'Doe het snel,' zei Vespasianus terwijl hij hem het wapen overhandigde.

Alexander knikte en liep naar de bewusteloze vrouw toe. De huid was van haar bovenlijf gerukt en ze had nog maar één borst. Hij fluisterde iets in haar niet horende oor en stootte het zwaard moeiteloos door het vlees in haar hart. Uit haar mond kwam een zachte zucht.

'Philo,' zei hij tegen een oude man met een grijze baard, 'we dragen haar samen.'

'We hebben geen tijd om de lichamen mee te nemen,' zei Vespasianus.

Alexander wierp hem een boze blik toe. 'Ze was mijn vrouw, ik laat haar hier niet achter, mijn broer en ik dragen haar.'

Een ogenblik later waren ook de twee andere mannen gedood, en hun lichamen werden opgepakt door de resterende gevangenen.

'Hij is hier ook geweest,' zei Alexander toen hij het zwaard teruggaf. 'Hij en zijn volgelingen hebben deze mensen aangezet tot zulke wreedheden.'

'Paulus? Ja, ik weet het. Maar waarom? Hij is een Jood.'

'Niet meer. Hij heeft zijn eigen godsdienst en haat de Joden.'

'Waar is hij nu?'

'Hij en zijn volgelingen glipten weg zodra ze jullie zagen.'

'Beesten zijn het,' zei Philo fel, 'ze sloegen ons met zwepen alsof we Egyptische landarbeiders waren, ze gunden ons niet de waardigheid van de roede, die bij onze stand past. De mannen die ons geselden waren uitvaagsel. Het was een schande.'

Vespasianus trok ongelovig zijn wenkbrauwen op en richtte zich toen tot Hortensius. 'Optio, maak een hol carré, twee man diep, iedereen naar voren gericht. Wij marcheren hier weg als Romeinen, maken ons niet uit de voeten zoals deze moordlustige bende.'

In een ogenblik hadden de legionairs een carré gemaakt, met Alexander en zijn volksgenoten in het midden. Nathaniël hielp Marcus met zijn broer, die nu voldoende bij bewustzijn was gekomen om de gruwelijke pijn te voelen.

Vespasianus gaf het bevel om voorwaarts te gaan en met getrokken zwaarden begonnen de mannen in een snel marstempo te lopen.

'We moeten opschieten,' zei Magnus toen ze rechts afsloegen, 'Felix kan elk moment op de afgesproken plek zijn.'

'Hij zal moeten wachten,' antwoordde Vespasianus, 'ik wil niet rennend een gebied verlaten dat theoretisch onder Romeins gezag valt.'

Magnus haalde zijn schouders op en keek achterom. 'Ze gaan niet achter ons aan, waarschijnlijk zijn ze op zoek gegaan naar andere arme zielen om uit te kleden.'

'Misschien wel, ja, maar er is een smiecht met andere plannen,' mompelde Vespasianus. In het licht van de flikkerende vlammen zag hij vierhonderd passen voor zich talloze schimmige figuren uit zijstraatjes stromen en massaal de straat blokkeren. Te oordelen naar de fonkelingen in hun midden waren ze met meer bewapend dan met knuppels en messen alleen.

'Ik durf te wedden dat je die smiecht een naam kunt geven,' merkte Magnus op terwijl hij de dreiging tot zich liet doordringen.

Vespasianus glimlachte grimmig. 'Dat denk ik wel, ja, die walgelijke, krompotige klootzak.'

Op vijftig passen van de tegenstanders liet Vespasianus zijn legionairs halt houden. Hij stapte het veilige carré uit en liep naar voren. 'In naam van de keizer, laat ons door en iedereen zal ongedeerd blijven,' riep hij zo hard dat iedereen het kon horen.

'We erkennen geen ander gezag dan God en Zijn zoon, onze Heer Joshua, onze verlosser, de Christus. In zijn naam eisen wij dat u de leiders van het volk dat hem vermoordde aan ons overdraagt,' riep een herkenbare stem terug. Paulus stapte door een rookflard naar voren.

'U bent niet in de positie om eisen te stellen, Paulus, ga uit de weg.'

Hij schrok van zijn eigen naam en tuurde naar degene die hem had uitgesproken.

'Ik ken u nog, Paulus. In Cyrene had mijn mes moeten uitschieten, dat had een hoop levens gespaard.'

'U bent het! Nou, komt dat even goed uit. Dan kan ik Gods werk doen én wraak nemen. Draag ze aan ons over, Vespasianus, anders komen we ze halen. We omsingelen dat zielige hoopje Romeinen en maken gehakt van ze. Dit keer hebt u niet te maken met winkeliers. Deze mannen zijn goed bewapend en bereid te sterven voor God in de wetenschap dat ze rechtstreeks naar de hemel gaan omdat Joshua Christus hun zonden op zich genomen heeft.'

'Ik heb geen idee waar u het over heeft, maar als er fanatiekelingen als u naar die hemel gaan, wil ik er helemaal niets mee te maken hebben.' Vespasianus draaide zich snel om en riep: 'Vorm een wig!'

Vespasianus koos positie in de punt van de wig, met Magnus rechts en Hortensius links achter zich. De legionairs waaierden uit, de geredde Joden bleven in het midden staan.

'Hij is er sinds de vorige keer niet aardiger op geworden, of vergis ik me?' merkte Magnus op, en hij controleerde het riempje van zijn helm. 'Het zal mij benieuwen of deze mannen inderdaad hun leven willen geven voor die god van hem.'

'Ik heb het akelige gevoel dat ze maar wat graag de eerste willen zijn,' antwoordde Vespasianus. Zijn bloed ging koken bij het idee dat Paulus zijn volgelingen had verleid tot de gedachte dat ze hun levens konden weggooien in ruil voor een of andere beloning. Alexander had gelijk gehad: het was een heel gevaarlijke en wereldvreemde godsdienst. 'Hortensius, zijn de mannen klaar?'

'Jawel, senator.'

'Voorwaarts!'

Vespasianus liep op een drafje rechtstreeks op Paulus af, met in zijn kielzog de wig. Paulus trok zich snel terug tussen zijn volgelingen, die onrustig werden toen ze de solide formatie, die nog maar twintig passen bij hen vandaan was, op zich af zagen komen.

'Hij lijkt zelf niet zoveel haast te hebben om in die hemel van hem te komen,' hijgde Magnus.

Vespasianus kneep achter zijn schild zijn ogen tot spleetjes. Hij voelde hoe mooi in balans zijn zwaard was en verlangde slechts één ding: Paulus doden.

Met nog tien passen te gaan begon Vespasianus te rennen. De legionairs achter hem volgden meteen zijn voorbeeld en hielden zo de formatie gesloten. De volgelingen van Paulus bleven staan, maar niet stevig, ze wankelden toen de driehoek van schilden en zwaarden op hen knalde. Met een schreeuw sprong een jongeman naar voren en zijn linkerhand greep de bovenrand van Vespasianus' schild. Vespasianus ramde de schildknop in zijn middenrif en sloeg zijn helm op zijn witte knokkels, waarvan de huid openreet en de botten werden verbrijzeld. Een goed geplaatste stoot van Hortensius deed de man bloedend in elkaar zakken. Maar hij bracht de anderen kennelijk op een idee, want op het moment dat de wig zich in de wankelende linie boorde en Paulus' volgelingen hun kameraad zagen bloeden, was dat voor hen een teken om zich roekeloos in de strijd te werpen. Ze stortten zich hysterisch gillend en krijsend op de aanstormende wig, sloegen hun zwaarden wild op de randen van de schilden en knalden met krakende ribben op de schildknoppen die in hun richting werden gestoten. Op de flanken werd een omtrekkende beweging gemaakt, ze probeerden de Romeinen te omsingelen.

Vespasianus stormde dwars door de eerste twee rijen heen, hield zijn schild stevig voor zich, de spieren in zijn linkerarm zwollen op van inspanning. Hij hanteerde zijn zwaard alsof het een verlengstuk van zijn arm was, stootte het in de zachte buik van een middelbare man, rukte het er weer uit en bracht het, terwijl het bloed in een boog door de lucht spoot, omhoog om een aanval van rechts te weren en tegelijkertijd, in een regen van vonken, 's mans knieschijf te verbrijzelen door hem een trap met zijn spijkerzool te verkopen. Buiten adem schopte hij de krijsende man opzij, terwijl Magnus de arm van de aanvaller rechts van hem afhakte, en stootte door tot aan de derde rij. Achter hem werd de wig alsmaar breder, waardoor hun tegenstanders werden samengedrukt. Flitsende zwaarden schoten tussen de schilden door naar het onbeschermde vlees aan weerszijden van de formatie, buiken werden opengereten, een slijmerige, grijze drab gutste naar buiten en bracht een walgelijke geur van darmgassen en uitwerpselen met zich mee.

Toen de achterste legionairs zich kreunend en grommend op de chaotische en verzwakte vijandelijke linie wierpen, duwde Vespasianus zich naar voren en brak door de derde rij heen. Hij ramde zijn schildknop in de ribben van de man links van hem en sloeg de laatste man tussen hem en het paleis met zijn pommel op zijn mond. De voortanden van de man versplinterden, zijn kaak werd ontwricht en hij sloeg met een gil achterover, zijn van pijn vertrokken gezicht lichtte op in de gloed van een brandend huis. Hij knalde met de achterkant van zijn hoofd tegen de stenen en er trok een siddering door zijn lichaam. Er kwam geen geluid meer over zijn lippen. Een van de legionairs deed zonder erbij na te denken meteen wat hem geleerd was: hij ging in spreidstand boven de gevelde man staan en stootte zijn zwaard in diens keel.

Ze waren erdoor.

Vespasianus ging iets langzamer lopen om contact te houden met de mannen achter hem, die zich in hun wigformatie stotend en zwaaiend met hun zwaarden een weg baanden door de wirwar van dode en levende lichamen, ze wilden koste wat het kost voorkomen dat ze van achteren werden aangevallen door de twee flanken, die nu naar binnen krulden. Maar de legionairs kregen het iets makkelijker, de volgelingen van Paulus die het dichtst bij het bloedvergieten waren, werd de moed ontnomen door het gegil van de verminkte en gevelde kameraden en ze begonnen zich terug te trekken, ze duwden elkaar opzij om zonder kleerscheuren weg te kunnen komen. De vijandelijke linie brak in tweeën en de met bloed besmeurde wig bleef intact. Vespasianus draafde nog vijftig passen door en wierp toen een blik over zijn schouder. Hij zag dat ze niet gevolgd werden en bracht de wigformatie tot stilstand. De legionairs waren buiten adem, de hele actie had waarschijnlijk nog geen honderd hartslagen geduurd, maar het voelde als een eeuwigheid.

'Hortensius, laat de mannen een colonne vormen,' beval Vespasianus. Hij keek achterom en zag dat de grond bezaaid was met lichamen op de plek waar de wig zich door de linie had geboord. De gewonden schreeuwden, de overlevenden keken wanhopig naar hun gevelde kameraden. Een kleine man met kromme benen bewoog zich door het bloedbad en troostte de gewonden. Hij had geen schrammetje.

Vespasianus spuugde, draaide zich om en beval de colonne naar het paleis te marcheren, slechts vijfhonderd passen bij hen vandaan. Bij de poort van de Koninklijke Haven deed hij de mannen halt houden en richtte zich tot Hortensius. 'Optio, laat twee contuburnia deze Joden naar mijn schip in de haven brengen. Daar moeten ze tot de ochtend veilig zijn.'

Hortensius aarzelde. 'Maar senator…'

'Doe het nou maar. Ik leg het de prefect wel uit.'

Hortensius holde terug naar de colonne.

Even later liepen Alexander en zijn volksgenoten met hun gewapende geleide langs.

'U hebt mijn leven gered, Vespasianus,' zei de alabarch, 'en dat van mijn zoons en broer. Dat zal ik nooit vergeten.'

'Het spijt me dat we uw vrouw niet meer konden redden,' antwoordde Vespasianus, en hij keek naar het bloederige lijk dat tussen Alexander en Philo hing. 'Ga nu snel, deze mannen brengen u naar mijn schip. Ik zal u daar in de ochtend treffen.'

'Eerst moeten wij onze doden begraven,' zei Philo.

'Nee, u moet eerst in veiligheid worden gebracht en de wonden van Tiberius laten verzorgen.'

'Maar onze wet schrijft voor…'

Alexander onderbrak hem. 'Kom, broer, die mooie wetten van jou moeten maar even wachten, anders hebben we strak nog meer doden te begraven. Ik zie u in de ochtend, Vespasianus.' Hij liep weg, gevolgd door de Joden met hun akelige vracht.

'We moeten voortmaken,' zei Magnus nog maar een keer tegen Vespasianus.

'Je hebt gelijk.' Vespasianus zuchtte. Hij was doodop. Hij leidde de rest van de colonne door de poort de Koninklijke Haven in. De kades waren leeg, in het fakkellicht kon je af en toe een rat zien wegschieten.

Ze waren bijna aan de kant van de haven toen de paleispoorten openzwaaiden en Flaccus verscheen, in vol ornaat en omringd door de legatus en tribunen van het legio XXII Deiotariana.

'Verdomme, senator, waar bent u mee bezig?' bulderde hij. Hij liep paars aan van woede.

'Waar u eigenlijk mee bezig had moeten zijn, in plaats van samen te zweren met gestoorde gelovigen: ik heb de levens van fatsoenlijke mensen gered.'

'En hoeveel Romeinse levens heeft dat gekost?'

'Geen. En wilt u mij nu doorlaten?' Hij drong zich langs de prefect, die bijna zijn evenwicht verloor.

'U blijft in uw vertrekken, senator, totdat ik weet wat ik hieraan ga doen,' schreeuwde Flaccus hem na. 'De wachters krijgen opdracht u niet naar buiten te laten.'

'Verdomme!' vloekte Magnus hartgrondig. 'Hoe moeten we nu naar het schip komen?'

'We moeten onze spullen vannacht meenemen en direct vanuit het mausoleum naar het schip gaan.'

'En Flavia dan?'

'Die zal de schrik om het hart slaan.'

HOOFDSTUK XXI

'Nog maar tien voet,' riep Vespasianus zacht naar Flavia, die zich boven hem vastklampte aan het touw. Veertig voet boven haar was het silhouet van Magnus te zien, die haar langzaam liet zakken. Vespasianus moest goed zijn evenwicht bewaren, hij had moeite om rechtop te blijven staan in de boot, die door de lichte golfslag in de Grote Haven aan het deinen werd gebracht. Felix probeerde ondertussen de boot met één riem tegen de muur van het paleis te houden.

Na nog een paar spannende momenten kon Vespasianus haar enkels grijpen. 'Ik heb je. Stop met schoppen, anders liggen we straks allemaal in het water.'

Flavia hield zich het laatste stuk van de afdaling slap. 'Dat, Vespasianus, was de minst waardige manier om het paleis van de Ptolemeeën te verlaten,' zei ze terwijl ze het touw om haar middel losknoopte, 'en de meest pijnlijke.'

'En de enige,' voegde hij eraan toe. Hij gaf een ruk aan het touw. 'Ga zitten en hou op met klagen.'

Flavia schudde met een zuur lachje haar hoofd en ging voor in de boot naast de grote reistassen zitten terwijl Magnus, met zijn tas over zijn schouder geslagen, verrassend behendig langs het touw naar beneden gleed.

Hij landde in het bootje en keek omhoog naar het touw. 'Als Flaccus dat ziet weet hij meteen wat er gebeurd is.'

'Hij zal denken dat we hebben willen ontsnappen aan onze opsluiting, meer niet.'

'Dat zal hij al vervelend genoeg vinden,' mijmerde Magnus. Hij liet de tas van zijn schouder glijden en legde hem naast die van Vespasianus.

'Zijn we er klaar voor?' vroeg Felix. 'Of komen er nog meer verrassingen?'

Vespasianus ging naast Flavia zitten. 'Nee, Felix, nadat we Flavia bij het schip hebben afgezet, gaat alles verder volgens plan.'

Felix snoof en duwde met zijn riem af. De boot draaide, Felix hees bedreven het driehoekige zeil en nam zijn plaats bij de stuurriem in. Het zeil klapperde zacht toen het wat wind ving, en de boot gleed over het glinsterende, door de maan verlichte water.

Magnus probeerde het achterwerk van Flavia niet aan te raken toen hij haar samen met Vespasianus de ladder naar het achterdek van het schip op hielp, maar hij moest wel, anders was het niet te doen. 'Neem me niet kwalijk,' mompelde hij, en hij plaatste zijn rechterhand onder haar stevige linkerbil.

'Ga je gang.' Vespasianus grijnsde, hij had zijn hand al onder haar rechterbil gezet. Ze gaven haar tegelijk een zet, waardoor ze met een gilletje omhoogschoot, rechtstreeks in de armen van de triarchus en Alexander. Haar twee dienstmeiden schoten haar te hulp en klakten afkeurend met hun tong tegen hun gehemelte.

'Over een uur of twee varen we af,' zei Vespasianus tegen de triarchus terwijl hij met zijn zak aan boord klauterde.

'Dan is het nog nacht, senator. De havenopzichter kan dan niet ons uitvaarbewijs afstempelen,' antwoordde de triarchus. Ook Magnus klom nu aan boord, met de laatste twee zakken.

'Precies, dus hou het stil.'

De triarchus haalde zijn schouders op en gaf opdracht de bemanning te wekken, die in dekens gewikkeld op het dek sliep.

'Jullie moeten met z'n allen meegaan, Alexander,' zei Vespasianus terwijl hij Felix aan boord hielp. Over zijn schouder hing een uitpuilende leren tas en in zijn hand hield hij een kooi met twee ganzen.

'We kunnen ons volk niet in de steek laten. We moeten terug.'

'Het is helemaal aan u. Over een paar uur zijn we hier weer, in de tussentijd kunt u bedenken hoe u dat gaat doen, met drie lijken en een gewonde.'

'Waar gaat u naartoe?'

Vespasianus glimlachte, gaf Alexander een klopje op zijn schouder en verliet zonder een woord te zeggen het schip.

Afgezien van de enkele zeeman die in slaap was gevallen op de plek waar hij stomdronken in elkaar was gezakt, was de haven verlaten. Bij het licht van de kwart maan snelden Vespasianus, Magnus en Felix over de lege kade en bestegen de trap naar de boulevard, die vlak bij het Caesareum uitkwam. Vespasianus bleef staan bij een van de obelisken die het gebouw bewaakten, de sikkelmaan leek te balanceren op de punt alsof hij onderdeel was van het monument. Hij vroeg zich af of hierin een voorteken moest worden gezien en rende vervolgens achter Magnus en Felix aan, die al door de donkerte van de zuilengang rond het gebouw schoten.

'Vanaf hier moeten we gewoon lopen,' zei Felix toen ze via een trappetje op een brede weg kwamen, 'we willen niet te veel opvallen.'

Hoewel de meeste inwoners zo verstandig waren om na het invallen van de duisternis de deur op slot te doen en in huis te blijven, was er geen avondklok ingesteld en waren er een paar mensen op straat. Het drietal liep nu stevig door in plaats van te rennen, stak de weg over en sloeg in zuidelijke richting een andere straat in. In het oosten lichtte de hemel nog op door de branden in de geplunderde Joodse wijk, maar het geweld leek zich niet te verspreiden en ze liepen nog een kwart mijl onopgemerkt door tot ze bij de poort van de Soma kwamen.

De twee Macedonische wachters maakten met hun gekruiste speren de doorgang onmogelijk.

'We komen een offer brengen,' legde Felix uit, en hij hield de kooi met ganzen demonstratief omhoog.

'De priester heeft het druk vanavond,' merkte een van de wachters op toen hij opzij stapte. 'Komen jullie ook de Joden vervloeken?'

'Zoiets ja,' antwoordde Felix met een grijns terwijl ze de poort door liepen.

In het magere licht van de sikkelmaan leek de binnenhof nog groter dan overdag. Het vuur op het altaar in het midden, waar zich de silhouetten aftekenden van de mensen die daar hun offers brachten, leek heel ver weg.

In de schaduw van de muur glipte Felix naar rechts, Vespasianus en Magnus volgden hem. Ze bleven dicht bij de muur en liepen noordwaarts naar de tempel van Alexander, vlak langs de mausoleums van verschillende Ptolemeïsche koningen. Zonder problemen kwamen ze bij het mausoleum dat het dichtst bij de tempel was, slechts dertig passen ervandaan. Tussen de twee gebouwen was een open stuk waar het maanlicht vrij spel had. De twee nachtwakers stonden boven aan de trap, in de duisternis van de portiek.

'Kijk of u stenen kunt vinden,' fluisterde Felix, en hij zette de ganzenkooi neer, 'een stuk of vijf is goed.'

'Waarom?' vroeg Vespasianus. Op de tast vond hij meteen twee kiezelsteentjes.

'Om de ganzen aan de loop te krijgen.' Felix haalde een gans uit de kooi, gaf die aan Magnus, pakte zelf de andere en hield die stevig onder zijn arm. 'Ik tel tot drie, Magnus, en dan gooi je die gans zo ver als je kunt naar de tempel, en zodra ze geland zijn gooit Vespasianus die steentjes naar ze, zodat ze vooruit gaan lopen.'

'Vliegen ze dan niet weg?' vroeg Vespasianus, die inmiddels genoeg steentjes had gevonden.

'Ze zijn gekortwiekt. Ze kunnen maar een paar passen vliegen. Daar gaat ie: een, twee, drie!'

Felix en Magnus gooiden hun ganzen naar de tempel. Boos sissend sloegen ze met hun vleugels in een poging om te vliegen, maar vlak voor de trap kwamen ze hard neer. Met een paar goed gerichte worpen kreeg Vespasianus ze aan de wandel, luid gakkend waggelden ze voorwaarts. Ze hoorden de ganzen in het gebouw reageren op hun soortgenoten. De wachters wisselden een blik en een paar woorden uit alvorens een van hen zijn speer aan de ander gaf en langzaam de trap af liep. De ganzen keken hem argwanend aan. Toen hij drie passen van ze verwijderd was, maakten ze hun nekken lang, flapperden met hun nutteloze vleugels en sisten dreigend. Hij stortte zich op de beesten en begon, tot groot vermaak van zijn maat, een van de gakkende ganzen te achtervolgen. Hij draaide en wendde zich een ongeluk en kreeg er een te pakken toen die een vergeefse poging deed de trap op te komen. Hij pakte de gans met twee armen vast en ging op een drafje, lachend, terug naar zijn maat, die een sleutel van een koord om zijn nek haalde en zich naar de deur draaide.

'Nu!' fluisterde Felix.

Terwijl de wachters bezig waren de gans naar binnen te krijgen, die door zijn soortgenoten in de tempel werd begroet met een opgewonden gegak, snelden Felix, Vespasianus en Magnus over het open stuk naar de tempel en verdwenen bij een zijmuur uit het zicht van de wachters, die alweer aan het afsluiten waren.

'Hoe kon je weten dat ze de ganzen zouden gaan vangen?' vroeg Vespasianus. Ze liepen naar de plek waar de tempel grensde aan de muur van de Soma.

'Ik heb ze vanavond gestolen uit het ganzenhok,' antwoordde Felix. Hij bleef staan bij een houten ladder die vastzat aan de muur. 'De wachters zouden doorhebben dat er twee ganzen ontbraken, dus toen ze de beesten zagen lopen gingen ze ervan uit, en terecht, dat het de twee ontbrekende ganzen waren. Klim er maar op.'

Boven aan de ladder stapten ze over een laag muurtje het platte dak op en kropen naar het gat in het midden.

'Dit moet lukken,' zei Felix opgelucht toen hij de stevige ijzeren scharnieren bekeek waarmee het luik aan het dak was bevestigd. 'Ik had het minder leuk gevonden als ik het touw nergens aan had kunnen vastmaken.' Hij graaide in zijn tas en haalde een opgerold stuk henneptouw tevoorschijn. Aan het ene uiteinde zat een stuk lood, het andere knoopte hij om het luik. 'Nu wachten we.'

'Waarop?' vroeg Vespasianus, en hij keek door het gat. Een flauw schijnsel verlichtte de kamer en hij zag de ganzen rondwaggelen. Op dat moment werd de tweede gans naar binnen gegooid en barstte er meteen weer een kakofonie van gegak los. Het schijnsel verdween, de deur was dicht.

'Zo.' Felix liet het touw door het gat zakken.

Ver onder hen gaf de gloed van de toortsen in de grafkamer aan waar het kijkgat zat. Na een paar nerveuze pogingen lukte het Felix om het stuk lood precies boven het gat te krijgen en kon hij het touw verder afrollen, waarbij hij het een beetje heen en weer liet zwaaien zodat het lood tegen de stenen wand van de schacht kwam.

'Dan weet Ziri dat het eraan komt,' legde Felix uit. 'We willen niet dat het kristal kapotgaat, toch?'

Enkele ogenblikken later voelde hij een paar rukjes aan het touw. 'Mooi. Hij weet dat we er zijn.'

Vespasianus tuurde de donkerte in en zag op een gegeven moment een schimmige figuur boven aan de trap naar de grafkamer staan die met zijn armen leek te zwaaien. Het gakken werd iets luider en het getrippel op de stenen nam toe.

'Naar beneden, heren,' zei Felix, en hij gaf Magnus zijn leren tas. 'Hier zit het borstpantser in. Ga zo snel mogelijk te werk, de ganzen blijven niet de hele nacht eten.'

'Ik ga wel eerst,' bood Magnus aan, 'ik ben het zwaarst.' Hij pakte het touw vast en liet zich door het gat zakken.

Vespasianus zag hem afdalen. Toen hij de balustrade rond het kijkgat bereikte bracht hij zichzelf aan het slingeren, en het lukte hem op de vloer van de tempel te landen. De ganzen werden iets onrustiger toen hij tussen hen neerkwam, maar het brood en graan leken hun werk te doen en ze voldoende af te leiden van hun werk als wachters.

Felix hielp Vespasianus met het touw. 'Ze zijn nu een beetje onrustig, dus de wachters zullen zich weinig aantrekken van een beetje gegak. Kijk alleen wel uit waar je je voeten zet.'

'Dank voor het advies, Felix,' antwoordde Vespasianus, en hij liet zich langs het touw naar beneden glijden.

Net als Magnus liet Vespasianus het touw wat slingeren toen hij boven het kijkgat hing en zette voorzichtig zijn voeten op de grond, wat de ganzen in zijn nabijheid luid deed gakken, maar een ogenblik later wierpen ze zich alweer op hun nachtelijke feestmaal. Behoedzaam liep hij tussen de schimmige grijze gedaantes door die van de vloer aan het pikken waren. Hij kwam bij de trap, liep die snel af en voegde zich bij Magnus en Ziri in de grafkamer.

In het schijnsel van de toortsen leek het lichaam van Alexander in zijn kristallen cocon nog onwezenlijker dan wanneer er daglicht door de schacht viel.

'Ziri, pak het touw en maak het lood los,' beval Vespasianus terwijl hij en Magnus ieder aan een kant van de kist gingen staan. 'Wij tillen het zo ver op dat het touw eronderdoor kan, goed?'

Magnus knikte. Voorzichtig plaatsten ze hun vingers onder de rand van het deksel, ter hoogte van Alexanders borst, en zetten zich schrap.

'Klaar, Ziri?'

'Jawel, heer,' antwoordde de kleine Marmaride aan het hoofdeinde. 'Nu.'

Met al hun kracht tilden ze het deksel in een schuine hoek van de kist. De geur van balsemkruiden en wierook walmde de kamer in. Ziri haalde snel het touw door de spleet en met een zucht lieten ze het zware kristallen deksel zakken.

'Bij de hangtieten van Minerva, die is zwaar, zeg!' riep Magnus uit, en hij wreef zijn vingers langs elkaar. 'Geef dat touw maar, Ziri.' Hij pakte de twee uiteinden van het touw en knoopte het stevig vast om het deksel. 'Goed, Ziri, wij houden het vast terwijl jouw heer zijn werk doet.' Hij gaf een ruk aan het touw, dat strak kwam te staan toen Felix op het dak begon te trekken.

Het deksel kwam heel langzaam omhoog. Vespasianus zag het gemummificeerde gezicht verschijnen, dat nu niet meer door het kristal werd vervormd. In het zachte licht van de toortsen leek het eerder getaand dan gebalsemd, maar de droge huid miste de glans van levend vlees en Vespasianus voelde zich eigenaardig genoeg toch opgelucht: hij hoefde de grote man niet wakker te maken uit een diepe slaap, hij was ontegenzeglijk dood.

Het deksel was nu hoog genoeg gehesen om bij het borstpantser te kunnen. Magnus en Ziri stonden wijdbeens naast de kist en probeerden het touw wat te ontlasten.

Vespasianus boog zich voorover, betastte de gespen aan beide kanten van de borst en probeerde die los te maken. Maar ze bleken helemaal niet vast te zitten: het borstpantser was gewoon op het lichaam gelegd. 'Dat scheelt,' mompelde hij. Hij pakte het pantser bij de armsgaten en tilde het voorzichtig op. Het kwam los. Hij hield het met zijn linkerhand vast en bracht zijn rechterhand naar Alexanders middel, waar de armen op het lichaam lagen. De aanraking met de droge huid deed hem huiveren. Hij tilde de armen een duimbreedte op zodat hij het pantser kon uittrekken.

Hij hield het omhoog in het zwakke licht, bekeek het grondig en schrok. 'Verdomme!'

'Wat is er?' vroeg Magnus gespannen.

'Er zit een vlek op,' antwoordde Vespasianus. Hij wees naar een plek vlak onder de linkerborst.

'Bloed?'

'Dat zou heel goed kunnen.'

Hij haalde de replica uit de tas, legde de twee borstpantsers naast elkaar op de grond, trok zijn mes en maakte een sneetje in de punt van zijn duim. Het begon meteen te bloeden, en Vespasianus wreef voorzichtig met zijn duim over de replica in de hoop een vlek te krijgen die vergelijkbaar was met die op het origineel. Toen er naar zijn idee genoeg bloed op zat, depte hij het met zijn tuniek totdat de plek droog was, waarna hij het pantser oppakte en op het lichaam legde.

Het paste perfect.

'En nu wegwezen,' zei Magnus, en hij trok tweemaal kort aan het touw.

Het deksel kwam langzaam naar beneden. Vespasianus keek naar zijn handwerk, in dit licht kon je met geen mogelijkheid het verschil zien. Maar opeens viel hem iets op. 'Verrek! Stop!'

Magnus en Ziri ontlastten het touw, dat slap kwam te hangen en meteen werd aangetrokken.

'Wat is er?' siste Magnus.

'Er is bloed op de nekboord gekomen,' antwoordde Vespasianus, en hij boog zich voorover om een druppel bloed weg te vegen die van zijn duim gevallen moest zijn.

Magnus gaf nog een keer twee rukjes aan het touw. Het deksel kwam omlaag tot het een handbreedte boven de kist hing en Magnus en Ziri het tegenhielden. Vespasianus maakte snel de knoop los en haalde het touw onder het deksel vandaan. Toen konden ze het deksel helemaal laten zakken. Met een licht schurend geluid landde het op de rand van de kist.

'Dat ging verbazingwekkend makkelijk,' merkte Vespasianus op, en hij deed het borstpantser in de leren tas.

'We zijn er nog niet,' zei Magnus, en hij liep naar de trap. 'Kom, Ziri, en kijk uit voor die ganzen.'

Een paar ganzen begonnen te gakken toen ze de tempelvloer bereikten, maar veel stelde het niet voor, de meeste leken hun buik vol te hebben gegeten en nu een tukje te willen doen.

Ziri klauterde als eerste het touw in en was verrassend snel boven. Vespasianus volgde, maar deed iets langer over de vijftig voet.

'Is het goed gegaan?' vroeg Felix toen hij Vespasianus uit het gat trok.

'Ja hoor,' antwoordde Vespasianus, en hij keek naar Ziri, die uitgebreid zijn overtollige lichaamsvocht loosde.

'Godallemachtig, wat moest ik nodig,' zei Ziri opgelucht, 'ik moest uren geleden al.'

'Nu begrijp ik waarom je zo snel omhoogging.' Vespasianus grijnsde. 'En nu, Felix? Zelfde weg terug?'

'Nee, jullie gaan met zijn drieën direct over de muur van de Soma. Ik gooi een touw naar beneden en ga via de ladder omlaag. Als ik iemand tegenkom op het terrein van de Soma, heb ik alleen maar een lege vogelkooi bij me.'

Toen Magnus ook boven was maakte Felix het touw los, en ineengedoken verplaatsten ze zich naar de achterkant van het tempeldak. Felix wikkelde het touw om zich heen en gooide het over de muur van de Soma. Ziri en Magnus lieten zich snel naar de straat glijden.

Vespasianus greep Felix' onderarm. 'Dank je. Als je in Rome bent, kom me dan opzoeken. Ik sta bij je in het krijt.'

Felix kon niet reageren, want er was ineens een hoop tumult bij de poort van de Soma. Een groep legionairs rende naar de tempel, een centurio met een fakkel ging voorop, naast hem rende een priester.

'Bij de flubberkont van Cybele!' riep Vespasianus uit. 'Flaccus is erachter gekomen.

'Jullie moeten gaan. Snel! Ik red me wel. Ze gaan rechtstreeks naar de tempel.'

Vespasianus gooide de leren tas over zijn schouder en liet zich over het muurtje glijden terwijl Felix zich schrap zette om het touw vast te houden.

Met brandende handen en een vrij harde knal kwam Vespasianus beneden.

'Vanwaar die paniek?' vroeg Magnus, die het touw oprolde.

'Kom! Rennen!'

Met drie treden tegelijk daalde Vespasianus de trap naar de haven af, gevolgd door Magnus en Ziri. Voor zich zag hij het schip, het zeil was al gehesen, ze waren klaar voor vertrek. Hij rende over de stenen kade, sprong over een tros en een dronken zeeman en maakte een scherpe bocht naar links, de steiger op waar zijn schip aan lag. Hoewel ze tijdens hun spurt door de stad niet hadden gemerkt dat ze werden achtervolgd, wilde hij zo snel mogelijk uitvaren, omdat hij bang was dat ze zouden ontdekken dat het borstpantser gestolen was.

'Triarchus,' schreeuwde hij terwijl hij de loopplank op rende, 'we varen meteen uit!'

'U heeft kennelijk nogal wat haast,' zei een bekende stem toen hij het dek op sprong. 'Ik vraag me af waarom.'

Vespasianus draaide zich om en zag Flaccus tegen de mast geleund staan. De geredde Joden en Flavia stonden opeengepakt achter hem en werden bewaakt door twee soldaten.

'Toen ik op het terras dat touw zag bungelen, dacht ik dat jullie alleen wilden vluchten,' zei Flaccus, die een paar stappen naar voren deed terwijl Magnus en Ziri aangerend kwamen. 'Dus ben ik in allerijl hierheen gegaan, om tot de ontdekking te komen dat u opdracht had gegeven het schip in gereedheid te brengen en dat u had gezegd over een paar uur terug te zullen zijn. Moest u nog even een nachtelijke inbraak doen voordat u met de lieftallige Flavia en uw nieuwe Joodse vrienden terug naar Rome zou varen? Wat zit er in die tas?'

'Dat gaat u niets aan, Flaccus.'

'Het gaat me wel degelijk iets aan. Als u gedaan hebt wat ik u uitdrukkelijk verboden heb, gaat het me juist iets aan, dus ik vraag u vriendelijk om de tas open te maken.'

'Prefect, mag ik u eraan herinneren dat dit een keizerlijk schip is.' Vespasianus wees naar het keizerlijk vaandel in de top van de mast. 'Het staat onder direct bevel van de keizer en dus heeft u hier niets te zeggen. Wat er ook in die tas zit, het is eigendom van de keizer.'

Flaccus glimlachte half en kantelde zijn hoofd. 'Dat mag zo zijn, maar ik heb hoe dan ook een van Alexanders priesters naar de grafkamer gestuurd om de kist te controleren. Als blijkt dat er iets mist valt nog te bezien of ik hier inderdaad niets te zeggen heb.'

'U kunt controleren wat u wilt, maar ik raad u aan niet aan de spullen van de keizer te komen.' Vespasianus gaf de tas aan Ziri. 'Breng dit naar de hut, Ziri.'

'Het zou niet van Caligula zijn als de dief van Caligula het niet gestolen had, maar we zullen het weldra weten, ik zie dat de priester er al aan komt.'

Vespasianus draaide zich om en zag de priester met zijn geleide van legionairs over de kade rennen.

'Hij mag aan boord komen, maar de soldaten blijven op de steiger.' Vespasianus legde zijn hand op het gevest van zijn zwaard. Hij voelde dat Magnus iets dichter bij hem kwam staan.

'Dat is goed,' zei Flaccus, en hij liep naar de loopplank. 'Ik hoef mijn wapens niet te laten spreken. Nog niet, althans. Centurio, laat uw mannen daar wachten, maar zodra ik een schreeuw geef moeten ze aan boord komen. Stuur de priester naar boven.'

De priester die hen begeleid had tijdens hun bezoek aan de grafkamer stapte het dek op.

'En?' vroeg Flaccus.

'Ik begrijp het niet,' zei de priester hoofdschuddend. 'Er is iemand binnen geweest. Ze moeten via het dak zijn gegaan. De soldaten zagen dat er iemand geplast had. Op de tempelvloer lagen wat broodkruimels en graankorrels, dat zullen ze gebruikt hebben om de ganzen stil te houden. De wachters hebben niets gehoord of gezien, behalve twee van de ganzen die eerder ontsnapt waren. Die hebben ze gevangen en terug naar binnen gebracht.'

'Goed. En het borstpantser dan?' drong Flaccus aan.

'Dat begrijp ik dus niet. Dat was er nog. Ik heb de soldaten het deksel laten optillen om het goed te bekijken. Het was het echte pantser, dat durf ik te zweren, op de linkerkant zit namelijk een vlek. Alles was normaal, alleen moet iemand het deksel eraf hebben gehaald.'

'Hoe weet u dat zo zeker?'

'Omdat er een verse bloeddruppel op de kraag van Alexanders tuniek zat, hij was nog nat.'

Flaccus wierp Vespasianus een boze blik toe. 'Wat heeft u uitgespookt, senator?'

Vespasianus haalde zijn schouders op. 'Niets, prefect. Dat lijkt me duidelijk. Goed, als u mij nu wilt verontschuldigen, ik moet terug naar Rome. Triarchus, we varen uit zodra de prefect en zijn mannen van boord zijn.'

'Goed, ik laat u gaan. Maar die Joden blijven hier.'

'Dan zal mijn verslag aan de keizer nog slechter voor u uitpakken dan nu al het geval is, en geloof me, Flaccus, u kunt nog zoveel geld hebben, hij zal u weten te vinden en op afschuwelijke wijze korte metten met u maken. Hij is gestoord, weet u nog?'

Flaccus keek Vespasianus aan, door onzekerheid overmand, spuugde vervolgens op de grond en beende woedend weg.

'Als u verstandig bent,' riep Vespasianus hem na, 'beveelt u de Grieken de Joden met rust te laten en laat u het gezag van de keizer weer gelden in de stad.' Hij liep naar de twee soldaten die nog bij de Joden stonden. 'Jullie twee, wegwezen!'

'Wat een vreselijke man,' merkte Philo op toen de legionairs vertrokken waren. 'Ik ga een schotschrift over hem schrijven, zodat zijn naam voor eeuwig zwartgemaakt zal zijn.'

'Probeer dit keer dan eens wat zuiniger te zijn met bloemrijke taal, broer,' zei Alexander met een trieste glimlach. 'Alleen de feiten.'

Philo snoof.

'We zullen de doden op zee moeten begraven,' zei Vespasianus terwijl de loopplank werd ingehaald en de landvasten los werden gegooid.

'Dat hoeft niet,' antwoordde Alexander. 'Wij hebben besloten terug te gaan.'

'Hoe dan? We varen nu uit.'

'In die boot waarin jullie gekomen zijn. Zodra we de haven uit zijn varen we terug naar het strand dat grenst aan de Joodse wijk.'

'Flaccus zal jullie doden wanneer hij jullie vindt.'

'Nee, dat zal niet gebeuren. Hij heeft mij nodig bij de onderhandelingen. Als mijn mensen zien dat ik de moord op mijn vrouw niet wil wreken, zullen ze misschien niet meer verlangen naar vergelding.'

'En dan krijgt Flaccus dus zijn zin?'

'Misschien, maar we kunnen niet doorgaan met vechten, dan is er straks niemand meer over. Alleen Flaccus zullen we nimmer vergeven. Als de vrede een feit is zal mijn broer leiding geven aan een afvaardiging naar de keizer, bij wie hij zal klagen over de manier waarop zijn volk behandeld is.'

'En Paulus?'

'Onze enige voorwaarde zal zijn dat Flaccus hem op z'n minst verbant maar liever nog ter dood brengt, alleen dan nemen wij genoegen met een terugkeer naar de oude situatie. We weten inmiddels dat we niet sterk genoeg zijn om eisen te stellen; in deze stad moeten we al tevreden zijn met een bestaan als tweederangs burgers en het beeld van een krankzinnige keizer in onze tempels voor lief nemen.'

Met het felle licht van de Pharos als baken gleed het door zeilen en roeiriemen voortgestuwde schip de haven uit toen de dageraad gloorde in het oosten.

Toen ze voorbij de havendammen waren, gooide de stuurman het schip met de kop in de wind, zodat de Joden konden overstappen. De gevilde lijken werden neergelaten, de overlevenden volgden kort daarna.

'Dank u, Vespasianus,' zei Tiberius toen hij op het punt stond van boord te gaan. Zijn bovenlijf was in doeken gewikkeld en op zijn rug zaten bloedvlekken. 'Ik dank niet alleen mijn leven aan u, u hebt letterlijk mijn huid gered. Ik blijf u eeuwig iets verschuldigd.'

'Er komt vast een dag dat je die schuld kunt inlossen,' zei Vespasianus, en hij hielp hem de reling over.

Alexander was de laatste. 'We hebben gehoord waar u het met Flaccus en later met de priester over had. Zeg mij eens, hebben jullie dat borstpantser?'

Vespasianus sloeg hem op de schouder. 'Alexander, vriend, laat ik het zo zeggen: als de man die kan beschikken over dood en leven iets van u wil, en u kunt kiezen tussen hem het origineel geven of een replica, wat zou u dan doen?'

Alexander knikte. 'Het is fijn om te weten dat de Grieken iets kwijt zijn wat hun dierbaar is, ook al beseffen ze dat niet.'

Vespasianus blikte over Alexanders schouder naar de talloze branden die nog woedden in de Joodse wijk en schudde zijn hoofd: al die zinloze verwoesting. 'Ik zou het liever hier laten, Alexander. Ik heb het nu, maar ik walg van de gedachte dat ik het straks aan Caligula moet geven. Want als zijn wens in vervulling is gegaan, welk krankzinnig idee zal hij dan weer krijgen?'

DEEL V

ROME EN DE BAAI VAN NEAPOLIS,
AUGUSTUS, 38 N.C.

HOOFDSTUK XXII

In de haven van Ostia was het merkwaardig stil. De bruisende activiteit was verdreven door een matte loomheid die niet paste bij een drukke haven op het hoogtepunt van het vaarseizoen. Afgezien van twee groepjes havenarbeiders die twee kleine handelsschepen aan het lossen waren, waren de kades vrijwel leeg, op de enkele voedselverkoper en hoer na die hun koopwaar probeerden te slijten aan de sporadische, ongeïnteresseerde voorbijganger. Zelfs de zeemeeuwen leken nergens zin in te hebben; in plaats van krijsend in de lucht te hangen of naar etensresten te duiken zaten ze in lange rijen naast elkaar op de daken van de pakhuizen en keken ongelukkig naar de futloosheid onder ze, die zowel voor de meeuwen als voor de burgers van Rome een voedselgebrek met zich meebracht.

'Zou de pest soms weer uitgebroken zijn?' vroeg Magnus toen de trireem langs een van de talrijke lege steigers tot stilstand kwam.

'Dan zouden ze ons niet hebben laten aanmeren,' zei de triarchus. De loopplank ging uit.

'We komen het zo te weten,' zei Vespasianus, die een gespannen ogende havenmeester met stevige pas naar hun schip zag komen, in gezelschap van een hollende klerk.

'Is senator Titus Flavius Vespasianus aan boord?' riep de aedilis naar boven toen hij de loopplank op liep.

'Ja, dat ben ik.'

'De goden zij dank, senator, wat ben ik blij u te zien. Nu kunnen we misschien een einde maken aan deze waanzin en komt alles weer bij het oude.'

'Waar hebt u het over?'

'De brug van de keizer natuurlijk. De handel is volledig tot stilstand gekomen en de mensen beginnen honger te krijgen, hij heeft elk schip in de wateren rond Italië gevorderd en naar de Baai van Neapolis gestuurd. Het zijn er duizenden, ze zijn met kettingen aan elkaar vastgemaakt en hij laat ze pas weer vertrekken als hij over ze heen is gereden, maar dat wil hij pas doen als hij datgene heeft wat u voor hem gehaald hebt. Ik hoop voor iedereen, en vooral voor u, dat u het bij zich hebt, want zijn geduld begint op te raken. Hij stuurt twee of drie keer per dag iemand naar de haven om te kijken of u al aangekomen bent.'

'Nou, ik kan u geruststellen.' Ter bevestiging tilde Vespasianus de leren tas op.

'Dat is maar goed ook. Ik heb bevel gekregen u in ketenen naar Rome te brengen als u met lege handen zou terugkeren. U moet ogenblikkelijk naar de keizer toe, er staat een snel paard voor u klaar.'

'Ik heb een dame bij me.'

'Zij zal u later volgen, in een rijtuig. Ik laat er een komen. En triarchus, zodra die twee handelaren hun goederen gelost hebben, moet u samen met hen naar de baai varen om u aan te sluiten bij die klotebrug.' Hij keek er gekweld bij, schudde ongelovig het hoofd en verliet haastig het schip.

'Waar ging dat over, liefste?' vroeg Flavia, die net uit haar hut kwam.

'Ik moet me onmiddellijk melden bij de keizer. Magnus en Ziri zullen je naar het huis van mijn oom brengen. Met een beetje geluk ben ik daar als jij aankomt.'

'Ik denk niet dat het veel met geluk te maken zal hebben,' merkte Magnus somber op. 'Meer met wat er in dat krankzinnige hoofd opkomt, als u begrijpt wat ik bedoel.'

Vespasianus keek Magnus kwaad aan en liep toen kordaat de loopplank af.

'Hij weigerde het je te geven?' Caligula was witheet en schudde dreigend met zijn drietand. Achter hem zag Vespasianus een merkwaardig tafereel: een lange rij armen uit de stad schuifelde door het atrium van Augustus' huis onder toezicht van leden van de praeto-riaanse garde. 'Waarom hebt u het niet gewoon gepakt?'

'Dat heb ik gedaan, Verheven God van de Zee,' antwoordde Ves-pasianus. Deze aanspreekvorm gebruikte hij op advies van Clemens, die hem had vertelde dat de keizer onlangs had verklaard dat hij zich de plaats van Neptunus in het Romeinse pantheon wilde toe-eigenen. 'Maar ik moest inbreken in het mausoleum om het pantser te stelen en te vervangen door een replica, zonder dat iemand het zou merken.'

'O, dat klinkt leuk.' Caligula klauterde uit het impluvium en liep naar Vespasianus toe, wat door de strakke rok van schubbige vissen-huid die zijn onderlief sierde enige moeite kostte. 'Veel lol gehad zeker?'

'Soms wel, ja.'

'Ik had mee moeten gaan. Ik kan wel wat afleiding gebruiken nu iedereen, zowel goden als mensen, zoveel van me wil.'

'Ik weet zeker dat het helemaal gladjes was verlopen als we u erbij hadden gehad, Verheven God van de Zee.'

'Wat?' Caligula leek even het spoor bijster en keek toen naar zijn druipende vissenrok. 'O ja, natuurlijk, dit is natuurlijk verwarrend voor je. Zodra ik het water verlaten heb, ben ik weer gewoon de Goddelijke Gaius. Laat me nu dat borstpantser maar eens zien.'

Vespasianus stak een hand in zijn tas.

'Clemens!' gilde Caligula, en opeens drukte hij zijn drietand zo hard tegen Vespasianus' borst dat de punten door zijn toga prikten.

Vespasianus versteende. Clemens drong zich door de rij schooiers, die meteen na het gegil van de keizer tot stilstand was gekomen.

'Wil hij mij doden?' brulde Caligula met een boze blik in zijn donker omrande, diepliggende ogen. Bij de punten van de drietand was bloed verschenen.

'Nee, Goddelijke Gaius,' zei Clemens geruststellend, en hij pakte de tas. 'Ik heb al gekeken of er wapens in zaten, maar er zat alleen het borstpantser in.'

'Laat zien!'

Langzaam liet Clemens zijn hand in de tas glijden. Met een ruk bracht Caligula zijn drietand van de borst van Vespasianus naar de keel van Clemens. Clemens, die zijn kin in de lucht stak en langs de schacht van de drietand naar zijn keizer keek, haalde voorzichtig het borstpantser tevoorschijn.

'Je hebt gelijk.' Caligula slaakte een diepe zucht. 'Het is alleen het borstpantser. Neem jij deze.' Hij gaf de drietand aan Clemens, zonder blijkbaar te beseffen dat hij hem daarmee een moordwapen in handen gaf, en nam het borstpantser aan. Hij haalde zijn hand erover en keek breed glimlachend op naar Vespasianus. 'Je hebt mij niet willen bedriegen, vriend, dit is het echte pantser, ik herinner me de vlek nog. Ik weet nog dat ik mijn vader vroeg waarom de priesters niet waren gekruisigd omdat zij hadden toegestaan dat Alexander werd besmeurd.' Hij hield het tegen zijn borst. 'Hoe zie ik eruit?'

'Als de grote Alexander, alleen dan goddelijker,' antwoordde Vespasianus plechtig, maar hij dacht: als een man in een vissenhuid met een slecht passend borstpantser.

'Schitterend! Vanavond eet je bij mij, met mijn vrienden. Je broer is ook eindelijk terug uit de provincie, dus die zal er ook zijn, net als mijn paard.'

Vespasianus vroeg zich af of hij dat goed gehoord had. 'Het zal me een genoegen zijn beiden weer te zien, Goddelijke Gaius.'

'Ja, Incitatus zal bijzonder blij zijn je te zien, hij kan niet wachten om mij in een strijdwagen over die brug te trekken, en nu kunnen we het eindelijk doen.' Hij keek met oprechte blijdschap naar het borstpantser. 'Ik moet dit aan mijn zussen laten zien, als ze het niet te druk hebben met het bedienen van de armen.' Hij draaide zich en waggelde met belachelijke maar uit nood geboren pasjes weg.

Vespasianus veegde het zweet van zijn voorhoofd. 'Het bedienen van de armen?'

'Ik ben bang van wel, ja,' antwoordde Clemens. Hij bekeek de drietand en vroeg zich af wat hij ermee moest. 'Sinds de dood van Drusilla is hij verschrikkelijk achterdochtig, met name naar zijn twee andere zussen toe, en dus straft hij die nu voor wat ze, in zijn beleving, tegen hem beraamd hebben: ze moeten met iedereen neuken die in Rome in de graanbedeling zit. In zijn waanzin ziet hij het ook als een vergoeding voor de tekorten die mensen ervaren als gevolg van zijn brug. Ze zijn nu drie dagen bezig en hadden er bij de laatste telling al meer dan tweeduizend gehad.'

'Dat overleven ze niet, net als Drusilla.'

'Hoogstwaarschijnlijk niet, nee, maar hij gaat ons toch allemaal vermoorden, dus wat maakt het uit? Ik ben inmiddels al in het stadium dat het me koud laat, ik blijf hem zo lang mogelijk trouw, alleen om mijn familie te beschermen.' Clemens keek met vermoeide ogen naar Vespasianus. 'Ik weet niet of ik er nog heel veel langer tegen kan. Ik zie je bij het avondeten.' Hij gaf de drietand aan Vespasianus en liep terug naar de rij om zijn weerzinwekkende werk voor te zetten: toezicht houden op de massaverkrachting van twee van Germanicus' kinderen.

Terwijl de armoedzaaiers langsschuifelden, keek Vespasianus naar de drietand en vervolgens naar de bloedvlekken op zijn toga. Hij gooide de drietand vol walging terug in het impluvium, overpeinsde een ogenblik wat hem en zijn familie te doen stond, draaide zich om en ging met zwaar gemoed op weg naar het huis van zijn oom.

'Laat dat maar uit je hoofd, jongen,' waarschuwde Gaius. Hij pakte nog een stukje amandelgebak met honing. 'Dat komt neer op zelfmoord.'

'Niet als het lukt, oom,' wierp Vespasianus tegen.

Er trok een verkoelend briesje door de schaduwrijke binnentuin en even was de middaghitte iets draaglijker. De lampreien kregen eten en deden het water in de visvijver deinen.

'Zelfs als het je lukt om Caligula te doden en je wordt niet neergemaaid door zijn ontzettend trouwe Germaanse lijfwachten, word je binnen twee dagen een kopje kleiner gemaakt.'

Vespasianus gooide nog een stuk vis in de vijver. 'Waarom?'

'Daar zorgt de nieuwe keizer dan wel voor. Natuurlijk, hij zal je dankbaar zijn, je hebt er immers voor gezorgd dat er een mooie zetel vrijkomt, maar toch zal hij je laten executeren, omdat hij niet kan toestaan dat iemand van buiten de keizerlijke familie ongestraft een keizer vermoordt, hoe gestoord die ook zijn mag. Dat zou voor iedere gegriefde burger een uitnodiging zijn om hem te vermoorden, dat begrijp je toch wel? En ga me nou niet vertellen dat je de republiek in ere wilt herstellen, want dat zal de praetoriaanse garde nooit ofte nimmer toelaten. De garde bestaat omdat er een keizer bestaat.'

'Maar er moet ingegrepen worden, oom, voordat het te laat is.'

'Het is al te laat. Er zijn te veel mensen die erbij gebaat zijn dat Caligula keizer blijft. Alleen als zijn geld op is en hij hen niet meer kan betalen, gaan ze misschien om zich heen kijken. Maar of dat ooit gaat gebeuren betwijfel ik, want wanneer de schatkist leeg is, gaat hij gewoon geld weghalen bij de rijken.'

'Dus wat moet ik doen?'

'Twee dingen. Ten eerste moet je dat goud dat je mee terug hebt genomen niet naar een bank brengen, want dan komt Caligula het te weten. Ik zou het hier verstoppen, dan klopt hij niet bij jou aan wanneer hij de rijken gaat kaalplukken. Ten tweede moet je hem paaien, prijzen, steunen, aanbidden, lachen om zijn grappen, doen wat je moet doen om in leven te blijven en wachten tot een ander dom genoeg is om een moordaanslag op de keizer te plegen.'

'Maar als iedereen nou zo denkt als u? Dan blijft hij nog jaren keizer.'

'Vroeg of laat zal Caligula iemand zodanig krenken dat het eergevoel het overneemt, en we kunnen alleen maar bidden dat het lukt.'

'Dat is waar,' beaamde Vespasianus somber. Hij gooide nog een stuk vis in de vijver en keek naar de wilde vreetpartij. 'Stelt u zich de vergelding eens voor die Caligula zal afroepen over de schuldigen én onschuldigen als een aanslag op hem mislukt.'

'Reden des te meer om in zijn gunst te blijven, beste jongen. Neem Livius Geminius: hij zwoer dat hij de geest van Drusilla ten hemel zag stijgen om daar voort te leven met de goden. Onzin natuurlijk, maar de beloning mocht er zijn.'

Ze werden onderbroken door het klingelen van de deurbel, dat door het atrium naar hen toe dreef.

'Ah, dat zullen Magnus en Ziri zijn,' zei Vespasianus, en hij stond op. 'Ze hebben, uh... ze hebben Flavia bij zich.'

Gaius keek hem verbaasd aan. 'Flavia? Familie van je? Een nicht of zo?'

'Ze zal gerust familie zijn, in de verte. Hoe dan ook, ik wil met haar trouwen.'

Gaius was aangenaam verrast. 'Dat werd tijd ook, jongen.'

'Precies, en omdat mijn vader het druk heeft in Aventicum heb ik u nodig om de huwelijksvoorwaarden op te stellen.'

'Dat wil ik met alle liefde doen. Wie is haar vader, en waar woont hij?'

'In Ferentium, ten noorden van Rome. Flavia gaat er morgen naartoe, dus dan kan ze de brief meenemen. U schijnt hem te kennen, hij heet Marcus Flavius Liberalis.'

Gaius fronste. 'Ik ken hem, ja. Hij was een van de klerken toen ik quaestor in Afrika was. Hij kon destijds niet aantonen dat hij een volwaardig burger was en niet slechts Latijnse rechten had.'

Vespasianus haalde zijn schouders op. 'Hij is nu in elk geval een volwaardig burger. Hij heeft het zelfs zo goed gedaan dat hij onlangs is opgenomen in de rangen der equites.'

'En Flavia? Zij werd geboren voordat hij de zaken rond zijn burgerschap had geregeld, ik kan me haar herinneren toen zij nog een kind was.'

'Ze heeft recht op een volwaardig burgerschap, anders zou ik niet met haar trouwen.'

'Dat kun je beter goed nagaan, jongen, je wilt niet dat je nakomelingen daar problemen mee krijgen.'

'Vespasianus, liefste,' zei Flavia. Ze liep met een adembenemende elegantie de tuin in, alsof die van haar was, 'dit moet je oom zijn. Stel je ons niet aan elkaar voor?'

'Dat hoeft niet, Flavia,' zei Gaius, en hij kneep zacht in de vingers van de uitgestoken rechterhand, 'het is weliswaar twintig jaar geleden, maar ik ken jou nog van toen je een meisje van ongeveer zes was. Zijn jullie nog lang in Afrika gebleven?'

'Mijn vader is vijf jaar geleden vertrokken, maar ik ben toen gebleven. Laten we maar zeggen dat ik banden had.'

'Natuurlijk. Je vader had destijds problemen met zijn burgerschap, als ik het me goed herinner.'

Flavia keek hem niet-begrijpend aan. 'Als dat zo was, heeft hij mij daar nooit iets over verteld.'

'Nee, waarom zou hij dat hebben gedaan? Je was nog maar een kind. Bovendien is het allemaal goed gekomen, Vespasianus vertelde me zojuist dat hij een eques geworden is.'

'Dat klopt, en ik hoop dat hij mij een mooie bruidsschat meegeeft, zodat Vespasianus en ik kunnen genieten van de mooie dingen die het leven te bieden heeft.'

'Dat zal hij gerust doen, en ik weet zeker dat Vespasianus het graag uitgeeft aan kostbare frivoliteiten.' Gaius wierp zijn neef van onder een opgetrokken, gepluimde wenkbrauw een steelse blik toe.

Vespasianus dacht er beter aan te doen niet te reageren en overpeinsde de vruchtbare bodem voor talrijke toekomstige echtelijke ruzies.

Flavia gebaarde dat de mannen konden gaan zitten. 'Zullen we plaatsnemen en wat wijn laten komen?'

'Zeker,' zei Gaius, die zich zichtbaar verbaasde over het feit dat Flavia zich opstelde alsof zij in dit huis de gastvrouw was.

Vespasianus bood Flavia een stoel aan. 'Ik ben bang dat ik weg moet, ik ga eten met de keizer.'

Flavia's ogen werden groot. 'Wat spannend! Denk je dat ik mee moet?'

'Je kunt beter hier blijven,' verzekerde Gaius haar, 'de keizer is genegen zich tamelijk akelige vrijheden te veroorloven wat zijn vrouwelijke gasten aangaat. Bij mij heb je dat probleem niet, dat beloof ik je.'

Vespasianus boog zich naar haar toe en kuste haar op de wang. 'Ik weet niet hoe laat het wordt, dus wacht maar niet op me. Waar is Magnus?'

'O, die heb ik samen met Ziri achtergelaten bij mijn dienstmeisjes om hen te helpen mijn spullen naar mijn kamer te brengen.'

'En dat deed hij zonder mokken?'

'Waarom niet? Ik heb het hem heel lief gevraagd.'

Vespasianus trok zijn wenkbrauwen op en draaide zich om. Hij ging kijken waar Magnus was, en vroeg zich ondertussen af of zijn vriend gelijk had gehad wat Flavia betrof.

'Ik zeg alleen maar,' vatte Magnus zijn betoog samen toen ze boven op de Palatijn arriveerden, 'dat het feit dat u Flavia mee terug hebt genomen naar Rome nog geen reden is om het huwelijk koste wat het kost door te laten gaan. Ik zou het heel dom vinden, zij gaat u het leven zuur maken. Ik geef toe dat ze in Alexandrië karakter toonde, en natuurlijk, ze zal u schitterende zoons schenken, maar u had haar in de haven bezig moeten zien toen u weg was. Dat u was ontboden bij de keizer was voor haar kennelijk reden om iedereen te commanderen en af te blaffen, ook mensen die geen slaaf waren. Ze gebruikt u, en daar kan ik nog in komen, maar wat krijgt u ervoor terug? U wordt al niet goed van het idee dat u een slaaf moet kopen en onderhouden, dus hoe gaat u zich voelen wanneer ze eist dat u een hele groep bedienden in dienst neemt? Jullie gaan knallende ruzie krijgen over hoeveel mensen ze nodig heeft om haar haar te doen, want een vrouw als zij wil er minstens twee, dat is zo zeker als een nieuwe rekruut terug wil naar zijn moeder.'

'Twee?'

'Meer dan twee.'

Vespasianus trok een gezicht, hij moest erkennen dat Magnus gelijk had. Hij wist dat Flavia hem geld zou kosten, maar hij had alleen gedacht aan jurken en sieraden en niet aan alles wat daarbij komt kijken. Als zij wilden dat hun huwelijk slaagde, zou een van hen moeten veranderen, en hij wist zeker dat zij dat niet zou zijn. Anderzijds, welke vrouw zou met hem willen trouwen in de wetenschap dat hij de rest van zijn leven een minnares zou hebben? En mocht hij die vrouw vinden, zou hij dan net zo warm van haar worden als hij van Flavia werd, alleen maar door aan haar te denken? Flavia bracht een offer, Caenis bracht een offer, en dus, zo redeneerde hij, was hij bereid een paar slaven voor haar te kopen om te zorgen voor enige harmonie in zijn huiselijke omgeving.

'Nee, ik weet het zeker, Magnus, ik ga met haar trouwen en zal proberen aan haar wensen tegemoet te komen. Wat kan er nou feitelijk misgaan?'

'Zij zou al uw geld kunnen opmaken en u zou uit de Senaat gegooid kunnen worden,' zei Magnus toen ze voor het huis van Augustus stonden. 'Hoe dan ook, onze wegen scheiden hier. Ik stuur Ziri naar de kruispuntbroeders, dan weten ze daar ook dat ik terug ben en kunnen ze mij dadelijk feestelijk onthalen. Ik durf erom te wedden dat het er een stuk fatsoenlijker aan toe zal gaan dan bij jullie.'

'Dat zal gerust,' zei Vespasianus zacht. Hij keek naar de gestage stroom senatoren en hun nerveus ogende vrouwen die aankwamen en vroeg zich af of Magnus op beide punten gelijk had.

Terwijl zijn vriend de heuvel af liep sloeg de twijfel toe, maar een ogenblik later schudde hij zijn hoofd en zette het van zich af. Hij draaide zich om en liep achter de andere senatoren aan naar binnen.

Op dat moment hoorde hij een bekende, lijzige stem achter zich. 'Ik hoor dat je tegenwoordig diefje speelt.'

'Rot op, Sabinus,' zei Vespasianus. Hij draaide zich met een ruk om en keek in het gezicht van zijn broer.

'Je bent de laatste tijd wel vriendelijk tegen me, zeg.'

'Als je mij nu eerst eens bedankt omdat ik je spullen naar Bithynia heb gestuurd en toezicht heb gehouden op de bouw van je huis, ben ik de volgende keer misschien wat aardiger.'

'Je hebt gelijk. Dank je wel.'

'Waar is Clementina? Ik mag hopen dat je haar niet hebt meegenomen.'

'Zeker niet. Caligula lijkt haar vergeten te zijn, hij heeft haar sinds mijn terugkeer nog niet één keer genoemd. Ik heb haar achtergelaten in Aqua Cutillae.'

'Daar zou ze veilig moeten zijn.'

'Laten we het hopen. Kom, we moeten naar binnen, kijken welke zielenpoot de keizer vanavond publiekelijk gaat misbruiken.'

'Hoe weet jij eigenlijk dat ik dat borstpantser gestolen heb?' vroeg Vespasianus terwijl ze naar de paleisdeuren liepen. 'Ik ben vandaag teruggekomen en heb het meteen aan Caligula gegeven.'

'Pallas.'

'Pallas? Hoe is hij het dan te weten gekomen?'

'O, die weet tegenwoordig alles, omdat hij hier in het paleis woont. Caligula heeft Claudius bevolen bij hem te komen wonen zodat hij hem dagelijks kan vernederen. En omdat Pallas voor Claudius werkt, kwam hij mee.'

'En Narcissus?' vroeg Vespasianus, die aan het goud in het huis van zijn oom dacht.

'Die ook,' bevestigde Sabinus, en hij keek zijn broer van opzij aan. 'Bespeur ik daar enige ongerustheid in je stem?'

'Ik zou hem liever even niet zien, meer niet.'

'Nou, dat gebeurt vanavond ook niet, hij is bij de Baai van Neapolis. Caligula gaf Claudius opdracht om alle schepen voor zijn brug te regelen, maar eiste vervolgens dat hij in Rome bleef zodat hij hem kon blijven vernederen. Claudius laat Narcissus nu de praktische dingen regelen.'

Vespasianus was geschokt. 'Een vrijgemaakte die het bevel heeft over schepen! Gekker moet het toch niet worden.'

Sabinus grijnsde. 'Wat zal Corbulo er wel niet van denken? Die moet met hem samenwerken. Hij moet een weg aanleggen over de brug en stromend water ernaartoe zien te krijgen.'

'Stromend water op een brug?'

'Ja, het is niet zomaar een brug, van oever naar oever. Er zitten een soort schiereilandjes aan vast, met onderkomens die in de beleving van Caligula een god waardig zijn: triclinia waarin met gemak tweehonderd mensen passen, atriums met fonteinen, zelfs een paar badhuizen.'

'En dat in twee maanden!' riep Vespasianus uit terwijl ze het atrium betraden, waar de armoedzaaiers nog in de rij stonden.

'Naar ik begrijp zijn alle werkplaatsen in Rome alleen daarmee bezig geweest.' Sabinus boog zich naar Vespasianus om hem iets in zijn oor te fluisteren. 'Het is een verschrikkelijke verspilling van geld, maar ik wil het graag zien.'

'Je gaat ernaartoe om even een kijkje te nemen?'

'Jij ook. Caligula wil dat alle senatoren naar de baai komen om getuige te zijn van zijn triomf.'

De achtertuin van het huis van Augustus had verschillende niveaus, grensde aan de rand van de Palatijn en bood zicht op de gebogen gevel van het Circus Maximus. Langs de lage balustrade van het hoger gelegen deel waren de tafels op zo'n manier gerangschikt dat alle gasten goed zicht hadden op het lagere deel, waar twee podia waren opgezet. Hoewel de schemering deze zomeravond nog zeker drie uur op zich zou laten wachten, waren de fakkels in de grote koperen houders naast de podia, langs de rand van de tuin en tussen de tafels al aangestoken. Het gazon van het hogere tuindeel ging grotendeels schuil onder kleurrijke linnen overkappingen, waar de gasten van de keizer onder stonden of zaten, nippend aan hun gekoelde wijn of geanimeerd pratend zoals mensen doen wanneer ze zich niet op hun gemak voelen maar dat proberen te verhullen.

Vespasianus en Sabinus stonden boven aan de trap die vanaf het huis naar de tuin leidde en bewonderden het fraaie uitzicht: de kleuren, de sierlijkheid, het zachte avondlicht.

'Het zou een genot zijn om hier te zijn als je zeker wist dat je het huis levend zou verlaten, is het niet, heren?' klonk het zacht achter hen.

De broers draaiden zich om, glimlachend, want niets was minder waar.

'Pallas,' zei Vespasianus oprecht blij, 'hoe gaat het met je? Sabinus vertelde me dat je nu hier woont.'

Pallas keek ernstig. 'U hebt uw eigen vraag al beantwoord, denk ik, Vespasianus: ik woon hier.'

'Is het echt zo erg?'

Pallas wees naar de tuin, waar sommige gasten hun best deden om te lachen om een man in hun midden. Hij had zijn handen uitgestrekt, alleen waren het geen handen, maar slechts dichtgeschroeide, zwarte stompen. Zijn handen hingen aan een stuk touw om zijn nek, samen met een bord.

'Op het bord staat: "Ik heb de keizer bestolen",' vertelde Pallas hun.

'Klopt dat?' vroeg Sabinus.

'Er was een stukje zilveren versiering van een bank gevallen en hij wilde het ter reparatie aan een andere bediende geven toen Caligula hem ermee zag lopen. Het leven is volstrekt onvoorspelbaar geworden.'

'Het leven is altijd onvoorspelbaar.'

'Dat is waar, maar het blijft over het algemeen binnen de grenzen van de wet. Onze nieuwe god lijkt de wet helemaal vergeten te zijn.

Mijn beschermheer Claudius, die houdt van de wet. Denk daar maar eens over na, heren.' Pallas gaf hun beiden een schouderklopje en liep weg.

'Niet mee bemoeien,' zei Vespasianus op waarschuwende toon tegen Sabinus toen ze de trap af liepen.

'Dat was ik niet van plan,' antwoordde Sabinus. Hij pakte twee bekers wijn van een slaaf en gaf een daarvan aan zijn broer. 'Ik blijf liever leven. Maar het is een troostrijke gedachte dat wij een goede vriend hebben die nauwe banden onderhoudt met de enige voor de hand liggende erfgenaam van de troon.'

De *bucinae* schalden door de tuin en alle gesprekken hielden abrupt op, iedereen keek met slaafs verlangen naar de grote deuren boven aan de trap. Er stapte een paard naar buiten dat met enige nieuwsgierigheid om zich heen blikte. Achter het dier werd 'Heil Incitatus' geroepen.

De gasten reageerden onmiddellijk. 'Heil Incitatus! Heil Incitatus.'

Vespasianus had niet eerder hulde gebracht aan een paard en had moeite om in alle ernst mee te doen met de anderen, van wie het enthousiasme eerder werd aangewakkerd door de absurditeit van de situatie dan door een groot respect voor het beest dat dit eerbetoon ten deel viel.

Kort daarna klonk het 'Heil Goddelijke Caesar!' Caligula, geflankeerd door Clemens en Chaerea, ging naast zijn favoriete onderdaan staan. Hij was sober gekleed, vond Vespasianus, die hem heel wat uitbundiger gewaden had zien dragen, in een paarse toga met gouden randen en een gouden lauwerkrans.

'Vanavond,' declameerde Caligula, 'bewijzen wij niet alleen eer aan mij, maar ook aan mijn goede vriend, mijn betrouwbare bondgenoot, mijn kameraad, de man die voor mij naar Egypte afreisde om het borstpantser van Alexander te halen: Titus Flavius Vespasianus. Morgen kunnen we rond het middaguur vertrekken naar de Baai van Neapolis, waar ik in een triomftocht over mijn grootste schepping zal rijden. Kom naar voren, Vespasianus, en ontvang mijn dank. Volgend jaar zul je praetor zijn.'

Langzaam liep Vespasianus de trap op naar een stralende Caligula, die hem met open armen opwachtte. Op de een-na-laatste trede werd hij, onder applaus van de mensen achter hem, onthaald op een paarse omhelzing en op beide wangen gekust.

'Alleen een man als hij,' verklaarde Caligula, en hij draaide Vespasianus naar het publiek en legde beide handen op zijn schouders, 'kon ik de taak toevertrouwen om naar Egypte te gaan, het land dat Rome zoveel welvaart heeft bezorgd. Daar was al vier jaar geen senator geweest, niet sinds Thrasyllus, de astroloog van Tiberius, waarschuwde voor de ophanden zijnde terugkeer van de feniks, de aankondiging van een grote verandering, en een voorspelling deed. Hebt u de feniks gezien toen u in Alexandrië was, Vespasianus?'

'Nee, Goddelijke Gaius,' antwoordde Vespasianus naar waarheid.

Caligula keek triomfantelijk naar zijn gasten. 'Natuurlijk niet, omdat hij gevlogen is. Vorig jaar, drie jaar na zijn herrijzenis, zag men hem Egypte in oostelijke richting verlaten, de voorspelling van Thrasyllus is niet uitgekomen. Mijn schare, u bent gezegend, want de verandering die de feniks aankondigde is dat Rome wordt geregeerd door een onsterfelijke god: ik zal nog vijfhonderd jaar regeren, totdat de feniks weer wordt gezien. Tot die tijd stel ik Egypte weer open voor ieder lid van de Senaat dat een goede reden heeft om naar dat land af te reizen.'

Dit werd begroet met een luid gejuich van de talrijke senatoren die zakelijke banden hadden met de keizerlijke provincie.

'En nu gaan we eten. Aan Vespasianus de eer om aan mijn rechterzijde te zitten.' Hij liep langs Vespasianus en begon de trap af te dalen.

'Goddelijke Gaius,' klonk de hoge stem van Chaerea, die achter hem de trap af liep, 'wat is vanavond het wachtwoord?'

Caligula bleef staan en lachte. 'Ik ben dol op zijn lieve stemmetje!' Hij draaide zich om en legde zijn middelvinger op Chaerea's lippen, die hij een beetje van elkaar duwde en uitdagend op en neer bewoog. 'Zo'n lief stemmetje verdient een lief wachtwoord, vind u ook niet?'

De vernedering van de praetoriaanse tribuun ging gepaard met slaafse kreten van instemming.

'In dat geval is het wachtwoord Venus, de liefste godin voor de liefste man.'

Caligula draaide zich om en liep gracieus, onder luid gelach van zijn gasten, de trap af. Vespasianus zag in Chaerea's ogen de woede oplaaien, maar aan de rest van zijn gezicht was niets te zien. Clemens merkte dat het zijn jongere collega moeite kostte om zich te beheersen en legde een hand op zijn zwaard. Maar Chaerea salueerde en beende strammig weg.

Magnus zou zijn weddenschap niet verloren hebben, dacht Vespasianus. Hij probeerde een hap baars door te slikken terwijl hij naar een onthoofding op een van de twee tonelen keek. Op het andere toneel werd merkwaardig genoeg gedanst op de lieflijke klanken van twee fluiten.

'Voor ieder wat wils,' zei Caligula enthousiast. Hij gaf een appel aan Incitatus, die met zijn neus tussen hem en Vespasianus stond. 'Kunst of dood. Maak een keus en geniet.'

'P-p-persoonlijk kies ik liever de d-d-dood, Goddelijke en Verheven G-G-Gaius,' stamelde Claudius, die met genoegen het bloed uit de nek zag spuiten. Zijn opwinding was onverholen, en het mooie, blanke meisje dat naast hem zat, had zoveel als beleefdheidshalve mogelijk was afstand van hem genomen. 'Ik heb nooit begrepen w-w-wat voor zin het heeft, dat d-d-dansen.'

'Het heeft in jouw geval ook helemaal geen zin, stumper,' merkte Caligula op, 'je zou ter plekke door je benen zakken.' Hij begon hard te lachen, en hoewel het helemaal niet zo grappig was, moesten zijn tafelgenoten zijn voorbeeld wel volgen.

'Uw goddelijke inzicht is f-f-feilloos,' zei Claudius tussen het lachen door.

'Bewijs dat dan maar eens. Dans mee, oom.'

Claudius' slobberige mond viel open en zijn bloeddoorlopen ogen schoten in de rondte, zoekend naar hulp. Die kwam niet, ook niet van de schoonheid naast hem, bij wie een flauwe glimlach van spijt rond de vochtige, bleke lippen speelde terwijl ze wegkeek.

'Ga!' siste Caligula met ingehouden dreiging. In zijn ogen schitterde venijn.

Claudius besefte dat hij geen keus had, hij moest zichzelf ten overstaan van alle gasten vernederen. Hij ging op zijn wankele benen staan en strompelde de trap af naar het lagere deel van de tuin.

'Dit wordt ontzettend grappig,' constateerde Caligula. 'Ik heb hem al eens laten rennen, huppelen, springen en kruipen, maar dansen heb ik hem nog nooit zien doen.' Hij richtte zich tot de aantrekkelijke tafelgenote van Claudius. 'Kun jij hem laten neuken, Messalina, of stel je die gruwel uit tot je huwelijksnacht?'

Messalina lachte net zo hard als de anderen, maar de vreugde drong niet door tot haar kille, donkere ogen, waarmee ze Vespasianus boos aankeek terwijl hij deed alsof hij een traan uit zijn ooghoek veegde.

Claudius liep houterig het toneel op en begon te hossen en te draaien en lomp met zijn armen te zwaaien, terwijl de verwarde dansers om hem heen sierlijk bleven bewegen. Op het toneel naast hen verorberden vier geketende leeuwen het lichaam van de onthoofde misdadiger. Op de achtergrond zakte de zon achter het Circus Maximus.

'Moet je hem zien,' zei Caligula half lachend, 'als we geen god in de familie hadden gehad, zou hij keizer zijn geworden. Dan zou de voorspelling van Thrasyllus waarschijnlijk wel uitgekomen zijn.'

'Wat voorspelde hij, Goddelijke Gaius?' vroeg Sabinus. Tot vermaak van iedereen struikelde Claudius over zijn eigen benen.

'Hij profeteerde dat als een lid van de Senaat de feniks zou zien wanneer die zich binnen de grenzen van het koninkrijk Egypte bevond, hij de stichter van de volgende dynastie zou zijn.'

Vespasianus verslikte zich bijna in zijn wijn. 'Dus als een senator hem boven Judaea zou zien vliegen, telt dat niet?'

'Hij was heel stellig. Het moest in Egypte zijn. Daarom is het senatoren al die tijd verboden geweest daar naartoe te gaan.'

Vespasianus knikte bedachtzaam, de vragende blik van Sabinus miste hij.

Caligula leunde achterover om Incitatus te strelen en richtte zich toen tot Clemens. 'Incitatus zegt dat hij moe is en wil slapen. Hij kijkt met spanning uit naar morgen, net als ik. Iedereen binnen een straal van een kwart mijl om de stal moet zijn huis uit en laat wachters ervoor zorgen dat niemand herrie maakt, ik wil dat hij goed uitgerust is voor de reis.'

'Een verstandige maatregel, Goddelijke Gaius,' zei Clemens zonder een spoortje van ironie, en hij stond op.

Caligula volgde hem. 'Wilt u mij verontschuldigen. Ik laat Incitatus uit, hij zal beledigd zijn als ik dat nalaat.' Hij kuste het paard op de lippen. 'Is hij niet schitterend? Misschien moet ik hem tot consul benoemen. Hij zou een goede collega zijn voor volgend jaar, veel geschikter dan die idioot die ik al gekozen heb, met z'n stomme paardenbek.' Hij gaf zijn speciale gast nog een kus en leidde hem weg.

'Waarom vroeg je dat, toen we het over die voorspelling hadden?' vroeg Sabinus toen Caligula buiten gehoorsafstand was.

Vespasianus keek zijn broer grijnzend aan. 'Volgens die oude charlatan, Thrasyllus, had het weinig gescheeld of ik was de stichter van het volgende keizershuis geweest.'

'En je zei dat je de feniks niet hebt gezien.'

'Niet in Alexandrië, maar bijna vier jaar geleden in Cyrenaica wel. Ik was getuige van zijn wedergeboorte. Maar Cyrenaica hoort niet bij Egypte, dus de profetie is niet op mij van toepassing.'

'Vroeger maakte het wel deel uit van het Egyptische rijk, heb ik me wel eens laten vertellen in Judaea.'

'Het was een provincie van Egypte, ja, maar geen onderdeel van het koninkrijk zelf. Hoe dan ook, het was in Siwa, een afgelegen oase.'

Sabinus keek Vespasianus strak aan. 'Toen Alexander Egypte veroverde ging hij naar het orakel van Amon in Siwa, dat toen bij het koninkrijk hoorde. Later hebben wij het om bestuurlijke redenen bij Cyrenaica ingedeeld. Maar van oudsher hoort het bij Egypte.'

Vespasianus' ogen werden groot, toen schudde hij zijn hoofd en maakte een wegwerpgebaar. 'Nee. Nee. Ik werd naar het orakel van Amon gebracht nadat ik de feniks gezien had. Het orakel sprak mij toe en ik kreeg niet te horen dat ik een dynastie ging beginnen. Eigenlijk kreeg ik helemaal niets te horen, alleen dat ik te vroeg was en dat ik de volgende keer een geschenk moet meebrengen dat past bij het zwaard dat Alexander daar achterliet.'

'Wat voor geschenk?'

'Dat vroeg ik ook, maar dat mag jij bepalen.'

'Ik? Waarom ik?'

'Omdat, Sabinus, het orakel zei dat een broer het zal begrijpen, en of je het nu leuk vindt of niet, wij zullen altijd elkaars broer blijven.'

Omdat de spannende tocht naar de Baai van Neapolis steeds dichterbij kwam, maakte Caligula al kort na het invallen van de duisternis een einde aan het feest met de aankondiging dat hij nu eerst zijn ruzie met Neptunus ging bijleggen, om te voorkomen dat hij met een storm zijn brug zou verwoesten. De gasten waren zichtbaar opgelucht dat ze levend, gezond en wel, huiswaarts konden keren.

Vespasianus nam afscheid van Sabinus, die verder alleen naar zijn huis op de Aventijn zou lopen; hoewel het al laat was moest hij nog iets doen waartegen hij erg opzag, maar wat hij niet langer kon uitstellen.

Afgezien van een paar kruispuntbroeders die op de hoek de wacht hielden, was er in de straat waar Caenis woonde geen levende ziel te bekennen. Vespasianus knikte de mannen toe en liep doelgericht naar haar deur.

Hij klopte en enkele ogenblikken later deed de enorme Nubiër al open. Hij liet hem snel en zwijgend binnen.

'Ik wist dat je zou komen,' zei Caenis lieflijk toen hij het zwak verlichte atrium betrad, 'ik heb op je gewacht.' Ze liep naar hem toe, sloeg haar armen om zijn nek en kuste hem op de mond.

Vespasianus sloot zijn ogen en beantwoordde haar kus, nam haar bedwelmende geur tot zich en streelde de holte van haar rug. 'Hoe wist je dat ik terug was?' vroeg hij nadat ze elkaar los hadden gelaten.

Ze keek met vochtige ogen en een glimlach naar hem op. 'Om de verveling te verdrijven ga ik zo nu en dan naar je oom, zoals je weet. En vanavond was ik daar ook.'

Vespasianus schrok. 'Dus je hebt…'

'Flavia gezien? Ja, mijn liefste, ik heb haar gezien. Ze is heel mooi.'

Vespasianus slikte en vroeg zich af hoe dat gegaan was. 'Ik had het je eerst willen vertellen.'

'Daarom wist ik dat je vanavond zou komen. Maar nu hoeft het niet meer, zij heeft me het uitgebreid uit de doeken gedaan. Als je met haar wilt trouwen, heb je mijn zegen.'

'Jij zult altijd op de eerste plaats komen, liefste.'

'Dat weet ik, en daarom laat ik het je ook met alle liefde doen. Het is mijn kleine overwinning op haar. Ik mag dan op de tweede plaats komen als het om jouw aandacht gaat, en ik zal nooit jouw kinderen baren, maar ik zal altijd de eerste plaats innemen in jouw hart, en dat is voor mij genoeg.'

Hij pakte haar schouders en keek neer op haar, glimlachte en kuste haar teder op haar voorhoofd. 'Zal ik blijven?'

'Als je nu weggaat, zou ik je dat nooit vergeven.'

HOOFDSTUK XXIII

Een kort samenspel van bucinae galmde door het Forum Romanum, gevolgd door het massale gebulder van de centuriones, die vijf cohorten van de praetoriaanse garde in één donderslag van spijkerzolen in de houding deden springen. Onder toeziend oog van het massaal toegestroomde publiek draafden twee cavalerie-eenheden over de Via Sacra, die gelijke tred moesten houden met de ster van het spektakelstuk, Caligula, die vijftig voet boven en honderd passen links van hen over zijn brug van de Palatijn naar de Capitolijn reed, als Vulcanus gekleed op zijn Incitatus: in een tuniek die één schouder bloot liet en met een pileus op zijn hoofd, en zwaaiend met een smidshamer in de ene hand en een grote oesterschelp in de andere. Achter hem volgden tien naakte, goud geschilderde vrouwen, die de slavenmeisjes moesten voorstellen die Vulcanus uit het kostbare metaal had gesmeed om hem te dienen.

Overal rond het Forum brandden vreugdevuren waarin mensen levende vissen of kleine dieren gooiden – ratten, muizen, jonge hondjes en katjes – als offer aan de god van het vuur, in de hoop dat hij de stad in de hete, droge zomer zou beschermen tegen het vuur. In hun hoedanigheid als brandweerlieden hielden de vigiles een oogje in het zeil.

Op de trap van de Curia zagen Vespasianus en de andere senatoren hoe Caligula de Capitolijn besteeg, van zijn paard kwam en de Gemonische trappen afdaalde, langs de tempel van Concordia, en bleef staan voor de tempel van Vulcanus, een van de oudste altaren van Rome. Voor dit altaar, in de schaduw van een cipres, stonden een rood kalf en een rood zwijn klaar om geofferd te worden aan de god wiens feestdag het was.

'Nu hij vrede heeft gesloten met Neptunus zorgt onze keizer ervoor dat Vulcanus de stad niet in de hens steekt tijdens zijn afwezigheid,' merkte Vespasianus op terwijl het offermes flikkerde in Caligula's hand en het kalf geslacht werd.

'Of vanuit zijn smidse onder de Vesuvius een vuur naar deze brug stuurt,' mompelde Sabinus.

'Verkeerde berg, jongen,' zei Gaius. Ook uit het zwijn gutste nu bloed. 'Vulcanus woont onder de Etna, op Sicilia. Hoe dan ook, hij doet dat alleen wanneer Venus, zijn vrouw, hem ontrouw is, dus als we een uitbarsting op Sicilia willen voorkomen, zouden we misschien eigenlijk een offer aan haar moeten brengen, zodat zij zich gedraagt.'

Vespasianus grijnsde naar zijn oom en broer. 'Ik zou haar met een offer willen bedanken voor de manier waarop Flavia zich vanmorgen gedroeg.'

'Dat zou je inderdaad moeten doen, ja.'

Sabinus keek verward. 'Wie is Flavia?'

'Dat, mijn beste jongen, is de vrouw met wie je broer wil gaan trouwen. De vrouw die, toen Vespasianus kort na zonsopgang thuiskwam na de nacht bij Caenis te hebben doorgebracht, hem een kus gaf en vroeg of hij een fijne avond had gehad, vervolgens rustig de rest van haar ontbijt nuttigde, haar spullen pakte en naar haar vader ging met mijn eerste onderhandelingsbrief, en je broertje alleen waarschuwde dat hij wel iets moest overhouden voor hun huwelijksnacht, als het goed is over een maand.'

Sabinus staarde ongelovig naar Vespasianus, die zijn schouders ophaalde alsof hij van niets wist. 'Ze moet wel heel dom zijn als ze niet begrijpt dat hij de nacht met iemand anders heeft doorgebracht.'

'O, dat wist ze. Sterker nog, ze heeft Caenis gisteravond gesproken en haar de regels uitgelegd.'

Dat verontrustte Vespasianus. 'De regels, oom?'

'Ja, jongen, de regels.'

'Wat zijn de regels dan?'

'Die zijn eenvoudig: Flavia mag een beroep op jou doen als ze een feestje geeft, op vakantie wil, de kinderen wil laten straffen, een wandeling door de stad wil maken of zwanger wil raken. Op andere momenten mag Caenis jou hebben, maar niet langer dan vier nachten achter elkaar, wat drie nachten wordt als jullie eerste kind twee wordt en geregelder een vaderfiguur nodig heeft, en twee nachten wanneer het zeven wordt.'

Sabinus bulderde van het lachen, tot grote ergernis van de senatoren om hem heen. Snel bracht hij zijn gezicht weer in de plooi. 'Het lijkt erop dat ze hem aardig hebben ingepakt.'

'O ja, ze wisten allebei precies wat ze wilden. Ze waren ijzig beleefd tegen elkaar, spraken zich positief uit over elkaars kapsel en sieraden en zo, maar ofschoon ze duidelijk niks met elkaar te maken wilden hebben, kwamen ze zonder morren tot een schikking. Het was wonderlijk om te zien en voor mij een bevestiging van de juistheid van het door mij gekozen levenspad.'

Vespasianus was gepikeerd. 'En u liet ze over mij onderhandelen alsof ik een gladiator was op wie ze allebei een oogje hadden laten vallen.'

'Ik heb ze niets laten doen, jongen,' antwoordde Gaius, en hij haalde zijn schouders op, 'het ging allemaal buiten mij om, ik keek alleen toe. Jij wilt zo graag een ingewikkeld huiselijk leven. Ik hoop alleen dat je er niet een te hoge prijs voor moet betalen, zowel emotioneel als financieel.'

Er steeg gejuich op uit de menigte en ze richtten zich weer op het evenement van de dag. De voortekenen waren blijkbaar gunstig, want Caligula reed nu op een quadriga het Forum uit, met Incitatus links in het vierspan, gevolgd door een cavalerie-eenheid. Onder luid gejuich van het publiek marcheerde de praetoriaanse garde in cohorten achter hem aan.

'Ik denk dat ze niet eens zo enthousiast zijn over het schouwspel, maar eerder over het feit dat de schepen straks, nadat Caligula over zijn brug is gereden, gebruikt kunnen worden om hun hongerige magen te vullen,' merkte Gaius op terwijl zij zich samen met de andere senatoren bij de optocht aansloten.

Twee mijl van de Porta Capena, in een veld langs de Via Appia, stonden de rijtuigen van de senatoren te wachten, hun vrouwen zaten er al in en werden in de toenemende warmte betutteld door hun slaven. De wanordelijke hereniging van ruim vijfhonderd mannen met hun rijtuigen duurde meer dan een uur, en dat Caligula in zijn strijdwagen en gevolgd door een turma grijnzende praetorianen langs de stoet heen en weer reed, zwiepend met zijn zweep in een poging het proces te versnellen, hielp niet echt. Menig span muilezels sloeg op hol en ging met gillende passagiers en al over het ruwe terrein een onvermijdelijke rampzalige afloop tegemoet.

'Ik ben hier, heren,' klonk Magnus' stem boven alle herrie uit.

Vespasianus, Sabinus en Gaius gingen op de stem af en zagen tot hun opluchting dat Magnus op de bok van een overdekt rijtuig zat, dat werd voortgetrokken door vier sterk ogende muildieren. Naast hem zaten Aenor en een andere jonge Germaanse slaaf. Achter het rijtuig liepen twee paarden voor Vespasianus en Sabinus.

'Magnus, de goden zijn geprezen,' riep Gaius terug, en hij liep met snelle waggelpas naar het rijtuig terwijl de twee jonge slaven eraf sprongen om hun meester te helpen. 'Ik had niet verwacht jou in deze chaos te kunnen vinden.'

Toen ze veilig bij hun rijtuig waren kwam juist Caligula langs in zijn strijdwagen, en hij haalde met zijn zweep uit naar een groep oude en verwarde senatoren die naast zijn wagen renden. 'Waarom lopen de ouderen de jongeren altijd in de weg?' bulderde hij, en hij gaf de achterste man een keiharde zweepslag op zijn rug, waardoor hij neerviel en met een schreeuw onder de hoeven van de cavalerie-eenheid verdween. 'Nutteloze ouwe lul,' riep hij met een grijns toen hij Vespasianus en Sabinus zag, en terwijl de andere senatoren verder renden, bracht hij zijn strijdwagen behendig tot stilstand. 'Zijn familie zit waarschijnlijk nog maar een generatie of twee in de Senaat, en je ziet het, zonder goede afkomst holt je geheugen achteruit. Hij weet waarschijnlijk niets eens meer waar zijn eigen kontgat zit, geen wonder dat hij zoveel moeite had om zijn rijtuig te vinden.'

'U hebt ongetwijfeld gelijk, Goddelijke Gaius,' zei Vespasianus. Hij wees de keizer er maar niet op dat hij ook slechts een senator van de tweede generatie was.

Caligula keek hem stralend aan. 'Jullie zijn tenminste op tijd klaar. Als we in de buurt van de baai komen, kunnen jullie je bij mij voegen, voor in de stoet. Ik wil de bewondering zien in jullie ogen wanneer jullie voor het eerst naar mijn brug kijken.' Zijn ogen werden nog groter van plezier. 'En jij, Sabinus, ik kijk vooral uit naar jouw reactie, ik heb een mooie verrassing voor je.' Hij liet zijn zweep knallen boven de schoften van zijn paarden en snelde weg met de cavaleristen in zijn kielzog, het vertrapte, bloederige lichaam van de oude senator achterlatend voor de familie.

Gaius trilde van onderhuidse woede. 'Dit gaat te ver, een senator overhooprijden en hem als oud vuil op de weg laten liggen, alsof het om een vluchtende barbaar gaat in plaats van een man die zijn hele leven in dienst van Rome heeft gesteld. Het is een schande!'

'Oom,' zei Vespasianus, en hij legde een kalmerende hand op zijn schouder, 'vergeet niet welke wijze raad u mij gaf.'

Gaius haalde diep adem en herpakte zich. 'Je hebt gelijk, beste jongen: zorg voor jezelf, en stel je eergevoel niet boven je gezond verstand. Hij krijgt gerust iemand anders zo gek, zeker als hij dit soort gedrag gaat vertonen.'

'Met dit soort gedrag zie je het in elk geval nog aankomen,' merkte Magnus op. 'Je weet wat er kan gebeuren, je kunt er bijna op wachten, en daardoor wordt het makkelijker om je te beheersen. Het wordt pas echt lastig als er onverwachte dingen gebeuren.' Hij keek somber naar Sabinus, die een zelfvoldane indruk maakte nu de keizer hem zo uitdrukkelijk een gunst had toegezegd. 'En als ik iets níét wil, is het dat Caligula een verrassing voor me in petto heeft, als jullie begrijpen wat ik bedoel.'

De tocht in zuidelijke richting over de Via Appia was allesbehalve verrassend: lang, warm en uiterst oncomfortabel. Caligula had het impulsieve besluit genomen om daags nadat Vespasianus hem het borstpantser had gebracht te vertrekken. Daardoor was er geen tijd geweest om aandacht te besteden aan logistieke zaken, terwijl er een groot aantal mensen door een gebied moest trekken dat toch al zwaar te lijden had van het feit dat Caligula beslag had laten leggen op elk schip dat in Italiaanse wateren voer. Op de vijfde dag waren de laatste rantsoenen van de praetoriaanse garde gebruikt, en het eten dat de senatoren hadden meegenomen was op of door de hitte bedorven geraakt.

Na zes dagen was de stoet nog niet eens halverwege, want Caligula had plots buitengewoon veel belangstelling voor de burgerzaken in de plaatsen waar ze doorheen kwamen. Hij liet de colonne, die een halve mijl lang was, halt houden wanneer ze door het forum reden, waar hij dan gezeten onder een donzen zonnedak rechtsprak – zo beleefde hij het althans – en nieuwe wetten uitvaardigde terwijl zijn kwartiermeesters de gemeenschap niet alleen van de nieuwe oogst beroofden, maar ook van haar vee en wintervoorraden. Na ongeveer een uur trok de stoet dan weer verder, met achterlating van een stuk of wat onthoofde, gekruisigde of verminkte misdadigers, nieuwe wetten met betrekking tot het offeren van pauwen en dergelijke aan hun goddelijke keizer, en een gemeenschap die nog maanden verstoken zou zijn van voedsel maar wel in bezit was van een keizerlijke toezegging van een ontroerend geldbedrag, waarvan de lokale bestuurders wisten dat die nooit nagekomen zou worden.

's Avonds gaf Caligula zijn garde opdracht een volwaardig legerkamp op te bouwen, met een gracht en een palissade, alsof ze op veldtocht in vijandelijk gebied waren, wat ze na de dingen die hij overdag had gedaan en het feit dat ze tot mijlenver in de omtrek bomen hadden moeten vellen, vaak ook waren. Als ze niet tot de weinigen behoorden die zo slim waren geweest hun eigen tent mee te nemen, moesten de senatoren en hun vrouwen in hun snikhete rijtuigen slapen, die dicht op elkaar in een hoek van het kamp stonden, en hadden ze nauwelijks een moment voor zichzelf. Deze regeling bood als enige voordeel dat de vrouwen gebruik konden maken van de latrines die speciaal voor hen werden gebouwd. Hun echtgenoten, die bijna allemaal in het leger hadden gediend, hadden er zoals alle soldaten geen moeite mee om tijdens een rustpauze publiekelijk hun behoeften te doen. Voor de vrouwen was dit echter te beschamend, en hun gepijnigde uitdrukkingen en prikkelbaarheid aan het einde van de dag waren niet slechts het gevolg van een urenlange tocht in hun hotsende rijtuigen.

Vespasianus en zijn reisgenoten probeerden zo weinig mogelijk op te vallen, wilden zo min mogelijk te maken hebben met de dagelijkse gang van zaken rond Caligula. De senatoren die zo onfortuinlijk waren 's avonds ontboden te worden in zijn enorme tent, kwamen steeds terug met verhalen over verminking, sodomie en verkrachting, en andere buitensporigheden die zij en hun meestal hysterische vrouwen niet in woorden wilden of konden vatten.

Het lukte hun weliswaar om uit het zicht van Caligula te blijven, maar dat leidde wel tot een tamelijk perverse zorg: waarom had hij hen niet uitgenodigd? De keizer rekende Vespasianus en Sabinus tot zijn beste vrienden, en tegen de tijd dat ze nog maar een dag van hun eindbestemming verwijderd waren, begon Sabinus zich af te vragen waarom ze niet waren gevraagd voor een van zijn even overdadige als onsmakelijke feestmaaltijden.

'Ik zou me er niet druk om maken, jongen,' bulderde Gaius, die het in zijn met kussens volgestouwde rijtuig betrekkelijk comfortabel had, 'hij was duidelijk erg blij toen hij jou laatst nog zag, buiten Rome.'

'Maar dat is precies wat me dwarszit, oom,' antwoordde Sabinus, die naast het rijtuig reed. 'Hij weet waar we zitten, hij denkt helaas, en onterecht, dat wij zijn vrienden zijn, en toch negeert hij ons al vijftien dagen. Zouden we hem beledigd hebben?'

'Jullie worden vanavond uitgenodigd voor de slotdag, zoals hij beloofd heeft.'

'Maar waarom wacht hij daar zo lang mee?'

'Misschien wil hij de verrassing die hij voor jou in petto heeft niet verknallen,' opperde Vespasianus. Hij genoot van de koele bries vanaf de kalme Tyrreense Zee, die slechts honderd passen rechts van hen lag.

'Heel grappig, hoor. Wat ben je toch een zeikerd.'

'Ik vond het wel grappig, ja,' zei Magnus.

Sabinus wierp hem een vernietigende blik toe en richtte zich toen weer tot zijn broer. 'Het punt is: ik zou liever de dubieuze maar geruststellende zekerheid hebben dat ik in de gunst sta bij Caligula dan dat ik me constant zorgen maak over wat ik verkeerd heb gedaan en in de angst leef elk moment geëxecuteerd te kunnen worden.'

Vespasianus grijnsde. 'Dat levert me dan in ieder geval wel een uitnodiging op.'

'Hoe bedoel je?'

'Clemens vertelde me dat Caligula een paar maanden geleden een vader dwong de executie van zijn zoon bij te wonen. De vader probeerde er natuurlijk onderuit te komen, zei dat hij slecht ter been was, en dus liet Caligula hem ophalen met een draagkoets. Naderhand nodigde hij de arme man uit voor het eten, en gedurende de avond probeerde hij hem met grappen op te vrolijken. Misschien is hij voor een broer wel net zo hoffelijk.'

'Als dat het geval is, zul jij gerust moeten lachen om zijn grappen nadat je mijn bloed hebt zien vloeien.'

Het geschal van de praetoriaanse cornu kondigde op deze een-na-laatste dag van de reis het einde van de dagmars aan, de colonne kwam tot stilstand en er kon worden begonnen met het opslaan van het kamp. De Flavii zaten in de schaduw van hun rijtuig te wachten toen een ruiter over de drukke weg in hun richting kwam gereden. Zijn tuniek en slappe zonnehoed, het favoriete kledingstuk van de hulpsoldaten in Cyrenaica, maakten duidelijk dat hij geen praetoriaan was. Toen hij langskwam wierp hij een blik op de broers en wendde plotsklaps zijn paard.

'Sabinus, ik ben gezonden door de keizer,' sprak de ruiter, en hij nam zijn hoed af. 'Hij wil dat jij en je metgezellen jullie morgenochtend bij hem melden.'

Vespasianus staarde de man geschokt aan. Hij herkende hem.

'Dank je, Corvinus,' antwoordde Sabinus. Hij deed een paar stappen naar voren om de aangeboden onderarm te pakken. 'Bij dageraad melden we ons. Ik heb je tijdens de reis niet gezien, waar had je je verscholen?'

'Ik heb jullie nog maar net ingehaald, ik moest nog wat zaken regelen.'

Sabinus draaide zich om en wees naar Vespasianus. 'Ken je mijn broer, Titus Flavius Vespasianus?'

De ogen van Corvinus werden een fractie kleiner. 'O ja, wij kennen elkaar. Tot morgen dan.' Hij wendde zijn paard en galoppeerde weg.

Vespasianus keek zijn broer bezorgd aan. 'Hoe ken jij hem?'

'Corvinus? We wonen in dezelfde straat op de Aventijn en lopen sinds mijn terugkomst geregeld samen terug vanaf de Senaat. We zijn in korte tijd tamelijk goed bevriend geraakt. Maar het verbaast me dat hij nooit heeft gezegd dat hij jou kent. Hij heeft wel naar mijn familie gevraagd en toen heb ik jou ook genoemd.'

'Heb je hem nog meer verteld?'

'O, wat je zoal vertelt aan een senator die beleefdheidshalve naar je familie vraagt: waar we vandaan komen, wie onze ouders zijn, hoe de familie van mijn vrouw heet, dat soort dingen.'

'Heb je hem over Caenis verteld?'

'Ik geloof het niet. Hoezo?'

'Hij mag mij niet; sterker nog, hij heeft me bedreigd.'

'Hoe zit dat precies, jongen?' vroeg Gaius, die nu ongerust in de richting van Corvinus keek.

'Hij was cavalerieprefect toen ik in Cyrenaica was, ik nam een paar beslissingen die hij afkeurde, en achteraf gezien had hij misschien gelijk. Kent u hem?'

'Marcus Valerius Messala Corvinus? Natuurlijk ken ik hem. Je hebt een vijand gemaakt die de potentie heeft een machtig man te worden. Als zijn zwager in leven weet te blijven, zou zijn zus wel eens keizerin kunnen worden.'

'Hoe kan…' Vespasianus slikte zijn woorden in en haalde diep adem, ineens herinnerde hij zich de paar donkere ogen die hem woedend hadden aangekeken toen hij lachte om een van Caligula's grappen.

Gaius knikte ernstig. 'Ja, beste jongen, zijn zus is de toekomstige vrouw van Claudius: Valeria Messalina.'

De volgende morgen reden de broers enigszins bezorgd in het bleke ochtendlicht naar de tent van Caligula. Om hen heen werd het kamp al opgebroken, en de rook van zojuist gedoofde vuurtjes kringelde in de warme zeewind omhoog.

Het gevolg van Caligula verzamelde zich al om hem te begroeten en stond murmelend in kleine groepjes voor de ingang.

De broers stegen af en gaven hun paarden aan een stel slaven. Ze zagen een bekend gezicht zich losmaken uit het groepje dat bestond uit Claudius, Asiaticus, Pallas en, tot ongenoegen van Vespasianus, Narcissus.

'Ik vroeg me al of ik jullie hier zou treffen,' zei Corbulo terwijl hij naar hen toe liep.

'Corbulo, alles goed?' antwoordde Vespasianus, en hij pakte de uitgestoken onderarm.

'Zo goed als je kunt verwachten van een man die in nog geen twee maanden de Via Appia met drieënhalve mijl moet verlengen over meer dan tweeduizend schepen.' Hij greep de arm van Sabinus. 'Dat is de laatste keer geweest dat ik in de Senaat mijn beklag doe over de staat van de wegen.'

Vespasianus moest een grijns onderdrukken. 'Daarom heeft hij jou met die taak belast?'

Het lange, aristocratische gezicht van Corbulo betrok. 'Ja. Als de bestaande wegen mij niet aanstonden, zei hij, moest ik maar een nieuwe voor hem maken. Nu is de naam van mijn familie verbonden aan een van de grootste verkwistingen ooit, en om de smet op ons blazoen nog groter te maken heeft mijn halfzus, de hoer, zich te schande gemaakt door bij elke gelegenheid die zich aandient publiekelijk lol te trappen met de keizer. Ze is zelfs zwanger van hem, althans, ze zegt dat het van hem is.'

'Dat wisten we niet,' zei Sabinus medelevend. 'Het spijt me.'

'Jullie zijn allebei lang weg geweest en ik heb liever dat jullie het van mij horen. Hoe dan ook, ze is de laatste paar dagen hier geweest. Caligula stuurde haar naar mij, om er zeker van te zijn dat ze tijdens haar zwangerschap voldoende rust zou krijgen, want als het allemaal goed gaat wil hij met haar trouwen. Hoewel ze onderweg hiernaartoe niet veel rust zal hebben gehad, als ik zo naar de afgetrokken gezichten van de praetoriaanse cavaleristen kijk.'

'En is de weg af?' vroeg Vespasianus, die liever op een ander onderwerp overging, want hij voelde een bijna onbedwingbare grijns opkomen.

'Natuurlijk is hij af,' snauwde Corbulo. 'Ik ben een Domitius, als wij ergens aan beginnen maken we het ook af, hoe absurd het ook is.'

'Natuurlijk, daarom heeft de keizer ook voor jou gekozen.'

'Alleen moest ik werken met Narcissus, die omhooggevallen vrijgemaakte, wat het er niet makkelijker op maakte. Die man is een machtswellusteling, hij probeerde mij zelfs een keer een bevel te geven! Onvoorstelbaar, toch?'

405

'Ik weet zeker dat Caligula je zal belonen voor alle moeite.'

Corbulo rechtte trots zijn rug. 'Hij overweegt me volgend jaar tot consul te benoemen, dat zou in ieder geval enig eerherstel betekenen voor mijn familie.'

Vespasianus vertelde Corbulo maar niet dat Caligula zijn paard ook als een serieuze kandidaat zag. 'Hij heeft mij tot praetor benoemd.'

Corbulo keek over zijn aristocratische neus naar Vespasianus. 'Het is zeer ongebruikelijk dat een nieuwkomer al in het eerste jaar dat hij verkiesbaar is die eer krijgt toebedeeld. Waar heb je dat aan verdiend?'

'O, door dezelfde belachelijke dingen te doen als jij, gewoon gehoorzaam te zijn aan Caligula.'

De groepjes bij de tentingang werden stil toen Clemens uit de tent kwam. 'Senatoren en burgers van Rome,' riep hij, 'groet uw keizer, de Goddelijke Gaius, heerser over land en zee.'

'Heil Goddelijke Gaius, heerser over land en zee,' klonk het braaf.

Nadat ze dit een paar keer herhaald hadden, gingen de tentflappen opzij en verscheen Caligula. Hij had het borstpantser van Alexander aan en droeg daaroverheen een mantelachtige *chlamys* van paarse zijde, die met een speld vastzat op zijn rechterschouder en wapperde in de wind. Zijn hoofd was getooid met een kroon van eikenbladen, en hij had een verguld zwaard en een schild van de Argyraspiden, dat was ingelegd met de zestienpuntige ster van Macedonië. Toen de menigte hem zag zwollen de toejuichingen aan, want hij leek inderdaad op een jonge god.

Caligula hief zijn zwaard en schild ten hemel, legde zijn hoofd in zijn nek en genoot met volle teugen van de loftuitingen. 'Vandaag,' riep hij enkele ogenblikken later, 'zal ik mijn grootste prestatie leveren. Samen met mijn broeder Neptunus zal ik in mijn strijdwagen over het water rijden. Er is een einde gekomen aan onze vete!'

Hoewel niemand precies wist wat die vete inhield, juichte de menigte opgelucht.

'Tegen het slot van deze dag keren wij terug naar Rome om ons voor te bereiden op een jaar van veroveringen, dat in het voorjaar zal aanvangen. Om de wereld te laten zien dat ik de ware heerser ben over land en zee, zal ik met onze legers Germania binnentrekken en de schandvlek uitwissen die de Romeinse eer heeft bezoedeld, door de laatste adelaar die na de rampzalige nederlaag in het Teutoburgerwoud nog niet terug in Romeinse handen is, die van het Zeventiende Legioen, te heroveren. Daarna trekken we verder noordwaarts, naar de grens van de ons bekende wereld, en zal ik samen met mijn broeder Neptunus onze legers over de zee leiden en, voor mij en voor Rome, Britannia veroveren.'

Zelfs Vespasianus werd net als de rest van de meute meegesleept door de grootsheid van deze gedachte: eindelijk een ambitie die niet alleen maar tot verkwisting zou leiden, eindelijk een plan ter meerdere eer en glorie van Rome. Misschien, heel misschien, had de jonge keizer een manier gevonden om zijn neiging tot grootse gebaren – waarbij het totaal onbelangrijk was hoeveel geld of mensenlevens het kostte – te verenigen met het verlangen van zijn onderdanen naar veroveringen en roem.

'Volg mij, vrienden,' schreeuwde Caligula, 'volg mij naar de brug, dan rijden wij gezamenlijk naar de overwinning en de glorie die aan de overzijde op ons wacht.'

Voor het eerst in jaren was Vespasianus gaarne bereid Caligula te volgen.

HOOFDSTUK XXIV

Vespasianus kon niet voorkomen dat zijn mond openviel van verbazing toen de voorhoede van de colonne, geleid door Caligula in zijn quadriga, via de westelijke helling de top van de Nuovaberg bereikte, het noordelijkste punt van de Baai van Neapolis.

Caligula draaide zich om naar de zee van gezichten – van alle was de verbijstering duidelijk af te lezen – en riep: 'Wat heb ik jullie gezegd, vrienden? Is het geen wonder, het werk van een god?'

Het was zeker een wonder. Onder hen, tussen Baiae, iets ten noorden van de bult die de Kaap van Misenum werd genoemd, en Puteoli, drieënhalve mijl verderop, aan de andere kant van het glitterende azuurblauwe water, strekte zich een dubbele rij schepen uit. Ze zaten met de zijkanten aan elkaar vast en deinden mee op de kalme golfslag van de zee. Over deze schepen was een weg gelegd, even recht als de Via Appia, maar breder, veel breder. De brug was echter meer dan alleen maar een rechte lijn, want op vaste afstanden stak er een tentakel de zee in: schepen die achter elkaar waren gezet en uitmondden in een groep schepen die helemaal schuilging onder een stevig platform waarop, je kon het nauwelijks geloven, gebouwen stonden. Daarachter lag de Portus Julius, thuisbasis van de westelijke vloot, er verlaten bij.

Caligula liet zijn zweep knallen boven zijn paarden, riep zijn eigen geniale Zelf aan en daalde spoorslags de berg af. Zijn met ijzer beslagen wielen schraapten zo hard over de stenen dat de vonken ervanaf vlogen. Geïnspireerd door de aanblik van dit magnifieke bouwwerk spoedden Vespasianus en andere jonge senatoren te paard zich achter hem aan, joelend en schreeuwend als jongens die een wedstrijdje deden: wie reed er na de keizer als eerste de brug op? De praetoriaanse garde volgde vlak achter hen, de infanterie en de wagens zouden de halve mijl in hun eigen, trage tempo afleggen.

Vlak achter Caligula klepperde Vespasianus met een grote grijns op zijn gezicht door de hoofdstraat van het vissersdorpje Baiae. De straat mondde uit in de haven, waar hij oog in oog stond met de brug, die geleidelijk verdween in de verte. Van dichtbij zag je pas echt hoe groot hij was: de weg die Corbulo had aangelegd was meer dan dertig passen breed. Hij bestond niet uit houten planken die lukraak op de schepen waren gespijkerd, nee, hij lag erbij alsof hij gewoon op het land was. Sterker nog, hij lag ook op land. Het dek van elk schip was tussen mast en achtersteven volgestort met aarde, tot de bovenkant van de reling aan toe. Ter compensatie van het gewicht waren er bij de boeg grote keien gelegd, zodat de schepen, die in twee rijen met de rompen tegen elkaar waren gelegd, toch goed recht lagen. De roeiriemen waren verwijderd om de twee rijen met de achterstevens tegen elkaar te kunnen leggen. De kleine spleten tussen de schepen waren gedicht met dikke planken, die met spijkers van een voet lang aan het dek waren genageld. Daarna had men de aarde aangedrukt en er een gladde, ononderbroken baan van drieënhalve mijl lang van gemaakt. Maar alsof dit nog niet bijzonder genoeg was, had men die baan bestraat met stenen van een voet bij een voet, die een duimbreedte van elkaar waren gelegd zodat ze elkaar niet bij elke deining van de schepen omhoog zouden duwen.

Caligula stuurde zijn quadriga rechtstreeks zijn bouwwerk op en bracht het vierspan tot staan naast een stuk of dertig eigenaardige strijdwagens. Voor elke wagen stonden twee kleine, stevige pony's met nogal sjofele vachten.

Hij draaide zich om naar zijn gevolg. 'Dit zijn replica's van de strijdwagens die de Britse stammen gebruiken, maar de pony's zijn goed afgerichte strijdwagenpony's die we uit Britannia hebben gehaald. Kom, vrienden, neem een strijdwagen en rij daarmee over het water. Wanneer die woestelingen in Britannia ter ore komt dat wij hun strijdwagens niet zomaar berijden maar dat we ze over de zee rijden, zullen ze zich aan mijn voeten werpen en uw god om genade smeken. Kom, vrienden. Kom!'

Vespasianus sprong van zijn paard om net als de anderen halsoverkop naar de strijdwagens te rennen, want er waren meer gegadigden voor het ritje dan er strijdwagens waren.

Hij griste een stel teugels uit handen van een van de Keltisch ogende slaven die de strijdwagens onder hun hoede hadden en klom op de dichtstbijzijnde wagen. Hij was eenvoudig gemaakt: een rechthoekige houten basis op wielen met ijzeren randen en een doorsnee van twee voet, met aan beide kanten een halfronde rand van gevlochten riet die aan de voor- en achterkant een opening liet. De pony's zaten met een juk vast aan de omhoog buigende disselboom en werden bestuurd met de teugels, die verbonden waren aan het bit.

'Kun jij hiermee overweg?' riep Sabinus, en met een woeste grijns sprong hij op de strijdwagen naast hem.

'Er is maar één manier om daarachter te komen,' riep Vespasianus terug. Hij sloeg met de teugels terwijl de slaaf achter hem in de wagen sprong.

'Knielen, meester,' zei de slaaf toen de strijdwagen begon te rijden. 'Kijk, zo. Dan zijn de teugels niet zo hoog.'

Vespasianus keek achterom, zag de slaaf op een knie zitten en deed hem onmiddellijk na, zodat de teugels langs de ponyruggen golfden. Hij trok een beetje naar rechts en de pony's reageerden meteen door meer op het midden van de weg te gaan lopen. De andere rijders kregen dezelfde instructie van hun slaaf, met wisselend succes.

Toen alle strijdwagens bezet waren en achter hem reden, begon Caligula met zijn hoog geheven vergulde zwaard voetstaps naar Puteoli te rijden, dat glinsterde in het ochtendlicht en waar de grijsbruine heuvels als een krans omheen lagen. De senatoren die geen strijdwagen hadden kunnen of willen nemen, volgden te paard, net als de bijna duizendkoppige cavalerie-eenheid van de praetoriaanse garde. Iets minder dan een halve mijl verder de heuvel op kon je de donkere massa van de infanterie Baiae zien naderen, op de voet gevolgd door honderden rijtuigen.

Vespasianus stuurde zijn strijdwagen dichter naar die van Corbulo. 'Hoe heb je dit voor elkaar gekregen, Corbulo? Het voelt zo stevig!'

Corbulo, wiens gelaat normaal gesproken geen emotie toonde, keek hem aan met een uitdrukking die opmerkelijk dicht in de buurt van genot kwam. 'Heel veel slaven, ik heb iedere gezonde mannelijke slaaf binnen een cirkel van vijftig mijl ingelijfd. Een niet gering aantal weldoorvoede kooplui moest het de afgelopen twee maanden zonder massage of een beetje behoorlijke visstoofschotel stellen.' Hij snoof een paar keer, wat Vespasianus interpreteerde als een dappere poging tot lachen.

Toen ze langs de eerste paar schiereilanden reden, op ongeveer een derde van de brug, versnelde Caligula tot draf. Door de hogere snelheid werd Vespasianus zich wat bewuster van het golvende oppervlak, omdat hij sneller van schip naar schip ging en de hoogteverschillen beter registreerde. Rechts van hem vormde de kromming in de weg naar het schiereiland een haven waarin plezierboten lagen, te klein om van nut te zijn voor de brug, maar handig voor eventuele waterpret.

Achter hem rolden de rijtuigen de brug op, gevolgd door de infanterie.

Iets over de helft, waar aan de andere kant van de brug een zijweg de zee in liep, zweepte Caligula zijn paarden op tot handgalop. Tot grote vreugde van de knielende mannen in de strijdwagens konden ze, wanneer ze links en rechts over de rieten rand van hun wagen keken, de boegen van de schepen onder hen niet meer zien en zagen ze alleen nog maar water. Ze zagen natuurlijk nog de masten voorbijkomen, maar verder hadden ze echt het gevoel over een uitgestrekte zeevlakte te rijden.

Een kwart mijl voor het einde van de brug liet Caligula zijn paarden vol in galop gaan. De sterke Keltische pony's volgden al gauw, en achter hen denderde ook de cavalerie de brug over. De hoefslag van de talloze paarden weergalmde op eigenaardige wijze door de holle rompen van de schepen, waardoor het geluid vijf keer zo hard werd: een oorverdovend geroffel dat het schreeuwen en gillen van de wagenmenners en de cavaleristen overstemde. Vespasianus was zich nauwelijks bewust van wat er om hem heen gebeurde, hij voelde slechts de snelheid, hoorde het kabaal en merkte dat de wind alle zorgen uit zijn hoofd blies; hij volgde Caligula blindelings en schreeuwde de longen uit zijn lijf.

Caligula reed door toen de brug al geëindigd was.

Hij reed door naar waar de inwoners van Puteoli zich hadden verzameld om naar het spektakel te kijken. Zwaaiend met zijn vergulde zwaard stuurde hij zijn span de verbijsterde menigte in, kegelde hij de mensen om die niet snel genoeg uit de weg gingen, vertrapte hen onder de hoeven van zijn paarden. Een ogenblik later volgden de andere strijdwagens, ze konden niet stoppen vanwege de doordenderende cavalerie achter ze en knalden op de kwetsbare muur van vlees en beenderen. Gejammer en geschreeuw doorkliefde de lucht, was zelfs luider dan het geroffel van de hoeven op de brug, dat bleef klinken terwijl de gedrongen pony's, met het gewicht van de wagens achter zich, bloedige sporen trokken door de menigte, die even daarvoor nog in feeststemming was.

Vol afgrijzen zag Vespasianus zijn paarden inrijden op een gezin. Een zuigeling vloog krijsend door de lucht terwijl de ouders en hun overige kinderen met in de kiem gesmoorde noodkreten onder de ponyhoeven verdwenen, waarna weer andere gezichten, versteend van angst, een laatste blik wierpen op een verbijsterende werkelijkheid. Aan weerszijden van hem waren Sabinus en Corbulo de aanrichters van een vergelijkbaar bloedbad, terwijl achter hen de cavaleristen, die zonder het te willen naar voren werden gedreven door de rest van de colonne, naar links en rechts uitwaaierden en inreden op delen van de menigte die de dodelijke dans probeerden te ontspringen.

In deze hel van gebroken ledematen en gekraakte schedels lukte het Vespasianus zijn doodsbange paarden tot stilstand te brengen. Zijn slaaf vloog ontdaan over de disselboom en sprong tussen de nekken van de steigerende beesten op de grond, pakte hun bitten en trok hun hoofden naar beneden om ze te kalmeren. Over de hele linie ging nu langzaam de vaart uit de hoofdmoot van de cavalerie en de colonne kwam traag tot stilstand. De menigte, die nu niet meer onder druk stond, sloeg op hol en liep vast in de straten die wegleidden van de haven, waar degenen die koste wat kost wilden overleven de zwaksten vertrapten.

Caligula kwam lopend tevoorschijn uit de chaos van verbrijzelde en gebroken lichamen, hij leidde zijn paarden bij de hand en lachte hysterisch. Zijn strijdwagen hobbelde over de doden en gewonden, die hij nauwelijks leek op te merken. 'Terug naar de brug, vrienden. We gaan een offer brengen aan mijn broer Neptunus om hem te danken voor de rustige zee, zonder welke wij deze glorieuze overwinning nooit hadden behaald.'

Vespasianus en Sabinus keken elkaar aan, afschuw tekende hun gezicht en schaamte brandde in hun hart. Afschuw van hetgeen waaraan zij deel hadden genomen en de gevolgen daarvan, schaamte voor de gedachte waartoe ze in eerste instantie waren verleid, dat het een schitterende en opwindende prestatie was, een voorspel op de grootse wapenfeiten die zouden gaan komen, en dat zij zich daar zo geestdriftig in hadden gestort.

Er waren geen woorden voor. Hun slaven schudden in ongeloof het hoofd, keerden hun paarden, die nog altijd grote ogen hadden van angst, leidden die weg van de lange stapel verminkte lichamen en klommen weer op hun strijdwagen. Rondom hen, op de kade en ook op de brug, probeerde de praetoriaanse cavalerie zich in de chaos te hergroeperen en weer het strakke gelid te vormen waarop zij altijd zo trots was.

Caligula was niet geïnteresseerd in militaire precisie. Zodra de Keltische strijdwagens achter hem gekeerd waren, sprong hij op zijn quadriga en dreef zijn span de wanordelijke cavalerie-eenheid in, die weinig anders kon dan wijken voor haar keizer. Voor de cavaleristen op de kade leverde dat geen problemen op, maar toen Caligula op de brug kwam en zijn span bleef aansporen, had de cavalerie de grootste moeite om op de krappe brug ruimte voor hem te maken. Niemand wilde degene zijn die de keizer ophield, dus iedere ruiter op zijn pad dreef zijn paard naar de zijkant, waardoor er een domino-effect ontstond en de buitenste paarden hinnikend van de weg werden geduwd en op het dek van de schepen tuimelden, een val van gelukkig maar een paar voet. Vespasianus en de andere wagenmenners volgden Caligula door deze bende, tot ze op zeker moment door de achterste gelederen braken en op een lege weg terechtkwamen. Meteen galoppeerde hij recht op de rijtuigen en de infanterie af.

De pony's van Vespasianus waren volkomen uitgeput toen hij het midden van de brug bereikte, waar de zijweg zuidwaarts naar het grootste schiereiland krulde. Caligula was daar ruim voor hem ge-arriveerd, maar tegelijkertijd met de rijtuigen, te oordelen naar de gekantelde wagens op de weg en de schepen daarnaast, met de brie-sende paarden er nog aan vast. Hij was van zijn quadriga gestapt en had zijn losgekoppelde Incitatus bestegen, en de senatoren en hun vrouwen volgden hem nu te voet over de krullende weg, een schip breed, aan het einde waarvan een soort tempel stond, compleet met pilaren en trappen aan alle kanten. In de haven die door de krullende weg was ontstaan en rond het platform waarop de tempel stond, lagen talloze bootjes aangemeerd, die nu, anders dan bij de eerste haven, waren bemand: de opgerolde zeilen hingen hoog aan de mast en de riemen zaten al in de dollen.

Vespasianus, Sabinus en de overige wagenmenners stegen snel af, ze wilde de senatoren inhalen.

'Ah, jongens, ik zat al op jullie te wachten,' riep Gaius. Aenor hield een parasol boven zijn hoofd, de andere jongen deed waaierend zijn best om zijn meester in de toenemende hitte koel te houden. 'Wat vonden jullie ervan? Vanaf de andere kant zag het er spectaculair uit.'

'Het was moord, pure moord!' tierde Vespasianus. Dankbaar nam hij de waterzak aan die Magnus hem aanbood. Hij nam een paar flinke slokken, gaf de zak door aan Sabinus en veegde met de rug van zijn hand zijn mond af. 'En nu gaan we Neptunus bedanken omdat hij Caligula de kans heeft gegeven de helft van de bevolking van Puteoli te vermoorden.'

'De helft maar?' vroeg Magnus. 'Hij is het verleerd.'

Vespasianus keek zijn vriend woedend aan en beende weg.

Geflankeerd door acht van zijn Germaanse lijfwachten en Incitatus stond Caligula voor de tempel, zijn armen zaten onder het bloed van een jonge stier. 'Bevreesd voor mijn kracht heeft mijn broer Neptunus het offer in dank aanvaard, om mij niet te ontstemmen,' deelde hij de bij de tempel samengestroomde senatoren en hun vrouwen mee. Vespasianus zag nu dat de tempel geen echt gebouw was, het was een doek waarop heel kunstig de kleur en structuur van marmer waren geschilderd. Eveneens met marmerpatronen beschilderde boomstammen deden dienst als pilaren. 'Aangezien hij zo verschrikkelijk bang voor mij is, hebben wij niets van hem te vrezen, dus voorafgaand aan het overwinningsfeest gaan we de zee op. Dus nu naar de boten, kinderen, naar de boten.'

Hij ging zijn lijfwachten voor naar de rand van het platform en sprong in een ranke platbodem met acht riemen. Zijn Germanen stapten ook in en gingen achter de riemen zitten.

'Een boottochtje voor het eten kan best gezellig zijn,' merkte Gaius op terwijl Vespasianus, Sabinus en Magnus hem in een klein zeilbootje hielpen dat werd bemand door een stinkende, verweerde oude man en zijn kleinzoon. Hij maakte het zich gemakkelijk in de boeg en liet zich bedienen door Aenor en zijn parasol en de andere jongen met zijn waaier. De broers en Magnus gingen midscheeps zitten. De kleinzoon duwde af en de oude man rolde het driehoekige leren zeil af. Op een lichte bries gleed het bootje langzaam de baai in.

De senatoren en hun vrouwen, die geen getuige waren geweest van de slachting in Puteoli, namen opgetogen plaats in de verschillende vaartuigen, want de meesten van hen waren net als Gaius van mening dat een boottochtje voor het eten wel gezellig was. Niet veel later dobberden meer dan honderd kleine vaartuigen, uitgerust met roeiriemen dan wel zeilen, op het gladde water tussen de tempel en de brug, waarop de praetoriaanse infanterie en cavalerie in lange, donkere linies stonden opgesteld. Degenen die geen bootje hadden kunnen vinden of die dachten dat hun gestel niet was opgewassen tegen het element van Neptunus, slenterden over de zijweg, bewonderden het fraaie schouwspel en zwaaiden naar vrienden die fortuinlijker of moediger waren dan zij.

De boot van Caligula schoot overal tussendoor, maakte linkse en rechtse wendingen, terwijl hij joelend als een bezetene achter in de boot de stuurriem vasthield. Toen hij in de buurt van de Flavii kwam, zag Vespasianus dat hij zijn hoofd in zijn nek gooide en vragend omhoogkeek, alsof hij ineens niet meer wist waar hij was. Toen ging hij zitten en keek naar zijn Germaanse roeiers. 'Ramsnelheid!' gilde hij. De slagman reageerde ogenblikkelijk, en de andere spierbonken namen zijn ritme over. De boot schoot naar voren, recht op een groepje dobberende zeilboten af.

De zeilboten verlegden hun koers niet, niemand leek zich bewust van het dreigende gevaar. In een mum van tijd was Caligula's boot bij ze en knalde de stevige houten voorsteven van opzij in de romp van de eerste boot die hij tegenkwam. De platbodem sloeg opvallend snel om en de passagiers werden in zee gegooid. De boot van Caligula voer met onverminderde snelheid door, met twee handen trok hij aan de stuurriem zodat hij zijn neus in het volgende bootje kon rammen, met hetzelfde resultaat als bij het vorige. Terwijl er paniek uitbrak op de andere bootjes, lukte het hem om er nog twee te rammen. Maar plotseling draaide hij de boot om en voer terug in de richting vanwaar hij gekomen was.

In de buurt gekomen van zijn spartelende, sputterende slachtoffers haalde hij de stuurriem uit zijn vork, pakte hem stevig met twee handen vast en liet hem hard neerkomen op hun hoofden. Lachend als een krankzinnige zag hij de getroffen mannen en vrouwen bewusteloos onder water verdwijnen. 'Mijn broer Neptunus verdient ook wat tafelgasten. Doe hem de groeten,' riep hij hun na. Zijn boot sneed nog altijd op ramsnelheid door het water en kwam nu recht op het bootje van de Flavii af.

Geschrokken zagen zij het vaartuig op zich afkomen en vrijwel meteen keken ze naar de oude man, die, te oordelen naar de angst in zijn ogen, het ook had gezien. Door de weinige wind konden ze niet meer wegkomen en de oude man staarde als verlamd naar het dreigende gevaar. Het was zinloos om te schreeuwen dat hij iets moest doen, want er viel gewoonweg niets meer aan te doen. Ze konden zich alleen nog vastgrijpen aan iets stevigs en zich schrap zetten voor de klap.

Die kwam een ogenblik later, de schok joeg een trilling door de boot.

De boot sloeg om en Vespasianus belandde in het water. Hij had de tegenwoordigheid van geest om te duiken, zodat de riem van Caligula hem in ieder geval niet kon raken. Hij telde tot dertig, dat moest genoeg zijn, en trappelend zwom hij weer naar boven. Sabinus kwam vrijwel tegelijk met hem boven en samen keken ze snel om zich heen. Opeens verscheen het hoofd van Magnus.

'Waar is Gaius?' schreeuwde Vespasianus.

Alle drie blikten ze paniekerig om zich heen. De oude man en zijn kleinzoon kwamen achter hun bootje vandaan en zwommen met krachtige slagen naar hen toe. Gaius was nergens te zien. Vespasianus dook. Hoewel hij geen goede zwemmer was, gaf de wanhoop hem kracht, en snel daalde hij af, langs het lichaam van Aenor, uit wiens hoofdwond bloed stroomde. Het water was helder en al gauw zag hij zijn oom krachteloos worstelen; zijn ogen puilden uit door de druk die het inhouden van zijn adem veroorzaakte en het gewicht van zijn toga trok hem langzaam naar beneden. Met krachtige beenslagen zwom Vespasianus naar hem toe, gevolgd door Sabinus en Magnus. Hij greep Gaius' arm en sleepte hem mee omhoog, terwijl Magnus en Sabinus sjorrend zijn toga probeerden uit te trekken. Toen het kledingstuk helemaal loskwam, voelde Vespasianus dat het makkelijker ging, maar op dat moment keek Gaius hem doodsbenauwd aan en ontsnapten er talrijke luchtbellen uit zijn neus en mond. Zijn lichaam verkrampte, zijn longen vulden zich met water.

Met zijn drieën duwden ze Gaius naar het oppervlak. Happend naar lucht kwamen ze boven, maar Gaius dreef roerloos, met bleke lippen en gesloten ogen, in het water.

'Breng hem snel aan land,' riep Vespasianus.

De oude man en zijn kleinzoon schoten te hulp en met krachtige slagen sleepten zij Gaius zo snel als ze konden naar de zijweg, zo'n twintig passen bij hen vandaan.

Er waren genoeg helpers om het zware lichaam uit het water te tillen. Achter hen ging Caligula door met het terroriseren van de plezierbootjes.

Zodra Gaius op de weg was getrokken, draaide Vespasianus hem op zijn buik en liet zijn hoofd over de rand hangen. Water sijpelde uit zijn mond. 'Magnus, weet je nog wat jij zei toen we bezig waren met Poppaeus? Je moet even wachten voor je het water uit de longen laat lopen, anders komen ze weer tot leven.'

Het gezicht van Magnus klaarde op. 'U hebt gelijk,' zei hij, en hij ging schrijlings op Gaius' rug zitten en zette zijn handen op de achterkant van de ribbenkast.

Vespasianus en Sabinus knielden neer naast hun oom.

'Klaar?' zei Magnus. 'Nu!' Zes handen drukten tegelijk de borst-kas in. 'Nu!' En toen nog een keer. 'Nu!' En nog een keer.

Na een stuk of vijf keer gutste het water ineens uit zijn mond. Na nog een paar keer kwam er een tweede, grotere golf, meteen ge-volgd door een zuigende inademing. Toen ze de borstkas nog een keer indrukten, kwam er minder water uit, maar volgde er wel een raspende inademing en gingen Gaius' ogen open. Met een explo-sieve braakstuip kwam de inhoud van zijn met zeewater gevulde maag eruit en daarna, terwijl de laatste waterresten zijn longen verlieten, haalde hij een paar keer hortend en stotend adem. Mag-nus drukte nog twee keer zijn borstkas in en ging toen van hem af.

Hoewel het hem nog steeds moeite kostte, kon Gaius even later snel en oppervlakkig ademhalen. Hij keek niet-begrijpend naar Vespasianus. 'Ik verdronk, dat weet ik nog.'

'Maar u leeft nog, oom. Misschien maakte Neptunus zich onge-rust, was hij bang dat hij zijn eten met u moest delen.'

Ineens betrok het gezicht van Gaius. 'Mijn jongens?'

Vespasianus schudde langzaam zijn hoofd en keek toen naar de haven, waar vlak naast hun gekapseisde boot twee kleine lichamen op hun buik in de zee dreven.

Het was niet duidelijk of Caligula het beu was om zijn broedergod te voorzien van tafelgasten of bang was daarmee zijn eigen overwin-ningsfeestje te bederven, maar kort na het herstel van Gaius kwam hij aan land en beval iedereen naar het kolossale triclinium op een schiereiland ten noorden van de brug te gaan.

In opperbeste stemming liep hij met Incitatus over de weg, speels duwde hij af en toe een senator in het water die uit zijn boot probeerde te klauteren. Maar de Germanen liepen naast hem en dus durfde nie-mand ook maar een vinger naar hem uit te steken. De dreigende aanwezigheid van de praetoriaanse garde, die nog altijd op de brug stond opgesteld, bood hem nog meer bescherming. De keizer was de enige reden waarom de garde bestond en dus was ieder lid hem vol-komen trouw, en elke poging om hem hier om het leven te brengen zou uitmonden in een onmiddellijke en genadeloze wraakactie: de hele Senaat zou worden uitgemoord. De senatoren wisten dat, en Caligula wist het ook.

Als teken van waardering gaf Caligula een lange toespraak waarin hij zijn trouwe manschappen bedankte voor hun verbluffende zege op Puteoli, en bij een veilige terugkeer naar Rome zou hij hen belonen met een extra jaarinkomen. Het stond buiten kijf dat zij hem daarna helemaal alle mogelijke bescherming zouden bieden.

Halverwege de middag leidde Caligula de Senaat naar het schiereiland voor het overwinningsfeest. Vespasianus en Sabinus liepen vlak achter hem met de uitgeputte, bedroefde Gaius, die het niet aandurfde om weg te gaan en dus voortstrompelde, ondersteund door Magnus.

'Ah, Sabinus,' riep Caligula naar achteren, en hij wachtte tot de Flavii bij hem waren, 'ik denk dat het tijd is voor je verrassing.'

Sabinus vertrok geen spier. 'Het is mij een eer, Goddelijke Gaius.'

'Ik weet het. Maar ik heb mannen nodig die ik in het komende jaar van veroveringen kan vertrouwen, ik kan namelijk niet alles zelf doen, begrijp je.'

'Als u het zegt, Goddelijke Gaius.'

'Dat zeg ik. Ik heb het Negende Hispana nodig voor mijn veldtocht naar Germania, dus ik stuur die verlegen imbeciel die nu het bevel heeft naar huis en benoem jou tot legaat. Jij hebt in dat legioen gediend als tribuun, als ik me niet vergis.'

Sabinus keek met een mengsel van verbazing en dankbaarheid naar zijn keizer.

Caligula schoot in een kille lach. 'De opluchting dat je beloond in plaats van beledigd wordt; ik wist dat ik na al die dagen wachten zou genieten van de uitdrukking op je gezicht.'

'Ik heb nimmer aan u getwijfeld, Goddelijke Gaius. Hoe kan ik u bedanken?'

Caligula sloeg Sabinus op zijn schouder toen ze vlak bij de hoge houten deuren van het triclinium waren. 'Ik weet het pas sinds gisteren. Nu denk ik dat zich een mogelijkheid aandient, misschien sneller dan je denkt.'

Chaerea stond klaar om zich bij Caligula te melden, en twee slaven openden de deuren.

'Het wachtwoord, Chaerea,' zei Caligula terwijl hij hem wegduwde, 'is "Eunuch".'

Vespasianus herkende de haat in de ogen van de tribuun toen hij naar binnen liep, maar was dat alweer vergeten toen hij om zich heen keek en zich ineens realiseerde dat dit, na een dag die chaotisch en grillig, op het ritme van Caligula's nukken, verlopen was, precies op het juiste moment kwam. De zaal was even groot als prachtig. Hij was op dezelfde manier gemaakt als de tempel, met beschilderde houten pilaren als ondersteuning van het dak, maar voelde ruim en luchtig. Tegenover de ingang waren deuren die toegang boden tot andere vertrekken. Voor die deuren zaten muzikanten. Ze tokkelden op hun lieren en toverden hoge tonen uit hun fluiten. Op de marmeren vloeren stonden, regelmatig verdeeld over de ruimte, talloze tafels en banken. Maar werkelijk adembenemend waren de kleine rechthoekige gaten die boven elke tafel in het plafond zaten en die zo waren geplaatst dat alleen op dit uur van de dag de zon precies op elke tafel scheen en alleen de tafel verlichtte en niet de banken eromheen.

'Perfect!' riep Caligula naar Callistus, die vlak achter de deur met gebogen hoofd naast Narcissus stond. 'Callistus, dit heb je goed gedaan. Ik ben geneigd je te belonen met je vrijheid.'

Callistus keek op, zijn gezicht toonde geen enkel teken van dankbaarheid. 'Zoals u wenst, goddelijke meester.'

'Alles is zoals ik het wens.' Caligula richtte zich tot Narcissus. 'Nu wens ik dat jij onze hoofdgasten naar hun plaatsen brengt, de anderen kunnen gaat zitten waar ze willen.'

'Natuurlijk, Goddelijke Gaius,' antwoordde de Griek poeslief. Caligula drong zich langs hem naar een groepje vrouwen dat aan de andere kant van de zaal op hem wachtte. Een van de vrouwen had een zuigeling in haar armen. Ze waren in gezelschap van Clemens, Claudius en, jawel, Corvinus.

Narcissus pakte Vespasianus in het voorbijgaan bij zijn arm en fluisterde hem iets toe. 'Gefeliciteerd met uw onlangs vergaarde rijkdom. Ik heb het de keizer nog niet verteld, laten we het voorlopig maar onder ons houden, vindt u ook niet?' Hij gaf hem een schouderklopje en liep weg om de binnenstromende senatoren te verwelkomen.

420

'Wat had die gluiperige vrijgelatene te zeggen?' vroeg Sabinus, die nog gloeide van trots naar aanleiding van zijn bevordering. Ze liepen achter Caligula aan.

'Niet veel, gewoon een verholen dreigement, dat ik volkomen van hem afhankelijk ben wanneer Caligula zonder geld zou komen te zitten.'

'Dat zou heel goed kunnen, jongen, als er nog zo'n dag komt als vandaag,' zei Gaius. Zijn stem klonk zwak.

Vespasianus keek naar de gouden schotels vol exquise delicatessen die, terwijl de senatoren en hun vrouwen gingen zitten, door de slaven op de tafels werden gezet. 'Iemand moet hier een eind aan maken.'

Gaius liet zich op een bank zakken. 'Ik moet bekennen dat ik die taak op me zou nemen als ik er de kracht voor had.'

'Wees gerust, heer,' zei Magnus geruststellend, 'dat gevoel is tijdelijk, u zult heel snel weer de neiging hebben voor zelfbehoud te kiezen.'

'Ik hoop dat je gelijk hebt, Magnus. Ik denk niet dat ik sterk genoeg ben om iemand met een zwaard te doden.'

'Chaerea wel,' merkte Vespasianus op, 'en als Caligula hem nog een paar keer zo beledigt, is hij ertoe in staat. De vraag is: wat doet Clemens?' Hij keek naar het fletse gelaat van de prefect en werd getroffen door de radeloosheid die zich daarop aftekende. Naast Clemens stond Corvinus met een zelfvoldane glimlach op Caligula te wachten.

'Agrippina en Julia Livilla,' zei Caligula enthousiast, en hij gaf zijn zussen een kus, 'ik hoop dat jullie je lesje hebben geleerd.'

De twee vrouwen leken weinig last te hebben van de beproeving die ze onlangs nog ondergaan hadden.

'Jawel, broerlief,' antwoordde Agrippina. Haar zus knikte slechts. 'We staan weer helemaal tot jouw dienst.'

'Dat is mooi, schatje,' zei Caligula. Hij klopte zacht op de bos rode haren op het hoofd van de zuigeling in haar armen. 'Hoe gaat het met de kleine Lucius Domitius?'

'Hij is sterk en heeft een willetje.'

'Hij móét wel sterk worden, voor het geval ik jullie op een dag moet verbannen naar die kale berg waar mijn moeder haar laatste dagen doorbracht.' Teder tilde hij haar kin op en kuste haar op de mond. 'Zorg dat het niet zover komt.' Hij wachtte niet op een reactie en richtte zich tot de vrouw naast haar. 'Messalina, jouw broer, Corvinus, heeft mij een grote dienst bewezen. Ik kijk ernaar uit om jou volgende maand in de familie te verwelkomen, ook al is het omdat je met deze baviaan gaat trouwen.' Hij keek vol minachting naar Claudius, die het hoofd boog en Caligula mompelend bedankte voor de belangstelling.

Messalina glimlachte, haar donkere ogen schoten naar Vespasianus en bleven even op de zijne rusten terwijl haar broer, Corvinus, hem triomfantelijk aankeek. Clemens leek zich met moeite te kunnen beheersen. In de zaal raakten de banken zo langzamerhand gevuld.

Caligula kwam bij de vierde een laatste vrouw. Zij was ouder dan de andere drie en allesbehalve aantrekkelijk, met hetzelfde lange gezicht en dezelfde grote neus als haar halfbroer Corbulo.

'Caesonia Milonia,' zei Caligula, en hij legde een hand op haar buik, 'hoe gaat met jouw zwangerschap?'

'Ik draag het kind van een god, Goddelijke Gaius, en het groeit.'

'Natuurlijk. Toch laat ik je voorlopig met rust en zoek mijn genot elders. Maar eerst gaan we eten.'

Caligula kauwde op een zwanenpoot en wuifde laatdunkend naar de honderden senatoren aan de talrijke tafels in de zaal. 'Moet je ze zien,' vertrouwde hij Vespasianus en Sabinus, die op de bank naast hem zaten, op minachtende toon toe. 'Ze haten me allemaal om wat ik de afgelopen twee jaar gedaan heb. Maar wat zouden ze er niet voor overhebben om op jullie plek te zitten, naast jullie keizer?'

'Wij zijn vereerd met uw gunst,' erkende Vespasianus. Hij had weinig trek in het eten dat op tafel was gezet.

'Dat is mooi, en heel mijn kudde is stinkend jaloers, want zij krijgen die gunst niet. Toch veinzen ze van mij te houden, wat ik hun ook aandoe.'

'Het is geen geveinsde liefde, ze haten u niet.'

Caligula keek Vespasianus geamuseerd aan. 'Je moet niet liegen, vriend. Wat heb ik volgens jou dan gedaan sinds ik keizer ben? Rechtvaardig geregeerd?'

Vespasianus nam Caligula een ogenblik goed op en zag tot zijn verbazing dat zijn ogen helder stonden. 'U heeft enkele grote prestaties verricht, en komend jaar zult u nog grotere daden verrichten,' antwoordde hij voorzichtig. Hij probeerde het bloedbad waarvan hij die dag getuige was geweest uit zijn hoofd te zetten.

'Dat heb ik inderdaad, maar het beste wat ik gedaan heb, is dat ik de senatoren een spiegel heb voorgehouden zodat ze kunnen zien wie ze werkelijk zijn: hielenlikkers en kruipers die maar op één manier kunnen leven. Al die jaren van zogenaamd hoogverraad, al die jaren waarin ze elkaar aanklaagden om maar in de gunst te komen bij Augustus, Tiberius, of Seianus, in de wetenschap dat ze bij een veroordeling het landgoed van hun slachtoffer zouden erven... het heeft ze moreel te gronde gericht. Het heeft mij het grootste deel van mijn familie gekost, en het is mijn plicht hen te wreken.'

Vespasianus en Sabinus keken elkaar aan, verbijsterd dat Caligula hen in vertrouwen dingen vertelde die een vleugje waarheid leken te bevatten.

'Bij al die vernederingen gaat het eigenlijk om wraak?' vroeg Sabinus.

Caligula glimlachte kil. 'Natuurlijk. Zie je, Vespasianus, je broer huichelt nu niet. Dat moet jij ook eens proberen. Denk je dat ik gek ben?'

Het antwoord bleef in zijn keel hangen. Wat hij ook zei, het zou hem in een onmogelijke positie brengen.

'Geef antwoord! En eerlijk graag. Denk je dat ik gek ben?'

'Ja, dat denk ik, Goddelijke Gaius.'

Caligula barstte in lachen uit, maar zijn ogen bleven vreugdeloos. 'Goed zo, vriend, je bent de eerste die mij de waarheid vertelt, ook al vrees je voor je eigen leven. Natuurlijk denk je dat ik gek ben, wie zou dat niet denken? En misschien ben ik dat ook wel, of misschien heb ik gewoon geen zin om me te beheersen. Maar met elke ogenschijnlijk gestoorde actie verneder ik de Senaat nog meer. Ik wil zien hoe zij door het stof gaan en desondanks veren in mijn kont blijven steken, in de hoop mijn gunst te krijgen. Toen ik ziek was kwamen ze iedere dag voor mijn deur offers brengen en bidden voor mijn genezing, terwijl ik wist dat ze alleen maar wilden horen dat ik overleden was. Toen besloot ik dat ik ze wilde zien kruipen, dat ik ze wilde laten doen wat geen Romein ooit gedaan heeft: een levende god aanbidden. En kijk, ze doen het. Maar ik ben geen god, zij weten dat ook, en toch doen we nu allemaal alsof. Zelfs jij veinst in mijn aanwezigheid dat ik een god ben, toch?'

Vespasianus slikte. 'Ja, Goddelijke Gaius.'

'Natuurlijk doe je dat, je wilt immers blijven leven. Ik ben de machtigste man op aarde, maar wat betekent die macht als je er niet mee praalt? Mensen aanbidden de machthebbers omdat ze bij ze in de gunst willen komen. Kostelijk. Weten jullie nog, die idioot die aanbood zijn leven te geven voor dat van mij? Hij dacht beloond te worden voor zijn pluimstrijkerij, maar ik hield hem aan zijn woord. Maar de leugenaar die zwoer gezien te hebben dat de geest van Drusilla ten hemel steeg om bij de goden te gaan wonen, beloonde ik met een miljoen sestertiën, dus nu weten ze niet meer wat ze moeten doen. De schaapjes! Ik duw ze steeds verder de grond in, en ik geniet ervan.'

Vespasianus fronste. 'Maar er komt een dag dat je iemand te ver duwt.'

'Denk je? Volgens mij niet. Degene die mij weet te vermoorden, wat niet zo eenvoudig zal zijn, tekent zijn eigen doodvonnis. En is hier iemand die het risico wil lopen al zijn bezittingen kwijt te raken, zodat hij zijn familie berooid achterlaat? Zouden jullie dat doen?'

Vespasianus noch Sabinus gaf antwoord.

Caligula snoof en stond op. 'Zie je, jullie zouden het ook niet durven, of wel soms? Jullie zijn net zo weinig waard als de rest, en dat zal ik bewijzen.' Hij liep naar Corvinus, die bij een van de deuren stond. Clemens stond naast hem en oogde nog steeds radeloos. De muzikanten bij de deur tokkelden en floten lustig door. 'Corvinus, wil je…?'

'Met genoegen, Goddelijke Gaius,' zei Corvinus. Hij opende de deur en verdween naar achteren. Er klonk een korte gil en een ogenblik later verscheen hij weer. Hij sleepte een naakte vrouw aan haar arm achter zich aan.

'Clementina!' riep Sabinus, en hij sprong op van zijn bank.

Vespasianus stak zijn arm uit en hield zijn broer tegen. 'Nee!' beet hij hem toe. 'Caligula heeft gelijk. Als jij sterft worden jouw bezittingen verbeurd, en dan hebben Clementina en de kinderen niets meer.'

'Ziet dat er niet verrukkelijk uit?' zei Caligula langzaam en met duidelijk genoegen. 'Corvinus heeft haar gevonden op de plek waar je haar verborgen had, Sabinus, en ik had het hem niet eens gevraagd. Dat is toch aardig van hem, vind je ook niet, Clemens?'

Clemens sloeg zijn ogen neer en ademde zwaar, trillend van ingehouden woede. Achter het akelige tafereel versmolten de klanken van de fluiten en lieren tot een lieflijke melodie.

Vespasianus hield Sabinus stevig vast. Hij spartelde tegen en snikte hevig.

Caligula pakte Clementina bij haar pols. 'Je man vroeg zich zoeven nog af hoe hij mij kon bedanken. Wat een geluk dat hij daar zo snel al antwoord op krijgt.' Hij schonk de broers een boosaardige, vragende blik. 'Schaapjes?'

De tijd vertraagde en het geluid dreef weg, Vespasianus probeerde zijn afschuw te verhullen. Met een uitdrukkingsloos gezicht keek hij Caligula strak aan en toen wist hij dat de keizer geen gelijk had: hij zou gedood worden, en zijn dood zou niet lang op zich laten wachten. Dat kon toch niet anders?

Maar wie zou hem moeten vervangen?

Vespasianus draaide zich om en staarde, nog altijd uitdrukkingsloos, naar Claudius, de enige directe erfgenaam van de Julisch-Claudische dynastie. Hij knipperde met zijn ogen, kwijlde van lust bij de aanblik van de naakte Clementina, en had onbewust de borst van Messalina gepakt. Hij zag Messalina en haar broer, Corvinus, die beiden naar Clemens keken en vervolgens een korte, even eerzuchtige als tevreden blik uitwisselden. Vespasianus wist wat Corvinus bewust in beweging had gezet door Clementina mee te nemen, de zuster van de prefect van de praetoriaanse garde, zodat zijn meester haar kon onteren. Corvinus wist dat Messalina daar uiteindelijk van zou profiteren, want haar toekomstige echtgenoot was toch de enige mogelijke opvolger van Caligula?

Vespasianus keek langs Messalina naar Agrippina, de zus van Caligula, die een van haat vervulde blik op haar wierp. Ze had haar zuigeling met zijn wortelkleurige kuif nog altijd op haar arm – ook een mannelijke erfgenaam, maar nog veel te jong. Zijn ogen dwaalden naar Caesonia Milonia, wier buik groeide door het zaad van Caligula en die hooghartig over haar grote neus naar de andere twee vrouwen keek, en hij wist dat de vrucht in haar buik de dood van de keizer niet zou overleven. Het zou Claudius worden, dacht hij, met zekerheid nu. Hij keek naar de misvormde man, wiens erectie schaamteloos uitstak onder zijn tuniek. Dit was het beste wat de dynastie van Caesar te bieden had. Hoe lang zou men dat kunnen verdragen?

De aarzelende klanken van een fluit drongen door tot zijn bewustzijn en uit die kiem groeide het lied van de feniks, dat de stilte in zijn hart verdrong. Ook de profetie van Thrasyllus drong zich ongevraagd op, en terwijl zijn blik over de nazaten van Caesar ging, wist Vespasianus ineens welke vraag hem op zekere dag zou terugvoeren naar de tempel van Amon in Siwa. Maar hij verdween even snel als hij gekomen was, en het geluid stroomde langzaam terug zijn oren in en de tijd zocht onverbiddelijk weer zijn normale, meedogenloze ritme op.

Clementina keek eerst naar haar man en toen naar haar broer, met smekende ogen, maar ze moesten machteloos toekijken terwijl de man die beschikte over leven en dood haar de zaal uit sleepte.

De deuren gingen dicht. Clementina gilde. Clemens liep naar de broers en fluisterde in Sabinus' oor: 'Niet hier, niet nu, maar waar en wanneer ik het wil, samen.'

Sabinus knikte nauwelijks zichtbaar, de tranen biggelden over zijn wangen, en voor het eerst in zijn leven vreesde Vespasianus voor zijn broer, de man wiens eergevoel sterk genoeg zou zijn om zijn gezond verstand te verdringen.

En vervolgens vreesde hij ook voor zichzelf. Sabinus zou met de dood in zijn hart terugkeren naar Rome en dan zou hij, Vespasianus, een keus moeten maken: zijn ogen sluiten voor de heilige bloedband, of zijn broer helpen de keizer te vermoorden.

NAWOORD VAN DE AUTEUR

Deze historische roman is gebaseerd op het werk van Tacitus, Suetonius, Cassius Dio, Josephus en Philo.

De gebeurtenissen rond de kruisiging van Joshua zijn op zijn minst vaag te noemen. Motieven en tijdlijnen lopen dwars door elkaar, wat ongetwijfeld te wijten is aan de schrijvers van weleer, die hun verhaal aanpasten aan het draaiboek van het nieuwe christendom van Paulus. Ik wil geenszins beweren dat mijn verhaal het 'echte', historisch correcte verhaal is. Ik heb het in elkaar gezet om Sabinus getuige te laten zijn van de geboorte van een godsdienst die later, in volgende delen van deze reeks, een belangrijke rol in het verhaal gaat spelen.

Ik heb veel te danken aan A.N. Wilson, die in zijn *Paulus, De geest van de apostel* de volledige naam van Paulus geeft en het intrigerende idee oppert dat hij mogelijk de tempelwachter was van wie Petrus het oor afhakte alsook dat hij misschien getuige was van de kruisiging.

We kunnen niet aantonen dat Paulus' jacht op de volgelingen van Joshua hem naar Kreta en Cyrenaica voerde. Vespasianus was daar quaestor in 34 na Christus of kort daarna, als we de tijdlijn volgen die Barbara Levick hanteert in haar uitmuntende biografie *Vespasian*. Ik koos voor het jaar 34 omdat, zo schrijft Tacitus althans, de feniks toen opnieuw verrees, een gebeurtenis die Cassius Dio in het jaar 36 plaatst. Tacitus gelooft zonder meer in de feniks en vult maar liefst een halve bladzijde met een beschrijving van de mythische vogel.

Silphium was toentertijd een uitstervend gewas, wat de economie van Cyrenaica onder grote druk moet hebben gezet. Naar verluidt zou Nero twintig jaar later de laatste levende plant aangeboden hebben gekregen.

De Marmariden heb ik waarschijnlijk een slechte dienst bewezen door hen als meedogenloze slavenhandelaren neer te zetten, waarvoor ik me verontschuldig.

Het orakel van Amon was in Siwa, en Alexander is daar geweest en is ook toegesproken. Hij heeft nooit onthuld wat hem verteld is.

Caligula had een lange affaire met Ennia, de vrouw van Macro, en zwoer haar tot zijn keizerin te kronen en Macro tot prefect van Egypte te benoemen voordat hij haar wegens overspel en koppelen beval zichzelf van het leven te beroven. Dat Vespasianus betrokken zou zijn geweest bij haar zelfmoord, is een verzinsel.

Poppaeus overleed door een natuurlijke oorzaak in 35 na Christus, en Tacitus schreef slechts over hem dat hij zijn werk goed deed. Niets wijst erop dat hij iets te maken had met de zelfmoord van Pomponius een jaar eerder. Dat lijkt het werk van Tiberius te zijn geweest.

Rond deze tijd kwamen de Parthische gezanten inderdaad naar Rome en steunde Tiberius de aanspraak van Phraätes, met als gevolg dat Rome twee jaar lang ingreep in het Oosten onder leiding van Lucius Vitellius, de gouverneur van Syria. Het is mijn idee om Herodes Agrippa daarbij te betrekken, zoals het ook mijn idee is om hem in Jeruzalem te laten zijn ten tijde van de kruisiging en hem te laten samenzweren met Macro en Poppaeus met als doel de macht te grijpen in de oostelijke provincies.

Dat Sabinus de aedilis was die toezicht hield op het graan is ook ontsproten aan mijn fantasie, al zal hij deze rang rond deze tijd verkregen hebben. Tiberius heeft na een brand in de laatste maanden van zijn keizerschap wel veel geld gestoken in de wederopbouw van de Aventijn. Tacitus beweert dat Macro de oude Tiberius heeft laten stikken, en Cassius Dio zegt dat Caligula de Senaat zijn testament liet wijzigen omdat hij zijn verstand zou hebben verloren, wat wel bleek uit het feit dat hij een jongen als zijn opvolger had aangewezen.

Suetonius zinspeelt heel mooi op de manier waarop Vespasianus de heerschappij van Caligula overleefde: hij schrijft dat Vespasianus het woord nam in de Senaat en de keizer bedankte voor de maaltijd die hij de avond daarvoor op zijn uitnodiging met hem genuttigd had, waarmee Suetonius aangeeft dat Caligula in hem een vriend zag en ook dat Vespasianus besefte dat je met zulke verfoeilijke hielenlikkerij je eigen huid kon redden.

Wat de buitenissigheden van Caligula aangaat, die waren talrijk en divers, als we de geschiedschrijvers moeten geloven, en ik zie geen reden om dat niet te doen, al neem ik graag aan dat ze wellicht niet wars zijn geweest van enige overdrijving. Alles wat hij in dit boek doet, wordt vermeld of gesuggereerd door Suetonius of Cassius Dio; het verhaal van Tacitus is spijtig genoeg verloren gegaan. Ik heb slechts twee dingen overdreven: ten eerste de scènes waarin hij in het openbaar seks heeft met Drusilla. In de bronnen heb ik nergens iets gelezen over een theater dat hij speciaal voor dit doel zou hebben laten bouwen, al is dit wel geopperd door enkele fantasierijke hedendaagse schrijvers, en omdat ik het een mooi idee vond, heb ik het overgenomen. Als iemand kan aantonen dat het op historische feiten berust, zou ik dat maar al te graag vernemen! Ten tweede: dat Caligula zijn twee zussen zou hebben gedwongen in het paleis seks te hebben met armelui, komt uit soortgelijke bronnen. Ik heb dit gebruikt omdat het mij een mooie manier leek om, op grond van wat Suetonius schrijft, van zijn paleis een bordeel te maken en zijn zussen de hoer te laten spelen voor zijn vrienden.

De ziekte van Caligula is een mysterie en het onderwerp van diverse theorieën. Eén ding is zeker: hij is daarna nooit meer de oude geworden. Ik heb schaamteloos leentjebuur gespeeld bij Robert Graves, volgens wie Caligula na zijn herstel op het idee kwam, gewoon omdat het leuk was, dat hij in een god was veranderd. Mijn dank gaat uit naar deze grote schrijver van historische romans.

Vespasianus was tijdens het keizerschap van Caligula verantwoordelijk voor het wegonderhoud in Rome. Suetonius maakt iets moois van het verhaal dat Caligula, die walgde van de staat waarin de wegen verkeerden, opdracht gaf afval in de plooien van Vespasianus' toga te gooien: naar zijn idee een teken dat Vespasianus Rome op zekere dag in zijn schoot zou krijgen geworpen. Ik denk zelf dat het een teken was dat Vespasianus zich niet erg druk maakte om zijn werk.

Valerius Catullus beweerde dat hij zich uitsloofde om Caligula te bevredigen, en dus niet Clemens, maar ik vond het een leuk detail om in dit verhaal te verwerken.

Antonia werd door het gedrag van Caligula tot zelfmoord gedreven en gaf ongetwijfeld opdracht Caenis na haar dood vrij te laten, want die moet rond die tijd al dertig zijn geweest.

Het aandeel van Vespasianus in de roof van Alexanders borstpantser uit Alexandrië is ook een van mijn eigen vondsten. Anderzijds, iemand heeft het moeten halen, dus waarom niet onze hoofdpersoon? Het plaatst hem meteen in Alexandrië ten tijde van het Joodse oproer in 38 na Christus. De rellen en de vernedering van Herodes Agrippa heb ik gebaseerd op de verhalen van Josephus en Philo alsook op het voortreffelijke *Alexandrian Riots of 38 CE and the Persecution of the Jews* van Sandra Gambetti. Dat Paulus toen ook ter plaatse was, heb ik verzonnen, maar als hij na zijn bekering in Damascus inderdaad drie jaar in de woestijn leefde, zal hij rond het jaar 38 naar de bewoonde wereld zijn teruggekeerd, al gebeurde dat waarschijnlijk niet in Alexandrië.

Mijn favoriete commentaar op de rellen is van Philo, de broer van Alexander de Alabarch, die zich niet eens zozeer opwindt over alle doden, maar vooral over het feit dat vooraanstaande Joden werden gegeseld alsof ze eenvoudige Egyptische boeren op een akker waren en niet, zoals beter bij hun status paste, met de roede kregen. En dan werden ze ook nog eens gegeseld door Grieken van het allerlaagste allooi. Schandalig!

Vespasianus moet Flavia Domitilla hebben ontmoet in de periode waarin dit verhaal zich afspeelt. Zij was de minnares van Statilius Capella uit Sabratha en de dochter van Flavius Liberalis, een eques die eerder als klerk van een quaestor werkzaam was.

De brug van Caligula over de Baai van Napels moet een schitterende aanblik hebben geboden. Hij veroorzaakte echter wel een enorm voedselgebrek in Italië. De beschreven gebeurtenissen komen alle uit historische bronnen, het enige wat ik veranderd heb is de tijdlijn: in dit boek gebeurt in één dag wat volgens de bronnen in twee dagen gebeurde. Corbulo had waarschijnlijk niets te maken met de aanleg van de weg over de brug, maar hij deed in de Senaat wel zijn beklag over de staat van de wegen en werd als dank voor de moeite door Caligula gekroond tot keizer van de wegen – een grap misschien?'

De verkrachting van Clementina door Caligula is fictief, maar past in het beeld dat wij van Caligula hebben.

Mijn dank gaat uit naar mijn agent, Ian Drury van Sheil Land Associates, alsook naar Gaia Banks en Virginia Ascione, voor het werk dat ze voor me verrichten op het terrein van de buitenlandse rechten.

Ik bedank Sara O'Keefe en Toby Mundy van Corvus/Atlantic voor hun vertrouwen in de *Vespasianus*-reeks en hun wil om mijn boeken uit te geven.

Ook voor dit boek was het mij gegund samen te werken met Richenda Todd, mijn redacteur, die mijn boek zoals altijd aanzienlijk heeft verbeterd.

En tot slot wil ik Anja bedanken, die na iedere werkdag weer luisterde naar mijn verhalen.

Het verhaal van Vespasianus wordt vervolgd in *Gevallen arend van Rome*, dat zich afspeelt in Germania en Britannia.

ROBERT FABBRI

Vespasianus – Tribuun van Rome

Het eerste deel in de serie over *VESPASIANUS, door NRC Handelsblad* verkozen tot een van de beste boeken van 2011!

Het jaar 9 na Christus. Titus Flavius Vespasianus wordt onder een ongelukkig gesternte geboren. Op zestienjarige leeftijd verlaat Vespasianus, toekomstig keizer van Rome, zijn familie en gaat op weg naar de hoofdstad van het Romeinse keizerrijk met als doel toe te treden tot het leger. Maar hij treft een stad aan waar chaos heerst en een keizerrijk dat op de rand van de afgrond staat. Rome wordt in een ijzeren greep gehouden door Seianus, aanvoerder van de Praetoriaanse Garde en in alles behalve naam heerser over het keizerrijk.

Vespasianus vlucht uit Rome en accepteert een post als tribuun van een impopulair legioen aan de grens met de Balkan. Onervaren als hij is, moet hij zijn mannen leiden in een bloedig gevecht tegen vijandige bergstammen. Terwijl hij het Romeinse Rijk van de ondergang tracht te redden, moet Vespasianus er alles aan doen om het er zelf, ondanks de dreiging van binnenuit, ook levend van af te brengen...

'Geschiedenisles boordevol actie!' – *NRC Handelsblad*

ISBN 978 90 452 0075 0
ISBN e-book 978 90 452 0245 7

ROBERT FABBRI

Vespasianus – Scherprechter van Rome

Het vervolg op *VESPASIANUS – TRIBUUN VAN ROME*

Thracië, 30 na Christus. Vespasianus krijgt vanuit Rome de geheime opdracht een oude vijand uit een fort aan de oevers van de Donau te halen, voordat het na belegering in handen van de Romeinen valt. De missie van Vespasianus is cruciaal in de dodelijke strijd om het recht om het bestuur van Rome.

Voor Vespasianus zijn missie kan vervullen, komt hij in het besneeuwde gebergte in een hinderlaag terecht, moet hij het op open zee opnemen tegen piraten en wordt hij voortdurend geschaduwd door de spionnen van Seianus. Maar hij wordt met een nog grotere verschrikking geconfronteerd: hij moet naar het eiland Capri afreizen om zich te melden aan het helse hof van een krankzinnige keizer.

ISBN 978 90 452 0346 1
ISBN e-book 978 90 452 0356 0